사회를 한 권으로
가뿐하게!

중학 사회 ①-1

정답과 해설은 EBS 중학사이트(mid.ebs.co.kr)에서 다운로드 받으실 수 있습니다.

교재 내용 문의	교재 내용 문의는 EBS 중학사이트 (mid.ebs.co.kr)의 교재 Q&A 서비스를 활용하시기 바랍니다.
교재 정오표 공지	발행 이후 발견된 정오 사항을 EBS 중학사이트 정오표 코너에서 알려 드립니다. 교재학습자료 → 교재 → 교재 정오표
교재 정정 신청	공지된 정오 내용 외에 발견된 정오 사항이 있다면 EBS 중학사이트를 통해 알려 주세요. 교재학습자료 → 교재 → 교재 선택 → 교재 Q&A

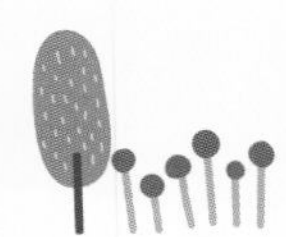

중학 사회
중학 역사

사회를 한 권으로
가뿐하게!

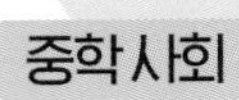

중학 사회

①-1

②-1

①-2

②-2

중학 역사

①-1

②-1

①-2

②-2

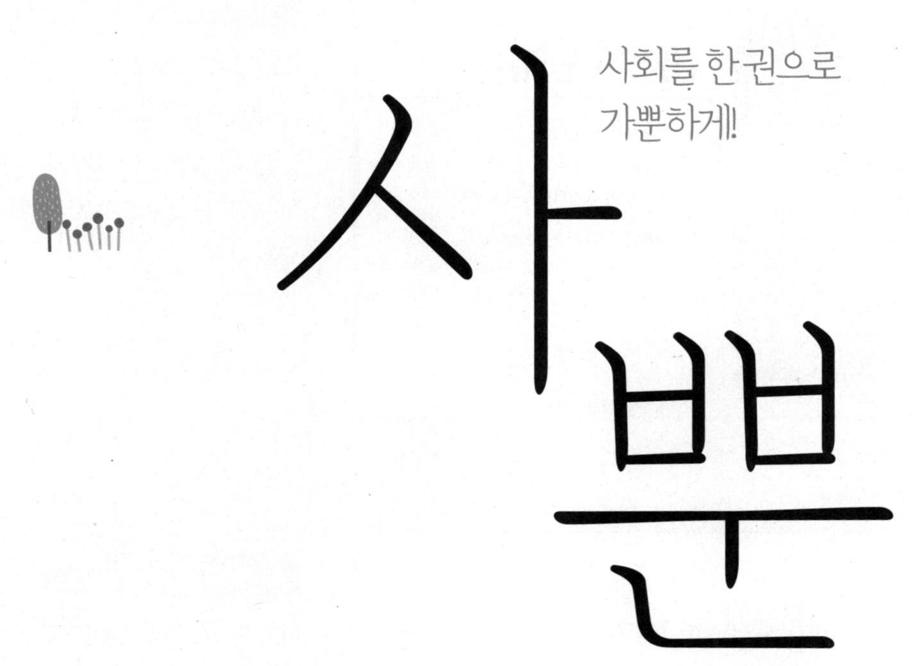
사회를 한권으로
가뿐하게!
사뿐

이 책의 사용 설명서

이 책을 알차게 이용할 수 있는 방법을 소개합니다.
어떻게 공부할지 사용 설명서를 잘 읽어 보고 교재를 활용해 보세요.

01 다양한 지도 읽기

학습 내용 들여다보기

■ 지도의 구성 요소

㉠ 축척(1cm가 500m임을 나타냄), ㉡ 방위표,

1. 우리가 사는 세계

(1) 육지와 바다의 분포: 육지는 지구 표면의 약
차지하며, 육지의 대부분은 북반구에 분포

(2) 세계의 대륙과 해양 자료 1

① 대륙: 아시아, 유럽, 아프리카, 북아메리카,

② 해양: 태평양, 대서양, 인도양, 북극해, 남극

2. 세계를 담는 지도

사용법 01 학습 내용 정리

중단원의 핵심 내용을 구조화하여 체계적으로 정리하였습니다. 배경 지식을 풍부하게 갖출 수 있도록 해 주는 '학습 내용 들여다보기'와 시험에 자주 나오는 자료, '용어 알기' 코너를 통해 핵심 개념을 완벽하게 학습하세요.

기본 문제

간단 체크

1 다음 설명이 맞으면 ○표, 틀리면 ×표 하시오.

(1) 육지의 대부분은 북반구에 분포한다. ( )

(2) 아시아 대륙의 서쪽, 아프리카 대륙의 북쪽에 위치하는 대륙은 유럽 대륙이다. ( )

(3) 아시아, 북아메리카, 남아메리카, 오세아니아 대륙에 둘러싸여 있으며, 면적이 가장 넓은 바다는 대서양이다. ( )

(4) 지표면의 여러 가지 정보를 기호나 문자를 사용해 일정한 비율로 줄여서 나타낸 것을 지도라고 한다. ( )

(5) 지도의 구성 요소 중 해발 고도가 같은 곳을 연결한 선을

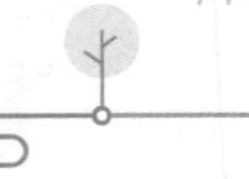

01 다음 지형이 위치한 대륙으

• 히말라야산맥

① 유럽 ② 아시
④ 북아메리카 ⑤ 오세

02 교사의 질문에 알맞게 대답

사용법 02 간단 체크

학습 내용 정리에서 공부한 개념을 간단 체크를 통해 체계적이고 효율적으로 정리하세요.

사용법 03 기본 문제

중단원의 핵심 개념을 기본 문제를 통해 점검할 수 있도록 구성하였습니다. 학습 내용 정리에서 공부한 개념을 확실하게 이해하는 코너로 활용하세요.

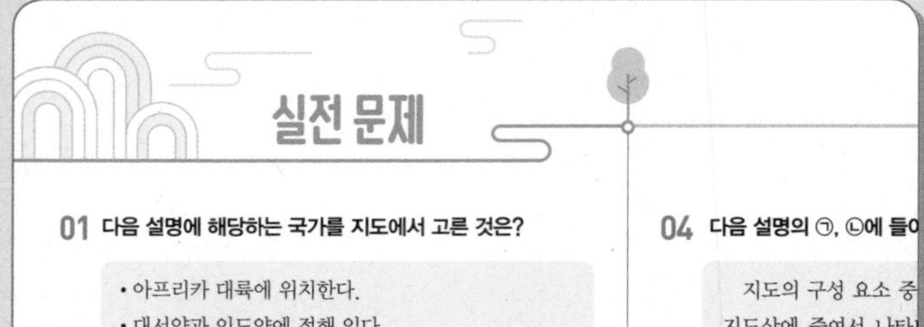

실전 문제

01 다음 설명에 해당하는 국가를 지도에서 고른 것은?

• 아프리카 대륙에 위치한다.
• 대서양과 인도양에 접해 있다.

04 다음 설명의 ㉠, ㉡에 들어

지도의 구성 요소 중
지도상에 줄여서 나타
지표면의 여러 가지 현
낸 것을 말한다.

	㉠	㉡
①	축척	기호
③	기호	축척
⑤	기호	등고선

사용법 04 실전 문제

중단원의 핵심 개념을 실전 문제를 통해 확인할 수 있도록 구성하였습니다. 학습 내용 정리와 기본 문제를 통해 학습한 내용을 바탕으로 실전에 적용해 보는 코너로 활용하세요.

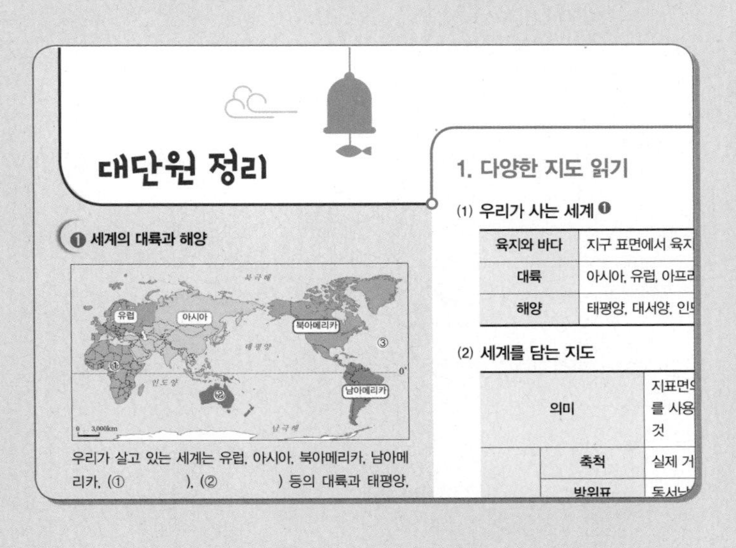

사용법 05 대단원 정리

단원별 핵심 내용을 표와 자료로 일목요연하게 정리한 코너입니다. 빈칸의 핵심 개념을 채워가면서 주요 개념을 좀 더 확실하게 익히는 코너로 활용하세요.

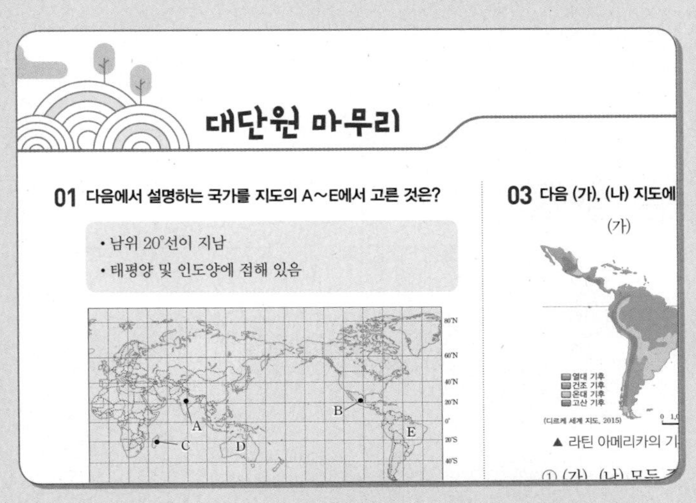

사용법 06 대단원 마무리

대단원의 핵심 문제를 엄선하여 구성한 코너입니다. 선다형, 서술형 등 다양하고 풍부한 유형의 문제를 풀어 보면서 학교 시험에 대비하는 코너로 활용하세요.

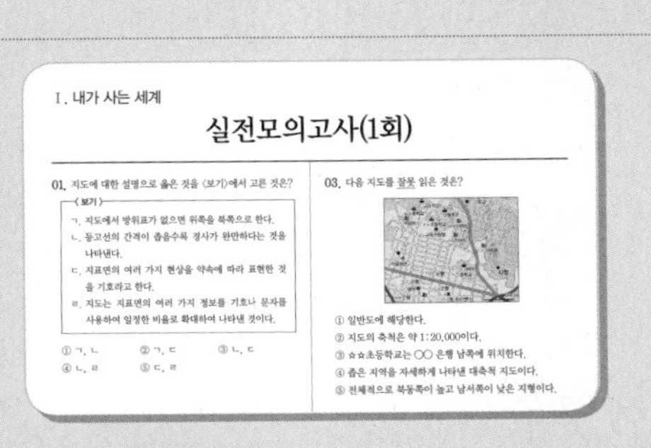

사용법 07 실전모의고사

학교에서 치러지는 시험지의 형식에 맞춰 실전 감각을 익힐 수 있게 구성한 코너입니다. 다양한 유형의 문제로 시험에 대한 막연한 두려움을 날려 보세요.

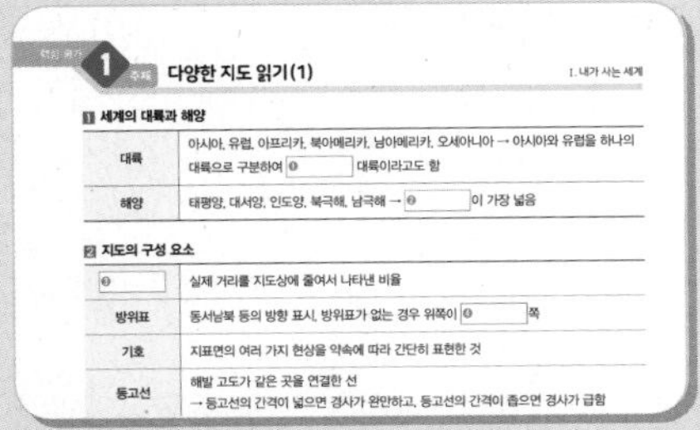

사용법 08 가뿐한 핵심 평가

중단원별 핵심 내용을 한눈에 살펴볼 수 있도록 구성한 코너입니다. 시험 전 최종 점검용 핸드북으로도 활용하세요.

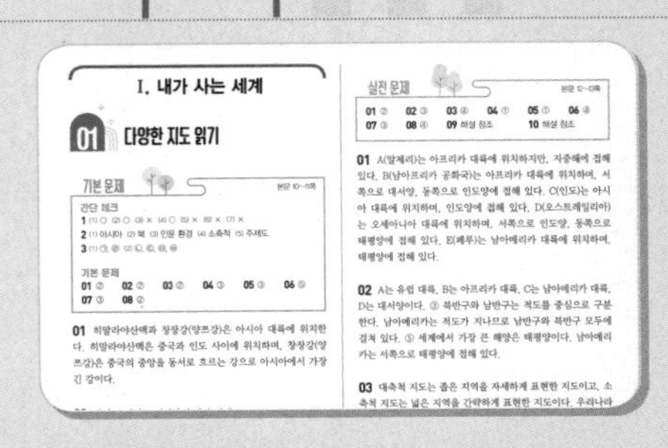

사용법 09 정답과 해설

모든 문항에 풍부한 해설을 곁들여 학습한 내용을 보완할 수 있도록 구성하였습니다. 오답을 피하는 방법도 자세하게 설명되어 있으니 꼭 짚고 넘어가세요!

이 책의 차례

I 내가 사는 세계

II 우리와 다른 기후, 다른 생활

III 자연으로 떠나는 여행

IV 다양한 세계, 다양한 문화

V 지구 곳곳에서 일어나는 자연재해

VI 자원을 둘러싼 경쟁과 갈등

내가 사는 세계

01 다양한 지도 읽기

02 위치와 인간 생활 ~
03 지리 정보와 지리 정보 기술

01 다양한 지도 읽기

학습 내용 들여다보기

■ 지도의 구성 요소

㉠ 축척(1cm가 500m임을 나타냄.), ㉡ 방위표, ㉢ 기호(학교를 나타내는 기호), ㉣ 등고선

■ 자연환경 정보를 담은 지도

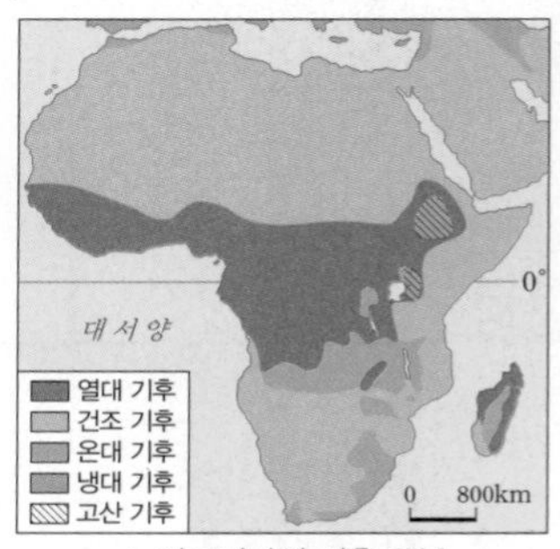

▲ 아프리카의 기후 구분

적도를 중심으로 열대 기후가 나타나고, 북부 지역에 건조 기후가 넓게 나타남을 알 수 있다.

용어 알기

- **해발 고도** 평균 해수면 기준으로 측정한 높이
- **행정 구역** 국가가 정치를 원활하게 하기 위해 구분해 놓은 일정한 구역 ㉮ 특별시, 광역시, 도, 시, 군, 구 등
- **인문 환경** 인간 활동의 결과로 지표상에 만들어진 환경으로 자연환경에 대비되는 개념

1. 우리가 사는 세계

(1) **육지와 바다의 분포**: 육지는 지구 표면의 약 30%, 바다는 지구 표면의 약 70%를 차지하며, 육지의 대부분은 북반구에 분포

→ 적도를 기준으로 북반구와 남반구로 구분해.

(2) **세계의 대륙과 해양** 자료 1

① 대륙: 아시아, 유럽, 아프리카, 북아메리카, 남아메리카, 오세아니아

② 해양: 태평양, 대서양, 인도양, 북극해, 남극해

2. 세계를 담는 지도

(1) **지도의 의미**: 지표면의 여러 가지 정보를 약속된 기호나 문자를 사용해 일정한 비율로 줄여서 평면에 나타낸 것

(2) **지도의 구성 요소**

축척	실제 거리를 지도상에 줄여서 나타낸 비율 ㉮ 축척이 1 : 20,000인 지도에서 지도상의 거리 1cm는 실제 거리 20,000cm 즉, 200m를 나타냄
방위표	동서남북 등의 방향 표시, 방위표가 없는 경우 위쪽이 북쪽
기호	지표면의 여러 가지 현상을 약속에 따라 간단히 표현한 것
등고선	해발 고도가 같은 곳을 연결한 선

→ 등고선의 간격이 넓으면 경사가 완만하고, 간격이 좁으면 경사가 급하다는 것을 나타내.

(3) **지도 읽기와 지도의 표현 방법**

① 지도 읽기 → 지도에는 다양한 정보가 담겨 있어서 '지도를 본다'라고 하지 않고, '지도를 읽는다'라고 표현하는 거야.

- 지도에 담겨 있는 정보를 읽어 그 지역의 특징을 파악하는 것
- 대륙과 해양 · 국가와 도시 · 건물 · 교통 시설 등의 위치와 행정 구역 파악
- 자연환경 정보: 기후도를 통해 지역의 기후 특징 파악, 산맥 · 하천 · 평야 등의 분포를 통해 지형 특징 파악 자료 2
- 인문 환경 정보: 인구, 도시, 산업, 교통, 문화 등 인간의 활동으로 만들어진 환경에 대한 정보 파악

자료 1 세계의 대륙과 해양

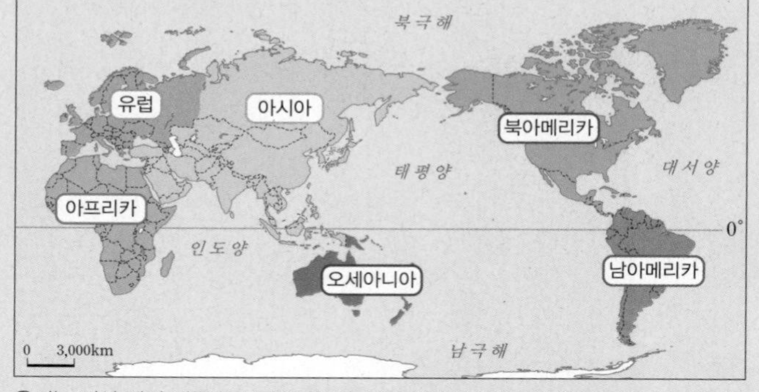

육지는 여섯 개의 대륙으로 구분하는데, 남극 대륙을 포함하여 일곱 개로 구분하기도 한다. 바다는 다섯 개의 대양으로 구분하는데, 태평양 · 대서양 · 인도양을 3대양이라 부르며, 태평양이 가장 넓다.

자료 2 지도에 표현된 자연환경

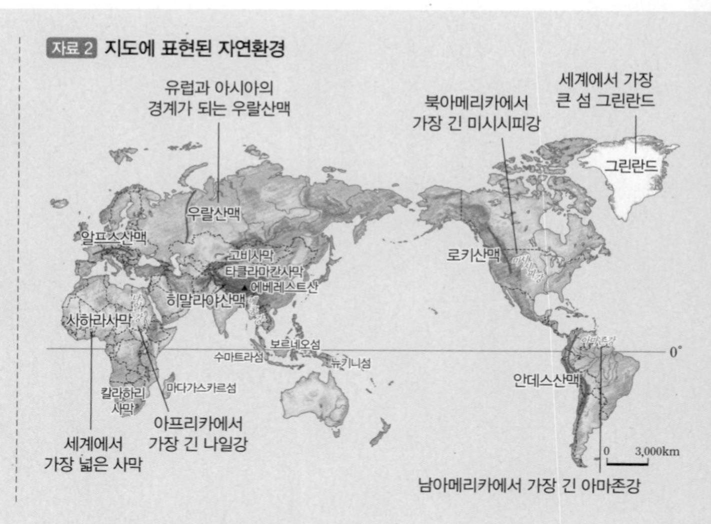

② **지도에 담긴 정보의 활용**: 장소의 선정, 위치 찾기, 토지 이용 계획 수립 등 생활의 많은 분야에서 활용

③ **다양한 지도 표현 방법**: 통계 자료를 다양한 방법으로 표현하여 정보를 효과적으로 전달하는 데 이용 → 선의 방향은 지리 정보의 흐름의 방향, 선의 굵기는 이동량을 나타냄.

점	점을 이용하여 지리 정보의 분포를 표현 예 인구 분포, 가축 사육 분포 등
선	선의 방향과 굵기를 달리하여 지리 정보를 표현 예 인구 이동, 자원 이동, 무역량 등
면	색이나 패턴을 단계에 따라 다르게 면에 표현 예 기후 구분, 인구 밀도, 지역별 비율 등
도형	원, 막대 등의 다양한 도형과 기호를 이용하여 표현 예 농작물 생산량, 공업 분포 등

더 알아보기 **통계 지도의 표현 방법**

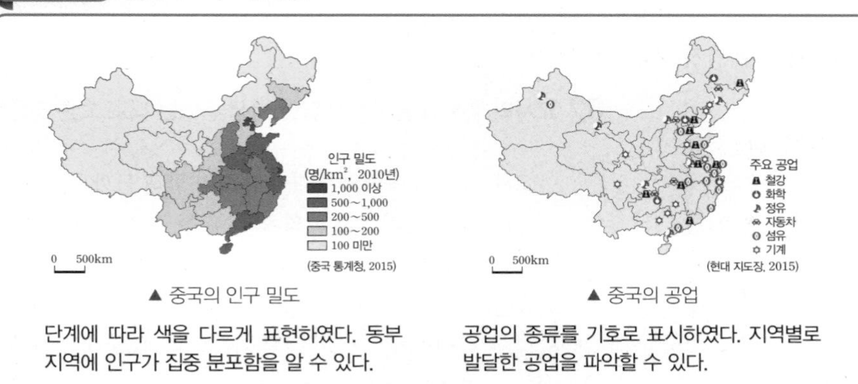

▲ 중국의 인구 밀도

단계에 따라 색을 다르게 표현하였다. 동부 지역에 인구가 집중 분포함을 알 수 있다.

▲ 중국의 공업

공업의 종류를 기호로 표시하였다. 지역별로 발달한 공업을 파악할 수 있다.

3. 지도의 분류

(1) 축척에 따른 분류 자료 3

① **대축척 지도**: 좁은 지역을 상세하게 표현하여 건물 위치, 도로 등이 잘 나타남
예 지하철역 주변 안내도, 마을 안내도 등

② **소축척 지도**: 넓은 지역을 간략하게 표현한 지도로 넓은 공간 범위를 보여 줌
예 세계 전도, 우리나라 전도 등

(2) 이용 목적에 따른 분류 자료 4

① **일반도**: 지표면의 형태와 그 위에 분포하는 일반적인 사항들을 종합적으로 표현한 지도 예 우리나라 전도, 지세도 등

② **주제도**: 특수한 목적에 따라 필요한 내용만을 나타낸 지도 예 기후도, 교통도 등

학습 내용 들여다보기

■ **일상생활에서 활용하는 지도**

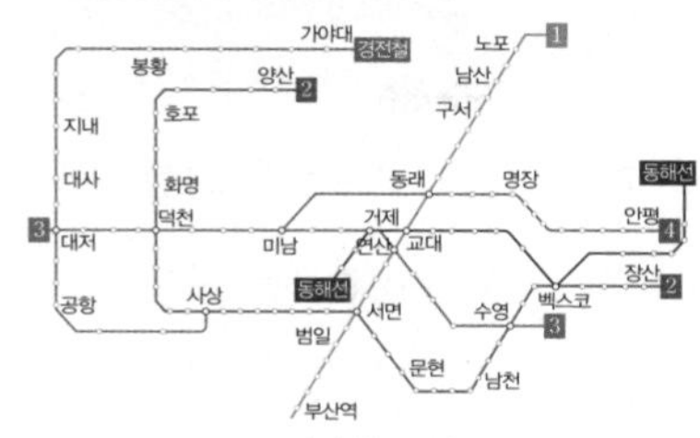

▲ 지하철 노선도

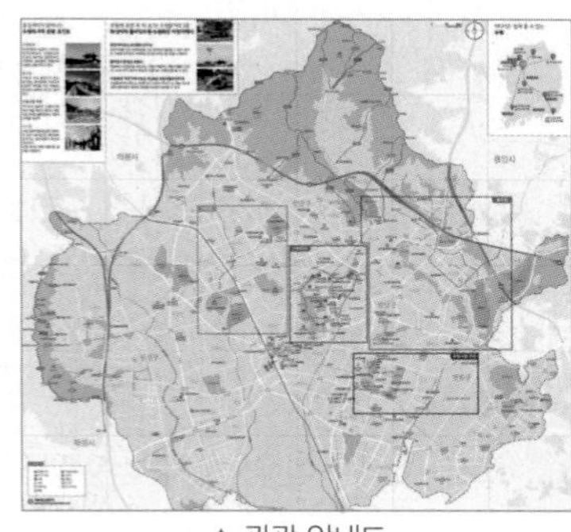

▲ 관광 안내도

용어 알기

- **인구 밀도** 단위 면적당 거주하는 사람의 수. 인구의 밀집 정도를 나타내는 지표
- **지세도** 지표의 형태와 여러 사물을 정확하고 상세히 그린 지도로 지형, 교통로, 지명 등을 표시함

자료 3 **대축척 지도와 소축척 지도**

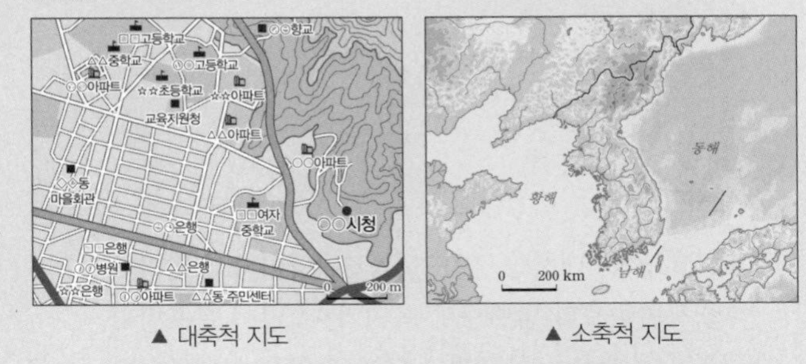

▲ 대축척 지도 ▲ 소축척 지도

두 지도는 크기가 같지만, 지도에 표현된 내용은 많은 차이가 있다. 대축척 지도는 행정 기관, 학교, 아파트 등 건물의 위치와 도로 등이 자세히 나타나 있다. 소축척 지도는 대축척 지도에 비해 덜 자세하지만, 우리나라의 전체 모습과 주변의 바다 등을 한눈에 볼 수 있다. 좁은 지역을 자세히 볼 때는 대축척 지도, 넓은 지역을 대략적으로 볼 때는 소축척 지도를 활용하는 것이 유리하다.

자료 4 **일반도와 주제도**

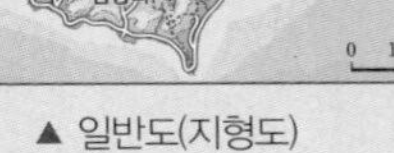

▲ 일반도(지형도) ▲ 주제도(관광 안내도)

일반도는 여러 가지 목적으로 사용하기 위해 지형, 행정 구역 경계, 도로 등 지표면의 일반적인 사항들을 표현한 지도이다. 지형도, 지세도, 세계 지도 등이 일반도이다. 주제도는 특수한 목적을 위해 필요한 정보만으로 표현한 지도이다. 위의 관광 안내도는 관광 안내를 목적으로 만든 지도로, 관광지의 위치를 위주로 표현하였다.

기본 문제

간단 체크

1 다음 설명이 맞으면 ○표, 틀리면 ×표 하시오.

(1) 육지의 대부분은 북반구에 분포한다. ( )

(2) 아시아 대륙의 서쪽, 아프리카 대륙의 북쪽에 위치하는 대륙은 유럽 대륙이다. ( )

(3) 아시아, 북아메리카, 남아메리카, 오세아니아 대륙에 둘러싸여 있으며, 면적이 가장 넓은 바다는 대서양이다. ( )

(4) 지표면의 여러 가지 정보를 기호나 문자를 사용해 일정한 비율로 줄여서 나타낸 것을 지도라고 한다. ( )

(5) 지도의 구성 요소 중 해발 고도가 같은 곳을 연결한 선을 방위표라고 한다. ( )

(6) 지도는 토지 이용 계획 수립과 같은 특수한 경우에만 필요하다. ( )

(7) 마을 안내도와 같이 도로와 건물의 위치 등이 나타난 상세한 지도가 필요할 때는 소축척 지도를 보는 것이 유리하다. ( )

2 빈칸에 들어갈 알맞은 말을 쓰시오.

(1) ( ) 대륙과 유럽 대륙은 연결되어 있지만, 민족과 문화 등이 차이가 커서 각각의 대륙으로 구분한다.

(2) 지도에 방위표가 없는 경우에는 위쪽이 ( )쪽이다.

(3) 지도에는 인구, 도시, 산업, 교통, 문화 등 인간의 활동으로 만들어진 ( ) 정보가 담겨 있다.

(4) 지도를 축척에 따라 분류하면 대축척 지도와 ( ) 지도로 나눌 수 있다.

(5) 지도를 이용 목적에 따라 분류할 때 인구 분포도는 ( )에 해당한다.

3 알맞은 것끼리 연결하시오.

(1) 자연환경 정보 •

(2) 인문 환경 정보 •

• ㉠ 지형
• ㉡ 문화
• ㉢ 산업
• ㉣ 기후
• ㉤ 도시 분포
• ㉥ 교통 시설

01 다음 지형이 위치한 대륙으로 옳은 것은?

• 히말라야산맥 • 창장강(양쯔강)

① 유럽 ② 아시아 ③ 아프리카
④ 북아메리카 ⑤ 오세아니아

02 교사의 질문에 알맞게 대답한 학생을 있는 대로 고른 것은?

교사: 지구의 육지와 바다에 대하여 말해 볼까요?
현민: 육지는 지구 표면의 약 30%를 차지하며, 대부분 북반구에 위치합니다.
유진: 육지는 아시아, 유럽, 아프리카, 북아메리카, 남아메리카, 오세아니아 등 여섯 개의 대륙으로 구분할 수 있습니다.
미나: 바다는 태평양, 인도양, 대서양, 북극해, 남극해로 구분할 수 있으며, 인도양이 가장 넓습니다.

① 현민 ② 현민, 유진
③ 유진, 미나 ④ 현민, 미나
⑤ 현민, 유진, 미나

03 다음 지도를 보고 설명한 내용으로 옳지 않은 것은?

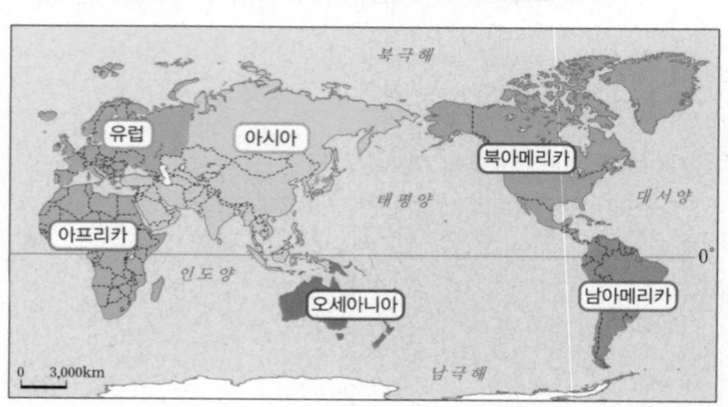

① 태평양, 대서양, 인도양을 3대양이라고 한다.
② 북반구보다 남반구에 육지가 더 많이 분포한다.
③ 유럽 대륙은 아프리카 대륙의 위쪽에 위치한다.
④ 유럽과 아시아를 하나의 대륙으로 구분하기도 한다.
⑤ 남아메리카 대륙은 서쪽으로 태평양, 동쪽으로 대서양에 접해 있다.

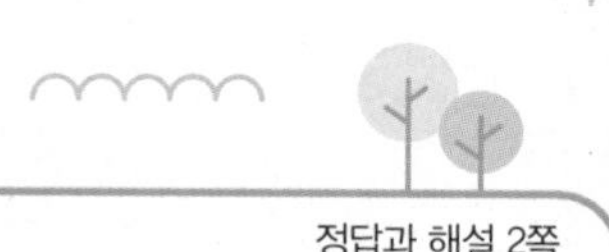

04 **지도와 관련된 용어와 뜻을 옳게 연결한 것은?**

① 기호 – 실제 거리를 지도상에 줄여서 나타낸 비율
② 소축척 지도 – 좁은 지역을 자세하게 표현한 지도
③ 방위 – 지도에서 동서남북과 같은 방향을 표시한 것
④ 일반도 – 사용자가 원하는 특정 지리 현상을 나타낸 지도
⑤ 축척 – 지표면의 지리적 현상을 지도에 간략하게 나타낸 약속

05 **다음 글의 밑줄 친 ㉠, ㉡에 해당하는 지리 정보를 옳게 연결한 것은?**

> 지도에는 다양한 지리 정보가 담겨 있기 때문에 지도를 읽으면 해당 지역에 직접 가지 않고도 그 지역의 ㉠ 자연환경과 ㉡ 인문 환경의 특성을 파악할 수 있다.

	㉠	㉡
①	지형	기후
②	인구	산업
③	기후	도시
④	기후	지형
⑤	도시	문화

06 **다음 지도에 사용된 지도 표현 방법에 대한 설명으로 옳은 것은?**

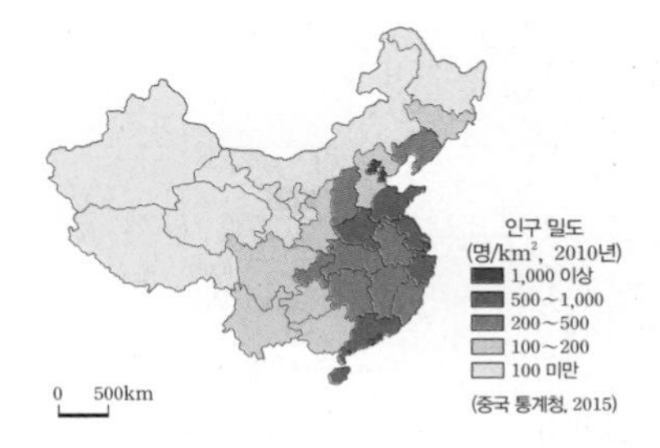

① 인구의 이동 방향이 나타나 있다.
② 점을 이용하여 인구 밀도를 표현하였다.
③ 지역별 인구 밀도를 기호로 표현하였다.
④ 각 지역의 인구 밀도를 정확히 알 수 있다.
⑤ 인구 밀도의 단계에 따라 색을 다르게 표현하였다.

[07~08] 다음 (가), (나) 지도를 보고 물음에 답하시오.

(가)

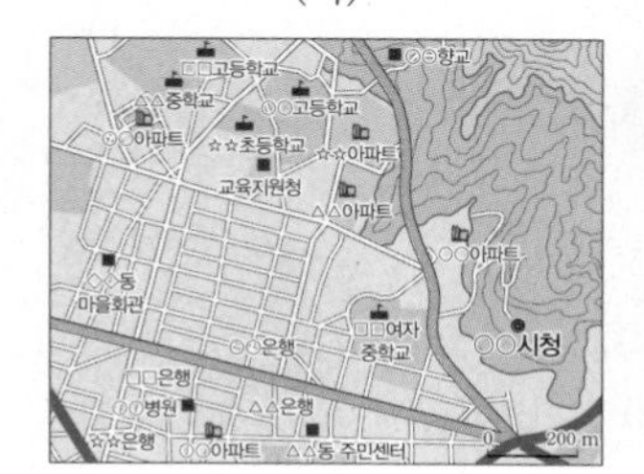

(나)

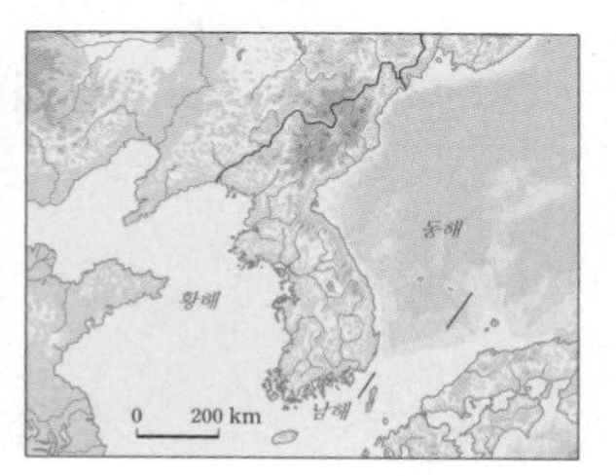

07 **(가), (나) 지도에 대한 설명으로 옳은 것은?**

① (가)는 (나)보다 축척이 더 작다.
② (나)는 (가)보다 실제 거리를 더 적게 줄인 지도이다.
③ (나)는 (가)에 비해 넓은 지역을 간략하게 표현하고 있다.
④ (가)는 소축척 지도, (나)는 대축척 지도라고 할 수 있다.
⑤ (나) 지도는 (가) 지도에 비해 지역의 정보를 좀 더 쉽고 자세하게 알 수 있는 지도이다.

08 **(나) 지도에 대한 설명으로 옳은 것을 〈보기〉에서 고른 것은?**

> **보기**
> ㄱ. 소축척 지도이다.
> ㄴ. 인구, 도시 등의 인문 환경 정보가 나타나 있다.
> ㄷ. 건물의 위치, 도로망이 자세하게 표현되어 있다.
> ㄹ. 우리나라의 전체 모습을 한눈에 확인할 수 있다.

① ㄱ, ㄴ ② ㄱ, ㄹ ③ ㄴ, ㄷ
④ ㄴ, ㄹ ⑤ ㄷ, ㄹ

실전 문제

01 다음 설명에 해당하는 국가를 지도에서 고른 것은?

- 아프리카 대륙에 위치한다.
- 대서양과 인도양에 접해 있다.

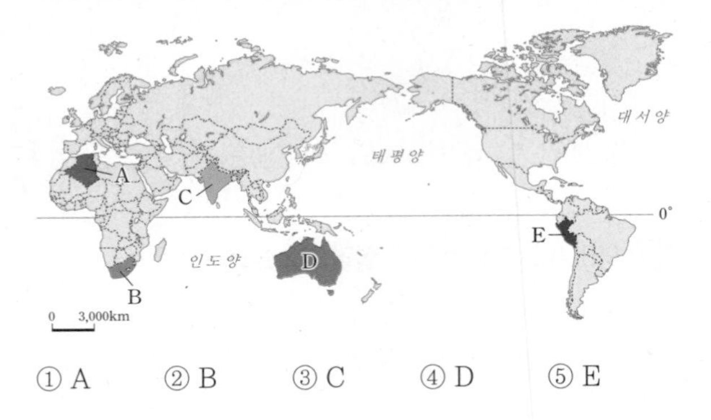

① A ② B ③ C ④ D ⑤ E

02 지도에 표시된 A~D 대륙과 해양에 관한 설명으로 옳지 않은 것은?

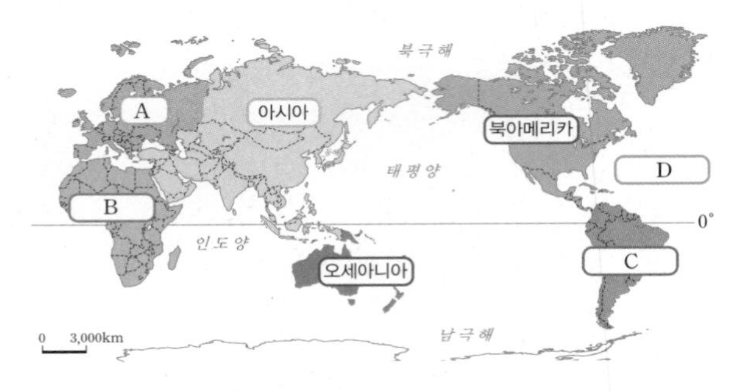

① A는 대서양에 접해 있다.
② B는 유럽 대륙 남쪽에 위치한다.
③ C는 대륙 전체가 남반구에 위치한다.
④ D는 세 개 이상의 대륙과 접해 있다.
⑤ A~C 중 세계에서 가장 큰 해양을 접하고 있는 대륙은 C이다.

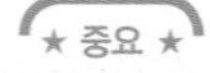

03 지도에 대한 설명으로 옳지 않은 것은?

① 땅의 높낮이는 등고선이나 색으로 표현한다.
② 방위 표시가 없으면 지도의 위쪽이 북쪽이다.
③ 지도에는 지역의 자연환경과 인문 환경에 대한 정보가 나타나 있다.
④ 우리나라 전체의 형태를 확인하고 싶을 때는 대축척 지도를 보는 것이 유리하다.
⑤ 지도에 담긴 정보는 위치 찾기, 토지 이용 계획 수립 등 다양한 분야에서 활용한다.

04 다음 설명의 ㉠, ㉡에 들어갈 용어를 옳게 연결한 것은?

지도의 구성 요소 중 (㉠)은/는 실제 거리를 지도상에 줄여서 나타낸 비율이며, (㉡)은/는 지표면의 여러 가지 현상을 약속에 따라 간단히 나타낸 것을 말한다.

	㉠	㉡		㉠	㉡
①	축척	기호	②	방위	기호
③	기호	축척	④	축척	등고선
⑤	기호	등고선			

05 다음 지도에 대한 설명으로 옳지 않은 것은?

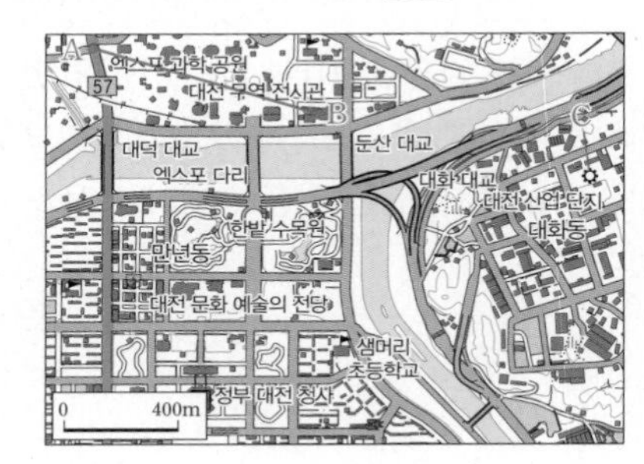

① 지도의 축척은 1 : 400이다.
② C는 공장을 나타내는 기호이다.
③ 대덕 대교는 둔산 대교 서쪽에 있다.
④ 방위표가 없으므로 지도의 위쪽이 북쪽이다.
⑤ A, B 사이의 지도상 거리가 2cm이므로 실제 거리는 800m이다.

06 다음 지도와 관계 있는 내용을 〈보기〉에서 고른 것은?

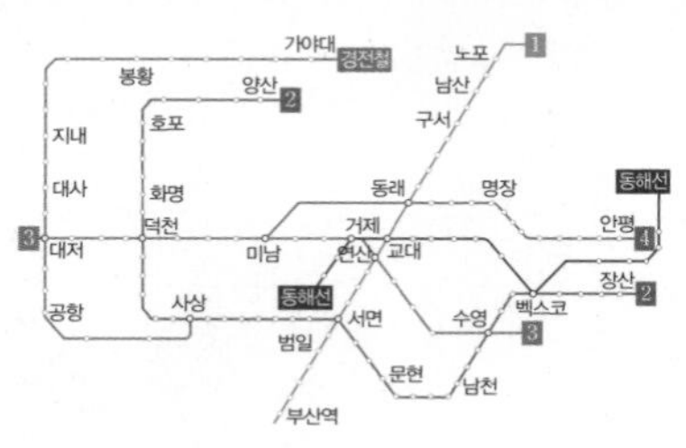

▲ 지하철 노선도

보기
ㄱ. 일반도 ㄴ. 주제도
ㄷ. 자연환경 정보 ㄹ. 인문 환경 정보

① ㄱ, ㄴ ② ㄱ, ㄷ ③ ㄴ, ㄷ
④ ㄴ, ㄹ ⑤ ㄷ, ㄹ

07 다음은 울릉도를 조사한 수행 평가 보고서이다. 조사 내용을 자연환경과 인문 환경으로 옳게 구분한 것은?

〈수행 평가 보고서〉

조사자: ○○○

조사 내용
ㄱ. 울릉도는 화산섬이다.
ㄴ. 울릉도는 겨울에 눈이 많이 내린다.
ㄷ. 울릉도에서는 지프 택시를 볼 수 있다.
ㄹ. 울릉도는 섬 전체가 종 모양으로 경사가 급하다.
ㅁ. 울릉도 인구 중 남자는 약 55%, 여자는 약 45%를 차지한다.

	자연환경	인문 환경
①	ㄱ, ㄴ	ㄷ, ㄹ, ㅁ
②	ㄱ, ㄷ	ㄴ, ㄹ, ㅁ
③	ㄱ, ㄴ, ㄹ	ㄷ, ㅁ
④	ㄴ, ㄷ, ㄹ	ㄱ, ㅁ
⑤	ㄷ, ㄹ, ㅁ	ㄱ, ㄴ

고난도

08 다음 주제도에 사용된 지도 표현 방법과 같은 방법을 사용하기에 가장 적절한 주제는?

▲ 멕시코의 주별 지역 내 총생산

① 대륙 간 인구 이동
② 우리나라의 가축 사육 분포
③ 경상남도의 산업 단지 분포
④ 우리나라의 시군별 인구 밀도
⑤ 수도권 지역의 고속 국도 노선 현황

서술형 문제

09 다음 (가) 지도와 (나) 지도의 특징을 이용 목적과 관련하여 서술하시오.

(가) (나)

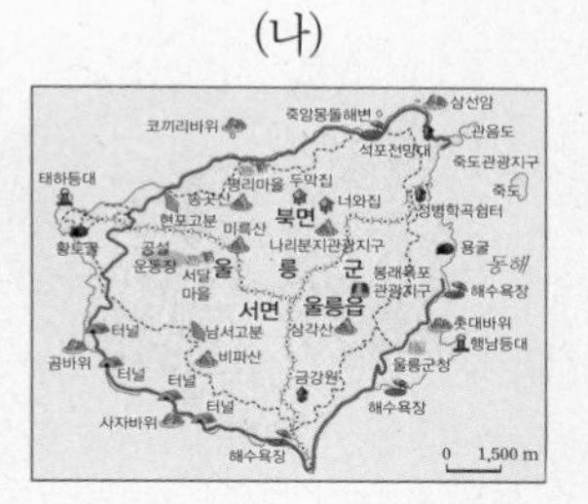

10 다음 지도는 아프리카 지역의 기후를 나타낸 것이다. 제시된 용어를 모두 사용하여 아프리카 지역의 기후를 서술하시오.

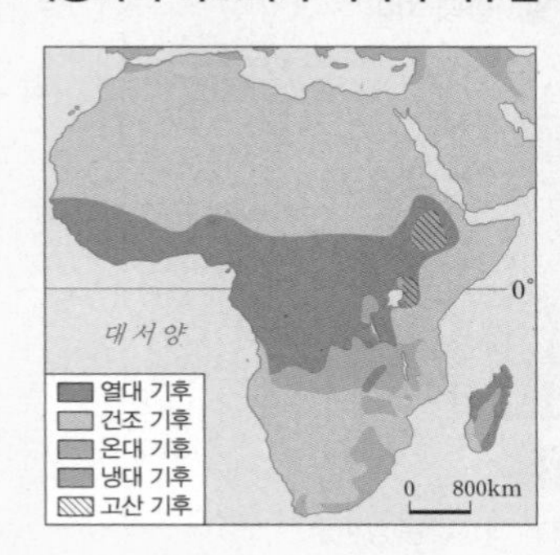

제시어: 적도, 열대 기후, 사막

위치와 인간 생활~지리 정보와 지리 정보 기술

학습 내용 들여다보기

■ 위도와 경도

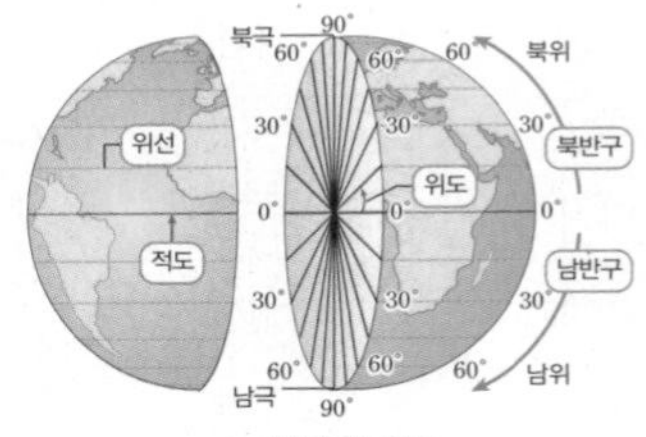

▲ 위선과 위도

- 위선: 적도와 평행하게 가로로 그은 가상의 선. 적도(위도 0°)가 기준
- 위도: 위선의 좌푯값

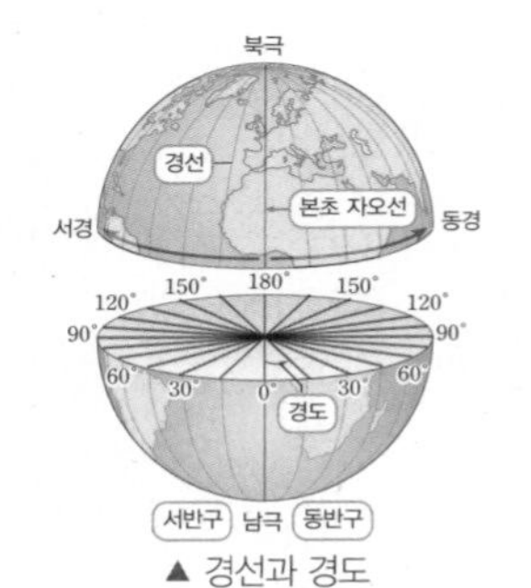

▲ 경선과 경도

- 경선: 북극과 남극을 세로로 연결한 가상의 선. 본초 자오선(경도 0°)이 기준
- 경도: 경선의 좌푯값

■ 위도에 따른 일사량의 차이

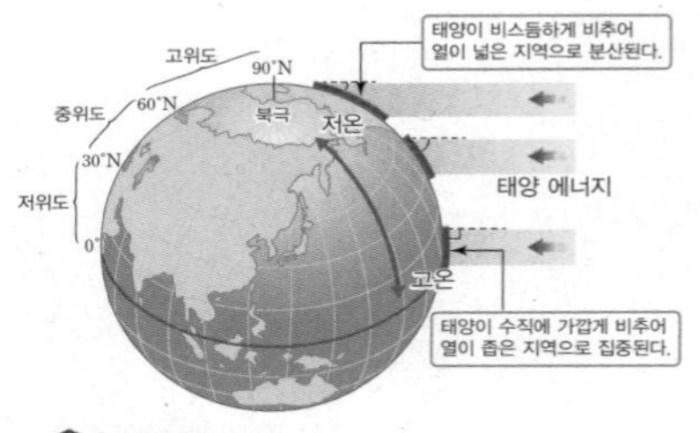

용어 알기

- **랜드마크** 지역을 대표하는 상징물
- **일사량** 태양 에너지가 지표에 닿는 양

1. 위치의 표현

(1) **위치의 의미**: 사람, 사물, 지역 등이 일정한 장소에서 차지하고 있는 자리

→ 위치에 따라 지역의 자연환경이나 인문 환경이 달라지기 때문에 지역을 이해하는 밑바탕이 돼.

(2) **공간 규모에 따른 위치 표현**

→ 우리나라는 현재 도로명 주소 체계를 적용하고 있어.

① 작은 규모에서의 위치 표현: 행정 구역(주소), 랜드마크, 지형지물 등을 활용

예 토요일에 광화문 앞에서 친구와 만나기로 했다.(랜드마크 활용)

② 큰 규모에서의 위치 표현

대륙과 해양을 활용	국가 규모의 위치를 대략적으로 표현할 때 예 우리나라는 아시아 대륙의 동쪽에 위치하며, 태평양과 접해 있다.
위도와 경도를 활용	정확한 위치 표현이 필요한 경우 예 우리나라는 북위 33°~43°, 동경 124°~132°에 위치한다.

2. 위도와 인간 생활

(1) **위도에 따른 기온 차이**

① 발생 원인: 지구가 둥글기 때문에 위도에 따라 일사량이 달라짐

② 위도의 차이와 인간 생활

저위도 지역	일 년 내내 더운 날씨 → 간편한 옷차림, 맵고 짠 음식, 개방적인 가옥
중위도 지역	비교적 온화한 날씨 → 다양한 농작물 재배, 다양한 의식주 문화 발달
고위도 지역	일 년 내내 추운 날씨 → 두꺼운 옷차림, 농업 활동 불리

(2) **위도에 따른 계절 차이** 자료 1

① 발생 원인: 지구의 자전축이 23.5° 기울어진 채 공전하기 때문에 계절에 따라 태양의 고도와 낮이 길이가 달라짐

② 계절의 차이와 인간 생활 자료 2

백야 현상은 여름철에 해가 지지 않아 환한 밤이 계속되는 현상이고, 극야 현상은 겨울철에 해가 뜨지 않아 밤이 계속되는 현상이야. 이를 체험하는 관광 상품도 있어.

- 적도 및 극지방: 계절 변화 거의 없음, 극지방은 백야 현상과 극야 현상이 나타남
- 중위도 지방: 북반구와 남반구의 중위도 지역은 계절이 반대로 나타남 → 농작물 수확 시기의 차이 발생, 계절 차이를 이용한 관광 산업 발달, 북반구는 주로 남향집, 남반구는 주로 북향집 선호

→ 북반구와 남반구는 태양 에너지를 집중적으로 받는 시기가 다르기 때문이야.

자료 1 지구의 공전과 계절 변화

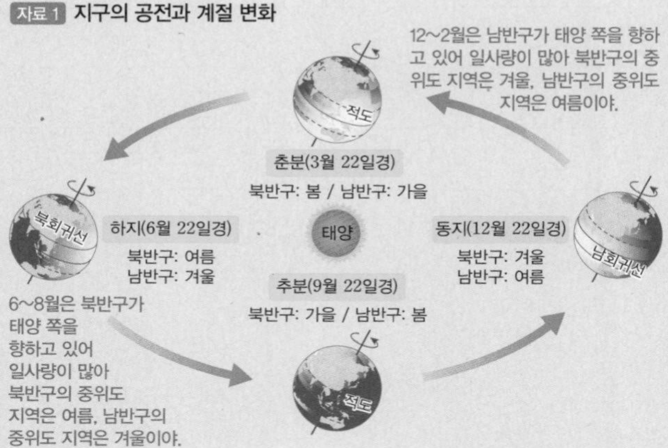

자료 2 계절의 차이를 이용한 산업

▲ 주요 국가의 밀 수확 시기

오스트레일리아는 북반구에서 밀이 수확되지 않는 11~1월 사이에 밀을 수확하여 유리한 조건으로 북반구의 국가들로 수출할 수 있다는 장점이 있다.

▲ 오스트레일리아의 크리스마스 풍경

북반구와 남반구는 계절이 반대이기 때문에, 남반구 국가인 오스트레일리아의 크리스마스는 한여름이다. 이를 체험하려고 관광객들이 많이 찾는다.

3. 경도와 인간 생활

(1) 경도에 따른 시간 차이 자료 3

발생 원인	지구가 하루에 한 바퀴 자전하기 때문 → 24시간 동안 360°를 회전하므로 15°마다 1시간의 시간 차이가 발생해.
표준시	국가나 일정 지역에서 기준이 되는 시각으로 표준 경선을 기준으로 지정함 예 우리나라는 동경 135°를 표준 경선으로 사용 → 본초 자오선이 지나는 영국보다 9시간 빨라.
날짜 변경선	동경 180° 선과 서경 180° 선이 만나는 곳으로 이 선을 기준으로 날짜가 바뀜 → 날짜 변경선의 동쪽에서 서쪽으로 갈 때는 하루를 더하고, 서쪽에서 동쪽으로 갈 때는 하루를 뺌 → 날짜 변경선은 한 나라 안에서 같은 시간대를 사용하기 위해 일부 지역에서 구부러져 그어져 경선과 일치하지 않아.

(2) 시차와 인간 생활

① 해외여행 시, 국제 대회에 참가하는 운동선수의 경우 시차를 고려해야 함

② 시차가 큰 두 지역에 각각 회사를 두고 연속적인 업무가 이루어지도록 함

③ 날짜 변경선 부근의 국가들이 해돋이를 관광 상품으로 활용
→ 키리바시, 사모아 등이 있어.

4. 지리 정보

(1) **의미**: 우리가 살아가는 공간 및 지역과 관련된 지식과 정보

(2) **종류**: 공간 정보(어디에 있는가), 속성 정보(어떤 특성을 지니고 있는가), 관계 정보(다른 장소와 어떤 관계인가)

(3) **지리 정보의 수집**: 과거에는 주로 종이 지도 활용, 오늘날은 과학 기술의 발달로 인터넷 전자 지도·위성 사진·항공 사진 등 다양한 방법 활용
→ 종이 지도와 달리 축소·확대가 자유롭고 검색·저장이 가능해.

(4) 지리 정보 기술

원격 탐사	인공위성, 항공기 등을 이용하여 지리 정보 수집
위성 위치 확인 시스템(GPS)	인공위성을 활용하여 경위도 좌표로 대상의 위치를 알려 주는 시스템
지리 정보 체계 (GIS) 자료 4	지리 정보를 컴퓨터에 입력·저장하고 다양한 방법으로 분석·종합하여 사용자에게 제공하는 종합 정보 시스템

5. 지리 정보 기술의 활용

(1) **일상생활**: 장소 검색, 경로 검색(내비게이션), 증강 현실(AR) 등

(2) **공공 부문**: 공간적 의사 결정, 국토 및 환경 관리, 도시 계획 수립 등

학습 내용 들여다보기

■ **시차의 발생**

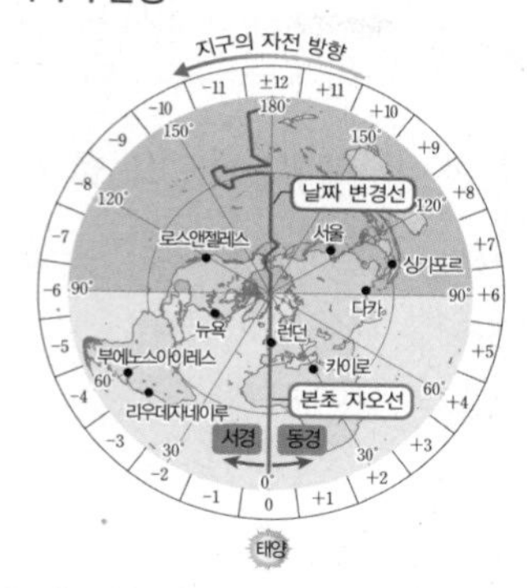

본초 자오선은 경도 0°의 선으로 영국 런던을 기준으로 한다. 이 선을 기준으로 시간이 동쪽으로 갈수록 빨라지고, 서쪽으로 갈수록 늦어진다. 본초 자오선으로부터 동쪽과 서쪽으로 각각 12시간의 시차가 발생하는 동경 180°, 서경 180°인 곳은 날짜 변경선으로 이 선의 양쪽 지역은 24시간의 시차가 발생한다.

■ **공간적 의사 결정**
공간을 둘러싸고 다양한 이해관계가 얽힌 쟁점에 대해 합리적인 해결 방안을 선택하는 것을 말한다. 쓰레기 소각장의 입지 선정이나 고속도로의 노선 결정 등에는 수많은 공간적 의사 결정 과정이 필요하다.

■ **커뮤니티 매핑(Community Mapping)**
여러 명의 사용자가 직접 지도에 다양한 정보를 표시하고 공유하면서 의미 있는 정보를 지도에 만들어 내는 과정을 의미한다.

용어 알기

- **원격 탐사** 항공기나 인공위성 등에 달린 카메라나 스캐너 등을 이용해 물질이 반사하는 전자파를 분석해 물질의 종류, 특성, 변화 등을 조사하는 기술
- **증강 현실** 현실의 이미지나 배경에 3차원의 가상 이미지를 합성하여 영상을 보여 주는 기술

자료 3 세계의 시간대

본초 자오선 / 우리나라 표준 경선 → 본초 자오선이 지나는 영국과 우리나라는 9시간의 시차가 발생해.

※숫자는 본초 자오선과의 시차(단위: 시간)

(필립스, 현대 학교 지도, 2015년, 기타)

그리니치 표준시보다 빠른 지역 / 30분 사용 지역 / 그리니치 표준시보다 늦은 지역

자료 4 지리 정보 체계(GIS)의 과정

정보를 수집

수집된 정보를 입력·저장

분석하고 종합

분석·종합한 자료를 출력

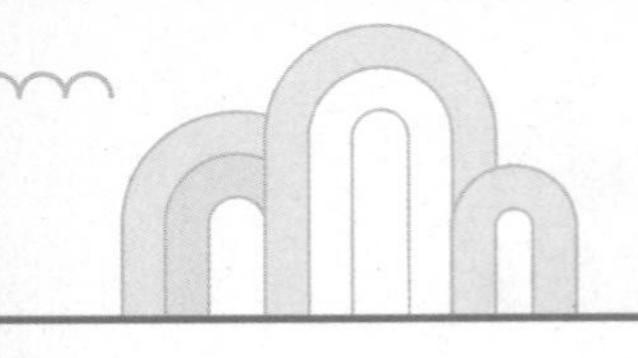

기본 문제

간단 체크

1 다음 설명이 맞으면 ○표, 틀리면 ×표 하시오.

(1) 사람, 사물, 지역 등이 일정한 장소에서 차지하고 있는 자리를 위치라고 한다. ( )
(2) 적도와 평행하게 가로로 그은 가상의 선을 경선이라고 한다. ( )
(3) 본초 자오선은 경선이다. ( )
(4) 지구가 둥글기 때문에 경도에 따라 일사량이 다르다. ( )
(5) 고위도 지역은 일 년 내내 날씨가 더워 간편한 옷차림을 한다. ( )
(6) 시차는 지구가 하루에 한 바퀴 자전하기 때문에 발생한다. ( )
(7) 우리나라는 동경 135°를 표준 경선으로 사용한다. ( )
(8) 종이 지도는 축소 및 확대가 자유로워 지리 정보 수집의 방법으로 다양하게 활용된다. ( )
(9) 원격 탐사는 인공위성, 항공기 등을 이용하여 지리 정보를 수집하는 지리 정보 기술의 하나이다. ( )

2 빈칸에 들어갈 알맞은 말을 쓰시오.

(1) 북극과 남극을 세로로 연결한 가상의 선을 ( )(이)라고 한다.
(2) 경도 0°로 경선의 기준이 되는 선을 ( )(이)라고 한다.
(3) 저위도 지역과 고위도 지역 중 농업 활동이 더 불리한 지역은 ( ) 지역이다.
(4) 지구의 자전축이 기울어져 ( )하기 때문에 북반구와 남반구는 태양 에너지를 집중적으로 받는 시기가 다르다.
(5) 6~8월에 북반구 중위도 지역의 계절은 ( ), 남반구 중위도 지역의 계절은 겨울이다.
(6) 본초 자오선을 기준으로 ( )쪽으로 갈수록 시간이 빨라진다.
(7) 날짜 변경선은 동경 180°, 서경 180°인 곳으로 이 선의 양쪽 지역은 ( )시간의 시차가 발생한다.
(8) 지리 정보 중 '어디에 있는가'에 해당하는 정보를 ( ) 정보라고 한다.
(9) 인공위성을 활용하여 경위도 좌표로 대상의 위치를 알려 주는 시스템을 ( )(이)라고 한다.

3 다음에서 설명하는 용어를 〈보기〉에서 골라 기호를 쓰시오.

보기		
㉠ 적도	㉡ 일사량	㉢ 표준시
㉣ 지형지물	㉤ 백야 현상	㉥ 날짜 변경선
㉦ 지리 정보 체계		

(1) 태양 에너지가 지표에 닿는 양을 말하는 것으로 위도에 따라 이것이 달라진다. ( )
(2) 본초 자오선의 반대쪽에 있으며, 이것 부근에 위치한 국가들이 해돋이를 관광 상품으로 활용하기도 한다. ( )
(3) 국가나 일정 지역에서 기준이 되는 시각으로 표준 경선을 기준으로 지정한다. ( )
(4) 위도 0°로 위선의 기준이 된다. ( )
(5) 땅의 형태나 땅 위에 나타나는 산, 바다, 하천, 도로, 건물 등의 사물을 말하는 것으로 위치를 표현할 때 활용하는 것이다. ( )
(6) 지리 정보를 컴퓨터에 입력·저장하고 다양한 방법으로 분석하여 사용자에게 제공하는 종합 정보 시스템이다. ( )
(7) 극지방에서 나타나는 현상으로 여름철에 해가 지지 않아 환한 밤이 계속된다. ( )

4 알맞은 것끼리 연결하시오.

(1) 위도 차이와 관련된 인간 생활 •
(2) 경도 차이와 관련된 인간 생활 •

• ㉠ 해돋이 관광 상품
• ㉡ 다양한 의식주 문화
• ㉢ 시차를 고려한 해외여행
• ㉣ 간편한 옷차림 · 두꺼운 옷차림
• ㉤ 개방적인 가옥 · 폐쇄적인 가옥

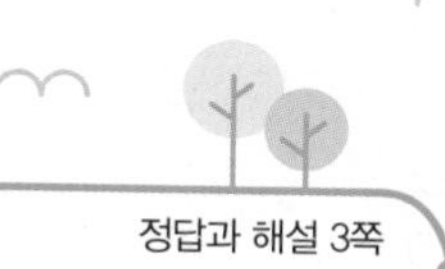

01 **위도에 따른 기온 차이에 대한 설명으로 옳지 않은 것은?**

① 중위도 지역은 비교적 온화한 날씨가 나타난다.
② 위도에 따라 일사량이 다른 것은 지구가 둥글기 때문이다.
③ 적도에서 극지방으로 갈수록 단위 면적당 일사량이 늘어난다.
④ 연평균 기온은 저위도에서 고위도 지역으로 갈수록 낮아진다.
⑤ 적도 부근은 햇볕이 수직에 가깝게 비추어 일 년 내내 기온이 높은 편이다.

[02~03] 다음 지도를 보고 물음에 답하시오.

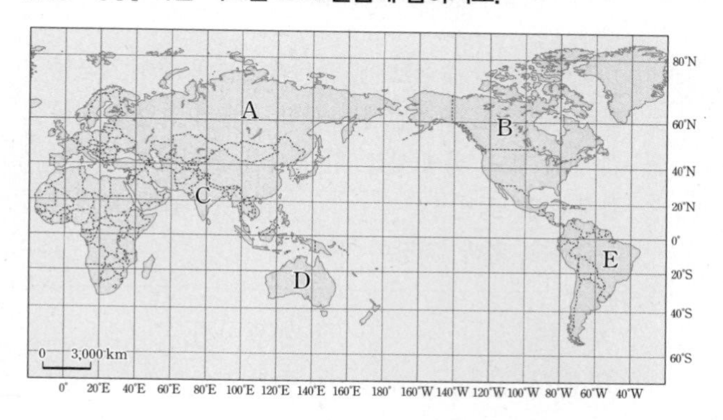

02 **다음에서 설명하는 국가를 지도에서 고른 것은?**

> 유럽 대륙과 아시아 대륙에 걸쳐 분포하며, 북쪽으로 북극해에 접하고 있다.

① A ② B ③ C ④ D ⑤ E

03 **지도의 A~E 국가의 위치를 표현한 것으로 옳은 것은?**

① A는 적도 부근에 위치한다.
② B는 아프리카 대륙에 위치한다.
③ C는 남아메리카 대륙에 위치한다.
④ D는 인도양과 태평양에 접해 있다.
⑤ E는 동쪽으로 태평양에 접해 있다.

04 **그림은 위도별 일사량을 나타낸 것이다. A 지역에서 볼 수 있는 생활 모습으로 옳은 것은?**

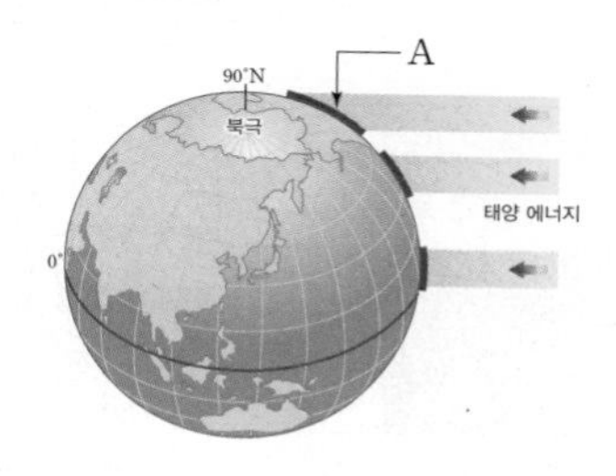

① 맵고 짠 음식을 주로 먹는다.
② 습기를 피할 수 있는 집을 짓는다.
③ 기후가 온화해 다양한 농작물을 재배한다.
④ 추위를 피하기 위해 두꺼운 옷을 입고 생활한다.
⑤ 더운 날씨에 음식이 상하지 않게 보관하는 방법이 발달했다.

05 **표준시 및 표준 경선에 관한 설명으로 옳은 것을 〈보기〉에서 고른 것은?**

> **보기**
> ㄱ. 본초 자오선은 미국의 뉴욕을 지난다.
> ㄴ. 표준 경선은 해당 국가의 중앙을 지나는 경선으로 정해야 한다.
> ㄷ. 국토가 동서로 긴 국가는 대체로 두 개 이상의 표준시를 사용한다.
> ㄹ. 우리나라는 동경 135°를 표준 경선으로 정하여 영국과 9시간의 시차가 발생한다.

① ㄱ, ㄴ ② ㄱ, ㄷ ③ ㄴ, ㄷ
④ ㄴ, ㄹ ⑤ ㄷ, ㄹ

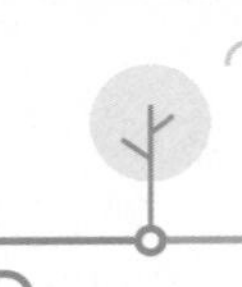

06 다음은 A 기업의 미국 서부 지점과 인도 지점의 모습이다. 이처럼 업무를 연속적으로 처리할 수 있는 이유를 〈보기〉에서 고른 것은?

▲ A 기업 미국 서부 지점 (오후 6시)   ▲ A 기업 인도 지점 (오전 7시 30분)

| 보기 |

ㄱ. 두 지점 간에 시차가 발생하기 때문이다.
ㄴ. 두 지점의 계절이 서로 반대이기 때문이다.
ㄷ. 두 지점에서 사용하는 언어가 같기 때문이다.
ㄹ. 두 지점의 출근 시간이 다른 지역보다 빠르기 때문이다.

① ㄱ, ㄴ ② ㄱ, ㄷ ③ ㄴ, ㄷ
④ ㄴ, ㄹ ⑤ ㄷ, ㄹ

07 다음 대화의 ㉠과 ㉡에 해당하는 지리 정보의 종류를 옳게 연결한 것은?

	㉠	㉡
①	공간 정보	관계 정보
②	공간 정보	속성 정보
③	관계 정보	속성 정보
④	속성 정보	공간 정보
⑤	속성 정보	관계 정보

08 다음과 같은 특징을 갖는 지리 정보 기술은?

인공위성이 지구 상공에서 정해진 궤도를 돌며 보내 주는 신호를 이용하여 대상의 위치를 알려 주는 시스템으로 자동차·선박·항공기 운행, 지도 제작 등 다양한 분야에서 활용한다.

① 원격 탐사
② 의사 결정 시스템
③ 내비게이션 시스템
④ 지리 정보 시스템(GIS)
⑤ 위성 위치 확인 시스템(GPS)

09 다음 자료의 빈칸에 들어갈 내용으로 옳은 것은?

지리 정보를 수집할 때, 과거에는 주로 종이 지도를 활용하였지만, 오늘날에는 과학 기술의 발달로 인터넷 전자 지도, 위성 사진, 항공 사진 등 다양한 방법이 활용된다. 특히 [ ]은/는 축소·확대가 자유롭고, 검색·저장이 가능하다.

① 지구본 ② 항공 사진
③ 위성 사진 ④ 종이 지도
⑤ 인터넷 전자 지도

10 지리 정보 시스템(GIS)에 대한 설명으로 옳은 것을 〈보기〉에서 고른 것은?

| 보기 |

ㄱ. 인공위성을 통해 대상의 위치를 알려 주는 시스템이다.
ㄴ. 지리 정보를 수집할 때 사람이 직접 가야 한다는 제한이 있다.
ㄷ. 태풍, 폭설 등 자연재해 상황을 파악하여 대비하는 데 활용한다.
ㄹ. 지리 정보를 컴퓨터에 저장하고 분석·종합하여 사용자에게 제공한다.

① ㄱ, ㄴ ② ㄱ, ㄷ ③ ㄴ, ㄷ
④ ㄴ, ㄹ ⑤ ㄷ, ㄹ

실전 문제

01 각 국가의 위치를 표현한 내용으로 옳은 것은?

① 칠레는 서쪽으로 태평양에 접해 있다.
② 몽골은 동쪽으로 태평양에 접해 있다.
③ 영국은 위도 0°선이 지나는 곳에 위치한다.
④ 멕시코는 인도양과 대서양에 모두 접해 있다.
⑤ 마다가스카르는 아프리카 대륙의 서쪽에 위치한다.

02 위도와 경도에 대한 설명으로 옳은 것을 〈보기〉에서 고른 것은?

| 보기 |
ㄱ. 위도가 같은 곳을 연결한 위선은 적도와 평행한 가로선이다.
ㄴ. 위도와 경도가 같은 곳을 지나는 경선을 본초 자오선이라고 한다.
ㄷ. 위도는 0°~90°까지 표현하며, 영국 런던으로 위도 0°선이 지난다.
ㄹ. 경도는 0°~180°까지 표현하며, 경도 180°인 선을 날짜 변경선이라고 한다.

① ㄱ, ㄴ ② ㄱ, ㄷ ③ ㄱ, ㄹ
④ ㄴ, ㄷ ⑤ ㄷ, ㄹ

★ 중요 ★

03 다음은 위선과 위도를 나타낸 모식도이다. ㉠과 ㉡에 대한 옳은 설명을 〈보기〉에서 고른 것은?

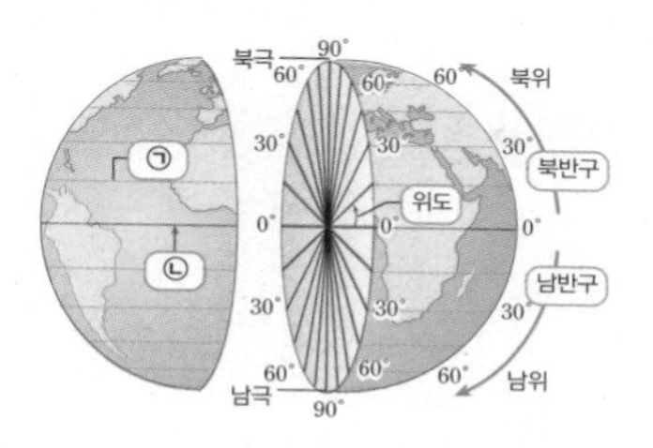

| 보기 |
ㄱ. ㉠은 위선이다.
ㄴ. ㉠의 기준선은 본초 자오선이다.
ㄷ. ㉡은 위도를 설정하는 기준이 된다.
ㄹ. ㉡을 기준으로 날짜가 바뀌기도 한다.

① ㄱ, ㄴ ② ㄱ, ㄷ ③ ㄴ, ㄷ
④ ㄴ, ㄹ ⑤ ㄷ, ㄹ

04 다음 사진과 같이 크리스마스를 보내는 지역만을 지도의 A~E에서 있는 대로 고른 것은?

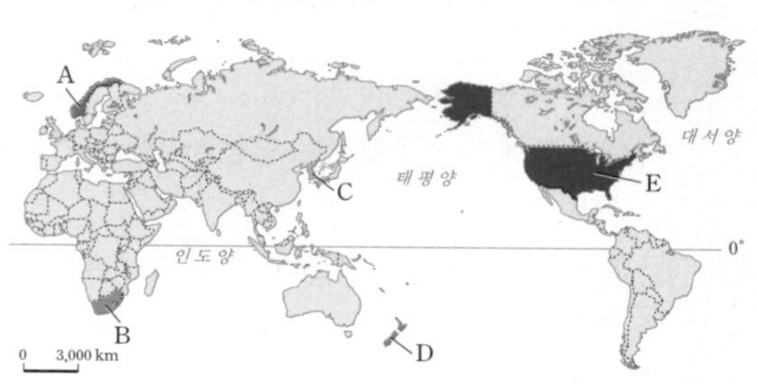

① A, B ② A, C ③ B, D
④ B, D, E ⑤ C, D, E

05 **다음은 주요 밀 생산 국가의 밀 수확 시기를 나타낸 것이다. 오스트레일리아가 11~1월 사이에 밀을 수확할 수 있는 이유로 옳은 것은?**

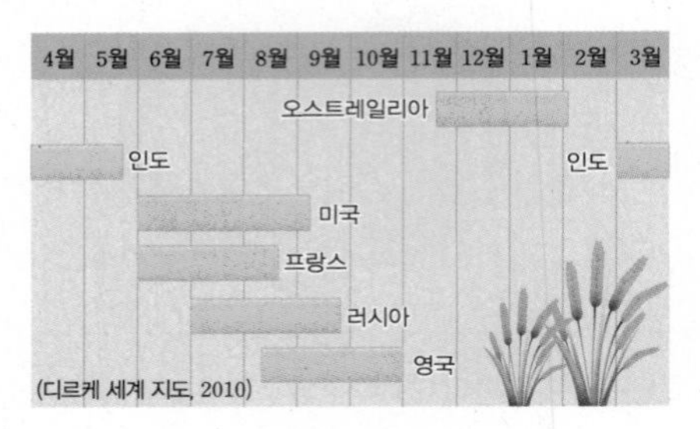

(디르케 세계 지도, 2010)

① 밀을 온실에서 재배하기 때문이다.
② 밀 수확 시 기계화율이 높기 때문이다.
③ 겨울에 수확 가능한 밀 품종을 개발했기 때문이다.
④ 북반구의 중위도 지역 국가들과 계절이 반대이기 때문이다.
⑤ 다른 나라와의 조약을 통해 밀 수확 시기를 정했기 때문이다.

06 **그림에 대한 설명으로 옳은 것을 〈보기〉에서 고른 것은?**

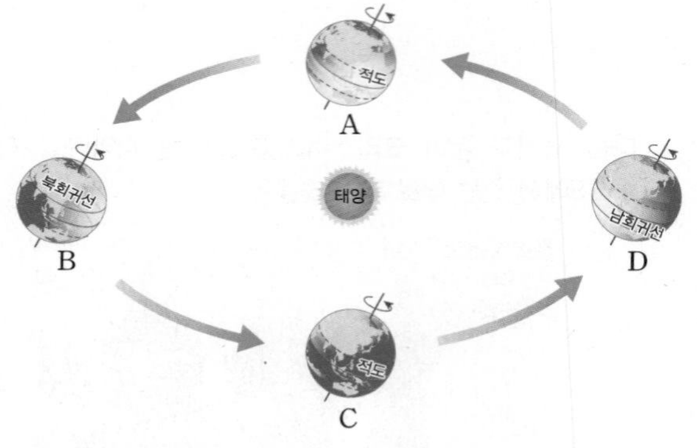

보기
ㄱ. A 시기에서 B 시기로 넘어가면서 북반구는 낮의 길이가 짧아진다.
ㄴ. B 시기에 남반구는 태양 쪽을 향하고 있으며, 계절은 여름이다.
ㄷ. C 시기에 북반구에서는 단풍놀이를 즐기는 사람들을 볼 수 있다.
ㄹ. A~D 시기 모두 북반구와 남반구는 계절이 반대로 나타난다.

① ㄱ, ㄴ ② ㄱ, ㄷ ③ ㄴ, ㄷ
④ ㄴ, ㄹ ⑤ ㄷ, ㄹ

고난도

07 **다음은 영국 런던과 각 지역 간의 시차를 나타낸 것이다. 자료를 분석한 내용으로 옳은 것을 〈보기〉에서 고른 것은?**

- 우리나라: +9시간
- 중국 베이징: +8시간
- 미국 로스앤젤레스: −8시간
- 브라질 리우데자네이루: −3시간

보기
ㄱ. 우리나라는 영국 런던보다 9시간 느리다.
ㄴ. 중국 베이징의 표준시는 서경 120°를 기준으로 한다.
ㄷ. 미국 로스앤젤레스와 우리나라는 17시간의 시차가 난다.
ㄹ. 미국 로스앤젤레스와 브라질 리우데자네이루는 영국 표준시보다 느리다.

① ㄱ, ㄴ ② ㄱ, ㄷ ③ ㄴ, ㄷ
④ ㄴ, ㄹ ⑤ ㄷ, ㄹ

08 **세계의 시간대를 나타낸 지도이다. 지도를 보고 설명한 것으로 옳지 <u>않은</u> 것은?**

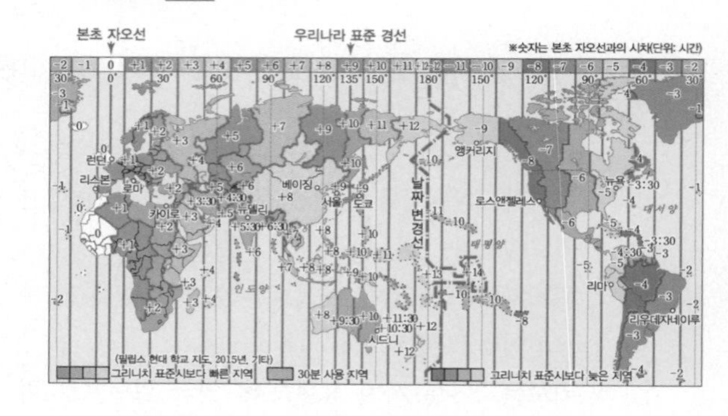

(필립스 현대 학교 지도, 2015년, 7판)

① 중국은 하나의 시간대를 사용한다.
② 우리나라와 일본은 같은 시간대를 사용한다.
③ 한 국가가 여러 개의 시간대를 사용하기도 한다.
④ 뉴욕은 우리나라보다 5시간 늦은 시간대를 사용한다.
⑤ 세계 표준시의 기준은 영국 런던을 지나는 본초 자오선이다.

★ 중요 ★

09 다음 〈조건〉에 맞추어 ○○ 시설을 건설하고자 할 때 가장 적절한 곳을 지도의 A~E에서 고른 것은?

〈조건〉
(가) 해발 고도 200m보다 낮아야 한다.
(나) 도로에서 100m 이내에 위치해야 한다.
(다) 공장과의 거리가 500m 이상 떨어져야 한다.

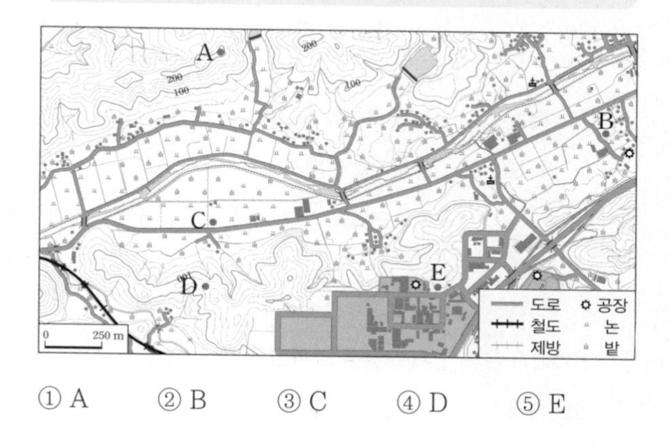

① A ② B ③ C ④ D ⑤ E

10 (가), (나)는 지리 정보 기술의 사례이다. 이에 관한 설명으로 옳은 것만을 〈보기〉에서 있는 대로 고른 것은?

(가) 지리 정보 기술은 인터넷에서 버스 도착 시간을 검색할 때나 휴일에 문을 여는 약국을 검색할 때 활용된다.
(나) 산림청에서는 산사태 위험 정도를 몇 개의 등급으로 구분해 제공하는 산사태 정보 시스템을 운영하고 있다.

보기
ㄱ. (가)는 일상생활에서의 활용 사례이다.
ㄴ. (나)의 시스템은 커뮤니티 매핑의 사례이다.
ㄷ. (가), (나)는 합리적인 의사 결정에 중요한 정보를 제공한다.
ㄹ. (가), (나)의 발전은 정보 통신 기술의 발달에 큰 영향을 받는다.

① ㄱ, ㄴ ② ㄱ, ㄷ ③ ㄴ, ㄷ
④ ㄱ, ㄷ, ㄹ ⑤ ㄴ, ㄷ, ㄹ

서술형 문제

11 그림의 A~C 지역을 태양 에너지를 많이 받는 순서대로 쓰고, 그 이유를 서술하시오.

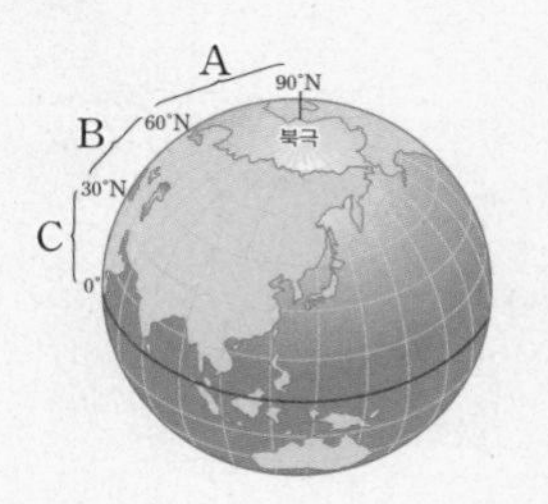

(1) 태양 에너지를 많이 받는 순서: ______

(2) 이유: ______

12 다음은 중국의 표준 경선을 나타낸 지도이다. 중국처럼 동서로 넓은 영토를 가진 국가에서 하나의 표준시를 사용했을 때의 유리한 점과 불리한 점을 서술하시오.

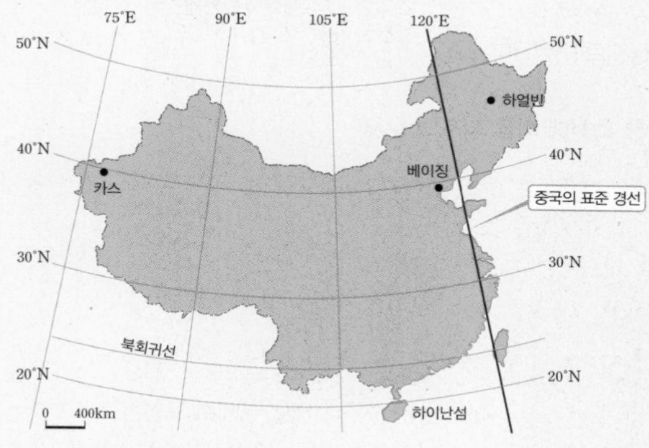

(1) 유리한 점: ______

(2) 불리한 점: ______

대단원 정리

❶ 세계의 대륙과 해양

우리가 살고 있는 세계는 유럽, 아시아, 북아메리카, 남아메리카, (①   ), (②   ) 등의 대륙과 태평양, (③   ), 인도양, 북극해, 남극해 등의 해양으로 이루어져 있다. 육지의 대부분은 (④   )에 분포한다.

답 ① 아프리카 ② 오세아니아 ③ 대서양 ④ 북반구

❷ 지도의 구성 요소

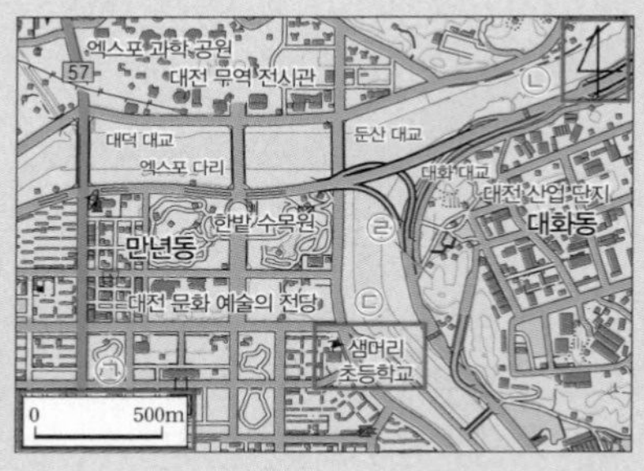

지도는 ㉠ (①   ), ㉡ (②   ), ㉢ 기호, ㉣ 등고선 등으로 구성된다.

답 ① 축척 ② 방위표

❸ 축척에 따른 지도의 분류

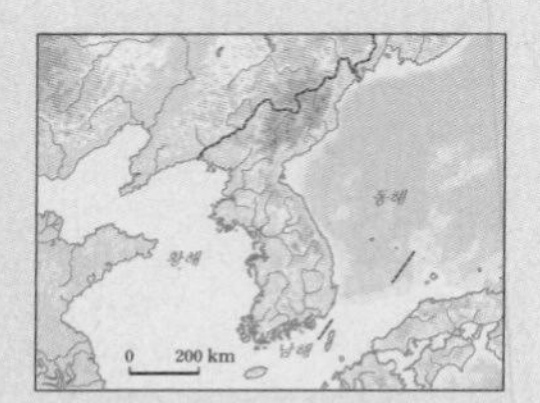

(①   ) 지도(좌)는 좁은 지역을 상세히 표현한 지도이며, (②   ) 지도(우)는 넓은 지역을 간략히 표현한 지도이다.

답 ① 대축척 ② 소축척

❹ 위도와 경도

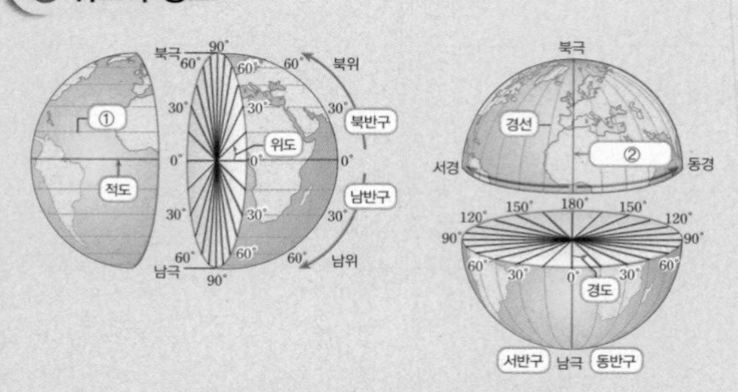

(①   )의 기준은 적도, 경선의 기준은 (②   )이다.

답 ① 위선 ② 본초 자오선

1. 다양한 지도 읽기

(1) 우리가 사는 세계 ❶

육지와 바다	지구 표면에서 육지는 약 30%, 바다는 약 70% 차지
대륙	아시아, 유럽, 아프리카, 북아메리카, 남아메리카, 오세아니아
해양	태평양, 대서양, 인도양, 북극해, 남극해

(2) 세계를 담는 지도

의미		지표면의 여러 가지 정보를 약속된 기호나 문자를 사용해 일정한 비율로 줄여서 평면에 나타낸 것
구성 요소❷	축척	실제 거리를 지도상에 줄여서 나타낸 비율
	방위표	동서남북 등의 방향 표시
	기호	지표면의 여러 가지 현상을 약속에 따라 간단히 표현한 것
	등고선	해발 고도가 같은 곳을 연결한 선
지도 읽기	자연환경 정보	기후 및 지형 특징 파악
	인문 환경 정보	인구, 도시, 산업, 교통, 문화 등에 대한 정보 파악
지도의 표현 방법	점	점을 이용하여 지리 정보의 분포를 표현 예 인구 분포, 가축 사육 분포 등
	선	선의 방향과 굵기를 달리하여 지리 정보를 표현 예 인구 이동, 자원 이동, 무역량 등
	면	색이나 패턴을 단계에 따라 다르게 면에 표현 예 기후 구분, 인구 밀도, 지역별 비율 등
	도형	원, 막대 등의 다양한 도형과 기호를 이용하여 표현 예 농작물 생산량, 자원 생산량, 공업 분포 등

(3) 지도의 분류

축척에 따른 분류❸	대축척 지도	좁은 지역을 상세하게 표현
	소축척 지도	넓은 지역을 간략하게 표현
이용 목적에 따른 분류	일반도	지표면의 형태와 그 위에 분포하는 일반적인 사항들을 종합적으로 표현한 지도
	주제도	특수한 목적에 따라 필요한 내용만을 나타낸 지도

2. 위치와 인간 생활

(1) 위치의 표현

작은 규모에서의 위치 표현	행정 구역(주소), 랜드마크, 지형지물 등을 활용해 표현
큰 규모에서의 위치 표현❹	• 대륙과 해양을 활용한 표현 • 위도와 경도를 활용한 표현

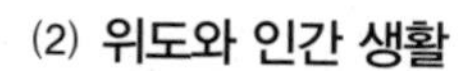

(2) 위도와 인간 생활

위도에 따른 기온 차이	원인	지구가 둥글기 때문에 위도에 따라 일사량이 달라짐
	저위도 지역	일 년 내내 더운 날씨 → 간편한 옷차림, 맵고 짠 음식, 개방적인 가옥
	중위도 지역	비교적 온화한 날씨 → 다양한 농작물 재배, 다양한 의식주 문화 발달
	고위도 지역	일 년 내내 추운 날씨 → 두꺼운 옷차림, 농업 활동 불리
위도에 따른 계절 차이 ❺	원인	지구의 자전축이 23.5° 기울어진 채로 공전하기 때문
	적도 및 극지방	계절 변화 거의 없음, 극지방은 백야 현상 및 극야 현상 나타남
	중위도 지방	북반구와 남반구의 계절이 반대로 나타남

(3) 경도와 인간 생활

경도에 따른 시간 차이 ❻	원인	지구의 자전 → 경도 15°마다 1시간 차이
	표준시	표준 경선을 기준으로 지정 → 우리나라 동경 135°
	날짜 변경선	이 선을 기준으로 날짜가 바뀜
시차와 인간 생활 ❼		• 다른 시간대를 사용하는 지역으로 이동할 경우 시차를 고려해야 함 • 시차를 이용해 24시간 업무 처리가 가능

3. 지리 정보와 지리 정보 기술

(1) 지리 정보

종류	공간 정보	어디에 있는가
	속성 정보	어떤 특성을 지니고 있는가
	관계 정보	다른 장소와 어떤 관계인가
지리 정보 수집	과거	주로 종이 지도 활용
	오늘날	인터넷 전자 지도, 위성 사진, 항공 사진 등 방법이 다양해짐
지리 정보 기술	원격 탐사	인공위성, 항공기 등을 이용하여 지리 정보 수집
	위성 위치 확인 시스템(GPS)	인공위성을 활용하여 경위도 좌표로 사용자의 위치 확인
	지리 정보 체계(GIS) ❽	지리 정보를 입력·저장하고 다양한 방법으로 분석·종합하여 사용자에게 제공하는 종합 정보 시스템

(2) 지리 정보 기술의 활용

일상생활	장소 및 경로 검색, 증강 현실 등
공공 부문	공간적 의사 결정, 국토 관리 등

❺ 위도에 따른 계절 차이

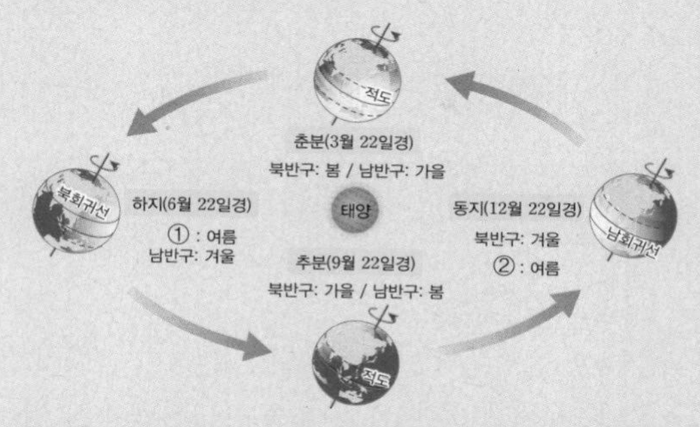

지구의 자전축이 23.5° 기울어져 공전하기 때문에 북반구와 남반구의 중위도 지역은 계절이 반대로 나타난다. (①)가 여름인 6~8월에 남반구는 겨울이며, (②)가 여름인 12~2월에 북반구는 겨울이다.

답 ① 북반구 ② 남반구

❻ 경도에 따른 시간 차이

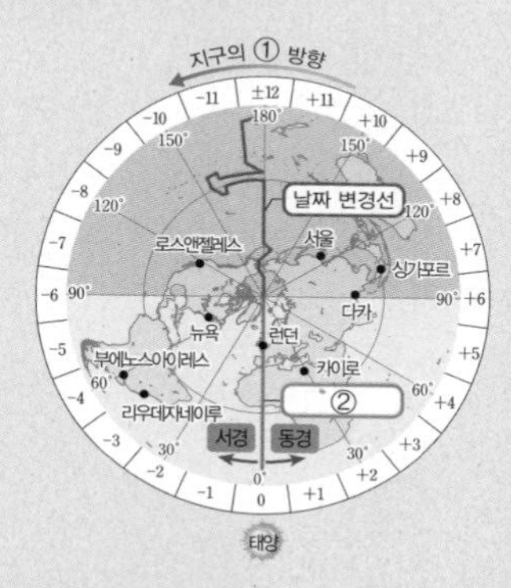

지구가 하루에 한 바퀴 (①)하기 때문에 시차가 발생한다. 경도 15°마다 1시간의 시차가 발생하며, 그 기준은 영국 런던을 지나는 (②)이다.

답 ① 자전 ② 본초 자오선

❼ 세계의 시간대

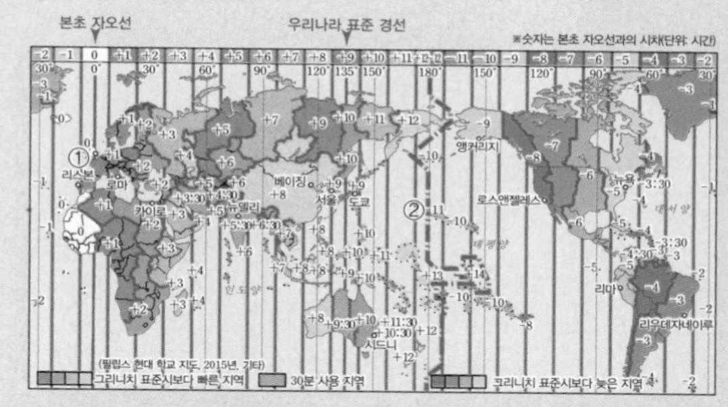

세계 표준시는 영국 (①)을 지나는 본초 자오선을 기준으로 한다. 본초 자오선의 정반대편인 경도 180° 선은 (②)이다.

답 ① 런던 ② 날짜 변경선

❽ 지리 정보 체계(GIS)의 과정

지리 정보 체계(GIS)는 정보의 (①) → (②) → 분석·종합 → 출력의 과정을 거친다.

답 ① 수집 ② 입력·저장

대단원 마무리

01 다음에서 설명하는 국가를 지도의 A~E에서 고른 것은?

- 남위 20°선이 지남
- 태평양 및 인도양에 접해 있음

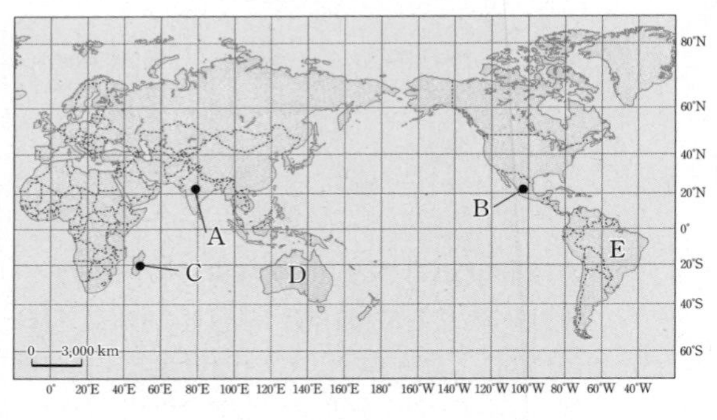

① A　② B　③ C　④ D　⑤ E

02 다음 지도의 ㉠~㉣에 대한 옳은 설명을 〈보기〉에서 고른 것은?

보기
ㄱ. ㉠이 없을 때는 위쪽이 남쪽이다.
ㄴ. ㉡은 실제 거리를 늘린 비율을 나타낸 것이다.
ㄷ. ㉢은 학교를 나타내는 기호이다.
ㄹ. ㉣은 등고선으로 해발 고도가 같은 곳을 연결한 선이다.

① ㄱ, ㄴ　② ㄱ, ㄷ　③ ㄴ, ㄷ
④ ㄴ, ㄹ　⑤ ㄷ, ㄹ

03 다음 (가), (나) 지도에 관한 설명으로 옳지 않은 것은?

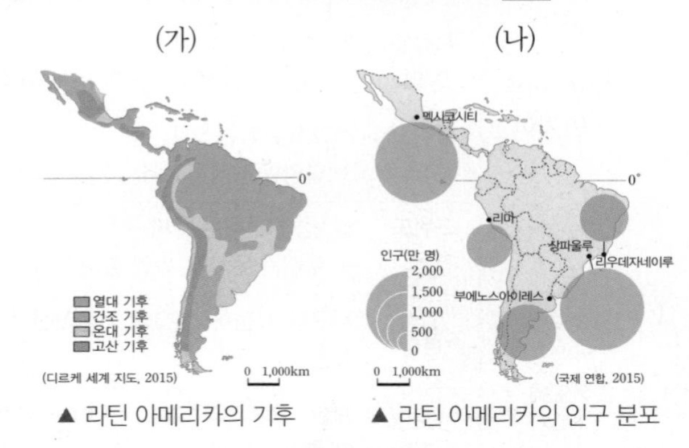

▲ 라틴 아메리카의 기후　▲ 라틴 아메리카의 인구 분포

① (가), (나) 모두 주제도이다.
② (나)를 통해 국가별 인구수를 파악할 수 있다.
③ (가)는 자연환경 정보, (나)는 인문 환경 정보를 나타낸 것이다.
④ (가), (나) 지도를 통해 라틴 아메리카 각 국가들의 기후를 파악할 수 있다.
⑤ (가), (나) 지도를 통해 라틴 아메리카 지역의 실제 크기를 대략적으로 알 수 있다.

04 다음은 2015년 우리나라의 벚꽃 개화 시기를 나타낸 지도이다. 이에 대한 설명으로 옳은 것은?

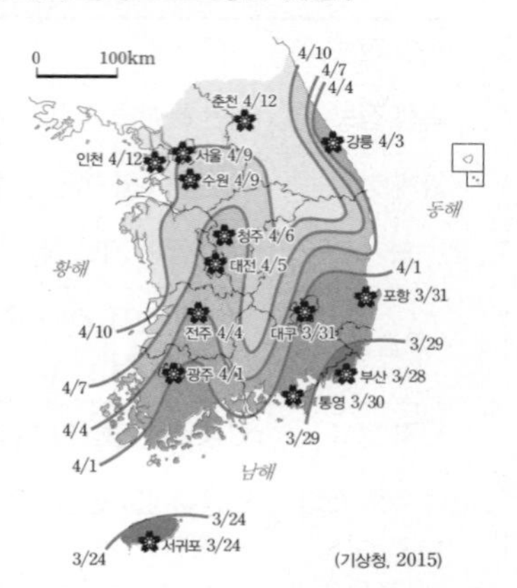

① 전주, 대구, 포항은 벚꽃 개화일이 같다.
② 제주도 지역의 벚꽃 개화 시기가 가장 늦다.
③ 춘천의 벚꽃 개화일은 4/7~4/10일 사이이다.
④ 벚꽃 개화 일자가 같은 날을 도형으로 표현하였다.
⑤ 북쪽으로 올라갈수록 벚꽃의 개화 시기가 늦어지는 경향이 있다.

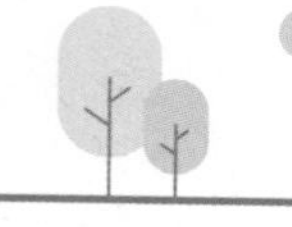

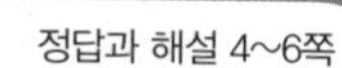

05 (가), (나) 지도에 대한 설명으로 옳은 것을 〈보기〉에서 고른 것은?

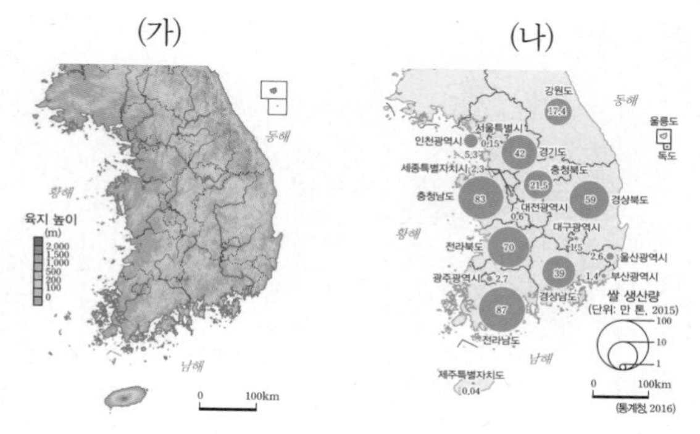

보기
- ㄱ. (가)를 통해 동쪽이 높고 서쪽이 낮은 지형임을 알 수 있다.
- ㄴ. (나)를 통해 수도권 지역의 쌀 소비량이 가장 많을 것임을 예상할 수 있다.
- ㄷ. (가)는 대축척 지도, (나)는 소축척 지도에 해당한다.
- ㄹ. (가), (나)를 통해 해발 고도가 낮은 지역이 높은 지역에 비해 쌀 생산량이 비교적 많음을 알 수 있다.

① ㄱ, ㄴ ② ㄱ, ㄹ ③ ㄴ, ㄷ
④ ㄴ, ㄹ ⑤ ㄷ, ㄹ

06 우리나라의 위치에 관한 설명으로 옳은 것만을 〈보기〉에서 있는 대로 고른 것은?

보기
- ㄱ. 북반구의 중위도에 위치한다.
- ㄴ. 북쪽으로 중국, 러시아와 국경을 맞대고 있다.
- ㄷ. 북위 33°~43°, 동경 124°~132° 사이에 위치한다.
- ㄹ. 유라시아 대륙의 남쪽에 위치하며, 태평양과 접해 있다.

① ㄱ, ㄴ ② ㄱ, ㄹ ③ ㄱ, ㄴ, ㄷ
④ ㄱ, ㄴ, ㄹ ⑤ ㄴ, ㄷ, ㄹ

07 다음 자료를 보고 설명한 내용으로 옳은 것은?

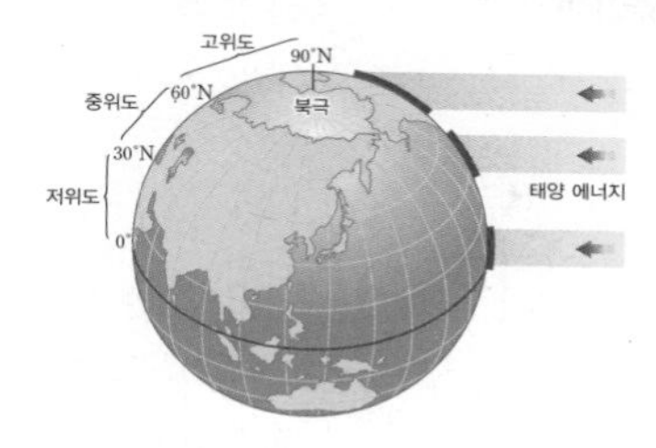

① 경도에 따라 태양 에너지를 받는 양이 다르다.
② 고위도 지역으로 갈수록 연평균 기온이 높아진다.
③ 고위도 지역은 태양의 고도가 높아 연중 기온이 높다.
④ 저위도 지역은 고위도 지역에 비해 태양 에너지를 받는 양이 적다.
⑤ 지역에 따라 태양 에너지를 받는 양이 다른 것은 지구가 둥글기 때문이다.

08 다음 대화의 (가), (나) 지역에 대한 설명으로 옳은 것을 〈보기〉에서 고른 것은?

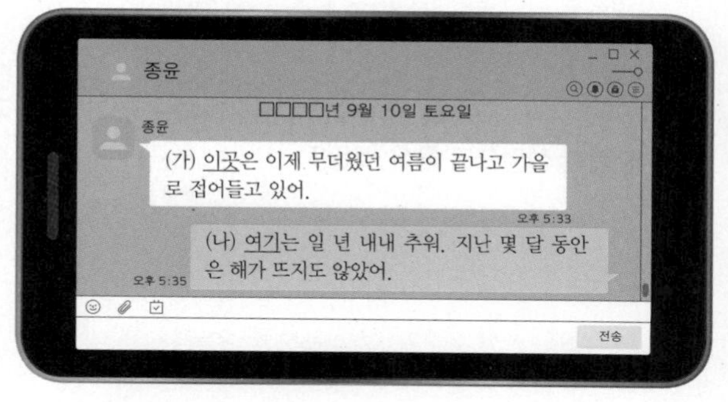

보기
- ㄱ. (가)는 북반구의 중위도 지역이다.
- ㄴ. (나)는 남반구의 저위도 지역이다.
- ㄷ. (가), (나) 지역 모두 남향집을 선호한다.
- ㄹ. (나) 지역에서는 백야 현상이나 극야 현상을 볼 수 있다.

① ㄱ, ㄴ ② ㄱ, ㄹ ③ ㄴ, ㄷ
④ ㄴ, ㄹ ⑤ ㄷ, ㄹ

09 다음 지도의 A, B에 관한 설명으로 옳은 것은?

보기
ㄱ. A와 B 사이에는 12시간의 시차가 발생한다. ㄴ. A는 동경 90°와 서경 90°가 만나는 날짜 변경선이다. ㄷ. B는 세계 표준시의 기준이 되는 본초 자오선이다. ㄹ. A가 일부 지역에서 꺾여 나타나는 것은 한 국가 내에서 다양한 시간대를 사용하기 위함이다.

① ㄱ, ㄴ ② ㄱ, ㄷ ③ ㄴ, ㄷ
④ ㄴ, ㄹ ⑤ ㄷ, ㄹ

10 다음은 주요 국가의 밀 수확 시기를 나타낸 것이다. A 국가에 관한 설명으로 옳은 것은?

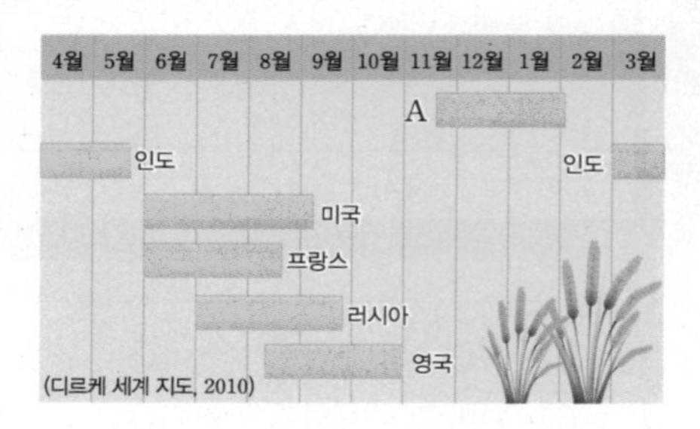

① 중국, 터키 등이 해당한다.
② 북반구의 고위도 지역에 위치한다.
③ 남반구가 겨울일 때 밀을 수확한다.
④ 수확한 밀은 주로 남반구의 국가들로 수출한다.
⑤ 다른 지역과 밀 수확 시기가 다른 것은 계절이 반대이기 때문이다.

[11~12] 다음은 세계의 시간대를 나타낸 지도이다. 이를 보고 물음에 답하시오.

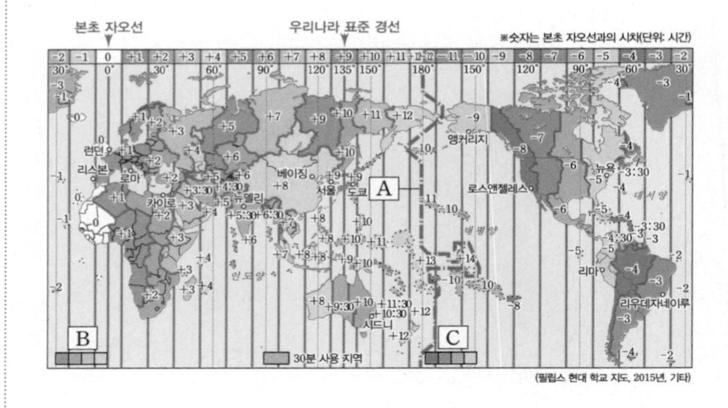

11 지도를 보고 분석한 내용으로 옳지 않은 것은?

① A는 날짜 변경선이다.
② 리마와 뉴욕은 같은 시간대를 사용한다.
③ 서울과 뉴욕은 14시간의 시차가 발생한다.
④ 서울과 시드니는 1시간의 시차가 발생한다.
⑤ B는 그리니치 표준시보다 늦은 지역, C는 그리니치 표준시보다 빠른 지역이다.

12 다음은 축구 국가 대표팀의 친선 경기 중계 시간 안내 광고이다. 이 경기를 우리나라에서 시청할 수 있는 시각으로 옳은 것은?

① 5월 2일 오후 6시
② 5월 3일 오전 10시
③ 5월 4일 오전 2시
④ 5월 4일 오전 10시
⑤ 5월 4일 오후 6시

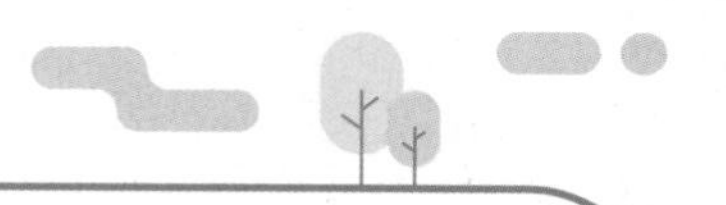

13 다음은 태양광 발전소 건설을 위한 조건들이다. 선정된 입지 A~Y 중 세 가지 조건을 모두 만족하는 입지를 고른 것은?

〈조건〉
1. 경사도 4° 이하
2. 맑은 날 일조 시간 7시간 이상
3. 마을과의 거리 4km 이상

경사도(°)

5	5	6	6	6
4	4	4	4	4
2	2	2	2	3
0	0	3	3	3
0	0	3	3	3

맑은 날 일조 시간

9	9	9	9	9
8	8	8	9	8
7	8	7	9	9
7	7	7	7	7
6	7	7	6	6

마을과의 거리 (Km)

4	4	4	4	4
3	3	3	3	4
2	2	2	3	4
1	1	2	3	4
0	1	2	3	4

선정된 입지

A	B	C	D	E
F	G	H	I	J
K	L	M	N	O
P	Q	R	S	T
U	V	W	X	Y

① E, J　② N, O　③ N, O, T
④ J, O, T　⑤ O, T, Y

14 (가), (나)에서 활용한 지리 정보 기술에 관한 설명으로 옳지 않은 것은?

(가)

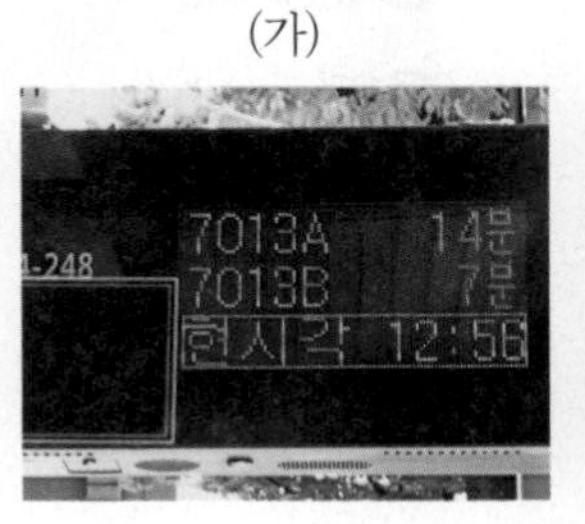

(나)

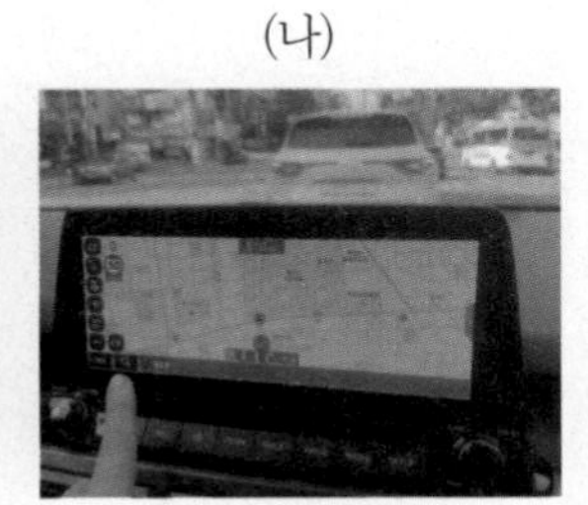

① (가)는 커뮤니티 매핑의 사례이다.
② (나)에서 사용하는 지도는 축소, 확대가 자유롭다.
③ (나)는 스마트폰, 태블릿 PC 등에서도 이용할 수 있다.
④ (가), (나)는 일상생활에서의 지리 정보 활용 사례이다.
⑤ (가), (나) 모두 위성 위치 확인 시스템(GPS) 기술이 활용된다.

서술형

15 다음 (가), (나) 지도를 축척 개념을 이용하여 비교하시오.

(가)　(나)

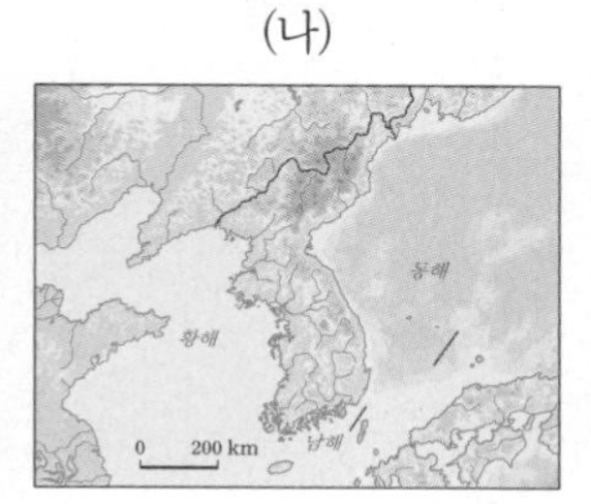

서술형

16 다음 그림을 보고 A 기업이 연속적으로 업무가 가능한 이유를 서술하시오.

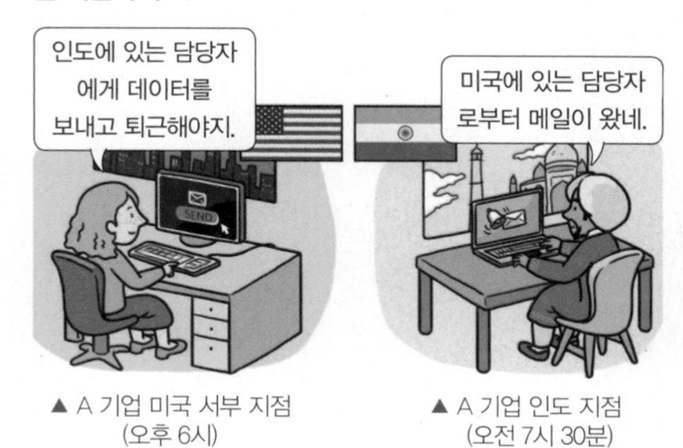

▲ A 기업 미국 서부 지점 (오후 6시)　▲ A 기업 인도 지점 (오전 7시 30분)

서술형

17 다음 자료를 보고 물음에 답하시오.

▲ 북반구의 12월

▲ 남반구의 12월

(1) 위와 같은 계절 차이가 나타나는 이유를 쓰시오.

(2) 위와 같은 계절 차이 때문에 나타나는 생활 모습을 두 가지만 쓰시오.

우리와 다른 기후, 다른 생활

세계의 기후 지역

학습 내용 들여다보기

■ 세계의 기온 분포

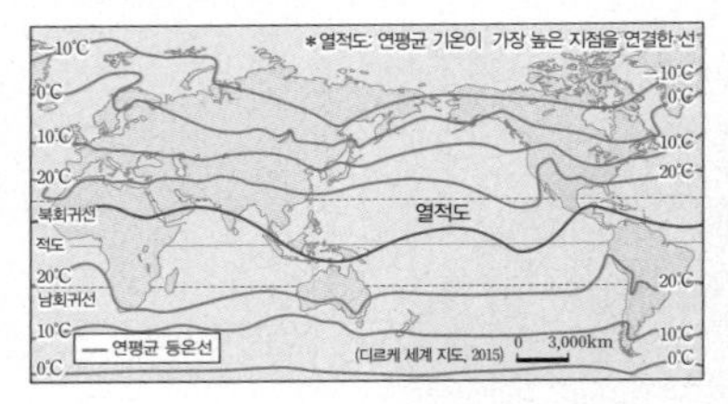

■ 세계의 강수량 분포

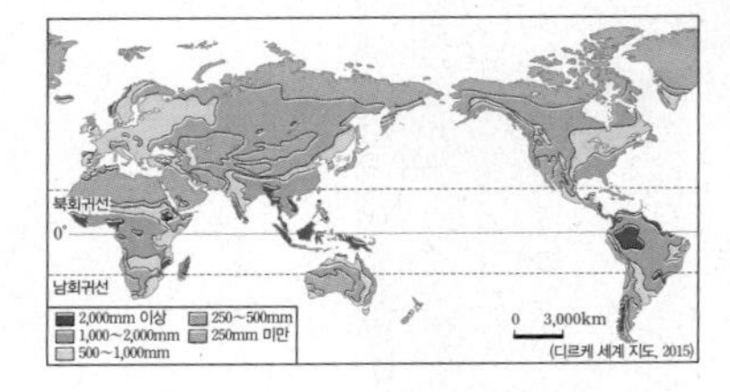

■ 위도별 강수량 분포

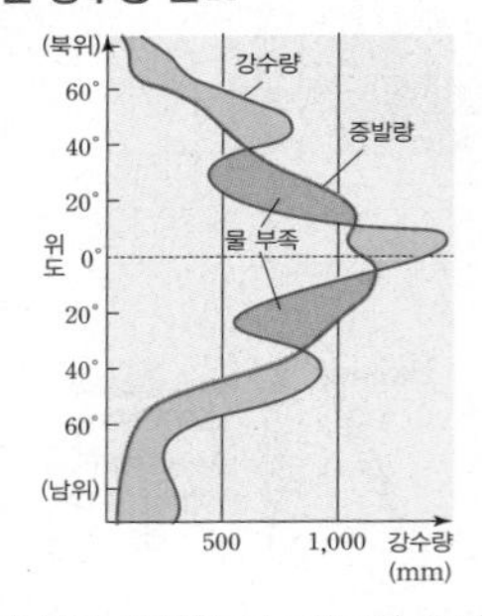

위도 20° 부근 지역은 강수량보다 증발량이 많아 물 부족 현상이 발생한다. 극지방은 기온이 낮아 증발량이 적기 때문에 물 부족 현상이 나타나지는 않는다.

용어 알기

- **연교차** 일 년 동안 측정한 기온, 습도 등의 최댓값과 최솟값의 차이
- **편서풍** 중위도 지역에서 일 년 내내 서쪽에서 동쪽으로 치우쳐 부는 바람

1. 기후

→ 날씨는 짧은 시간 동안 나타나는 대기의 상태, 기후는 오랫동안 나타나는 종합적이고 평균적인 대기의 상태를 말해.

(1) **기후의 의미**: 한 지역에 여러 해 동안 나타나는 평균적인 대기의 상태

(2) **기후 요소와 기후 요인**

기후 요소	기후를 구성하는 요소 예 기온, 강수량, 바람 등
기후 요인	기후 요소의 지역 차에 영향을 주는 요인 예 위도, 육지와 바다의 분포, 지형, 해류 등

(3) **세계의 기온 분포**

① 위도에 따른 분포: 적도에서 고위도 지역으로 갈수록 연평균 기온이 낮아짐 (→ 위도와 등온선이 대체로 평행하게 나타나.)

② 대륙과 해양: 대륙이 해양보다 기온의 연교차가 크며, 난류와 편서풍의 영향으로 대륙의 서안이 동안보다 기온의 연교차가 작음 (→ 육지가 바다보다 가열되고 냉각되는 속도가 빠르기 때문이야.)

(4) **세계의 강수량 분포**

① 강수량이 많은 지역: 적도 부근, 중위도 지역, 해안 지역, 난류가 흐르는 지역 등

② 강수량이 적은 지역: 극지방, 남·북회귀선 부근, 내륙, 한류가 흐르는 지역 등

2. 세계의 다양한 기후와 식생

(1) **세계의 다양한 기후** 자료 1 자료 2 (→ 기온과 강수량의 특성에 따라 구분해.)

(스콜: 오전에 햇볕을 받아 뜨거워진 공기가 상승하여 오후에 비로 내리는데 강풍, 천둥, 번개를 동반하기도 해.)

구분	기준	특징
열대 기후	가장 추운 달의 평균 기온이 18℃ 이상	• 일 년 내내 기온이 높음 • 강수량이 많은 곳에 밀림 형성, 스콜 현상
건조 기후	연 강수량 500mm 미만	강수량보다 증발량이 많아 식생이 거의 분포하지 않음
온대 기후	가장 추운 달의 평균 기온이 −3~18℃	• 중위도 지역에 분포, 사계절이 나타남 • 비교적 온화한 기후
냉대 기후	가장 추운 달의 평균 기온 −3℃ 미만, 가장 따뜻한 달의 평균 기온 10℃ 이상	• 기온의 연교차가 큼 • 타이가라 불리는 대규모 침엽수림 분포
한대 기후	가장 따뜻한 달의 평균 기온 10℃ 미만	• 일 년 내내 눈과 얼음으로 덮여 있음 • 짧은 여름 시기에 이끼나 풀이 자람
고산 기후	• 열대 기후 지역의 해발 고도가 높은 지역 • 연중 우리나라의 봄과 같은 온화한 날씨	

자료 1 세계의 다양한 기후(1)

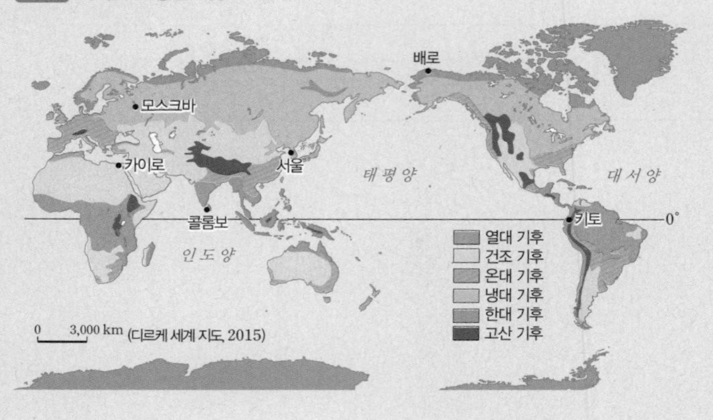

자료 2 세계의 다양한 기후(2)

꺾은선그래프는 기온, 막대그래프는 월 강수량을 나타내.

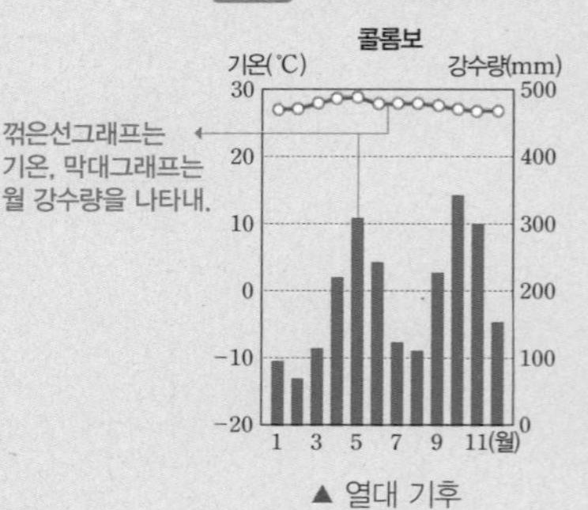

▲ 열대 기후

일 년 내내 기온이 높고, 강수량이 많음

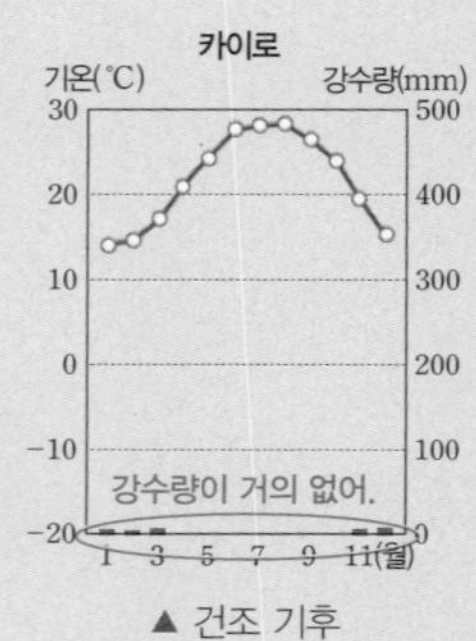

▲ 건조 기후

기온이 높은 편이고, 강수량이 거의 없음

(2) 기후에 따른 식생의 모습

열대 기후	건조 기후	냉대 기후	한대 기후
연중 높은 기온과 많은 강수량으로 열대림 형성	강수량이 적어 식물이 자라기 어려움	기온이 낮아 잎이 뾰족한 침엽수림이 분포	일부 이끼류 외에 식물이 자라기 어려움

3. 인간의 거주와 기후

(1) **인간 거주에 영향을 주는 요인** → 과거에는 자연환경의 영향이 컸지만, 요즘에는 인문 환경의 영향이 점차 커지고 있어.

① 자연환경 요인: 기온 · 강수량 등의 기후, 평야 · 하천 등의 지형

② 인문 환경 요인: 산업화, 도시화 등

(2) **인간 거주에 유리한 기후 조건**

구분	내용
온대 및 냉대 기후 지역	• 사계절이 나타남, 기온과 강수 조건이 농업 활동에 유리 • 온대 기후 지역은 농업과 상공업이 발달하여 인구가 밀집 예 서부 유럽
열대 계절풍 기후 지역	벼농사에 유리한 자연환경 조건으로 인구가 밀집 예 동남아시아 → 벼농사는 높은 기온과 많은 강수량을 필요로 해.
적도 부근의 고산 기후 지역 자료 3	• 적도 부근의 해발 고도가 높은 지역은 일 년 내내 봄과 같은 온화한 날씨 • 고산 도시가 발달 예 볼리비아 라파스, 콜롬비아 보고타 등

(3) **인간 거주에 불리한 기후 조건**

구분	내용
열대 기후 지역	일 년 내내 덥고 습한 날씨로 인간 거주에 불리
건조 기후 지역	강수량이 적어 인간 거주에 불리
한대 기후 지역	기온이 낮고 강수량이 적어 인간 거주와 농업 활동에 불리

(4) **인간 거주 환경의 변화**

① 과학 기술의 발달로 거주에 불리한 자연환경 조건의 극복이 가능해짐

② 열대 우림 지역: 밀림 지역 개발과 관광 산업의 발달로 인구 증가

③ 건조 기후 지역: 해수 담수화 시설 등을 설치하여 물 부족 문제 극복

④ 거주에 유리한 자연환경이 기후 변화와 자연재해로 거주에 불리해지기도 함

학습 내용 들여다보기

■ 세계의 인구 분포

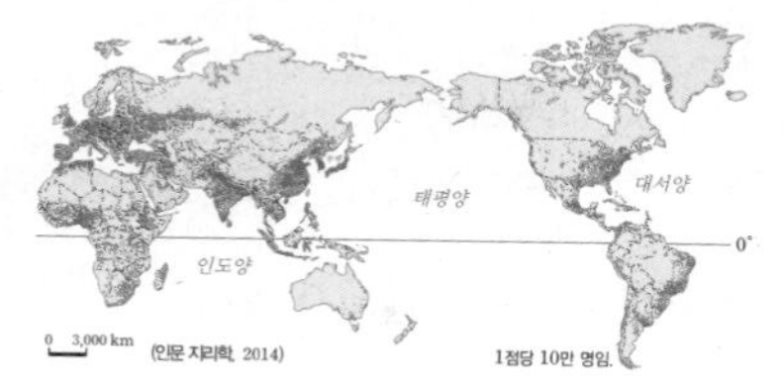

온대 및 냉대 기후가 나타나는 북위 20°~40° 지역에 인구가 밀집해 있다.

■ 인구 밀집 지역과 인구 희박 지역

▲ 프랑스 파리

▲ 남극 대륙

■ 인간의 활동에 의한 거주 지역의 변화

▲ 아랍 에미리트의 두바이

석유가 개발되면서 거주에 불리한 사막 지역에서 세계적인 도시로 변화했다.

▲ 방글라데시

농업에 유리했던 하천 하류 지역이 지구 온난화로 인한 해수면 상승과 잦은 홍수로 침수되고 있다.

용어 알기

- **계절풍** 계절에 따라 일정한 방향으로 부는 바람으로 여름에는 바다에서 육지로, 겨울에는 육지에서 바다로 붊
- **해수 담수화 시설** 바닷물을 인류의 생활에 유용하게 쓸 수 있도록 염분을 제거하기 위한 시설

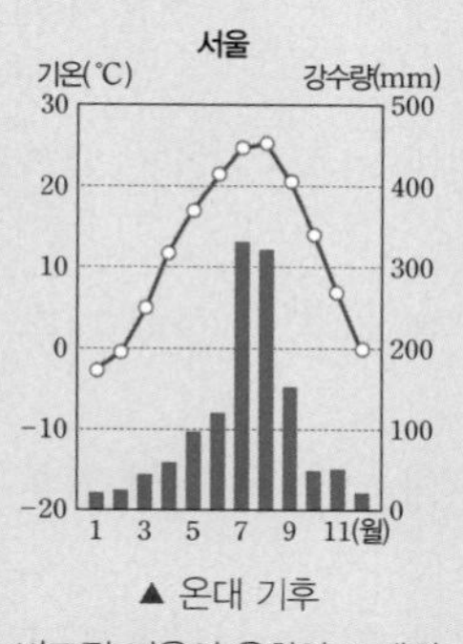

▲ 온대 기후

비교적 기온이 온화하고 계절 차가 있음

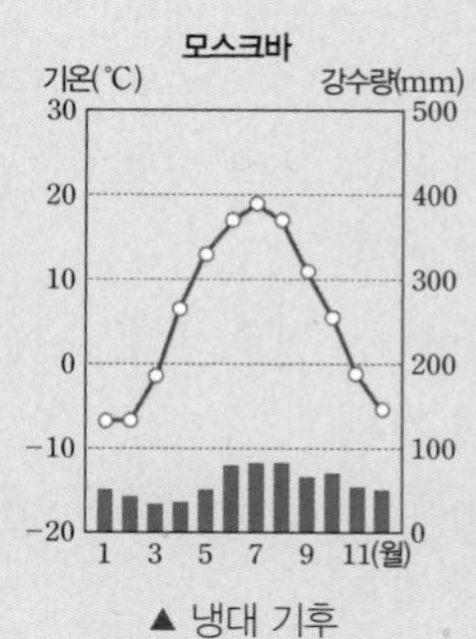

▲ 냉대 기후

기온의 연교차가 크고 강수량은 큰 변화 없음

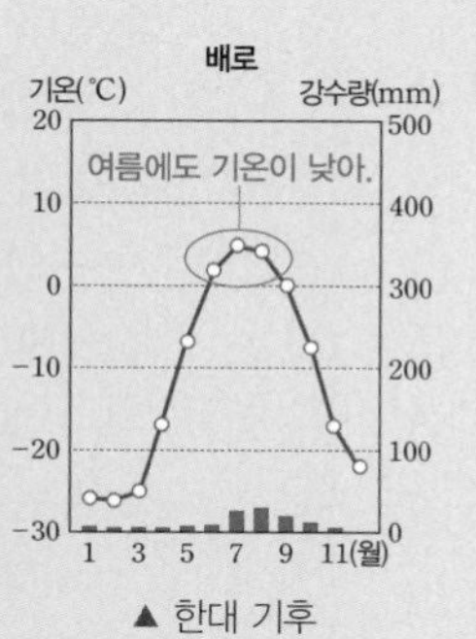

▲ 한대 기후

여름에도 기온이 낮고, 연중 강수량이 적음

자료 3 **고산 기후**

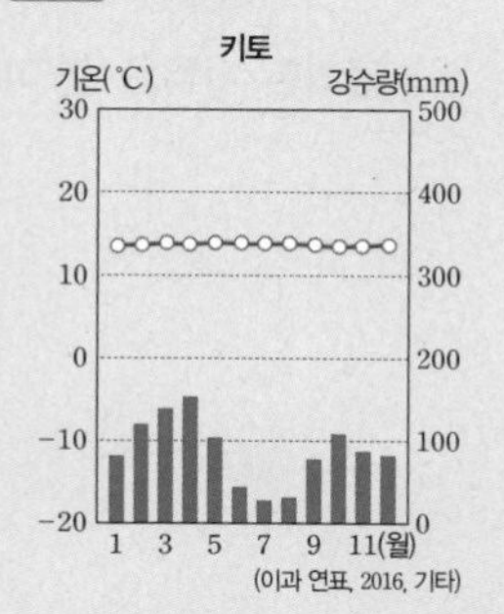

에콰도르의 수도인 키토는 적도 부근에 위치한다. 일 년 내내 기온이 높을 것 같지만, 해발 고도가 높아(약 2,850m) 연중 10℃~15℃ 정도로 온화한 날씨가 계속된다. 이로 인해 인구가 밀집하고 도시로 발달하였다.

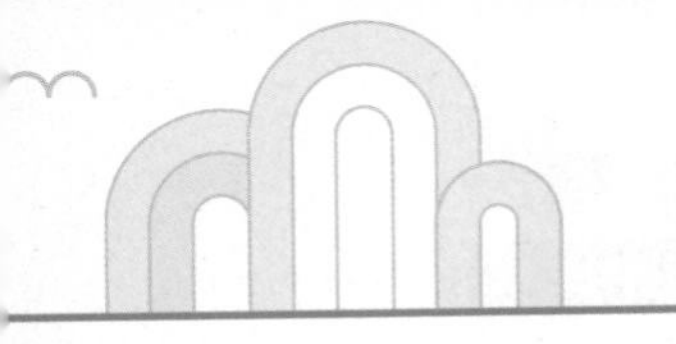

기본 문제

간단 체크

1 다음 설명이 맞으면 ○표, 틀리면 ×표 하시오.

(1) "오늘은 덥고 습도가 높아."와 같이 기후를 나타낼 수 있다. ( )

(2) 기후 요인에는 위도, 지형, 해류, 강수량 등이 있다. ( )

(3) 대륙의 동안 지역이 대륙의 서안 지역보다 기온의 연교차가 크다. ( )

(4) 한류가 흐르는 지역은 비교적 강수량이 적다. ( )

(5) 기후를 구분하는 주요 기준은 기온과 강수량의 특성이다. ( )

(6) 건조 기후 지역은 연 강수량 500mm 미만으로 식생이 자라기에는 충분한 편이다. ( )

(7) 적도 부근의 고산 기후 지역은 연중 기온이 높아 인간 거주에 불리하다. ( )

(8) 열대 우림 지역은 최근 밀림 지역 개발과 관광 산업의 발달로 인구가 늘어나고 있다. ( )

2 다음 설명의 빈칸에 들어갈 말을 쓰시오.

(1) 기온, 강수량, 바람 등 기후를 구성하는 요소를 ( )(이)라고 한다.

(2) 연평균 기온은 적도에서 고위도 지역으로 갈수록 낮아지며, 대체로 ( )와/과 평행하게 나타난다.

(3) 남회귀선과 북회귀선 부근 지역은 ( )보다 ( )이/가 많아 물이 부족하다.

(4) 스콜 현상은 한낮의 강한 햇볕을 받아 뜨거워진 공기가 상승해 구름을 만들어 짧은 시간 집중적으로 내리는 비를 말하는 것으로 ( ) 기후 지역에서 볼 수 있다.

(5) 한대 기후 지역은 가장 따뜻한 달의 평균 기온이 ( )℃ 미만이다.

(6) 열대 ( ) 기후 지역은 벼농사에 유리한 자연환경 조건으로 인구가 밀집하였다.

(7) 과거에는 ( ) 조건, 요즘에는 ( ) 조건이 인간 거주에 더 크게 영향을 주고 있다.

3 인간 거주에 유리한 지역은 '유', 불리한 지역은 '불'이라고 쓰시오.

(1) 온대 기후 지역 ( )

(2) 건조 기후 지역 ( )

(3) 열대 기후 지역 ( )

(4) 한대 기후 지역 ( )

(5) 냉대 기후 지역 ( )

(6) 열대 계절풍 기후 지역 ( )

(7) 적도 부근의 고산 기후 지역 ( )

01 기후에 관한 설명으로 옳은 것은?

① 날씨와 같은 의미이다.
② 경도에 따라 다양한 기후가 나타난다.
③ 기온과 지형 특성에 따라 구분할 수 있다.
④ 짧은 시간 동안 나타나는 대기의 상태이다.
⑤ 지형, 대륙과 해양의 분포, 해류 등의 영향을 받는다.

02 다음은 세계의 기온 분포를 나타낸 지도이다. 이러한 기온 분포에 가장 큰 영향을 끼친 요인은?

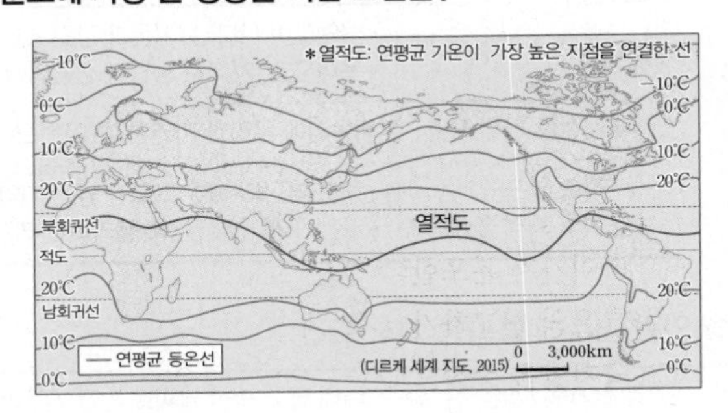

① 지형 ② 바람 ③ 위도
④ 강수량 ⑤ 해발 고도

03 적도에서 극지방으로 가면서 나타나는 기후 지역을 순서대로 나열한 것은?

① 열대 기후 → 건조 기후 → 온대 기후 → 냉대 기후 → 한대 기후
② 열대 기후 → 온대 기후 → 냉대 기후 → 건조 기후 → 한대 기후
③ 열대 기후 → 건조 기후 → 온대 기후 → 한대 기후 → 냉대 기후
④ 건조 기후 → 열대 기후 → 온대 기후 → 냉대 기후 → 한대 기후
⑤ 한대 기후 → 냉대 기후 → 온대 기후 → 건조 기후 → 열대 기후

04 각 기후의 특징에 대한 설명으로 옳지 않은 것은?

① 열대 기후 – 일 년 내내 기온이 높음
② 건조 기후 – 연 강수량이 500mm 미만
③ 온대 기후 – 사계절이 나타남
④ 냉대 기후 – 스텝 기후와 사막 기후로 구분
⑤ 한대 기후 – 일 년 내내 눈과 얼음으로 덮여 있음

05 다음 그래프와 같은 기후가 나타나는 지역의 특징으로 옳은 것은?

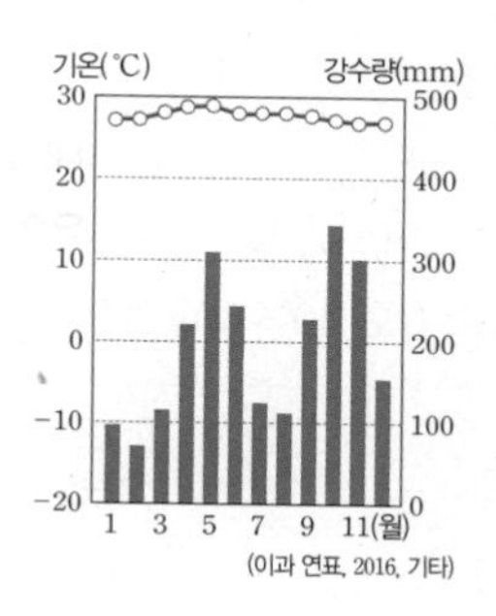

(이과 연표, 2016, 기타)

① 타이가가 분포한다.
② 기온의 연교차가 크다.
③ 극지방을 중심으로 분포한다.
④ 일 년 내내 기온이 높고 강수량이 많다.
⑤ 가장 추운 달의 평균 기온이 −3℃~18℃이다.

06 다음 설명에 해당하는 기후 지역을 지도의 A~E에서 고른 것은?

- 스텝 기후와 사막 기후로 구분한다.
- 강수량보다 증발량이 많아 식생이 거의 자라지 못한다.

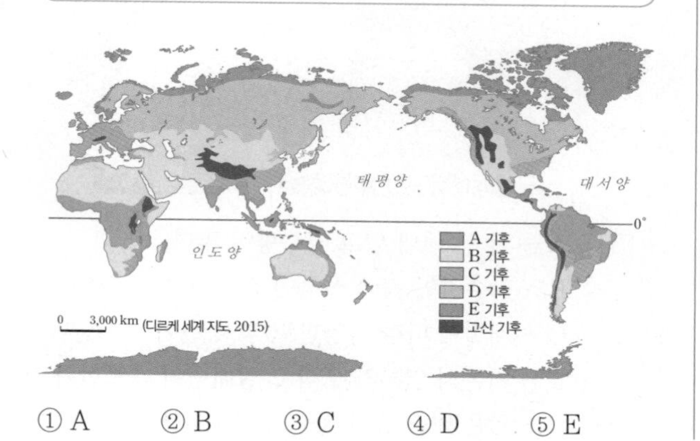

(디르케 세계 지도, 2015)

① A ② B ③ C ④ D ⑤ E

07 다음은 수업 시간에 인간의 거주 환경에 대해 정리한 노트의 일부이다. ㉠에 들어갈 지역으로 옳은 것은?

인간 거주에 불리한 [㉠]

✓ 일 년 내내 추운 날씨로 인간이 거주하기에 불리한 자연환경 조건을 갖고 있음.
✓ 자원 개발과 연구를 위해 사람들이 모여들기도 함.

① 남극 ② 서부 유럽
③ 동남아시아 ④ 아마존 밀림
⑤ 사하라 사막

08 다음은 유진이가 수업 시간에 선생님의 질문에 대한 답을 작성한 것이다. 맞게 표시한 답의 개수는?

[질문] 다음 지역을 인간이 거주하기에 유리한 기후 지역과 불리한 기후 지역으로 구분하여 해당 지역에 ✓표 하시오.
※ 단, 한 문제당 1점씩 배점하며, 틀리더라도 감점은 없음.

구분	지역	유리	불리
㉠	온대 기후가 나타나는 서부 유럽	✓	
㉡	열대 우림으로 덮인 아마존강 유역		✓
㉢	열대 계절풍 기후가 나타나는 동남아시아		✓
㉣	건조 기후가 나타나는 사하라 사막 주변 지역		✓
㉤	고산 기후가 나타나는 적도 부근의 안데스 산지	✓	

① 1개 ② 2개 ③ 3개
④ 4개 ⑤ 5개

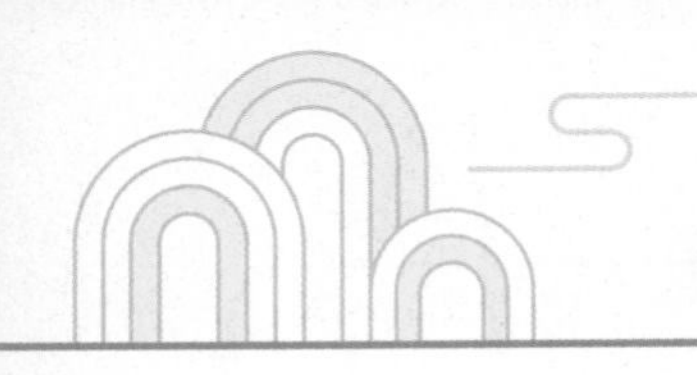

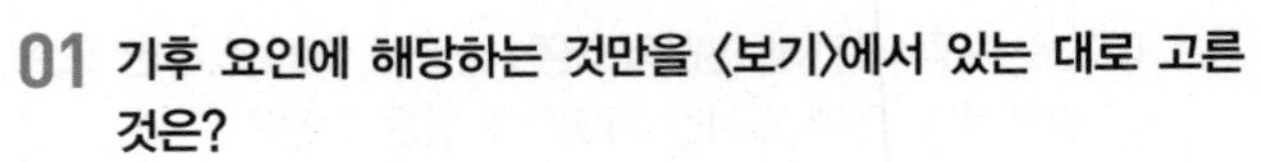

실전 문제

01 기후 요인에 해당하는 것만을 〈보기〉에서 있는 대로 고른 것은?

| 보기 |

ㄱ. 기온　　ㄴ. 바람　　ㄷ. 위도
ㄹ. 강수량　　ㅁ. 해발 고도　　ㅂ. 수륙 분포

① ㄱ, ㄴ　② ㄷ, ㅁ　③ ㄱ, ㄴ, ㄹ
④ ㄹ, ㅁ, ㅂ　⑤ ㄷ, ㅁ, ㅂ

★ 중요 ★

02 세계의 기온 분포에 대한 설명으로 옳은 것을 〈보기〉에서 고른 것은?

| 보기 |

ㄱ. 대륙 내부는 해양보다 연교차가 크다.
ㄴ. 연평균 등온선은 대체로 경도와 평행하게 나타난다.
ㄷ. 연평균 기온은 저위도에서 고위도로 갈수록 대체로 높아진다.
ㄹ. 난류와 편서풍의 영향으로 대륙 동안보다 대륙 서안의 연교차가 작다.

① ㄱ, ㄴ　② ㄱ, ㄷ　③ ㄱ, ㄹ
④ ㄴ, ㄹ　⑤ ㄷ, ㄹ

03 다음은 위도별 강수량 분포를 나타낸 자료이다. 이에 대한 설명으로 옳은 것은?

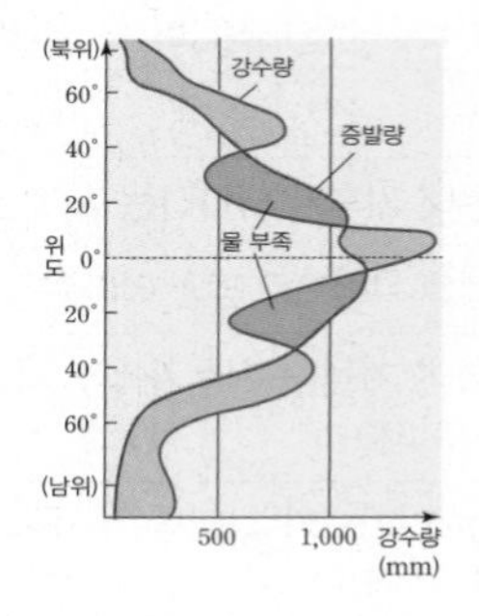

① 극지방의 강수량이 가장 많다.
② 중위도 지역은 물 부족 현상이 나타난다.
③ 위도 20° 부근 지역은 강수량보다 증발량이 많다.
④ 물 부족 현상이 적도 부근 지역으로 확대되고 있다.
⑤ 위도가 높아질수록 강수량이 많아지는 경향이 있다.

[04~05] 다음 세계의 강수량 분포 지도를 보고 물음에 답하시오.

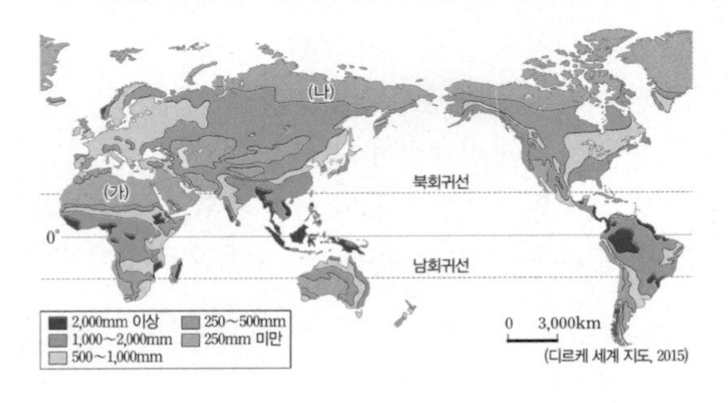

04 지도에서 강수량이 상대적으로 적은 지역을 〈보기〉에서 고른 것은?

| 보기 |

ㄱ. 극지방
ㄴ. 적도 부근
ㄷ. 남·북회귀선 부근
ㄹ. 중위도(위도 40°~60°) 지역

① ㄱ, ㄴ　② ㄱ, ㄷ　③ ㄴ, ㄷ
④ ㄴ, ㄹ　⑤ ㄷ, ㄹ

05 (가), (나) 지역에 대한 설명으로 옳은 것은?

① (가) 지역에는 초원이 넓게 분포한다.
② (가) 지역은 난류의 영향으로 강수량이 적다.
③ (나) 지역은 강수량이 적어 물 부족 현상이 나타난다.
④ (나) 지역에는 타이가라 불리는 침엽수림이 분포한다.
⑤ (가) 지역은 건조 기후, (나) 지역은 온대 기후가 나타난다.

06 A~E 기후에 대한 설명으로 옳지 않은 것은?

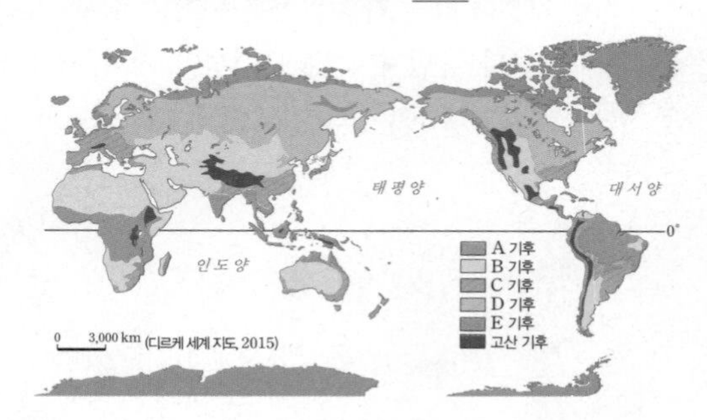

① A – 일 년 내내 덥고 강수량이 많다.
② B – 강수량이 적어 식물이 잘 자라지 못한다.
③ C – 계절에 따라 다양한 기후 경관이 나타난다.
④ D – 기온의 연교차가 작고 열대림이 분포한다.
⑤ E – 짧은 여름 동안 풀이나 이끼류가 자란다.

07 다음 자료에 해당하는 기후 그래프로 옳은 것은?

- 스텝 기후와 사막 기후로 구분된다.
- 남·북위 20°~30° 부근에 분포하며, 강수량보다 증발량이 많다.

① 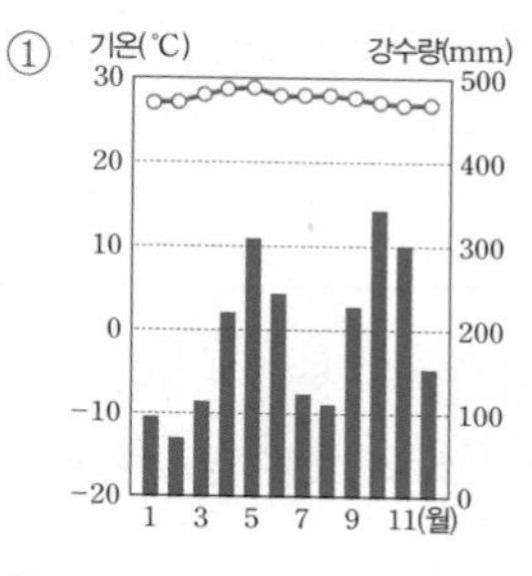

② 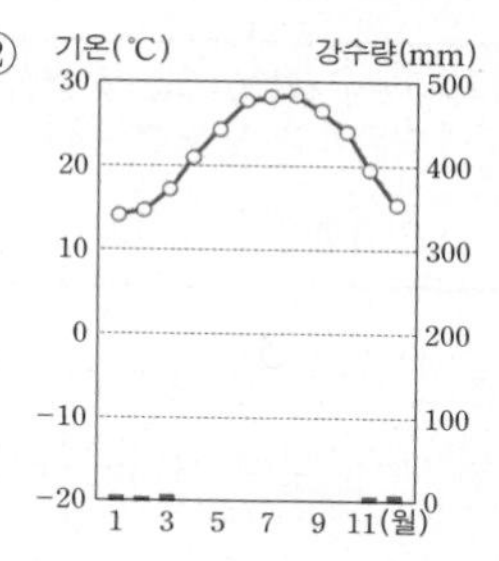

③ 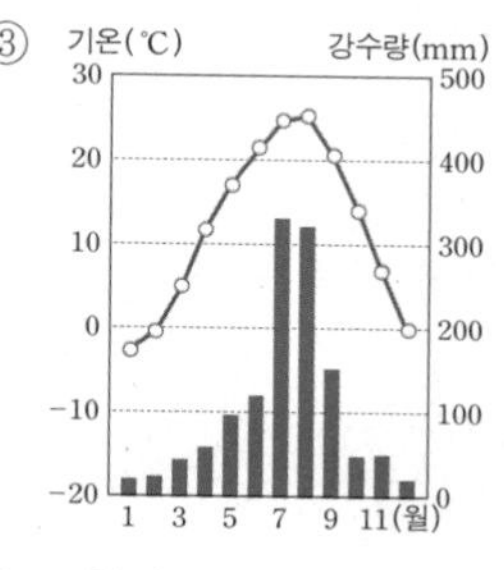

④ 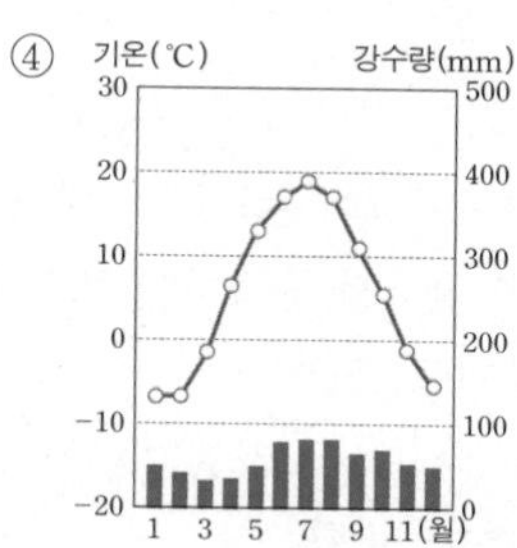

⑤ 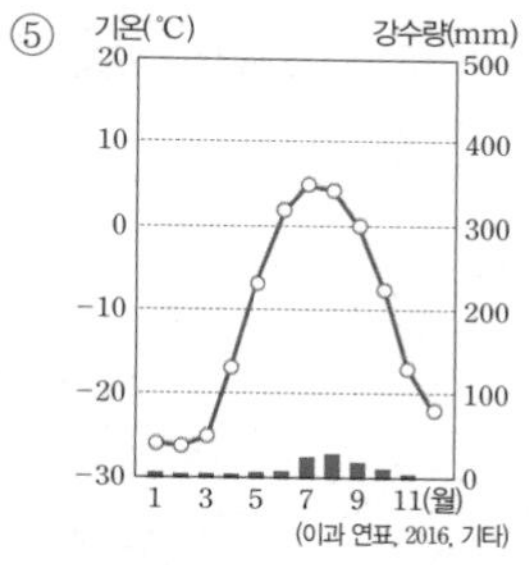

(이과 연표, 2016, 기타)

★ 중요 ★

08 자연환경에 따른 인간의 거주에 대한 설명으로 옳지 않은 것은?

① 건조 기후 지역은 인간 거주에 불리한 지역에 속한다.
② 열대 기후 지역은 연중 기온이 높아 인간 거주에 불리하다.
③ 자연환경은 과거보다는 오늘날 인간 거주에 더 큰 영향을 끼친다.
④ 적도 부근의 고산 기후 지역은 인간 거주에 유리한 자연환경이 나타난다.
⑤ 자연환경 때문에 인간이 거주하지 못하던 지역이 거주 가능한 지역으로 바뀌기도 한다.

서술형 문제

09 다음 기후 그래프를 보고 물음에 답하시오.

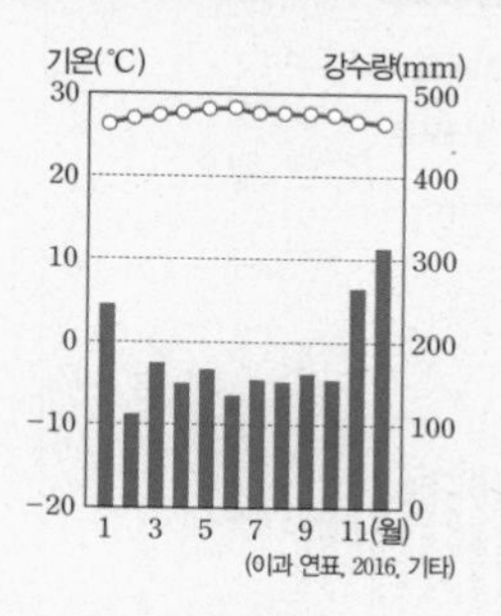

(이과 연표, 2016, 기타)

(1) 이러한 기온과 강수량이 나타나는 기후의 명칭을 쓰시오.

(2) 다음 제시어를 모두 사용하여 이 기후의 특징을 서술하시오.

제시어: 기온, 강수량, 평균 기온 18℃

10 다음은 세계의 기후를 나타난 지도이다. 각 기후 중에서 인간 거주에 유리한 기후와 그 이유를 쓰시오.

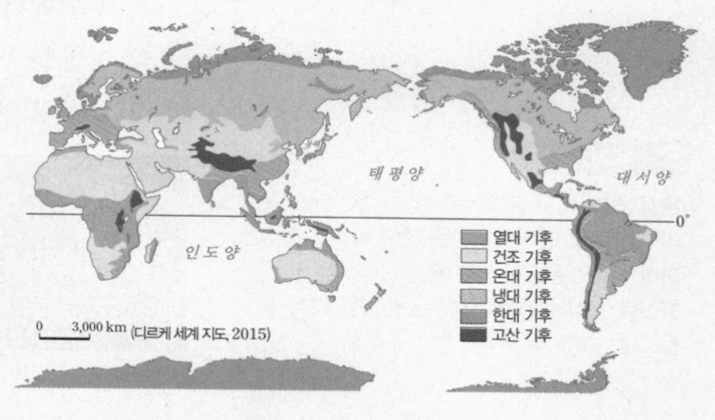

(디르케 세계 지도, 2015)

(1) 인간 거주에 유리한 기후 지역:

(2) 이유:

열대 우림 기후 지역의 주민 생활

학습 내용 들여다보기

■ **열대 우림 기후 그래프**

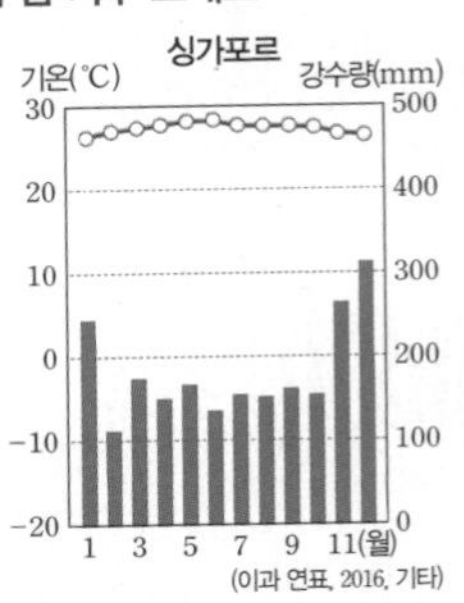

열대 우림 기후 지역은 일 년 내내 기온이 높고 강수량이 많아, 덥고 습한 날씨가 계속된다.

■ **열대 우림 경관**

상층부에는 키가 큰 나무, 하층부에는 키가 작은 나무와 덩굴이 자란다.

1. 열대 우림 기후 지역의 자연환경

(1) 기후의 특징

① 일 년 내내 기온이 높고 강수량이 많음

② 스콜이라 불리는 열대성 소나기가 거의 매일 발생

(2) 식생과 토양

식생	• 다양한 종류의 나무와 풀들이 밀림을 형성 • 키가 큰 나무와 작은 나무 및 덩굴들이 여러 층을 이룸
토양	땅에 떨어진 나뭇잎이 많은 비로 씻겨 나가 양분이 부족한 편

(3) 분포

분포: 아프리카의 콩고 분지, 남아메리카의 아마존강 유역, 동남아시아의 보르네오섬과 주변 지역 등 일 년 내내 태양 에너지를 집중적으로 받는 적도 주변에 주로 분포 자료 1

(4) 열대 우림의 가치와 역할

① 지구 전체 동식물의 절반 이상이 분포하는 생태계의 보고

② 이산화 탄소를 흡수하고 산소를 공급하여 온실 효과를 억제

③ 식량 자원 및 의약품의 원료 공급지

2. 열대 우림 기후 지역의 주민 생활

(1) 의생활

의생활: 덥고 습한 날씨 때문에 통풍이 잘되는 얇고 간편한 옷을 주로 입음

(2) 식생활

① 음식을 만들 때 기름에 튀기거나 향신료를 많이 사용 → 음식이 쉽게 상하는 것을 막기 위해서야.

② 다양한 열대 과일을 즐겨 먹음

(3) 주생활

① 주변에서 쉽게 구할 수 있는 나무, 풀 등의 재료를 사용하여 집을 지음

② 통풍을 위해 창과 문을 크게 낸 개방적인 구조, 지붕의 경사가 급함

③ 고상 가옥과 수상 가옥 발달 자료 2

◀ 닭고기, 해물 등을 밥과 함께 볶아 먹는 인도네시아의 대표 음식 나시고렝

◀ 풀잎을 이용해 간단히 만든 열대 기후 지역의 전통 복장

용어 알기

• **온실 효과** 대기 중의 수증기, 이산화 탄소 등이 지표에서 우주로 향하는 태양 복사를 흡수하여 지표의 온도를 높게 유지하는 작용

• **향신료** 음식에 맵거나 향기로운 맛을 더해 주는 고추, 후추, 마늘 생강 등의 조미료

자료 1 열대 우림 기후의 분포

자료 2 열대 우림 기후 지역 전통 가옥(고상 가옥과 수상 가옥)

열대 우림 기후 지역에서는 지면에서 올라오는 열기와 습기를 막고, 해충이나 뱀 등의 피해를 줄이기 위해 지면에서 바닥을 떨어지게 하거나 물 위에 집을 지으며, 지붕의 경사를 급하게 하여 빗물이 쉽게 흘러내리도록 하였다.

(4) 농업 활동

① 동남아시아 지역의 벼농사: 높은 기온과 풍부한 강수량을 바탕으로 벼농사 발달, 1년에 2~3번 농사짓는 곳도 있음

② 이동식 화전 농업

경작 방식	숲을 태워 경작지를 만들고 작물을 재배 → 지력이 약해지면 새로운 곳으로 이동
주요 작물	카사바, 얌, 옥수수 등

→ 나무를 태운 재가 양분이 되어 작물이 잘 자라.

나무를 베고 불을 질러 경지를 만든다.

농사를 지어 작물을 수확한다.

오랜 경작으로 땅이 척박해진다.

새로운 곳으로 이동해 경지를 만든다.

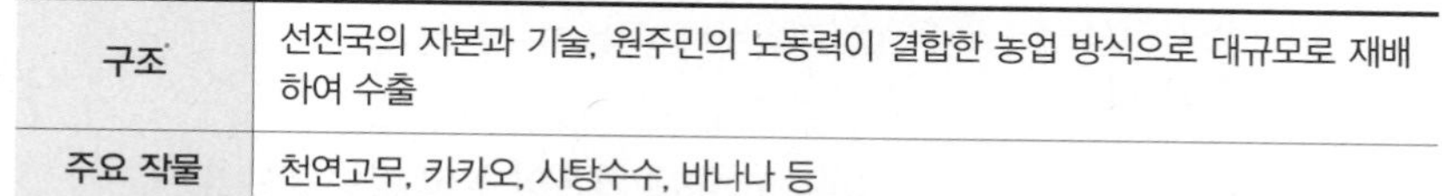

③ 플랜테이션

구조	선진국의 자본과 기술, 원주민의 노동력이 결합한 농업 방식으로 대규모로 재배하여 수출
주요 작물	천연고무, 카카오, 사탕수수, 바나나 등

▲ 수출을 위해 바나나를 포장하는 모습

▲ 고무나무 농장의 천연고무 채취

3. 열대 우림 기후 지역의 변화

(1) 변화의 모습

① 열대림 개발과 열대림 면적의 감소: 자원 개발, 도로 건설, 농경지·방목지 조성 등으로 열대림의 면적이 급속하게 감소 자료 3

② 산업의 발달: 임업, 관광 산업 등

③ 도시화와 산업화로 인한 도시 발달 자료 4

(2) 변화에 따른 영향과 문제점

① 원주민의 생활 터전이 파괴되고 토착 문화가 사라질 위기에 처함

② 동식물의 서식지 파괴로 생물 종 다양성의 감소

③ 지구 온난화가 가속화되고 이상 기후가 나타남

학습 내용 들여다보기

■ 동남아시아의 벼농사

벼농사는 높은 기온과 풍부한 강수량이 필요하다. 동남아시아는 이러한 기후 조건을 충족하여 예전부터 벼농사가 발달했다.

■ 카사바

카사바는 맛과 모양이 고구마와 비슷하다. 열대 지방 여러 나라의 중요한 식량이다.

용어 알기

- **지력** 농작물을 길러 낼 수 있는 땅의 힘
- **방목지** 소, 말, 양 등의 가축을 우리에 가두지 않고 놓아 기르는 일정한 땅
- **얌** 덩이줄기 채소로 온도가 높고 비가 많이 내리는 곳에서 자람

자료 3 열대림 면적의 감소

아마존의 열대림이 도로 건설, 자원 개발, 농지 조성, 기후 변화 등으로 빠르게 줄어들고 있다.

자료 4 열대 우림 기후 지역의 도시 발달

싱가포르는 태평양과 인도양이 만나는 곳에 위치하는 해상 교통의 요지이며, 세계적인 중계 무역항이다.

말레이시아의 쿠알라룸푸르는 자원 개발을 통해 성장한 도시로 말레이시아의 수도이다.

브라질의 항구 도시 마나우스는 천연고무 수출항으로 성장하였으며, 관광 산업도 발달했다.

기본 문제

간단 체크

1 다음 설명이 맞으면 ○표, 틀리면 ×표 하시오.

(1) 열대 우림 기후 지역은 일 년 내내 기온이 높고 강수량이 많다. ( )

(2) 열대 우림 기후 지역의 토양은 대부분 양분이 풍부해 농업 활동에 유리하다. ( )

(3) 열대 우림 기후 지역에서는 음식이 상하는 것을 막기 위해 기름에 튀기거나 향신료를 많이 사용한다. ( )

(4) 고상 가옥 지붕의 경사가 급한 것은 햇볕을 더 많이 받기 위해서이다. ( )

(5) 이동식 화전 농업 방식으로 재배하는 대표적인 작물로 천연고무, 사탕수수, 카카오, 바나나 등이 있다. ( )

(6) 플랜테이션은 선진국의 자본과 기술, 원주민의 노동력이 결합한 농업 방식이다. ( )

(7) 열대 우림의 면적이 감소하면서 생물 종의 다양성이 증가하고 있다. ( )

2 다음 설명의 빈칸에 들어갈 말을 쓰시오.

(1) 열대 우림 기후 지역에서는 (   )(이)라고 불리는 열대성 소나기가 거의 매일 발생한다.

(2) 열대 우림 기후 지역의 전통 가옥으로 바닥을 지면에서 떨어지게 하여 짓는 (   )이/가 있다.

(3) 동남아시아의 열대 우림 기후 지역은 높은 (   )와/과 풍부한 (   )을/를 바탕으로 벼농사가 발달하였다.

3 다음에서 설명하는 용어를 〈보기〉에서 골라 기호를 쓰시오.

보기
ㄱ. 향신료 ㄴ. 노동력
ㄷ. 마나우스 ㄹ. 지구 온난화

(1) 지구의 기온이 높아지는 현상으로 자원 개발, 농경지 및 방목지 조성으로 열대 우림의 면적이 감소하면서 가속화되고 있는 현상이다. ( )

(2) 열대 우림 기후 지역에서는 음식이 상하는 것을 막기 위해 기름에 튀기거나 이것을 주로 사용한다. ( )

(3) 플랜테이션은 선진국의 자본과 기술, 원주민의 이것이 결합한 농업 방식이다. ( )

(4) 브라질 네그루강 연안에 위치하는 항구 도시로 천연고무의 수출항으로 발전하였으며, 최근에 관광 산업도 발달하고 있다. ( )

01 다음 기후 그래프가 나타내는 기후 지역의 특징으로 옳은 것은?

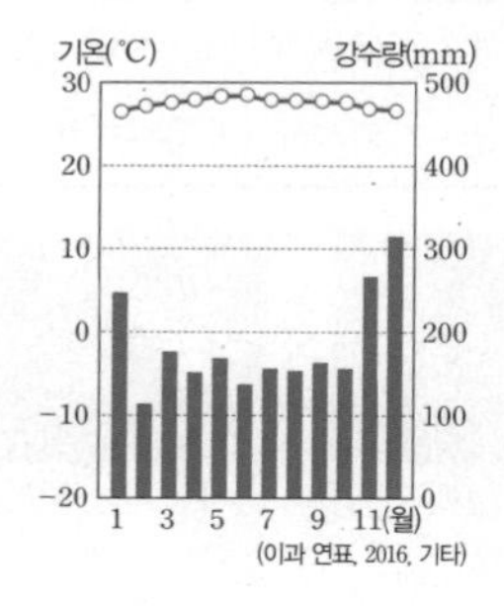

① 사계절이 나타난다.
② 극지방에서 볼 수 있다.
③ 연 강수량이 500mm 미만이다.
④ 일 년 내내 기온이 높고 강수량이 많다.
⑤ 강수량보다 증발량이 많아 물이 부족하다.

02 다음과 같은 날씨의 변화가 거의 매일 반복되는 기후로 옳은 것은?

① 건조 기후 ② 냉대 기후
③ 열대 우림 기후 ④ 툰드라 기후
⑤ 서안 해양성 기후

03 열대 우림 기후 지역에 대한 설명으로 옳은 것을 〈보기〉에서 고른 것은?

보기
ㄱ. 주로 적도 부근에 분포한다.
ㄴ. 강수량의 대부분이 여름철에 집중한다.
ㄷ. 크고 작은 나무들이 빽빽하게 들어선 밀림이 발달했다.
ㄹ. 농업 활동이 활발하여 예전부터 인구 밀집 지역에 해당하였다.

① ㄱ, ㄴ ② ㄱ, ㄷ ③ ㄴ, ㄷ
④ ㄴ, ㄹ ⑤ ㄷ, ㄹ

04 다음은 열대 우림 지역의 전통 가옥이다. 이에 대한 설명으로 옳지 않은 것은?

① 바람이 잘 통하도록 개방적인 구조로 짓는다.
② 바닥을 지면에서 띄워 열기와 습기를 막는다.
③ 그늘을 만들기 위해 집과 집 사이를 좁게 한다.
④ 빗물이 잘 흘러내리도록 지붕의 경사를 급하게 한다.
⑤ 주변에서 쉽게 구할 수 있는 풀과 나무를 사용해 짓는다.

05 지도에 표시된 지역의 주민 생활에 대한 설명으로 옳지 않은 것은?

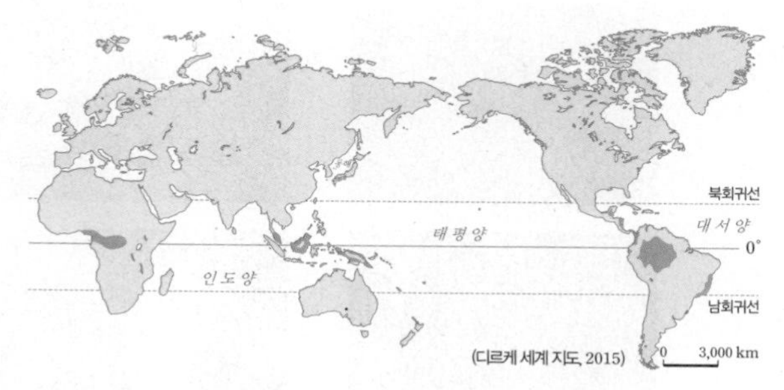

① 다양한 열대 과일을 즐겨 먹는다.
② 바닥을 지면에서 띄워 집을 짓는다.
③ 문과 창을 크게 내어 통풍이 잘되도록 한다.
④ 강한 햇볕을 막기 위해 온몸을 감싸는 옷을 입는다.
⑤ 음식이 쉽게 상하지 않도록 향신료를 많이 사용한다.

06 다음 자료의 빈칸에 들어갈 작물로 옳은 것은?

> 열대 우림 지역은 선진국의 자본과 기술, 원주민의 풍부한 노동력이 결합한 플랜테이션이 발달하였다. 이러한 농업 방식을 통해 (　　　　)와/과 같은 상품 작물을 대규모로 재배하여 수출하고 있다.

① 벼　② 밀　③ 얌
④ 카사바　⑤ 바나나

07 이동식 화전 농업에 대한 설명으로 옳은 것은?

① 천연고무, 바나나 등을 주로 재배한다.
② 지력이 약해지면 다른 곳으로 이동한다.
③ 토양이 비옥한 지역에서 주로 행해진다.
④ 동남아시아의 하천 유역에서 발달하였다.
⑤ 가축 사육과 작물 재배가 결합한 농업 방식이다.

08 다음 사진과 같이 열대 우림의 면적이 급격히 감소하는 이유로 적절하지 않은 것은?

① 도시 건설
② 자원 개발
③ 도로 건설
④ 농경지 조성
⑤ 생물 종 다양성의 증가

실전 문제

01 지도에 표시된 지역에서 볼 수 있는 식생 경관으로 옳은 것은?

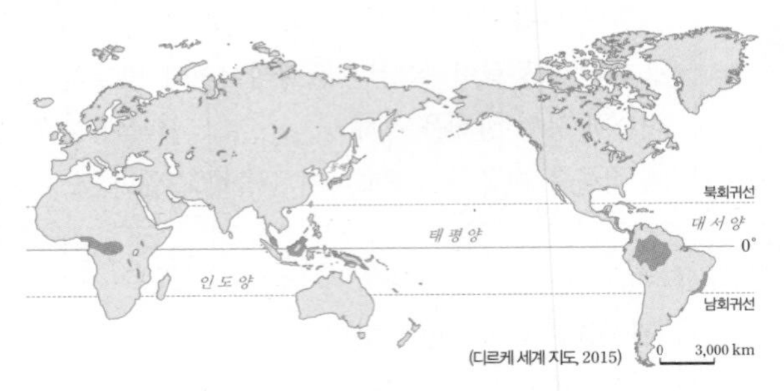

(디르케 세계 지도, 2015)

① 키가 작은 풀들이 자라는 초원을 볼 수 있다.
② 타이가라 불리는 침엽수림 지대를 볼 수 있다.
③ 짧은 여름 동안 이끼류가 자란 모습을 볼 수 있다.
④ 식물이 자라기 어려운 환경으로 넓은 사막이 펼쳐져 있다.
⑤ 키가 큰 나무와 작은 나무 및 덩굴들이 어우러져 여러 층을 이룬 밀림을 볼 수 있다.

고난도

02 다음과 같은 현상이 거의 매일 나타나는 지역에 대한 설명으로 옳은 것을 〈보기〉에서 고른 것은?

> 오전에 강한 태양열에 의해 데워진 공기가 상승하면서 구름을 형성하고, 오후에 짧은 시간 동안 집중적으로 소나기가 쏟아지며 천둥, 번개, 강풍 등을 동반하는 경우가 많다.

| 보기 |
ㄱ. 일 년 내내 기온이 높다.
ㄴ. 기온의 연교차가 비교적 크다.
ㄷ. 계절에 따라 강수량의 차이가 크다.
ㄹ. 가장 추운 달의 평균 기온이 18℃ 이상이다.

① ㄱ, ㄴ ② ㄱ, ㄷ ③ ㄱ, ㄹ
④ ㄴ, ㄹ ⑤ ㄷ, ㄹ

03 다음과 같은 음식 문화가 발달한 지역의 주민 생활 모습으로 옳은 것은?

> 이 지역에서는 닭고기와 해물 등을 밥과 함께 볶은 '나시고렝'을 즐겨 먹는데, 나시는 '밥'을, 고렝은 '볶은 것'을 뜻한다.

① 온몸을 감싸는 옷을 입는다.
② 바닥을 지면에서 떨어뜨려 집을 짓는다.
③ 추위를 대비한 시설인 온돌이 발달했다.
④ 강한 햇빛을 막기 위해 집의 외벽을 흰색으로 칠한다.
⑤ 실내에 벽난로를 설치하여 습도와 온도를 조절한다.

04 다음 자료와 관련된 작물로 옳은 것은?

> • 1년에 2~3번 농사짓는 곳도 있다.
> • 동남아시아의 열대 우림 기후 지역에서 높은 기온과 풍부한 강수량을 바탕으로 발달한 농업이다.

① 벼 ② 카카오 ③ 카사바
④ 바나나 ⑤ 천연고무

05 열대 우림 기후 지역의 자연환경 및 주민 생활과 관련된 사진 자료로 옳지 않은 것은?

①

②

③

④

⑤

06 **다음 그림에 나타난 농업에 대한 설명으로 옳은 것은?**

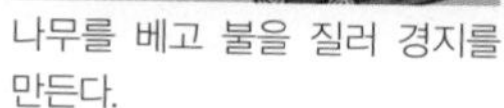

나무를 베고 불을 질러 경지를 만든다.

농사를 지어 작물을 수확한다.

오랜 경작으로 땅이 척박해진다.

새로운 곳으로 이동해 경지를 만든다.

① 곡물 재배와 가축 사육이 함께 이루어진다.
② 주로 바나나, 천연고무, 카카오 등을 재배한다.
③ 선진국의 자본과 기술, 원주민의 노동력이 결합한 방식이다.
④ 숲을 태우고 남은 재가 지력을 높여 농사를 지을 수 있게 한다.
⑤ 높은 기온과 풍부한 강수량을 필요로 하는 작물의 특성을 이용한 농업이다.

★ 중요 ★

07 **열대 우림 지역의 최근 변화 내용으로 옳은 것만을 〈보기〉에서 있는 대로 고른 것은?**

보기
ㄱ. 생물 종 다양성이 증가하고 있다.
ㄴ. 자원 개발로 인구가 증가하고 있다.
ㄷ. 경작지 증가로 밀림이 감소하고 있다.
ㄹ. 원주민들의 토착 문화가 사라지고 있다.

① ㄱ, ㄴ　② ㄱ, ㄹ　③ ㄱ, ㄴ, ㄷ
④ ㄱ, ㄷ, ㄹ　⑤ ㄴ, ㄷ, ㄹ

서술형 문제

08 **다음 지도에 표시된 지역에서 나타나는 기후의 명칭을 쓰고, 기온과 강수량을 중심으로 기후의 특징을 서술하시오.**

(디르케 세계 지도, 2015)

(1) 기후의 명칭: ______________________

(2) 기후의 특징: ______________________

____

____

09 **다음 자료와 관련된 농업 방식의 명칭과 특징을 서술하시오.**

필리핀에는 ○○ 기업에서 세운 대규모 바나나 농장이 있다. 이곳 농장에서 재배된 바나나는 세계 여러 나라로 수출된다.

(1) 농업 방식의 명칭: ______________________

(2) 농업의 특징: ______________________

____

____

온대 기후 지역의 주민 생활

1. 온대 기후 지역의 특징과 분포

학습 내용 들여다보기

■ 계절풍

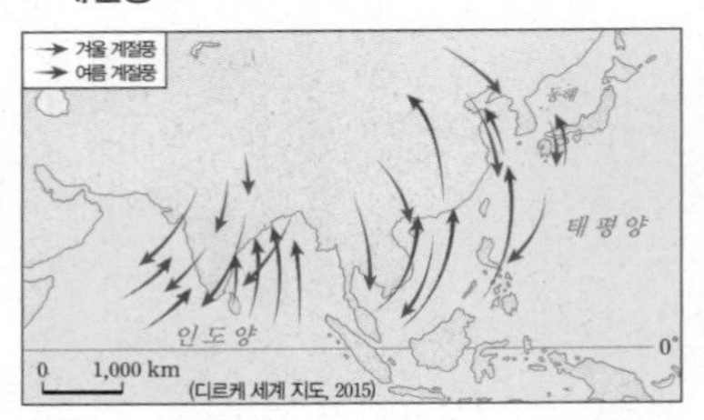

계절에 따라 주기적으로 바람의 방향이 바뀌는 바람을 계절풍이라고 한다. 여름에는 바다에서 대륙으로 따뜻하고 습한 바람이 불며, 겨울에는 대륙에서 바다로 차갑고 건조한 바람이 분다.

■ 해양성 기후와 대륙성 기후

- 해양성 기후: 바다의 영향을 주로 받는 기후로 기온의 연교차 작음
- 대륙성 기후: 대륙의 영향을 주로 받는 기후로 기온의 연교차 큼

(1) 기후의 특징

① 가장 추운 달의 평균 기온이 −3℃∼18℃

② 계절에 따라 기온과 강수량의 변화가 뚜렷

③ 온화한 기후와 풍부한 강수량으로 농업 활동에 유리하여 인구가 밀집, 상공업과 도시가 발달

④ 대륙의 서안은 편서풍의 영향으로 연중 온난 습윤, 대륙의 동안은 계절풍의 영향으로 기온과 강수의 계절 차가 큼

(2) 기후의 구분: 계절별 강수량과 여름철 기온에 따라 구분 자료 1

기후	특징
서안 해양성 기후	• 편서풍과 난류(북대서양 해류)의 영향을 받아 여름에 서늘하고 겨울에 온난 • 기온의 연교차가 작고 계절별 강수량이 고르게 나타남 • 비가 자주 내리고 흐린 날이 많아 일조량이 많지 않음
지중해성 기후	• 여름: 아열대 고압대의 영향으로 기온이 높고, 강수량이 적음 • 겨울: 온대 해양성 기단의 영향으로 온화하고 강수량이 많음
온대 계절풍 기후	• 계절풍의 영향을 받아 여름철에 강수가 집중 • 여름: 기온이 높고 비가 많이 내림 • 겨울: 춥고 건조

→ 기온의 연교차가 크고, 강수량의 계절 차가 크게 나타나.

더 알아보기 대륙 동안과 서안의 기후 차이

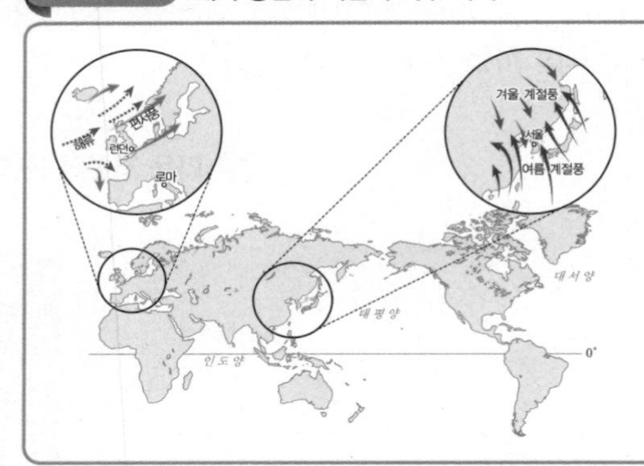

런던(50°N, 0°)과 서울(37°N, 127°E)은 모두 중위도 지역에 속하지만 기후는 큰 차이를 보인다.
대륙 서안에 자리한 런던은 편서풍과 난류(북대서양 해류)의 영향을 받아 연중 강수가 고르고 기온의 연교차가 비교적 작다. 반면 대륙 동안에 자리한 서울은 계절풍의 영향을 받아 여름에 강수가 집중하고, 기온의 연교차가 비교적 크다.

(3) 기후의 분포: 중위도 지역을 중심으로 분포 자료 2

기후	분포
서안 해양성 기후	서부·북부 유럽, 북아메리카 북서 해안, 뉴질랜드 등
지중해성 기후	지중해 연안, 미국 캘리포니아 연안, 오스트레일리아 남서부 해안 등
온대 계절풍 기후	유라시아 대륙 동안, 북아메리카 대륙 동안 등

용어 알기

- **아열대 고압대** 적도에서 상승한 기류가 이동하다가 위도 30도 부근(열대와 온대의 중간 지역)에서 하강 기류가 발생해 만들어지며, 맑은 날씨가 나타남

자료 1 온대 기후의 구분

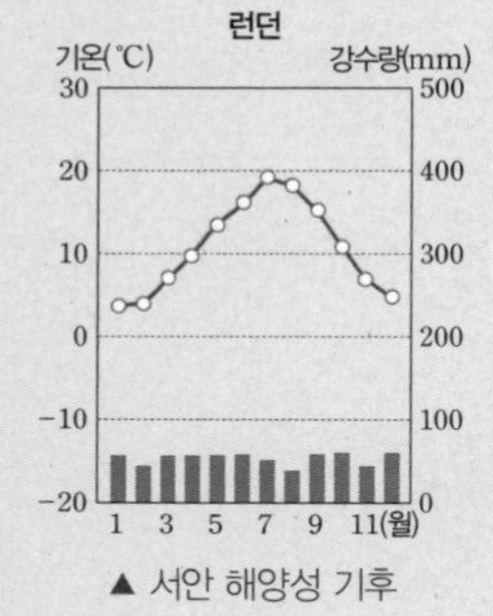

▲ 서안 해양성 기후

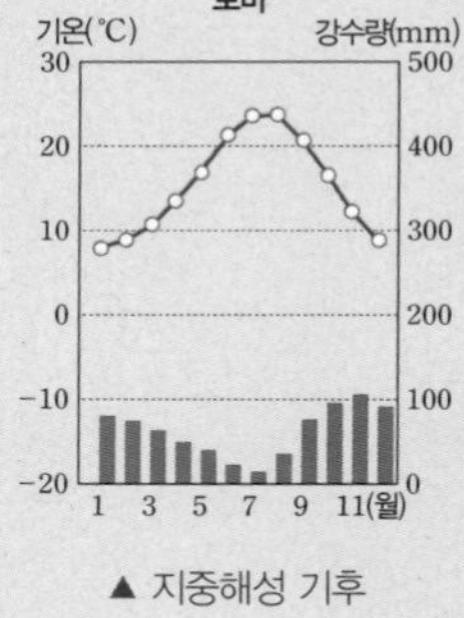

▲ 지중해성 기후

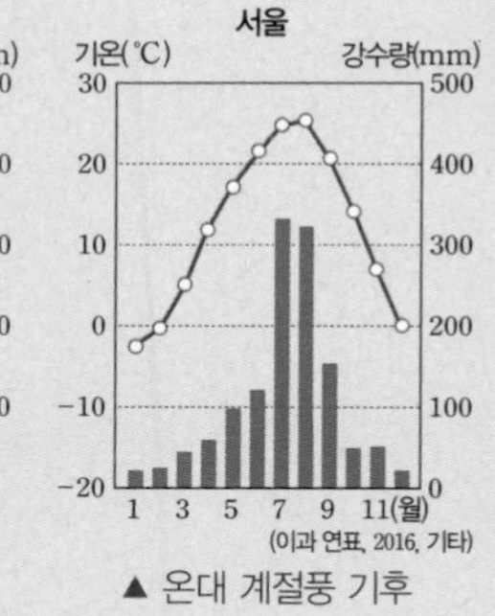

▲ 온대 계절풍 기후

자료 2 온대 기후 지역의 분포

2. 온대 기후 지역의 주민 생활 자료 3

(1) 서안 해양성 기후 지역의 주민 생활

① 농업 활동

혼합 농업	곡물(밀, 호밀, 감자 등) 재배와 가축 사육이 결합한 형태
낙농업, 원예 농업	교통이 편리한 대도시 주변에 발달

→ 소비자에게 신선한 상태로 상품을 공급하는 데 유리하기 때문이야.

② 주민 생활 모습

- 흐리고 비가 오는 날이 많아 외출 시 우산이나 비옷 준비, 습기를 제거하고 온도를 높이기 위해 집에 벽난로 설치, 맑은 날 일광욕 즐기기
- 하천을 이용한 수운 교통 발달 등

(2) 지중해성 기후 지역의 주민 생활

① 농업 활동: 여름철의 수목 농업(포도, 올리브, 오렌지 등), 겨울철에 밀, 보리 등의 곡물 재배

② 주민 생활 모습: 올리브, 포도 등을 활용한 음식 문화 발달, 벽이 두껍고 창문이 작으며 벽을 흰색으로 칠한 가옥, 풍부한 문화유산과 아름다운 자연 경관을 활용한 관광 산업 발달

→ 강한 햇빛을 막기 위해서야.

(3) 온대 계절풍 기후 지역의 주민 생활

① 농업 활동: 여름철의 고온 다습한 기후를 이용해 벼농사 발달, 저위도 지역에서는 벼의 2기작도 가능

② 주민 생활 모습: 더위와 추위에 대비하기 위한 시설(온돌, 대청마루 등), 쌀과 관련된 음식 문화 발달

더 알아보기 혼합 농업의 원리

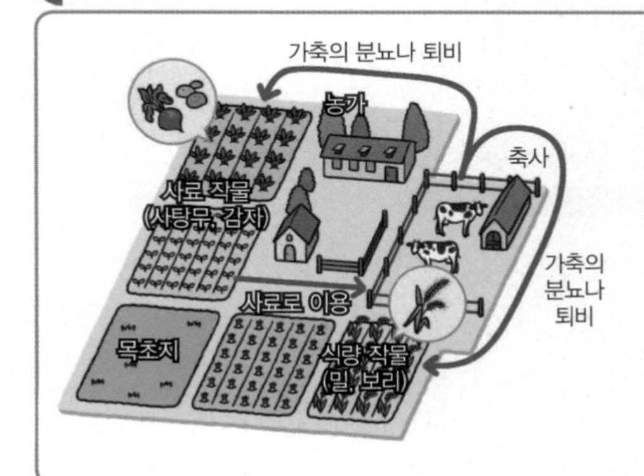

혼합 농업은 연중 강수량이 고르며, 여름에는 서늘하고 겨울에는 온화한 서안 해양성 기후 지역에서 발달하였다. 서늘한 기후에서 잘 자라는 밀과 보리 등을 재배하며, 서늘하고 습한 기후는 목초지 조성에도 알맞다.
농가와 축사를 중심으로 밀 · 보리 등의 식량 작물을 재배하는 경작지, 사탕무 · 감자 등의 사료 작물을 재배하는 경지, 가축을 방목하는 목초지 등으로 구성되어 있다. 가축의 분뇨나 퇴비는 경작지의 거름으로 사용한다. 가축은 주로 소를 사육하는데, 곡물의 일부는 사료용으로 이용하기도 한다.

학습 내용 들여다보기

■ 서안 해양성 기후 지역의 수운 교통(독일 라인강)

서안 해양성 기후 지역은 연중 강수가 고르기 때문에 하천의 수위가 일정하게 유지되고 수운 교통 발달에 유리하다.

■ 온대 기후 지역의 음식 문화

▲ 지중해성 기후 지역의 올리브를 활용한 피자

▲ 온대 계절풍 기후 지역의 쌀을 활용한 초밥

■ 온대 기후 지역의 농업

▲ 지중해성 기후 지역의 수목 농업

▲ 온대 계절풍 기후 지역의 벼농사

용어 알기

- **원예 농업** 채소, 꽃, 과일 등을 재배하는 농업
- **수운** 강이나 바다를 이용해 사람, 물자 등을 배로 실어 나르는 것
- **2기작** 같은 장소에서 같은 농작물을 1년에 2회 재배하는 농업 방식

자료 3 온대 기후 지역의 가옥

▲ 서안 해양성 기후 지역(영국)

영국에서는 집 안의 습기를 제거하고 온도를 높이기 위해 내부에 벽난로를 설치한다.

▲ 지중해성 기후 지역(그리스 산토리니섬)

지중해 지역은 강한 햇빛을 막기 위해 벽을 흰색으로 칠하고 창문을 작게 만든 가옥에서 생활한다.

▲ 온대 계절풍 기후 지역(우리나라)

우리나라는 더운 여름을 시원하게 나기 위해 방과 방 사이에 개방된 생활 공간인 대청마루를 두었다.

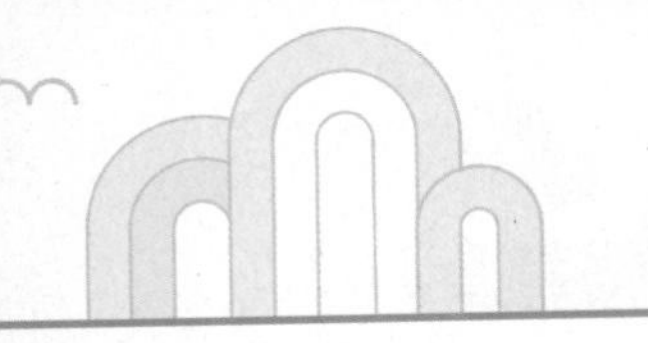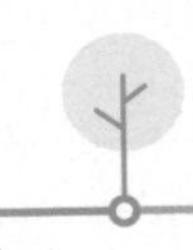

기본 문제

간단 체크

1 다음 설명이 맞으면 ○표, 틀리면 ×표 하시오.

(1) 온대 기후는 계절에 따라 기온과 강수량의 변화가 뚜렷하다. ( )

(2) 대륙 동안 지역은 대륙 서안 지역보다 기온의 연교차가 작다. ( )

(3) 서안 해양성 기후 지역은 편서풍과 난류의 영향을 받아 여름에 서늘하고 겨울에 온난하다. ( )

(4) 온대 계절풍 기후 지역은 계절풍의 영향을 받아 여름철에 강수가 집중한다. ( )

(5) 서안 해양성 기후 지역에서 행해지는 혼합 농업은 선진국의 자본과 기술, 원주민이 노동력이 결합한 농업 방식이다. ( )

(6) 서안 해양성 기후 지역에 하천을 이용한 수운 교통이 발달할 수 있었던 것은 여름철에 강수가 집중하는 기후 특징 때문이다. ( )

(7) 지중해성 기후 지역에서 행해지는 수목 농업의 대표적인 작물로 벼와 밀이 있다. ( )

(8) 지중해성 기후 지역에서 집의 외벽을 흰색으로 칠하는 것은 햇빛을 더 잘 받기 위해서이다. ( )

(9) 동부 아시아 및 동남아시아 지역에서 벼농사가 발달한 것은 고온 다습한 여름철 기후 때문이다. ( )

2 다음 설명의 빈칸에 들어갈 말을 쓰시오.

(1) 온대 기후 지역의 대륙 (　　　)은/는 편서풍의 영향으로 연중 온난 습윤하며, 대륙 (　　　)은/는 계절풍의 영향으로 기온과 강수의 계절 차가 크다.

(2) 온대 기후 지역을 서안 해양성 기후, 지중해성 기후, 온대 계절풍 기후로 구분하는 가장 큰 특징은 계절별 (　　　)와/과 여름철 (　　　)이다.

(3) 지중해성 기후 지역의 여름은 아열대 고압대의 영향을 받아 기온이 (　　　), 강수량이 적다.

(4) 서안 해양성 기후 지역의 대도시 주변에는 편리한 교통과 넓은 소비 시장을 배경으로 (　　　)(이)나 원예 농업이 발달했다.

(5) 지중해성 기후 지역에는 여름철에 포도, 올리브, 오렌지 등을 재배하는 (　　　)이/가 발달하였다.

(6) 온대 계절풍 기후 지역의 전통 가옥에서 볼 수 있는 대청마루는 (　　　)을/를 대비하기 위한 시설이다.

01 온대 기후 지역에 관한 설명으로 옳지 <u>않은</u> 것은?

① 가장 추운 달의 평균 기온이 −3℃~18℃이다.
② 인간 생활에 유리한 기후로 인구가 밀집했다.
③ 다른 기후에 비해 계절 변화가 뚜렷한 편이다.
④ 울창한 밀림이 형성되어 '생태계의 보고'로 불린다.
⑤ 기온과 강수량이 적당하여 다양한 농업 활동이 이루어진다.

02 다음과 같은 특징이 나타나는 기후 지역을 지도의 A~E에서 고른 것은?

- 계절에 따라 기온 및 강수량의 변화가 뚜렷
- 인간 생활에 유리한 기후로, 일찍부터 인구가 밀집하였으며, 상공업과 도시가 발달

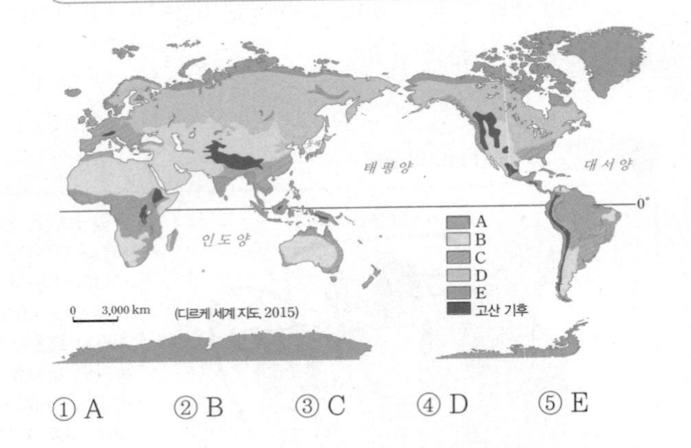

① A ② B ③ C ④ D ⑤ E

03 지도에 나타난 바람의 명칭으로 옳은 것은?

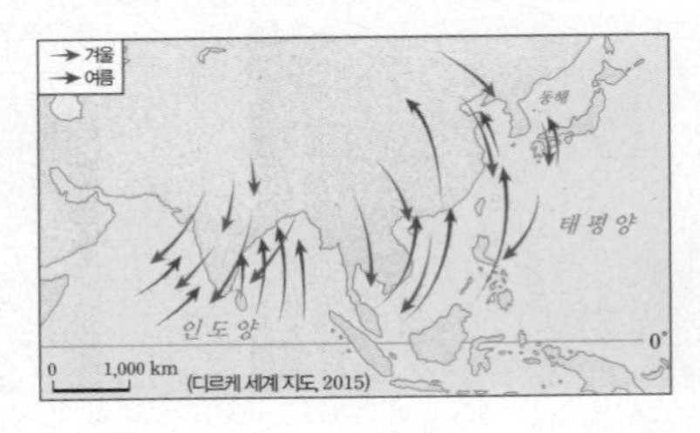

① 계절풍 ② 무역풍 ③ 극동풍
④ 편서풍 ⑤ 사이클론

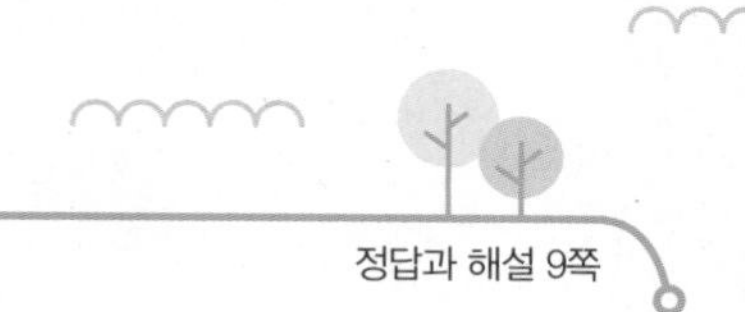

04 다음 지도에서 (가) 기후의 특성으로 옳은 것을 〈보기〉에서 고른 것은?

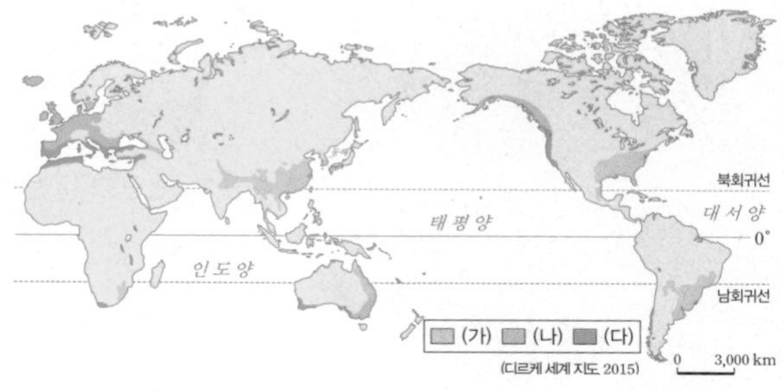

보기

ㄱ. (다)에 비해 여름철 강수량이 적다.
ㄴ. 흐린 날이 많아 일조량이 풍부하지 않다.
ㄷ. (나)에 비해 기온의 연교차가 크게 나타난다.
ㄹ. (나), (다)에 비해 강수량의 계절 차가 큰 편이다.

① ㄱ, ㄴ ② ㄱ, ㄷ ③ ㄴ, ㄷ
④ ㄴ, ㄹ ⑤ ㄷ, ㄹ

05 다음 자료의 ㉠, ㉡에 들어갈 내용을 옳게 연결한 것은?

지중해성 기후 지역은 여름에는 아열대 고압대의 영향을 받아 (㉠)하고, 겨울에는 온대 해양성 기단의 영향을 받아 (㉡)한 편이다.

	㉠	㉡
①	고온 건조	한랭 다습
②	고온 건조	온난 건조
③	고온 건조	온난 습윤
④	온난 습윤	고온 건조
⑤	온난 습윤	한랭 다습

06 다음 사진은 그리스 산토리니섬의 모습이다. 건물의 외벽을 하얀색으로 칠한 이유로 가장 적절한 것은?

① 강한 햇빛을 막기 위해
② 집안의 습기를 제거하기 위해
③ 더운 여름을 시원하게 나기 위해
④ 추운 겨울을 따뜻하게 나기 위해
⑤ 내부의 열기가 빠져나가는 것을 막기 위해

07 다음 자료의 ㉠, ㉡에 들어갈 말을 옳게 연결한 것은?

서안 해양성 기후에 속하는 서부 유럽 지역은 같은 위도의 다른 온대 기후 지역에 비해 여름이 서늘하고 겨울이 온난하여 기온의 연교차가 작다. 이는 (㉠)인 북대서양 해류와 (㉡)의 영향을 받기 때문이

	㉠	㉡
①	난류	계절풍
②	난류	편서풍
③	난류	극동풍
④	한류	편서풍
⑤	한류	무역풍

08 온대 기후 지역의 각 기후별 주민 생활 특징으로 옳은 것은?

	기후	가옥
①	지중해성 기후	흰색 외벽, 벽난로
②	지중해성 기후	흰색 외벽, 대청마루
③	온대 계절풍 기후	대청마루, 온돌
④	온대 계절풍 기후	고상 가옥, 작은 창문
⑤	서안 해양성 기후	이동식 천막

실전 문제

01 온대 기후의 특징에 대한 설명으로 옳지 <u>않은</u> 것은?

① 계절 변화가 뚜렷한 편이다.
② 중위도 지역을 중심으로 분포한다.
③ 서안 해양성 기후는 비가 자주 내리고 흐린 날이 많다.
④ 지중해성 기후의 겨울철은 따뜻하고 강수량이 많은 편이다.
⑤ 온대 계절풍 기후는 기온의 연교차 및 강수량의 계절 차가 작다.

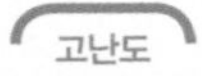

02 다음 내용에 해당하는 기후 그래프는?

> 온대 기후 중에서 여름에는 아열대 고압대의 영향으로 고온 건조하고, 겨울에는 온대 해양성 기단의 영향으로 온난 습윤한 기후이다.

①
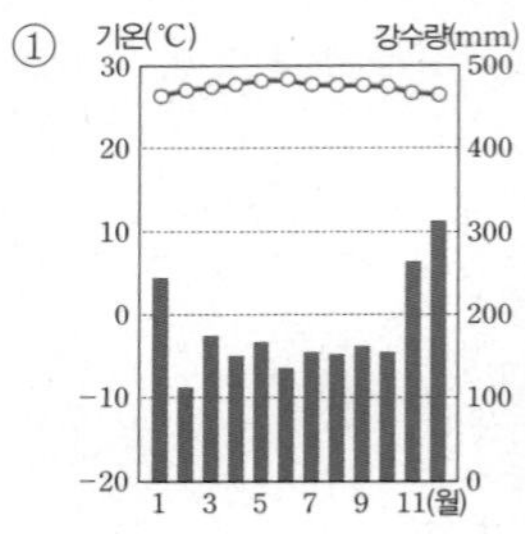

②
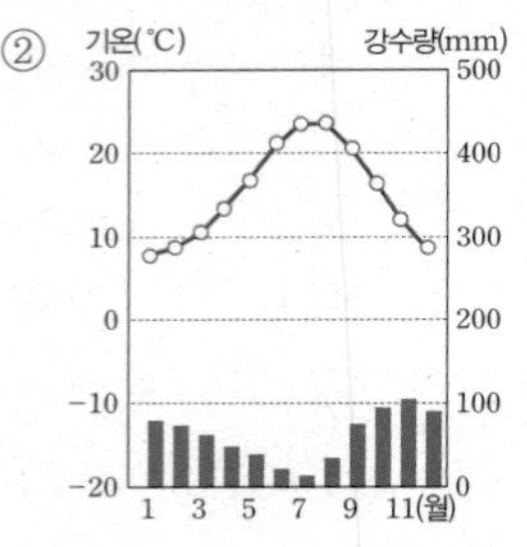

③
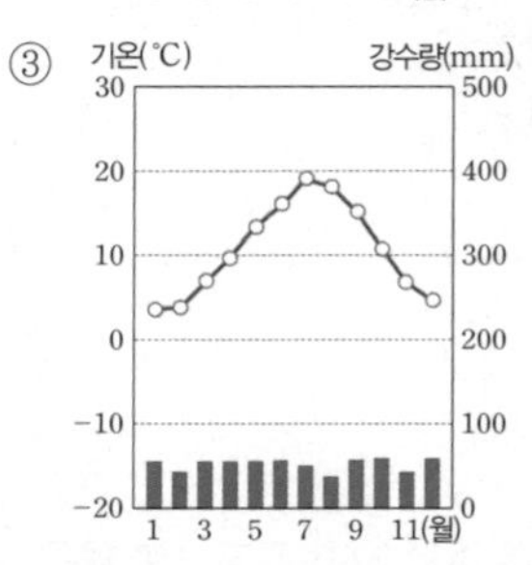

④
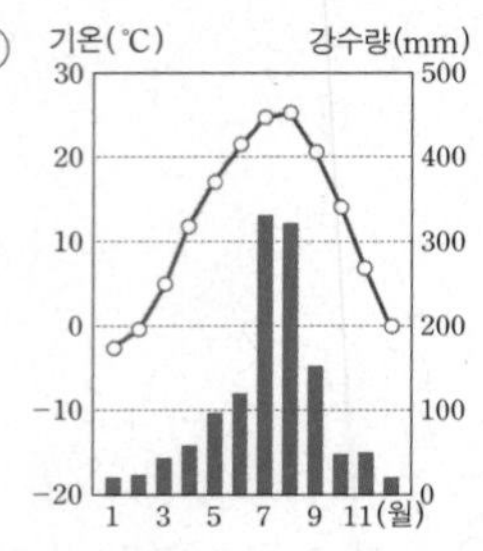

⑤
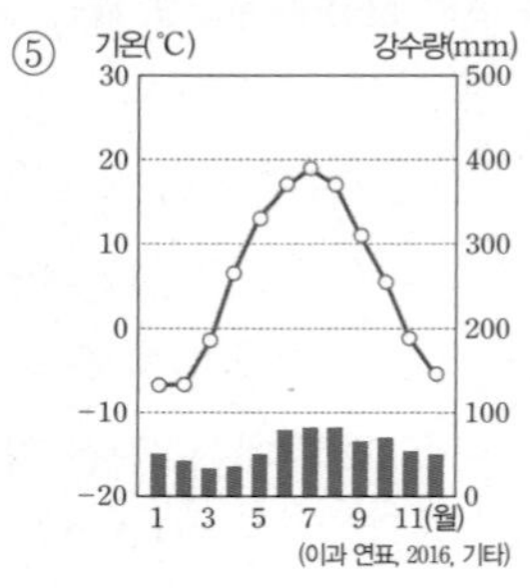

[03~04] 다음 지도를 보고 물음에 답하시오.

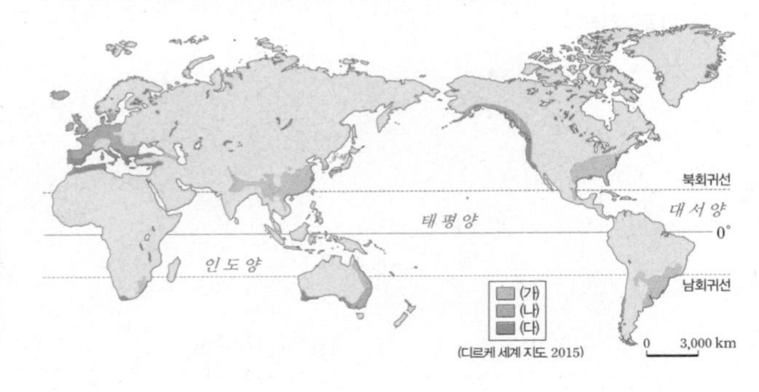

03 (가)~(다)에 해당하는 기후를 옳게 연결한 것은?

	(가)	(나)	(다)
①	온대 계절풍 기후	서안 해양성 기후	지중해성 기후
②	온대 계절풍 기후	지중해성 기후	서안 해양성 기후
③	서안 해양성 기후	온대 계절풍 기후	지중해성 기후
④	서안 해양성 기후	지중해성 기후	온대 계절풍 기후
⑤	지중해성 기후	온대 계절풍 기후	서안 해양성 기후

04 (가)~(다) 기후에 관한 옳은 설명만을 〈보기〉에서 있는 대로 고른 것은?

보기
ㄱ. (가)는 여름에 기온이 높고, 건조하다.
ㄴ. (나)는 기온의 연교차가 작고, 계절별 강수량이 고르게 나타난다.
ㄷ. (다)는 겨울철에 따뜻하고 강수량이 많다.
ㄹ. (가)~(다) 중 계절풍의 영향을 강하게 받는 기후는 (나)이다.

① ㄱ, ㄴ ② ㄱ, ㄹ ③ ㄴ, ㄷ
④ ㄱ, ㄴ, ㄹ ⑤ ㄴ, ㄷ, ㄹ

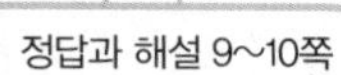

★ 중요 ★

05 다음 지도에 표시된 지역에서 주로 이루어지는 농업에 대한 설명으로 옳은 것은?

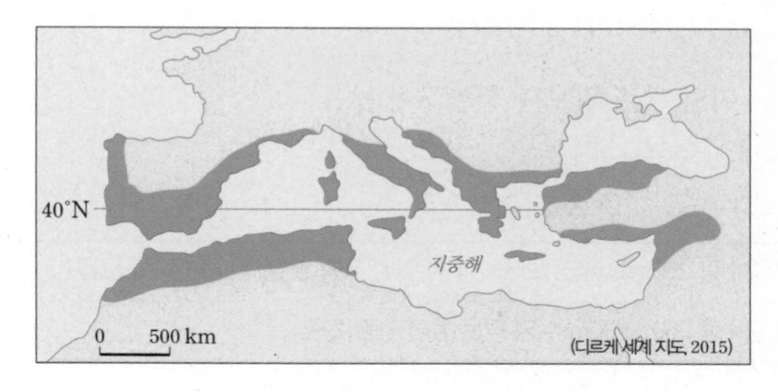

① 오아시스 주변에서 대추야자 등을 재배한다.
② 고온 다습한 기후를 이용하여 벼농사를 짓는다.
③ 숲을 태워 경작지를 만들고 카사바, 얌 등을 재배한다.
④ 가축을 사육하면서 식량 작물과 사료 작물을 함께 재배한다.
⑤ 건조한 여름을 잘 견디는 포도, 올리브, 오렌지 등을 재배한다.

06 우리나라의 전통 가옥에서 사진 속의 공간을 많이 볼 수 있는 이유에 대한 설명으로 옳은 것은?

① 추운 겨울을 대비하기 위한 시설이다.
② 더운 여름을 대비하기 위한 시설이다.
③ 강한 햇빛을 반사하기 위한 시설이다.
④ 집안의 습기를 제거하고 온도를 높이기 위한 시설이다.
⑤ 여름철에 기온이 올라 지표면이 녹을 때, 건물의 붕괴를 막기 위한 시설이다.

서술형 문제

07 서울과 런던의 기후 차이를 설명한 것이다. 이러한 차이가 나타나는 원인을 서술하시오.

> 서울과 런던은 비슷한 위도대에 위치하지만, 기후는 큰 차이를 보인다. 서울은 여름에 고온 다습하고 겨울에 한랭 건조한 반면, 런던은 연교차가 작고 연중 비가 고르게 내리며, 흐린 날이 많다.

08 다음 지도에 표시된 지역에서 주로 행해지는 농업을 기후의 특성과 관련하여 서술하시오.

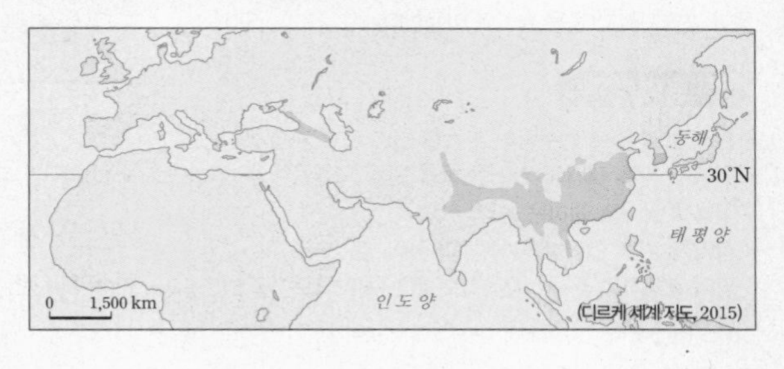

04 건조 기후 지역과 툰드라 기후 지역의 주민 생활

학습 내용 들여다보기

■ 건조 기후 지역의 경관

▲ 사막 기후

모래사막보다는 암석 사막이 대부분을 차지한다.

▲ 스텝 기후

키 작은 풀들이 자라 초원을 이루며 이곳에서 가축을 기른다.

■ 건조 기후 지역의 관개 시설 카나트

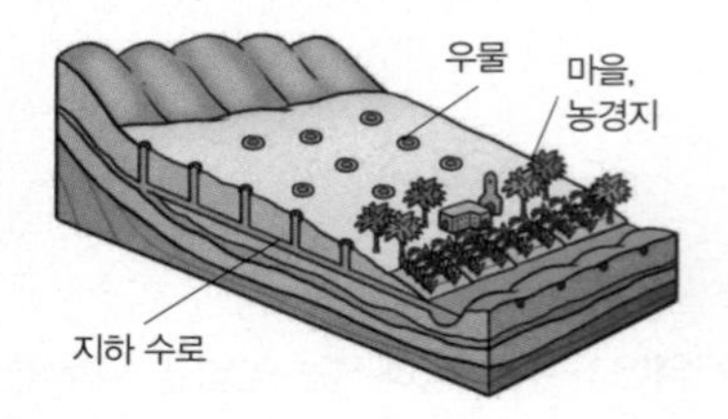

물의 증발을 막기 위해 지하에 수로를 만들어 마을과 농경지까지 물을 끌어와 이용한다.

용어 알기

- **관개 농업** 주로 강수량이 부족한 건조 기후 지역에서 작물 재배에 필요한 물을 인공 시설을 이용해 끌어와 행하는 농업
- **사막화** 기후 변화나 식생 파괴 등이 원인으로 땅이 황폐해져 식물이 자랄 수 없는 사막으로 변화하는 현상

1. 건조 기후 지역의 주민 생활

(1) 건조 기후의 특징과 분포

① 건조 기후의 특징 자료 1

- 연 강수량 500mm 미만, 강수량보다 증발량이 많음 → 강수량이 부족해 식물이 자라기 어렵고 농업 활동이 불리해.
- 기온의 일교차 크게 나타남

② 건조 기후의 구분: 강수량을 기준으로 구분

사막 기후	연 강수량 250mm 미만, 모래사막 및 암석 사막 발달, 식생이 거의 없음
스텝 기후	연 강수량 250~500mm, 키 작은 풀이 자란 초원

③ 건조 기후 지역의 분포 자료 2

- 사막 기후: 남·북회귀선 부근, 대륙의 내부, 한류가 흐르는 해안 지역 등 → 한류의 영향으로 대기가 안정되어 비구름이 형성되기 어려워.
- 스텝 기후: 사막을 둘러싼 지역에 주로 분포

(2) 건조 기후 지역의 주민 생활

① 사막 기후 지역의 주민 생활

의식주 생활	• 온몸을 감싸는 헐렁한 옷을 입음 • 주변에서 구하기 쉬운 흙을 재료로 지은 흙집이나 흙벽돌집 발달 • 넓고 평평한 지붕, 두꺼운 벽, 작은 창, 건물과 건물 사이의 좁은 공간 → 그늘을 만들기 위해서야.
농업 활동	• 오아시스 농업, 관개 농업 발달 • 밀, 대추야자, 목화, 보리 등을 재배

② 스텝 기후 지역의 주민 생활

의식주 생활	• 가축의 가죽, 털 등으로 만든 옷을 입음 • 가축의 고기, 가축의 젖을 가공한 유제품 등을 먹음 • 조립과 분해가 쉬운 이동식 가옥에서 생활 예 몽골 게르
농업 활동	• 물과 풀을 찾아 가축을 기르는 유목 발달 • 기업적 밀농사와 목축업 예 아메리카, 오세아니아

③ 건조 기후 지역의 변화

- 대규모 관개 시설 건설로 유목민의 정착 생활 증가
- 석유 자원 개발로 산업화, 도시화 진행
- 가뭄, 과도한 농경과 목축 등으로 사막화 현상 심화 예 아프리카 사헬 지대

자료 1 건조 기후의 기후 특징

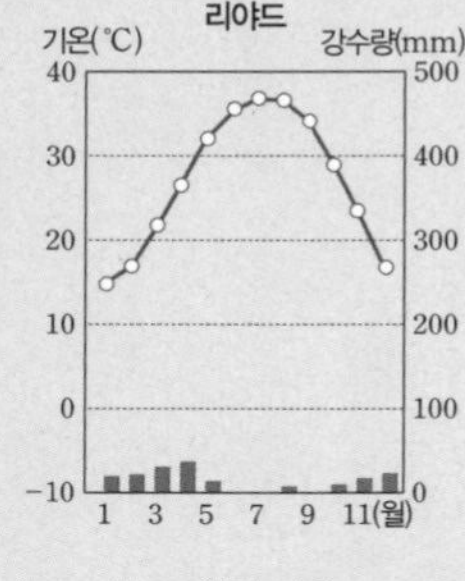

▲ 사막 기후

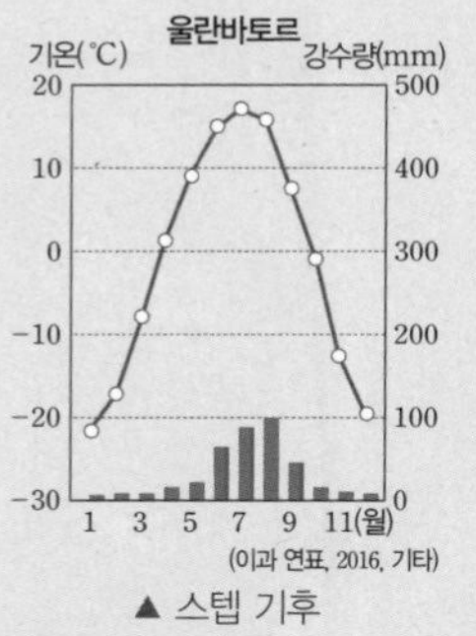

▲ 스텝 기후

건조 기후는 연 강수량 250mm를 경계로 250mm 미만의 사막 기후와 250~500mm의 스텝 기후로 구분한다. 강수량보다 증발량이 많으며, 기온의 일교차가 크다. 사막 기후는 강수량이 매우 적으며, 스텝 기후는 짧은 우기 동안 비교적 적은 양의 비가 내린다.

자료 2 건조 기후의 분포

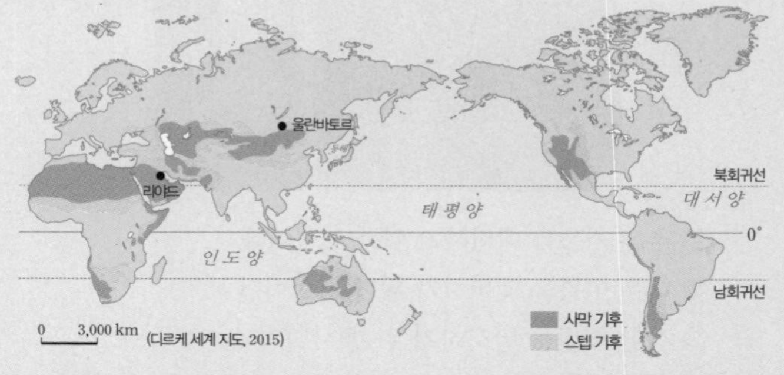

사막 기후는 남회귀선 및 북회귀선 부근(서남아시아, 북부 아프리카, 오스트레일리아 등), 바다로부터 멀리 떨어진 대륙의 내부(중앙아시아, 북아메리카 내륙 등), 한류가 흐르는 해안 지역(아프리카 남서부 해안, 남아메리카 남서부 해안 등)에 분포하고, 스텝 기후는 사막을 둘러싼 지역에 주로 분포한다.

2. 툰드라 기후 지역의 주민 생활

(1) 툰드라 기후 지역의 자연환경

① 툰드라 기후의 특징

- 가장 따뜻한 달의 평균 기온이 10℃ 미만이며, 짧은 여름 동안에만 기온이 0℃ 이상으로 오름
- 강수량이 적지만 증발량도 적기 때문에 지표는 습한 편

② 툰드라 기후의 식생과 경관

- 여름: 기간이 짧으며 풀과 이끼가 자람, 백야 현상 발생, 땅 속으로 스며들지 못한 물이 습지 형성
- 겨울: 눈과 얼음으로 덮여 있으며, 극야 현상 발생
- 지표 아래에 여름에도 녹지 않고 얼어 있는 영구 동토층이 분포

→ 백야 현상은 여름에 해가 지지 않는 현상, 극야 현상은 겨울에 해가 뜨지 않는 현상이야. 지구가 23.5° 기울어져 공전하기 때문에 발생해.

③ 툰드라 기후 지역의 분포: 북극해를 중심으로 고위도 지역에 분포 자료 3

(2) 툰드라 기후 지역의 주민 생활

① 의식주 생활

의복	동물의 가죽이나 털로 만든 옷을 입음
음식	날고기, 날생선을 주로 먹음
가옥	기온이 낮아 춥기 때문에 가옥 구조가 폐쇄적, 건물 붕괴에 대비한 고상 가옥 발달, 천막집이나 이글루 등 이동 생활에 적합한 가옥이 나타나기도 함 자료 4

② 농 · 목축업: 기온이 낮아 농업 활동이 어려움, 순록 유목 · 사냥 · 어업 등이 이루어짐

③ 툰드라 기후 지역의 변화

- 관광 산업 발달: 백야 현상, 빙하, 오로라 현상 등의 자연경관을 체험하려는 관광객 증가
- 자원 개발: 석유, 천연가스 등의 자원 개발 활발
- 환경 문제: 도로, 철도, 파이프라인 등의 건설로 환경 파괴가 증가

▲ 오로라 체험 관광

▲ 송유관

→ 여름철에 지표면이 녹아 기울어지는 것을 막기 위해 지면에서 띄워 설치해.

학습 내용 들여다보기

■ 한대 기후의 구분

- 툰드라 기후: 가장 따뜻한 달의 평균 기온이 10℃ 미만, 짧은 여름철에 기온이 0℃ 이상으로 올라감
- 빙설 기후: 연중 기온이 0℃ 이하이며, 얼음과 눈으로 덮여 있음

■ 툰드라 기후의 기후 그래프

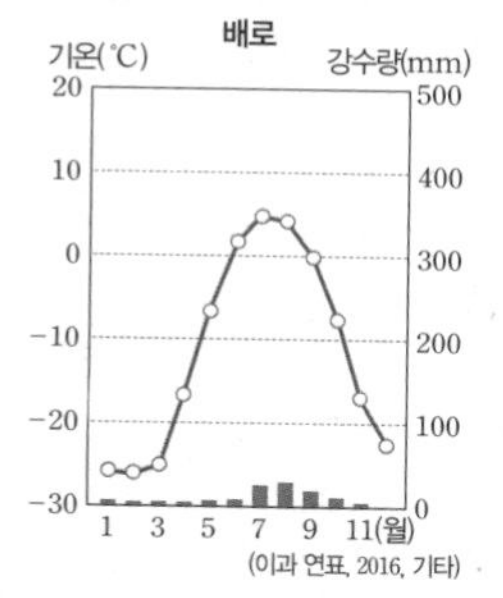

강수량이 적고, 가장 따뜻한 달의 평균 기온이 10℃ 미만이며, 짧은 여름철에 0℃ 이상으로 올라간다.

■ 고상 가옥(그린란드)

용어 알기

- **영구 동토층** 여름에도 녹지 않고 일 년 내내 얼어 있는 토양층
- **오로라** 태양에서 방출된 전기 성질의 입자가 대기 중의 공기와 반응하여 빛을 내는 현상

자료 3 **툰드라 기후의 분포**

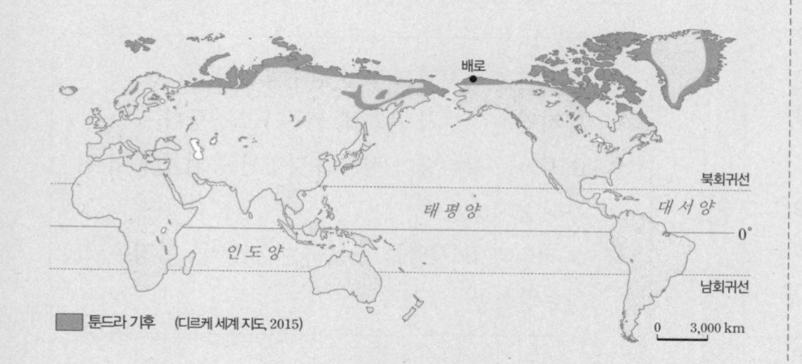

툰드라 기후는 태양 에너지를 적게 받는 고위도 지역인 시베리아 북부, 미국 알래스카, 그린란드 해안, 캐나다 북부, 스칸디나비아반도 북부 등 북극해를 중심으로 분포한다.

자료 4 **고상 가옥의 구조**

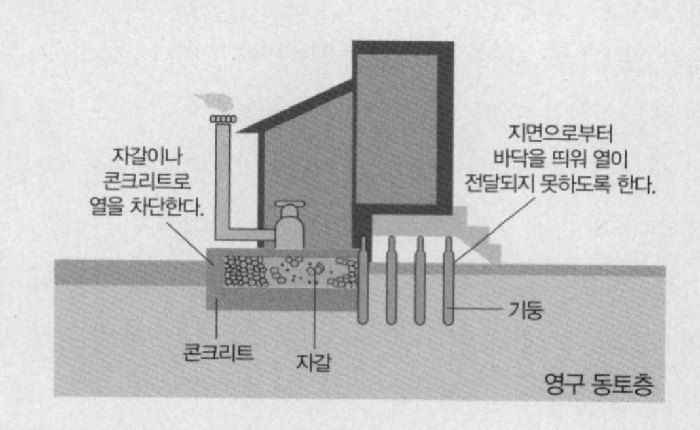

툰드라 기후 지역에서는 건물의 열기 때문에 지표면이 녹는 것을 막기 위해 콘크리트나 자갈로 열을 차단한다. 또한 여름철에 기온이 오르면서 얼었던 지표면이 녹아 건물이 기울어지거나 무너지는 것을 막기 위해 기둥을 깊숙이 박고 지면에서부터 바닥을 높게 띄운 고상 가옥을 짓는다.

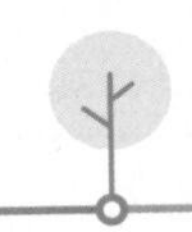

기본 문제

간단 체크

1 다음 설명이 맞으면 ○표, 틀리면 ×표 하시오.

(1) 건조 기후는 연 강수량 250mm를 기준으로 250mm 미만의 사막 기후와 250~500mm의 스텝 기후로 구분할 수 있다. ( )

(2) 스텝 기후는 한류가 흐르는 해안 주변에 주로 분포한다. ( )

(3) 사막 기후가 나타나는 지역에서는 대규모 방목이 이루어진다. ( )

(4) 사막화 현상의 원인으로 오랜 가뭄과 과도한 목축을 들 수 있다. ( )

(5) 카나트는 관개 시설로, 지하 수로를 건설해 마을이나 농경지까지 물을 끌어와 이용한다. ( )

(6) 툰드라 기후는 짧은 여름 동안에만 기온이 0℃ 이상으로 올라간다. ( )

(7) 툰드라 기후는 고위도 지역인 남극 대륙을 중심으로 분포한다. ( )

(8) 툰드라 기후 지역에서는 여름에 백야 현상을 볼 수 있으며, 관광 산업에 이용된다. ( )

(9) 툰드라 기후 지역에서 송유관을 바닥에서 띄워 설치하는 것은 지표면이 녹아 송유관이 기울어지는 것을 막기 위해서이다. ( )

(10) 툰드라 기후 지역은 햇빛을 잘 받기 위해 개방적인 가옥 구조가 나타난다. ( )

2 다음에서 설명하는 용어를 〈보기〉에서 골라 기호를 쓰시오.

보기		
ㄱ. 오로라	ㄴ. 사막화	ㄷ. 오아시스
ㄹ. 스텝 기후	ㅁ. 고상 가옥	ㅂ. 영구 동토층

(1) 사막을 둘러싼 지역에 분포한다. ( )

(2) 여름이 되어도 녹지 않고, 일 년 내내 얼어 있는 상태를 유지하는 토양층이다. ( )

(3) 툰드라 기후 지역에서 여름철에 지표면이 녹아 건물이 붕괴하는 것을 막기 위해 짓는 집이다. ( )

(4) 사막 가운데에 샘이 솟는 곳으로, 이곳의 물을 이용해 밀, 대추야자 등을 재배하는 농업 활동이 이루어진다. ( )

(5) 기후 변화, 농경지 확보를 위한 식생 파괴 등이 원인이며, 땅이 황폐되어 식물이 자랄 수 없는 사막으로 변화하는 현상이다. ( )

(6) 태양에서 방출된 입자가 공기와 반응하여 빛을 내는 현상으로 이를 체험하기 위해 관광객들이 툰드라 기후 지역을 찾는다. ( )

01 다음과 같은 기후가 나타나는 지역을 지도의 A~E에서 고른 것은?

- 기온의 일교차가 매우 큼
- 연 강수량이 500mm 미만이며, 강수량보다 증발량이 많아 물이 부족

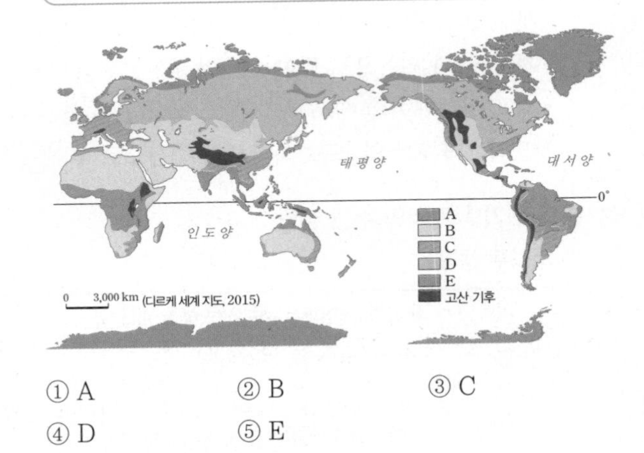

① A ② B ③ C
④ D ⑤ E

02 지도의 A, B 지역에 대한 옳은 설명을 〈보기〉에서 고른 것은?

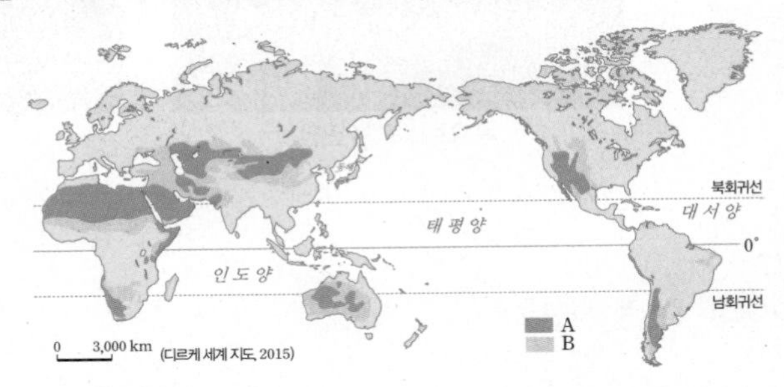

보기
ㄱ. A 지역은 B 지역보다 연 강수량이 적다.
ㄴ. A 지역은 기후가 온화해 인구가 밀집했다.
ㄷ. B 지역은 강수량이 적당해 다양한 농업 활동이 이루어진다.
ㄹ. A 지역과 B 지역을 구분하는 가장 큰 특징은 연 강수량이다.

① ㄱ, ㄴ ② ㄱ, ㄷ ③ ㄱ, ㄹ
④ ㄴ, ㄹ ⑤ ㄷ, ㄹ

03 사막 지역의 주민 생활에 대한 설명으로 옳지 않은 것은?

① 온몸을 감싸는 헐렁한 옷을 입는다.
② 건물의 벽을 두껍게 하고 창을 작게 만든다.
③ 강수량이 적어 농업 활동은 이루어지지 않는다.
④ 대추야자는 영양분이 풍부해 중요한 식량 자원으로 이용된다.
⑤ 주변에서 구하기 쉬운 흙을 재료로 흙집이나 흙벽돌집을 짓는다.

04 다음 사진과 같은 경관이 나타나는 지역의 주민 생활 모습으로 옳은 것은?

① 날고기, 날생선 등을 즐겨 먹는다.
② 통풍이 잘되는 얇고 간편한 옷을 입는다.
③ 가축을 데리고 물과 풀을 찾아 이동한다.
④ 그늘이 생기도록 건물과 건물 사이의 간격을 좁게 한다.
⑤ 편리한 교통을 이용하여 낙농업과 원예 농업이 발달했다.

05 툰드라 기후 지역의 변화 모습에 대한 설명으로 옳지 않은 것은?

① 전통 생활 방식을 지키려는 사람들이 늘고 있다.
② 자원 개발 과정에서 환경 파괴가 늘어나고 있다.
③ 모터보트, 스노모빌 등의 현대 문명이 보급되고 있다.
④ 지구 온난화로 원주민의 생활 터전이 파괴되고 있다.
⑤ 백야, 빙하, 오로라 등의 자연경관을 체험하기 위해 관광객이 증가하고 있다.

06 지도에 표시된 지역의 기후 및 주민 생활에 대한 설명으로 옳은 것은?

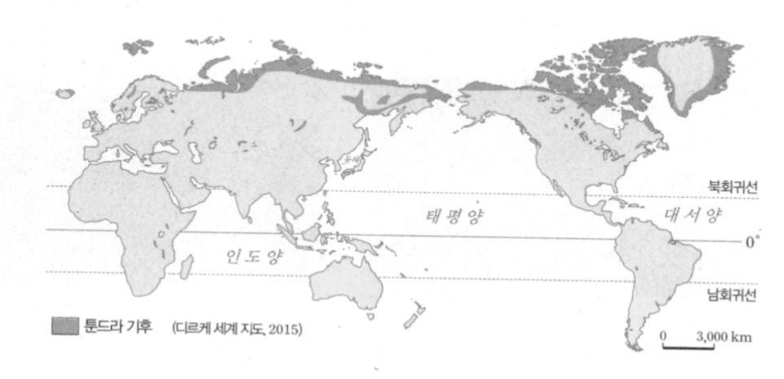

① 강수량은 여름보다 겨울이 많다.
② 겨울철에 백야 현상을 볼 수 있다.
③ '게르'라고 불리는 이동식 가옥에서 생활한다.
④ '타이가'라 불리는 침엽수림 지대가 넓게 분포한다.
⑤ 지표면이 녹아 건물이 붕괴되는 것을 막기 위해 바닥을 지면에서 띄워 짓는다.

07 툰드라 기후 지역에서 사진과 같이 송유관을 지면에서 띄워 설치하는 이유로 옳은 것은?

① 해충의 피해를 막기 위해
② 석유가 어는 것을 막기 위해
③ 순록의 이동 통로를 확보하기 위해
④ 송유관 건설 비용을 절약하기 위해
⑤ 여름철에 땅이 녹아 송유관이 기울어지는 것을 막기 위해

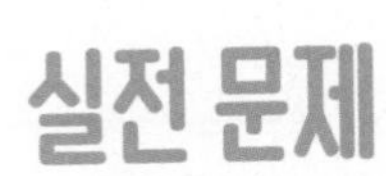

실전 문제

01 건조 기후 지역을 다음 (가), (나)의 경관이 나타나는 기후 지역으로 구분할 때, 가장 큰 기준이 되는 것은?

(가)

(나)

① 기온
② 지형
③ 인구수
④ 강수량
⑤ 가축 사육 여부

02 다음 사진과 같은 경관이 나타나는 기후 지역의 주민 생활 모습으로 옳은 것은?

① 날씨가 맑은 날 일광욕을 즐긴다.
② 음식의 재료로 올리브를 주로 사용한다.
③ 가축의 가죽이나 털로 만든 옷을 입는다.
④ 관개 시설을 이용해 밀, 대추야자 등을 재배한다.
⑤ 지면이 녹아 건물이 무너지는 것을 막기 위해 고상 가옥을 짓는다.

★ 중요 ★

03 건조 기후 지역의 최근 변화 모습으로 옳지 않은 것은?

① 태양광 발전 시설이 증가하고 있다.
② 유목민들의 정착 생활이 증가하고 있다.
③ 백야 현상 체험을 관광 자원으로 활용하고 있다.
④ 석유 자원 개발을 바탕으로 도시화가 진행되고 있다.
⑤ 과도한 목축, 기후 변화 등으로 사막화 현상이 심화되고 있다.

04 다음 지도의 B 기후 지역에 관한 설명으로 옳지 않은 것은?

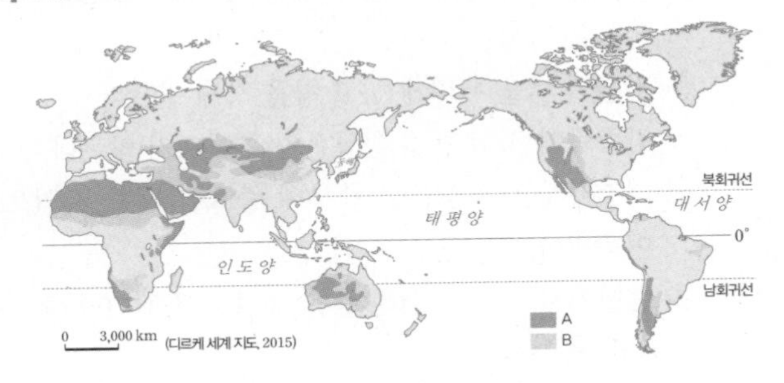

① 강수량보다 증발량이 더 많다.
② 거의 매일 스콜 현상이 발생한다.
③ 주로 사막을 둘러싼 지역에 분포한다.
④ 물과 풀을 찾아 가축을 이동시키는 유목이 발달하였다.
⑤ 최근 관개 시설을 확충해 대규모 방목이 이루어지기도 한다.

05 다음 사진의 식생에 관한 설명으로 옳은 것은?

① 한류가 흐르는 해안에서 볼 수 있다.
② 여름철 스텝 기후 지역에서 볼 수 있다.
③ 겨울철 온대 기후 지역에서 주로 볼 수 있다.
④ 툰드라 기후 지역에서 짧은 여름 동안 볼 수 있다.
⑤ 바다로부터 멀리 떨어진 대륙 내부에서 볼 수 있다.

고난도

06 다음과 같은 문제를 해결하기 위해 툰드라 기후 지역에서 사용하는 방법으로 가장 적절한 것은?

> 툰드라 기후 지역은 여름철에 기온이 올라가면 얼어 있던 지표면이 녹아 건물이 무너지고 송유관이 기울어지는 문제가 발생한다.

① 지붕의 경사를 급하게 한다.
② 건물 사이의 간격을 좁게 한다.
③ 영구 동토층 위에만 건물을 짓는다.
④ 건물의 바닥을 지면에서 띄워 짓는다.
⑤ 조립과 분해가 쉬운 천막 형태로 짓는다.

★ 중요 ★

07 다음과 같은 기후 그래프가 나타나는 지역의 주민 생활 모습으로 옳은 것을 〈보기〉에서 고른 것은?

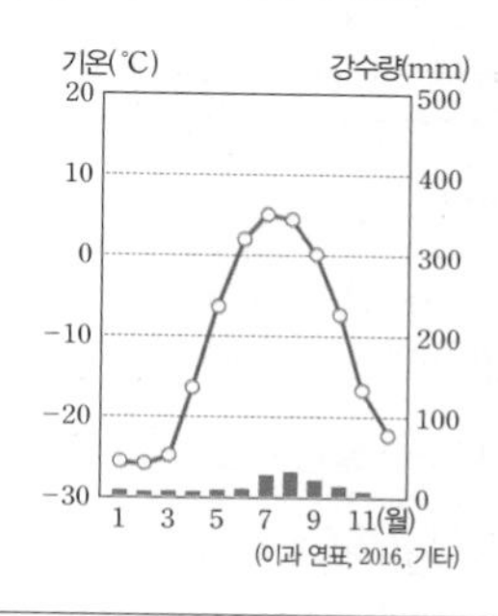

보기
ㄱ. 날생선과 날고기를 먹는다.
ㄴ. 추위를 대비한 시설인 온돌을 볼 수 있다.
ㄷ. 백야, 오로라 등의 자연 현상을 이용한 관광 산업이 발달했다.
ㄹ. 강수량이 부족해 카나트와 같은 관개 시설을 이용해 작물을 재배한다.

① ㄱ, ㄷ ② ㄱ, ㄹ ③ ㄴ, ㄷ
④ ㄴ, ㄹ ⑤ ㄷ, ㄹ

08 다음과 같은 경관을 볼 수 있는 지역의 자연환경에 대한 설명으로 옳은 것을 〈보기〉에서 고른 것은?

보기
ㄱ. 강수량이 적어 지표가 늘 건조하다.
ㄴ. 일 년 내내 눈과 얼음으로 덮여 있다.
ㄷ. 가장 따뜻한 달의 평균 기온이 10℃ 미만이다.
ㄹ. 토양은 여름에만 녹는 표토층과 영구 동토층으로 나뉜다.

① ㄱ, ㄴ ② ㄱ, ㄷ ③ ㄴ, ㄷ
④ ㄴ, ㄹ ⑤ ㄷ, ㄹ

서술형 문제

09 툰드라 기후 지역에서 다음과 같은 생활 모습이 나타나는 이유를 기후와 관련하여 쓰시오.

툰드라 기후 지역의 사람들은 동물의 털과 가죽으로 만든 두꺼운 옷을 입는다. 이들은 순록을 유목하거나 사냥, 어업, 채집 등을 하며 살아간다.

10 다음 사진은 몽골의 전통 가옥이다. 이 지역 사람들이 이와 같은 가옥에서 생활하는 이유를 기후와 관련지어 쓰시오.

대단원 정리

❶ 세계의 다양한 기후

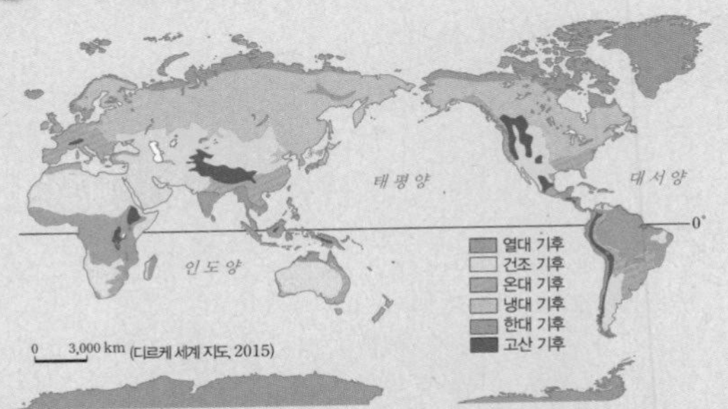

세계의 기후는 기온과 (①)의 특성에 따라 다양하게 구분된다. 적도를 중심으로 저위도에서 고위도로 올라가면서 열대 기후, 건조 기후, (②), 냉대 기후, 한대 기후가 나타나며, 해발 고도가 높은 지역은 (③)가 나타난다.

답 ① 강수량 ② 온대 기후 ③ 고산 기후

❷ 세계의 강수량 분포

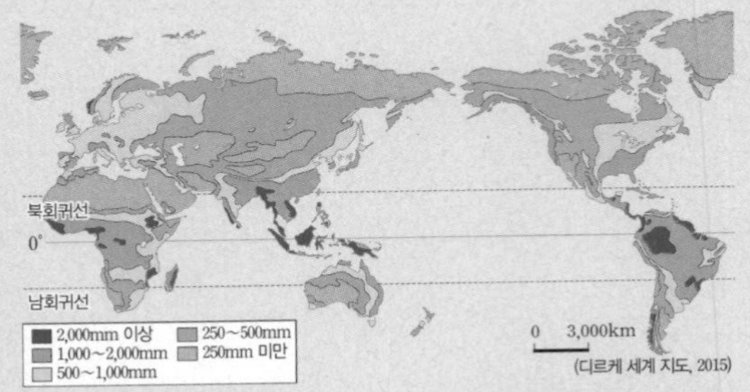

- 강수량이 많은 지역: (①) 부근, 중위도 지역, 해안 지역, (②)가 흐르는 해안 지역 등
- 강수량이 적은 지역: 극지방, (③) 부근, 내륙, (④)가 흐르는 해안 지역 등

답 ① 적도 ② 난류 ③ 남·북회귀선 ④ 한류

❸ 열대 우림 기후 지역의 고상 가옥

- 빗물이 쉽게 흘러내리도록 (①)의 경사가 급함
- 지면의 열기와 습기, 해충·뱀 등의 피해를 막기 위해 지면에서 (②)을 떨어지게 하여 지음

답 ① 지붕 ② 바닥

❹ 열대 우림 기후 지역의 이동식 (①) 농업

숲을 태워 (②)를 만들고 작물을 재배 → 땅이 (③)해지면 새로운 곳으로 이동

답 ① 화전 ② 경지 ③ 척박

1. 세계의 기후 지역

(1) 기후

기후 요소	기온, 강수량, 바람 등
기후 요인	위도, 육지·바다의 분포, 지형, 해류 등

(2) 세계의 다양한 기후 ❶, ❷

열대 기후	• 일 년 내내 기온이 높음 • 강수량이 많은 곳에 밀림 형성
건조 기후	강수량보다 증발량이 많음
온대 기후	사계절이 나타남, 온화한 기후
냉대 기후	• 기온의 연교차가 큼 • 타이가(대규모 침엽수림) 분포
한대 기후	• 일 년 내내 눈과 얼음으로 덮여 있음 • 짧은 여름동안 풀과 이끼가 자람
고산 기후	연중 봄과 같은 온화한 날씨

(3) 인간의 거주와 기후

인간 거주에 유리한 기후	온대 및 냉대 기후, 열대 계절풍 기후, 적도 부근의 고산 기후
인간 거주에 불리한 기후	열대 기후, 건조 기후, 한대 기후

2. 열대 우림 기후 지역의 주민 생활

(1) 자연환경

특징	• 일 년 내내 기온이 높고 강수량이 많음 • 스콜 현상(열대성 소나기) • 키가 큰 나무와 작은 나무 및 덩굴들이 여러 층을 이룸
가치와 역할	생태계의 보고, 온실 효과 억제, 식량 자원 및 의약품의 원료 공급지

(2) 주민 생활 ❸, ❹

의생활	통풍이 잘되는 얇고 간편한 옷
식생활	기름에 튀기거나 향신료를 많이 사용
주생활	더운 날씨 탓에 개방적 구조, 고상 가옥 및 수상 가옥 발달
농업 활동	동남아시아의 벼농사, 이동식 화전 농업, 선진국의 자본과 기술·원주민의 노동력이 결합한 플랜테이션

(3) 지역의 변화

변화의 모습	열대림 개발, 도시화 및 산업화
문제점	• 원주민의 생활 터전 파괴 • 생물 종 다양성 감소 • 지구 온난화의 가속화

3. 온대 기후 지역의 주민 생활

(1) 온대 기후의 특징과 분포 ❺, ❻

특징	• 가장 추운 달의 평균 기온이 −3℃~18℃ • 온화한 기후로 인구 밀집, 상공업 발달
서안 해양성 기후	편서풍과 난류의 영향으로 여름에 서늘하고 겨울에 온난
지중해성 기후	• 여름: 아열대 고압대의 영향을 받아 기온이 높고 강수량이 적음 • 겨울: 온대 해양성 기단의 영향을 받아 온화하고 강수량이 많음
온대 계절풍 기후	계절풍의 영향으로 여름철에 강수 집중

(2) 온대 기후 지역의 주민 생활 ❼

서안 해양성 기후	• 혼합 농업, 낙농업, 원예 농업 발달 • 벽난로 설치, 일광욕 즐기기, 수운 교통 발달
지중해성 기후	• 수목 농업 발달(포도, 올리브 등) • 건물 외벽을 흰색으로 칠함
온대 계절풍 기후	• 여름철의 고온 다습한 기후를 이용한 벼농사 발달 • 온돌, 대청마루: 더위와 추위에 대비하기 위한 시설

4. 건조 기후 및 툰드라 기후 지역의 주민 생활 ❽

(1) 건조 기후 지역의 주민 생활

건조 기후의 특징	• 강수량보다 증발량이 많음 • 기온의 일교차가 큼
사막 기후 지역	• 남·북회귀선 부근, 대륙 내부, 한류가 흐르는 해안 등에 분포 • 흙집, 흙벽돌집 발달 • 오아시스 농업, 관개 농업 발달
스텝 기후 지역	• 사막을 둘러싼 지역에 분포 • 이동식 가옥(게르), 유목 발달 • 사막화 현상 심화(사헬 지대)

(2) 툰드라 기후 지역의 주민 생활

자연환경	• 북극해를 중심으로 한 고위도 지역에 분포 • 가장 따뜻한 달의 평균 기온이 10℃ 미만 • 강수량이 적지만 증발량도 적어 지표는 습한 편 • 토양: 여름에만 녹는 지표면과 지표면 아래의 영구 동토층
주민 생활	• 날생선, 날고기를 주로 먹음 • 폐쇄적 가옥 구조, 고상 가옥 • 지역의 변화: 자원 개발, 관광 산업 발달

❺ 대륙 동안과 서안의 기후 차이

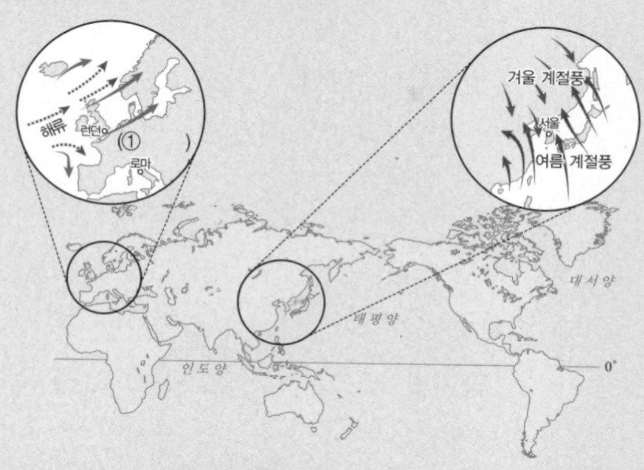

대륙 서안에 위치한 런던은 (①)과 난류의 영향으로 연중 강수가 고르고 기온의 연교차가 작다. 반면 대륙 동안에 위치한 서울은 (②)의 영향을 받아 (③)에 강수가 집중하고 기온의 연교차가 크다.

답 ① 편서풍 ② 계절풍 ③ 여름

❻ 온대 기후의 구분

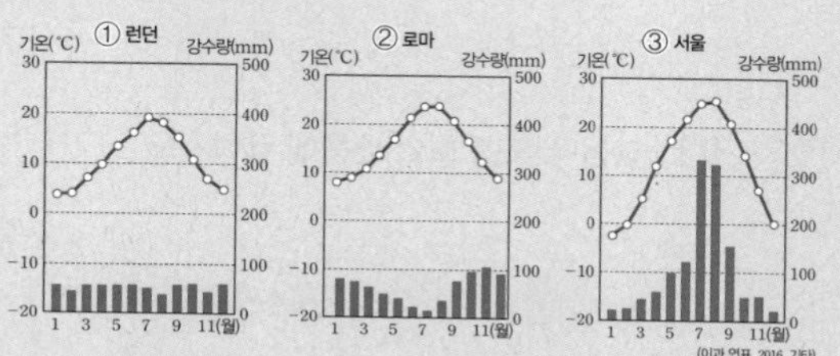

온대 기후는 계절별 강수량과 여름 기온에 따라 (①) 기후(런던), (②) 기후(로마), (③) 기후(서울)로 구분한다.

답 ① 서안 해양성 ② 지중해성 ③ 온대 계절풍

❼ 서안 해양성 기후 지역의 (①) 농업

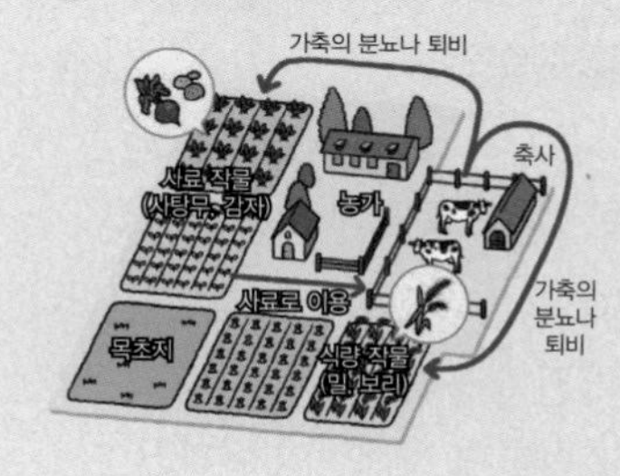

농가와 축사를 중심으로 (②)을 재배하는 경작지, 식량 작물을 재배하는 경지, (③)을 방목하는 목초지로 구성된다.

답 ① 혼합 ② 사료 작물 ③ 가축

❽ 건조 기후와 툰드라 기후의 특징

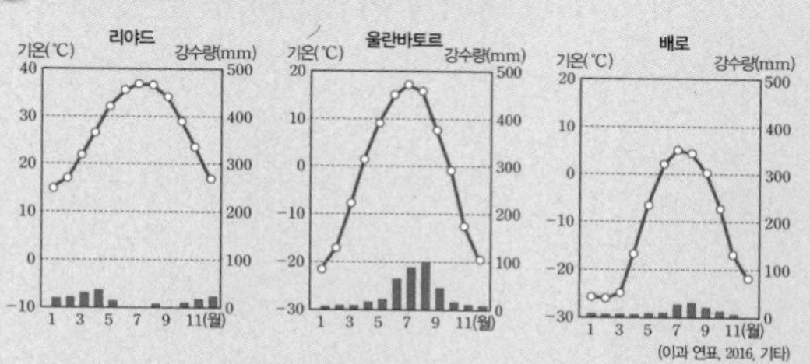

건조 기후는 연 강수량 250mm 미만의 (①) 기후(리야드), 250~500mm의 (②) 기후(울란바토르)로 구분할 수 있다. 툰드라 기후는 짧은 (③) 동안에만 기온이 0℃ 이상으로 오른다.

답 ① 사막 ② 스텝 ③ 여름

대단원 마무리

01 다음 자료의 ㉠, ㉡에 들어갈 말을 바르게 연결한 것은?

(㉠)은 강수량보다 증발량이 많아 물 부족 현상이 발생한다. 한편, (㉡)은 강수량이 적지만, 기온이 낮아 증발량도 적기 때문에 물 부족 현상이 나타나지는 않는다.

	㉠	㉡
①	적도 부근	극지방
②	극지방	위도 40° 부근
③	위도 20° 부근	극지방
④	북회귀선 부근	남회귀선 부근
⑤	대륙 동안	대륙 서안

[02~03] 다음 지도를 보고 물음에 답하시오.

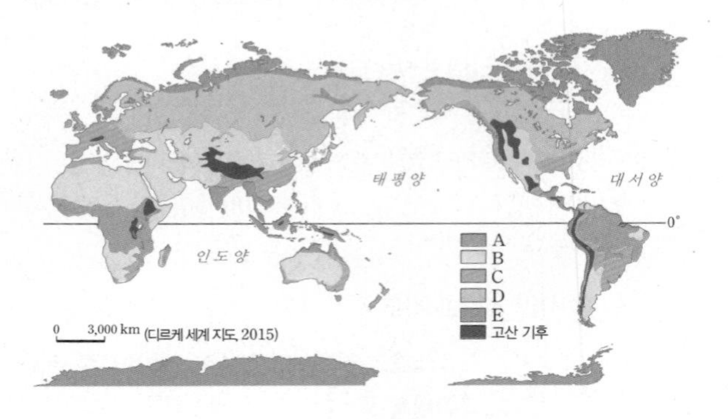

02 A~E 지역에 대한 설명으로 옳지 않은 것은?

① A – 연중 봄과 같은 온화한 날씨가 나타난다.
② B – 식생이 거의 분포하지 않는다.
③ C – 기후가 온화하며 사계절이 나타난다.
④ D – 기온의 연교차가 큰 편이다.
⑤ E – 일 년 내내 눈과 얼음으로 덮여 있다.

03 지도에서 인간 거주에 불리한 기후 조건을 갖춘 지역을 묶은 것으로 옳은 것은?

① A, B ② B, C ③ C, D
④ D, E ⑤ A, D

04 다음 지도의 A~D 지역에 관한 설명으로 옳지 않은 것은?

① A는 강수량이 적어 식생이 자라기 어렵다.
② B는 기후가 온화하여 인구가 밀집했다.
③ C는 오아시스 주변에서 작물을 재배한다.
④ D는 강수량이 많고 밀림이 형성되어 있다.
⑤ A와 C는 인간 거주에 불리한 기후 지역이다.

05 다음과 같은 기후 그래프가 나타나는 지역의 농업 활동에 대한 설명으로 옳은 것은?

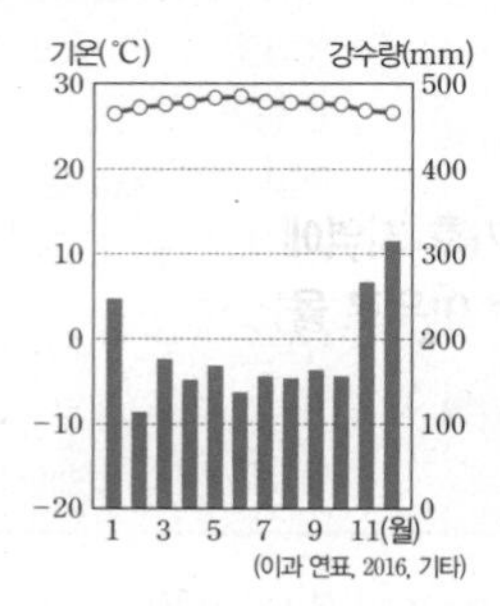

① 지하 수로를 이용한 관개 농업이 발달했다.
② 가축을 데리고 이동하며 기르는 유목이 행해진다.
③ 곡물 재배와 가축 사육을 결합한 혼합 농업이 발달했다.
④ 포도, 올리브, 오렌지 등을 재배하는 수목 농업이 발달했다.
⑤ 선진국의 자본과 기술, 원주민의 노동력이 결합한 농업이 발달하였다.

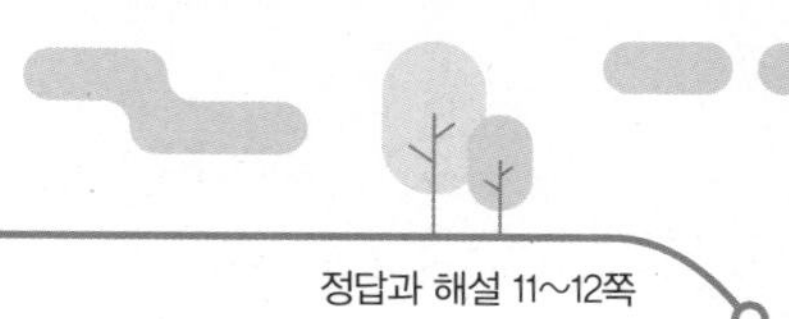

06 지도에 표시된 지역의 자연환경과 주민 생활에 대한 설명으로 옳은 것만을 〈보기〉에서 있는 대로 고른 것은?

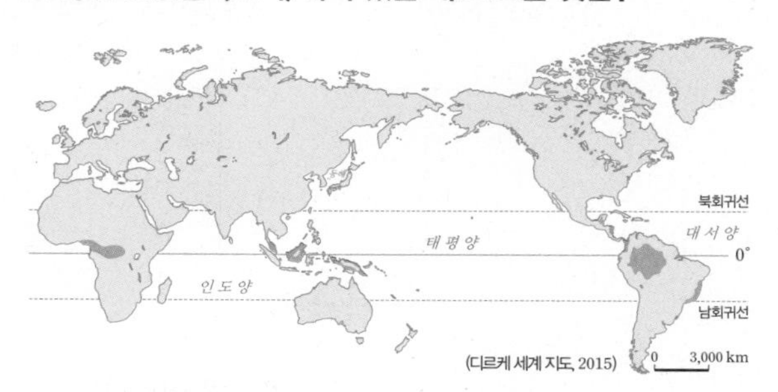

(디르케 세계 지도, 2015)

보기

ㄱ. 여름철에 백야 현상을 볼 수 있다.
ㄴ. 음식을 만들 때 향신료를 많이 사용한다.
ㄷ. 목재 수요의 증가로 임업이 발달하고 있다.
ㄹ. 플랜테이션을 통해 천연고무, 카카오 등을 재배한다.
ㅁ. 카나트와 같은 관개 시설을 이용해 대추야자, 밀 등을 재배한다.

① ㄱ, ㄴ ② ㄱ, ㄷ ③ ㄱ, ㄴ, ㄷ
④ ㄴ, ㄷ, ㄹ ⑤ ㄷ, ㄹ, ㅁ

07 열대 우림 기후 지역에서 거의 매일 다음 그림과 같은 현상이 발생하는 이유로 옳은 것은?

① 계절풍의 영향 때문이다.
② 고위도 지역에 위치하기 때문이다.
③ 일 년 내내 기온이 높기 때문이다.
④ 해발 고도가 높은 지역이기 때문이다.
⑤ 한류가 흐르는 해안 지역에 위치하기 때문이다.

08 A~C 지역의 기후에 관한 설명으로 옳은 것을 〈보기〉에서 고른 것은?

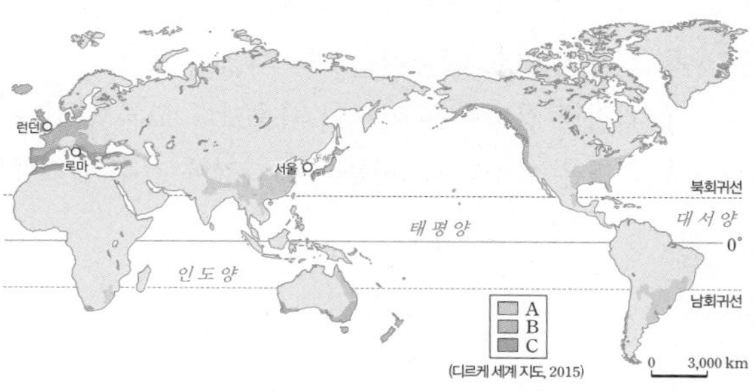

(디르케 세계 지도, 2015)

보기

ㄱ. A는 여름에 기온이 높고 비가 많이 내린다.
ㄴ. B는 연중 햇빛이 강하고 일조량이 많다.
ㄷ. C는 겨울보다 여름에 강수량이 많다.
ㄹ. 기온의 연교차는 A가 가장 크다.

① ㄱ, ㄴ ② ㄱ, ㄹ ③ ㄴ, ㄷ
④ ㄴ, ㄹ ⑤ ㄷ, ㄹ

09 다음과 같은 기후 그래프가 나타나는 지역의 경관으로 가장 적절한 것은?

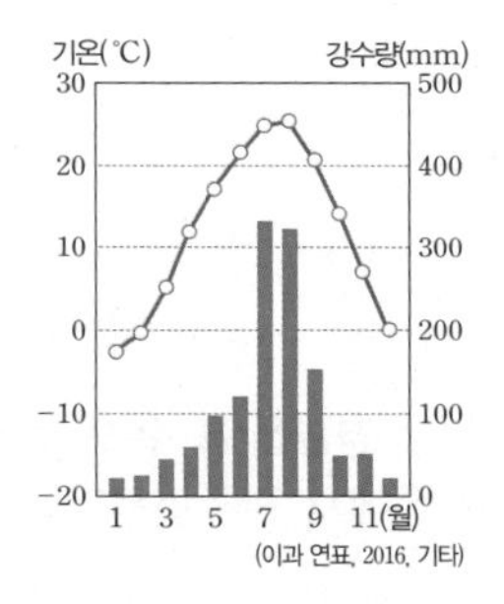

(이과 연표, 2016, 기타)

①

②

③

④

⑤

10 서울과 런던의 기후를 비교한 것으로 옳지 않은 것은?

① 런던은 서울보다 일조량이 적다.
② 겨울 기온은 서울보다 런던이 높다.
③ 기온의 연교차는 런던보다 서울이 크다.
④ 계절별 강수량은 런던이 서울보다 고른 편이다.
⑤ 런던은 겨울철에, 서울은 여름철에 강수가 집중한다.

11 온대 기후 지역의 주민 생활에 대한 설명으로 옳은 것은?

① 지중해성 기후 지역에서는 쌀과 관련된 음식 문화가 발달했다.
② 지중해성 기후 지역에서는 추위에 대비한 시설인 온돌을 볼 수 있다.
③ 서안 해양성 기후 지역은 흐리고 비 오는 날이 많아 외출 시 우산을 준비한다.
④ 온대 계절풍 기후 지역에서는 올리브, 포도 등을 활용한 음식 문화가 발달했다.
⑤ 서안 해양성 기후 지역에서는 강한 햇빛을 막기 위해 벽을 흰색으로 칠하기도 한다.

12 (가), (나)와 같은 경관을 볼 수 있는 지역에 관한 설명으로 옳은 것을 〈보기〉에서 고른 것은?

(가)

(나)

보기
ㄱ. (가) 지역은 이동식 가옥이 많다.
ㄴ. (가) 지역은 관개 농업이 발달했다.
ㄷ. (나)는 한류가 흐르는 해안에 분포한다.
ㄹ. (가), (나) 모두 기온의 일교차가 큰 편이다.

① ㄱ, ㄴ ② ㄱ, ㄷ ③ ㄴ, ㄷ
④ ㄴ, ㄹ ⑤ ㄷ, ㄹ

13 다음 기후 그래프가 나타내는 지역의 특징으로 옳지 않은 것은?

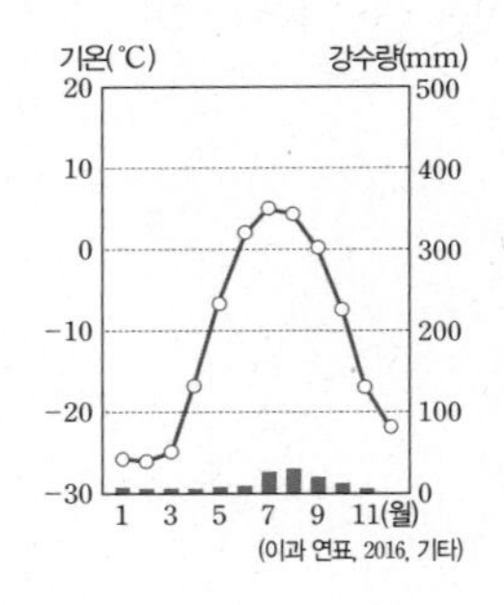

① 지표는 습한 편이다.
② 저위도 지역에 분포한다.
③ 날고기, 날생선을 주로 먹는다.
④ 여름철에 백야 현상을 볼 수 있다.
⑤ 건물 붕괴에 대비한 고상 가옥을 볼 수 있다.

14 다음 보고서의 빈칸에 들어갈 내용으로 옳은 것은?

주제: 스텝 기후 지역의 의식주 생활
(1) 의생활: 가축의 가죽이나 털 등으로 만든 옷을 입는다.
(2) 식생활: 가축의 고기, 가축의 젖을 가공한 유제품 등을 먹는다.
(3) 주생활: [ ]

① 벽난로를 설치하여 습도와 온도를 조절한다.
② 더위에 대비한 시설인 대청마루를 볼 수 있다.
③ 강한 햇빛을 막기 위해 외벽을 흰색으로 칠한다.
④ 조립과 이동이 편리한 이동식 가옥에서 생활한다.
⑤ 빗물이 잘 흘러내리도록 지붕의 경사를 급하게 한다.

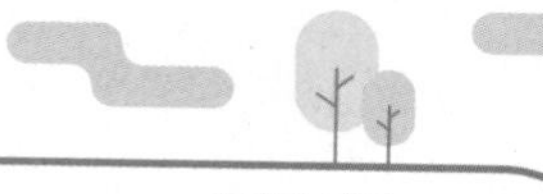

15 다음 자료에서 설명하는 지역의 주민 생활과 변화 모습을 〈보기〉에서 고른 것은?

> 북극해를 중심으로 한 고위도 지역은 가장 따뜻한 달의 평균 기온이 10℃ 미만이며, 짧은 여름 동안에만 기온이 0℃ 이상으로 올라간다. 강수량이 적지만 증발량도 적어 지표는 습한 편이다.

보기

ㄱ. 음식이 쉽게 상하지 않도록 향신료를 많이 사용한다.
ㄴ. 자원 개발, 도로 및 철도 건설로 환경 파괴가 증가하고 있다.
ㄷ. 짧은 여름 동안에 관개 시설을 이용하여 밀, 목화 등을 재배한다.
ㄹ. 백야 현상, 오로라 등을 체험하려는 관광객이 증가하면서 관광업에 종사하는 원주민도 늘어나고 있다.

① ㄱ, ㄴ ② ㄱ, ㄷ ③ ㄴ, ㄷ
④ ㄴ, ㄹ ⑤ ㄷ, ㄹ

16 다음은 건조 기후 지역의 관개 시설을 나타낸 그림이다. 그림과 같이 지하 수로를 만든 이유로 옳은 것은?

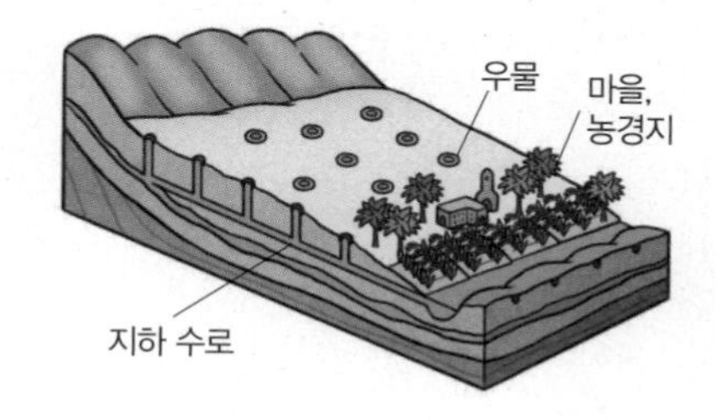

① 농경지 확보를 위해
② 물의 증발을 막기 위해
③ 지하에서 작물을 재배하기 위해
④ 관개 시설 건설 비용을 줄이기 위해
⑤ 땅의 표면이 무너지는 것을 막기 위해

서술형

17 아래 사진은 다음 지도에 표시된 지역에서 볼 수 있는 전통 가옥의 모습이다. 이러한 형태의 가옥을 짓는 이유를 기후와 관련지어 서술하시오.

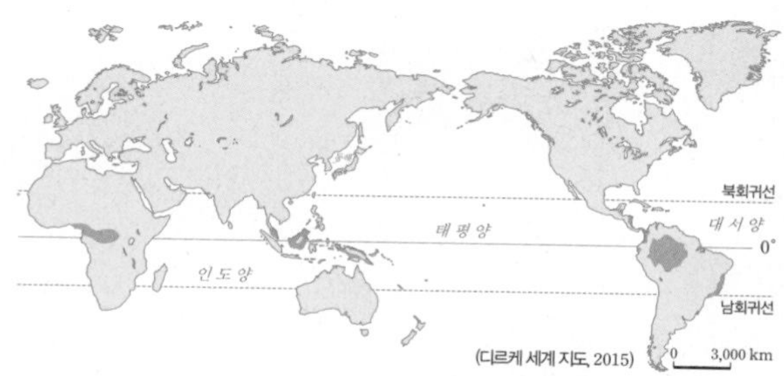

서술형

18 다음과 같은 경관을 볼 수 있는 지역의 농업 활동을 기후와 관련지어 서술하시오.

자연으로 떠나는 여행

01 산지 지형으로 떠나는 여행

학습 내용 들여다보기

■ **조륙 운동**
넓은 범위에 걸쳐 지반이 서서히 융기 또는 침강하는 지각 운동이다.

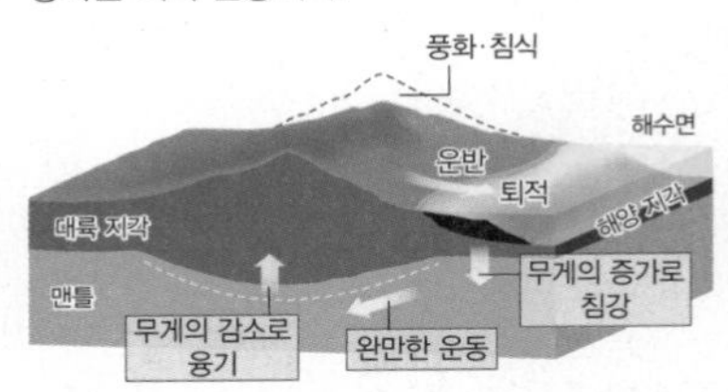

- 융기는 빙하가 녹거나, 지표면이 풍화와 침식을 받아서 지각을 누르고 있는 힘이 제거되어 밑에 눌려 있던 땅이 솟아오르는 것을 말한다.
- 침강은 빙하나 퇴적물이 지층에 쌓이면 그 무게에 의해서 땅이 가라앉는 것을 말한다.

■ **조산 운동**
지각이 퇴적 작용, 단층 작용 및 습곡 작용 같은 변형 작용을 겪으면서 산맥 등이 형성되는 지질 과정이다.

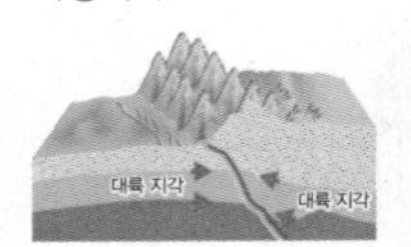

▲ 습곡 작용

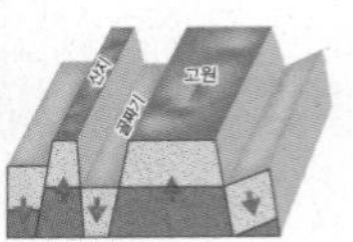
▲ 단층 작용

- 습곡 작용은 양쪽에서 미는 힘이 작용하여 지층이 휘어지는 현상을 의미하며 이로 인해, 높고 가파른 산지가 형성될 수 있다.
- 단층 작용은 서로 다른 방향으로 작용하는 압력을 받아 지각이 끊어지거나 어긋나면서 고원이나 골짜기를 형성한다.
㉠ 양산 단층, 샌안드레아스 단층

용어 알기
- **침식** 비, 하천, 빙하, 바람 따위의 자연 현상이 지표를 깎는 일
- **퇴적** 자갈이나 모래, 흙 등이 물과 바람, 빙하 등에 의해 쌓이는 것

1. 산지 지형의 형성

(1) 지형의 형성 작용

① 지구 내부의 힘에 의한 작용(내인적 작용)
- 지구 내부의 힘(열에너지)에 의한 지각 변동으로 지표의 기복을 형성하는 작용
- 수직적인 힘에 의한 조륙 운동(융기, 침강), 수평적인 횡압력에 의한 조산 운동(습곡, 단층), 화산 활동 등
- 규모가 큰 지형 형성

② 지구 외부의 힘에 의한 작용(외인적 작용)
- 지구 외부의 힘(태양 에너지)에 의한 지표면의 기복을 없애는 작용
- 하천 · 바람 · 빙하 등에 의한 침식 · 운반 · 퇴적 작용, 풍화 작용 등
- 규모가 작은 지형 형성

→ 풍화 작용: 지표를 구성하는 암석이 햇빛, 공기, 물, 생물 등의 작용으로 점차 파괴되거나 분해되는 것을 말해.

(2) 세계의 산맥과 산지

① 습곡 산지

구분	고기 습곡 산지 자료 1	신기 습곡 산지 자료 2
특징	오랜 시간 동안 풍화와 침식을 받아 비교적 고도가 낮고 경사가 완만함	형성된 지 오래되지 않아 높고 험준하며, 지각 운동이 활발하여 지진이나 화산 활동이 일어나기도 함
대표 산지	스칸디나비아산맥, 우랄산맥, 그레이트디바이딩산맥, 애팔래치아산맥 등	알프스산맥, 히말라야산맥, 로키산맥, 안데스산맥 등

▲ 세계의 주요 산맥

자료 1 완만한 고기 습곡 산지

▲ 애팔래치아산맥(미국 동부)

북아메리카의 동부 지역에 북동에서 남서로 뻗어 있는 산맥으로 오랜 시간 동안 풍화와 침식을 받아 비교적 고도가 낮고 경사가 완만하다.

자료 2 험준한 신기 습곡 산지

▲ 로키산맥(캐나다 앨버타)

환태평양 조산대에 자리한 산맥으로 미국과 캐나다 서부에 있다. 양쪽에서 가해진 압력으로 지층이 휘어지면서 산지가 형성되었으며 높고 가파르다.

자료 3 고원의 소금 사막

▲ 우유니 소금 사막(볼리비아)

해발 고도 3,653m에 위치한다. 지각 변동으로 솟아올랐던 바다가 오랜 세월 건조한 기후로 인해 소금으로 이루어진 거대한 사막과 호수가 되었다.

자료 4 세계 최고의 활화산

▲ 코토팍시산(에콰도르)

에콰도르에서 두 번째로 해발 고도가 높다. 거의 완벽하게 균형을 이루고 있는 원뿔형 화산체로 세계에서 화산 활동이 가장 활발한 곳 중 하나이다.

② 고원 자료 3

→ 해발 고도는 평균 해수면을 기준으로 측정한 높이를 말하는 거야.

- 해발 고도가 높은 산간 지대에 펼쳐진 넓은 들판
- 낮고 평탄했던 지형이 융기하거나 화산 활동으로 흘러나온 용암이 굳어져 형성

③ 화산 자료 4

→ 땅속 깊은 곳의 암석이 높은 온도와 압력의 영향으로 녹아서 액체 상태로 되어 있는 것을 말해. 마그마가 땅 위로 나오면 용암이라고 해.

- 땅속에 있는 마그마, 가스가 지각의 틈을 통해 지표로 분출하여 형성된 지형
- 에콰도르의 코토팍시산, 하와이 제도, 산토리니섬 등

2. 산지 지역의 주민 생활

(1) 산지의 주민 생활

→ 낮은 기온, 농업 불리, 거주 공간 부족 등 평지에 비해 불리한 생활 조건을 가지고 있어.

① 일부 산지에서는 농경지나 목초지로 이용하거나 임산물을 채취함

② 지하자원이 풍부한 산지에는 광업 도시 발달 예 로키산맥의 구리 광산

③ 자연 경관을 활용한 산악 스포츠 및 관광 산업 발달

(2) 세계 주요 산지의 주민 생활

① 알프스 산지 자료 5

→ 가축과 함께 이동한다는 점에서는 유목과 비슷하지만, 일정한 곳에 머물며 농경 생활도 함께하면서 목축을 하는 점이 차이점이라고 할 수 있어.

- 이목: 여름에는 소 떼를 산지에서 키우고, 기온이 낮아지는 겨울이 되면 소 떼를 저지대로 몰고 내려오는 방식의 목축이 이루어짐
- 산악 스포츠 및 관광 산업 발달 예 스위스의 마터호른
- 여름 동안 고산 지역에서 방목하던 소 떼가 마을로 내려오는 소몰이 축제
- 여름 동안 고산 지대에서 생산된 치즈를 목동들에게 맡겼던 소의 마릿수에 따라 분배하는 치즈 분배 축제

② 히말라야 산지 자료 6

- 세계적으로 높은 봉우리에 등산객이 몰려들어 관광 산업 발달
- 춥고 건조한 고산 지역에서는 양이나 야크 등을 방목하는 목축업 발달
- 일부 서늘한 기후에서는 사과, 살구, 보리, 밀 등을 재배함

→ 가축을 놓아 기르는 목축업을 말해.

③ 안데스 산지 자료 7

- 고산 지역은 일 년 내내 우리나라의 봄처럼 따뜻한 기후가 나타남
- 고산 지역에는 고대 문명이 발달함 예 페루 쿠스코의 마추픽추
- 해발 고도에 따라 재배하는 작물이 달라짐
- 오늘날 라틴 아메리카의 주요 도시는 고산 지역에 분포함
  예 콜롬비아의 보고타, 에콰도르의 키토, 볼리비아의 라파스 등

→ 해발 3,000m 이상의 높은 산지에 발달한 도시를 '고산 도시'라고 해.

학습 내용 들여다보기

■ 히말라야산맥의 형성

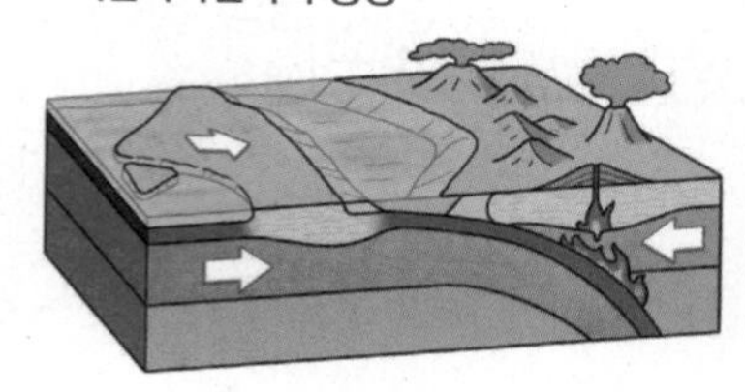

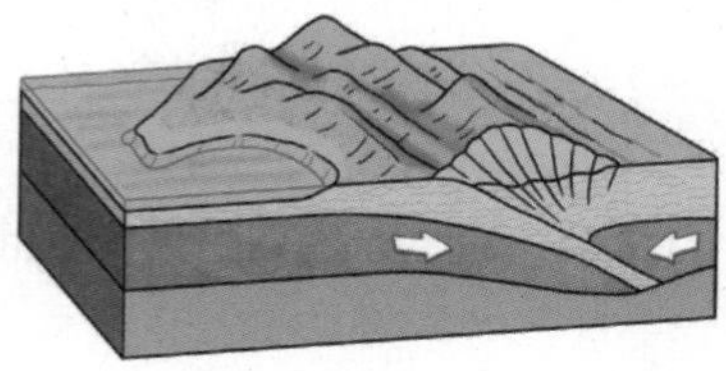

히말라야산맥을 형성하고 있는 지층은 6,000만 년 전에는 바다 아래 있었지만, 인도·오스트레일리아 대륙판과 유라시아 대륙판이 충돌하는 과정에서 바다 위로 솟아올라 거대한 산맥을 형성하였다.

■ 안데스 산지의 농업

적도 근처에 위치한 안데스 산지는 해발 고도에 따라 재배되는 작물이 다르다. 저지대에는 열대 기후가 나타나 바나나, 카카오, 목화 등을 재배하는 플랜테이션이 발달하였으며 해발 고도 1,000m 정도에서는 사탕수수, 커피, 옥수수 등을 많이 재배한다. 해발 고도 2,000m 정도의 고원 지대에서는 서늘한 기후를 이용하여 감자, 밀, 보리 등을 재배한다.

■ 고산 도시

열대 기후가 분포하는 저위도 지역은 대부분 연중 기온이 매우 높고 강수량이 많아 인간이 거주하기에 적합하지 않은 곳이 많다. 이런 곳에서는 지대가 낮은 곳을 피하여 해발 고도 3,000m 이상의 서늘한 산지에 도시가 발달하게 되는데, 이러한 도시를 고산 도시라고 한다.

용어 알기

- **제도** 무리 지어 있는 여러 개의 섬
  예 갈라파고스 제도, 하와이 제도 등

자료 5 알프스 산지의 축제

▲ 스위스의 치즈 분배 축제

여름 동안 알프스 고산 지대에서 주민들의 소를 공동으로 키우며 만들어 낸 치즈를 가을이 되어 마을로 내려와 소의 마릿수에 따라 나누는 축제이다.

자료 6 히말라야 산지의 목축업

▲ 양, 야크의 방목

히말라야의 고지대는 춥고, 건조하여 농업이 어려워 고지대 생활에 적응한 양이나 야크 등을 방목하는 목축업이 주로 발달하였다.

자료 7 안데스 산지의 주민 생활

▲ 안데스 산지의 알파카와 원주민

안데스 산지 주민들은 고산 지대에서도 잘 자라는 알파카를 기르며, 강한 자외선을 막기 위한 모자와 밤의 추위에 대비하여 털로 만든 망토를 사용한다.

▲ 잉카 문명의 고대 도시, 마추픽추

페루의 마추픽추는 해발 2,430m에 있다. 문화유산과 자연생태계가 동시에 보존되어 아름답고 신비로운 유적지로 매년 수많은 관광객이 방문한다.

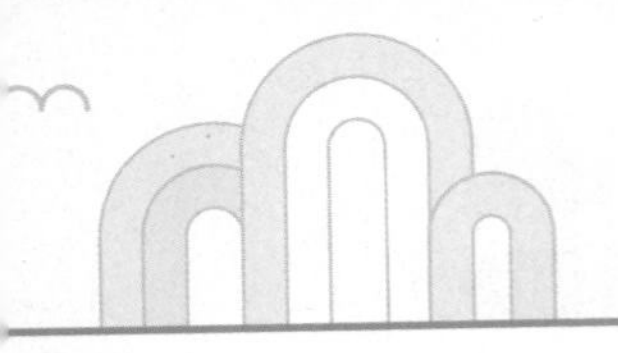

기본 문제

간단 체크

1 다음 설명이 맞으면 ○표, 틀리면 ×표 하시오.

(1) 세계에서 해발 고도가 가장 높은 산은 프랑스의 몽블랑산이다. (　　)

(2) 아프리카 대륙의 최고봉은 에콰도르의 코토팍시산이다. (　　)

(3) 산지는 지층이 습곡 작용을 받아 휘어지거나, 땅속 깊은 곳의 뜨거운 마그마가 땅 위로 분출하는 화산 활동 등으로 만들어진다. (　　)

(4) 산지는 하천과 빙하, 비와 바람의 작용으로 높이나 형태 등이 변화한다. (　　)

(5) 화산 활동으로 형성된 에콰도르의 코토팍시산은 분화 활동을 하는 화산 중 세계에서 해발 고도가 가장 낮다. (　　)

2 아래의 산지에 해당하는 산맥을 바르게 연결하시오.

(1) 신기 습곡 산지 •

(2) 고기 습곡 산지 •

• ㉠ 우랄산맥
• ㉡ 로키산맥
• ㉢ 알프스산맥
• ㉣ 히말라야산맥
• ㉤ 애팔래치아산맥

3 밑줄 친 부분을 옳게 고쳐 쓰시오.

(1) 산지는 지형과 기후 환경의 제약으로 농업 활동을 하기에 <u>유리</u>하다. (　　　)

(2) 안데스 산지의 저지대는 열대 기후가 나타나 바나나, 카카오, 목화 등을 <u>이동식 화전 농업</u> 방식으로 재배한다. (　　　)

(3) 산지에서는 <u>겨울철</u>의 서늘한 기후를 이용하여 고랭지 채소를 재배하거나, 가축을 길러 젖과 고기, 털과 가죽 등을 얻는다. (　　　)

01 다음 글의 ㉠, ㉡에 들어갈 용어를 옳게 연결한 것은?

> 산지는 지층이 (㉠)을 받아 휘어지거나 땅속 깊은 곳의 뜨거운 마그마가 땅 위로 분출하는 (㉡) 등으로 만들어진다.

	㉠	㉡
①	화산 활동	습곡 작용
②	습곡 작용	화산 활동
③	침식 작용	화산 활동
④	습곡 작용	퇴적 작용
⑤	화산 활동	침식 작용

02 다음 자료에 대한 특징으로 옳은 것을 <보기>에서 고른 것은?

▲ 습곡 산지(캐나다 앨버타)

| 보기 |

ㄱ. 대체로 퇴적암에서 잘 나타남
ㄴ. 해저에서 화산이 폭발하여 형성
ㄷ. 지구 외부의 태양 에너지에 의해 형성
ㄹ. 양쪽에서 가해진 압력으로 지층이 휘어지면서 형성

① ㄱ, ㄴ　② ㄱ, ㄷ　③ ㄱ, ㄹ　④ ㄴ, ㄹ　⑤ ㄷ, ㄹ

03 세계에서 해발 고도가 가장 높은 산은?

① 몽블랑산　② 칸첸중가산　③ 코토팍시산　④ 에베레스트산　⑤ 킬리만자로산

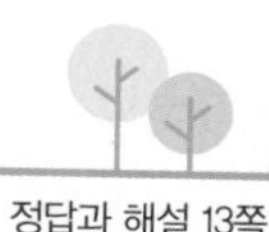

04 다음 화폐와 관련 있는 산맥으로 옳은 것은?

▲ 인도 화폐 100루피에 그려져 있는 칸첸중가산

① 우랄산맥　② 알프스산맥
③ 아틀라스산맥　④ 히말라야산맥
⑤ 애팔래치아산맥

05 다음 자료에 해당하는 산맥으로 옳은 것은?

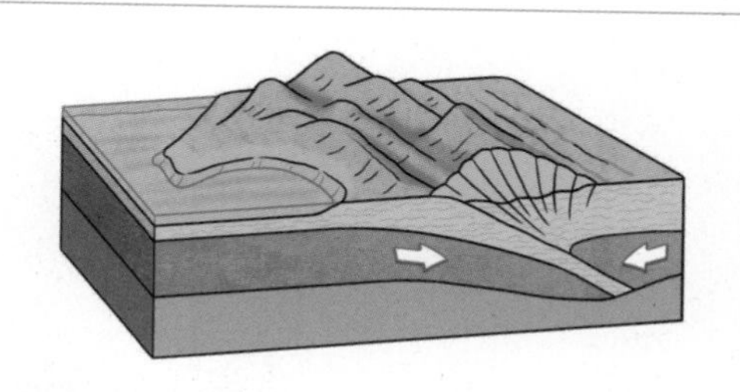

위의 산맥은 6,000만 년 전에는 바다 아래 있었던 지층이 인도·오스트레일리아 대륙판과 유라시아 대륙판이 충돌하는 과정에서 바다 위로 솟아올라 만들어졌다.

① 우랄산맥　② 알프스산맥
③ 아틀라스산맥　④ 히말라야산맥
⑤ 애팔래치아산맥

06 다음 산맥의 공통점으로 옳은 것을 〈보기〉에서 고른 것은?

• 알프스산맥　• 안데스산맥　• 히말라야산맥

보기

ㄱ. 해저에서 화산이 폭발하여 형성되었다.
ㄴ. 형성된 지 오래되지 않은 신기 습곡 산지이다.
ㄷ. 지각 운동이 활발하여 지진이나 화산 활동이 일어나기도 한다.
ㄹ. 오랜 시간 동안 풍화와 침식을 받아 비교적 고도가 낮고 경사가 완만하다.

① ㄱ, ㄴ　② ㄱ, ㄷ　③ ㄴ, ㄷ
④ ㄴ, ㄹ　⑤ ㄷ, ㄹ

07 다음 지형의 형성 원인으로 옳은 것은?

▲ 코토팍시산(에콰도르)

① 화산 활동으로 형성되었다.
② 지반이 융기하면서 형성되었다.
③ 파랑의 침식 작용을 받아 형성되었다.
④ 조류에 의한 퇴적 작용으로 형성되었다.
⑤ 산을 덮고 있던 빙하가 흘러내리면서 형성되었다.

08 다음 내용에 해당하는 산지로 옳은 것은?

남아메리카에 위치하며 보고타, 키토 등의 고산 도시가 분포한다. 마추픽추, 우유니 소금 사막 등의 관광 자원이 있다.

① 우랄 산지　② 로키 산지
③ 알프스 산지　④ 안데스 산지
⑤ 히말라야 산지

09 다음 내용에 해당하는 국가로 옳은 것은?

알프스 산지에 위치하며 고산 지역에서 방목하던 소를 활용한 소몰이 축제와 치즈 분배 축제 등이 열린다. 유명한 관광지로 마터호른 봉우리가 있다.

① 프랑스　② 덴마크　③ 스위스
④ 핀란드　⑤ 스페인

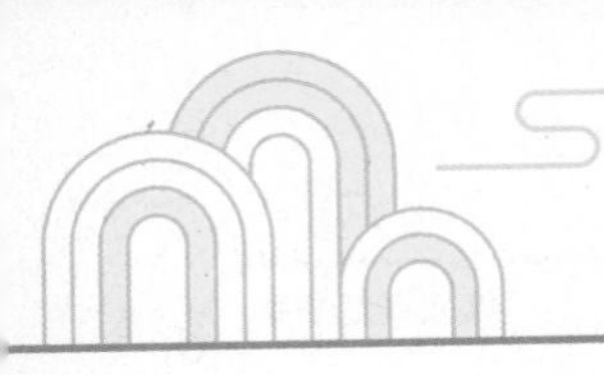

실전 문제

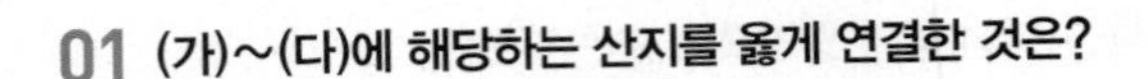

01 (가)~(다)에 해당하는 산지를 옳게 연결한 것은?

(가) 6,000만 년 전에는 바다 아래 있었던 지층이 인도·오스트레일리아 대륙판과 유라시아 대륙판이 충돌하는 과정에서 바다 위로 솟아올라 만들어졌다.
(나) 남아메리카 대륙의 서부, 남태평양 연안을 따라 남북으로 뻗은 세계에서 가장 긴 산맥이다. 해발 고도 6,000m 이상의 고봉들이 100여 개에 이르며, 산간 분지와 고원 등에 고산 도시가 발달해 있다.
(다) 유럽의 중남부에 있는 큰 산지로 스위스, 프랑스, 이탈리아, 오스트리아에 걸쳐 있다. 최고봉은 높이 4,807m인 몽블랑이다. 피레네산맥과 함께 북쪽의 유럽 대평원과 남쪽의 지중해 연안 지역을 기후적·문화적으로 구분하고 있다.

	(가)	(나)	(다)
①	알프스산맥	안데스산맥	히말라야산맥
②	안데스산맥	히말라야산맥	알프스산맥
③	안데스산맥	알프스산맥	히말라야산맥
④	히말라야산맥	안데스산맥	알프스산맥
⑤	히말라야산맥	알프스산맥	안데스산맥

고난도

02 사회 퀴즈에 대한 학생의 점수로 옳은 것은?

〈사회 퀴즈〉

산지 지형 경관의 특징에 대한 설명 중 옳은 것은 ○표, 틀린 것은 ×표 하시오.
※ 단, 한 문제당 1점씩 배점하며, 틀리더라도 감점은 없음.

번호	문제	학생 답
1	애팔래치아, 우랄산맥은 고기 습곡 산지에 속한다.	×
2	신기 습곡 산지는 형성된 지 오래되지 않아 높고 험준하다.	○
3	알프스, 히말라야, 안데스, 로키산맥은 신기 습곡 산지에 속한다.	○
4	고기 습곡 산지는 오랜 시간 동안 풍화와 침식을 받아 비교적 고도가 낮고 경사가 완만하다.	○

① 0점 ② 1점 ③ 2점
④ 3점 ⑤ 4점

★ 중요 ★

03 산지 지역의 주민 생활에 대한 설명으로 옳지 않은 것은?

① 산지에 목장을 짓고 목축업이 이루어지기도 한다.
② 지형과 기후 환경의 제약이 적어 농업에 유리하다.
③ 리조트, 호텔, 스키장 등의 관광 산업 발달에 유리하다.
④ 석탄, 철광석 등 지하자원이 풍부한 곳은 광업이 발달한다.
⑤ 서늘한 기후를 이용하여 고랭지 농업이 이루어지기도 한다.

★ 중요 ★

04 다음 글의 ㉠, ㉡에 들어갈 말을 옳게 연결한 것은?

안데스 산지의 주민 생활 모습

저지대는 바나나, 카카오, 목화 등을 재배하는 플랜테이션이 발달하고, 고원 지대에서는 서늘한 기후를 이용하여 감자, 밀, 보리 등을 재배한다. (㉠)이/가 높아질수록 (㉡)이/가 낮아지기 때문에 안데스 산지에서는 (㉠)에 따라 서로 다른 작물을 재배한다.

	㉠	㉡
①	기온	위도
②	위도	해발 고도
③	위도	기온
④	해발 고도	기온
⑤	해발 고도	위도

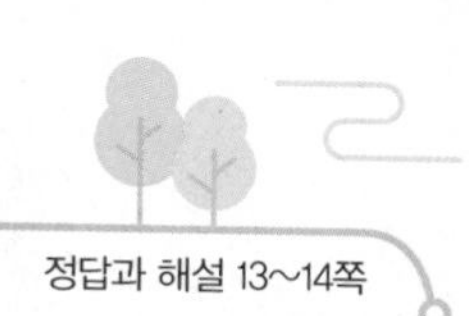

05 다음 보고서의 ㉠에 해당하는 산지로 옳은 것은?

사회 보고서

◇학년 ◇반 △△ 모둠

지역	(㉠)
관광 상품	1. 에베레스트산, 칸첸중가산 2. 네팔과 중국의 티베트 고원 3. 춥고, 건조하여 양과 야크 방목

① 우랄 산지 ② 로키 산지
③ 알프스 산지 ④ 안데스 산지
⑤ 히말라야 산지

06 다음은 여행 중인 친구가 보낸 편지 내용의 일부이다. 친구가 여행하고 있는 산지를 지도에서 고른 것은?

지민이에게

지민아 안녕? 한 달째 여행 중인 여기는 볼리비아의 라파스라는 도시야. 우리나라의 봄과 같은 날씨가 일 년 내내 나타나는 고산 도시야. 고원 지대에서는 감자, 밀, 보리 등을 재배하더라고…….

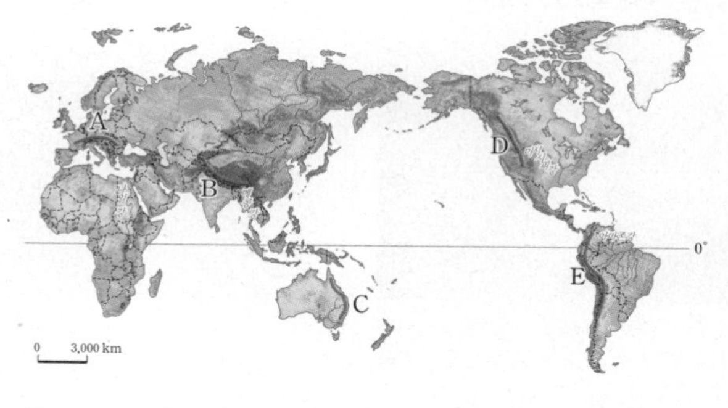

① A ② B ③ C ④ D ⑤ E

서술형 문제

[07~09] 다음 자료는 안데스 산지의 주민 생활 모습을 나타낸 자료이다.

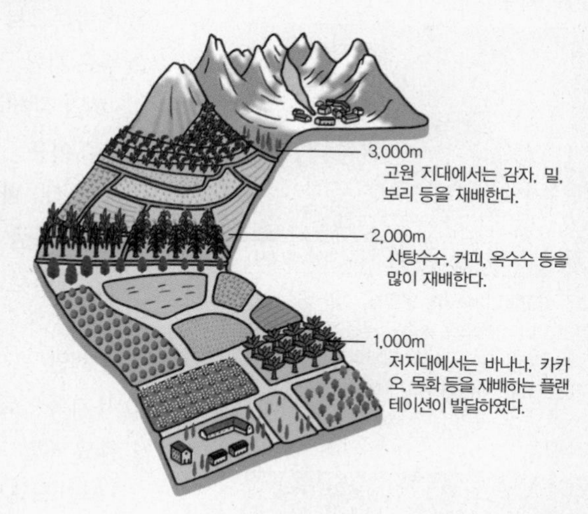

07 위 자료에서 해발 고도 3,000m 이상의 산지에 발달한 도시를 부르는 명칭을 쓰시오.

08 안데스 산지에서 위와 같이 서로 다른 작물을 재배하게 된 이유를 제시어를 활용하여 서술하시오.

제시어: 해발 고도, 기온, 열대 기후

09 안데스 산지의 저지대에서 발달하는 플랜테이션의 특징을 제시어를 활용하여 서술하시오.

제시어: 기후, 선진국, 자본, 노동력, 상업적

02 해안 지형으로 떠나는 여행

학습 내용 들여다보기

■ 파랑의 작용

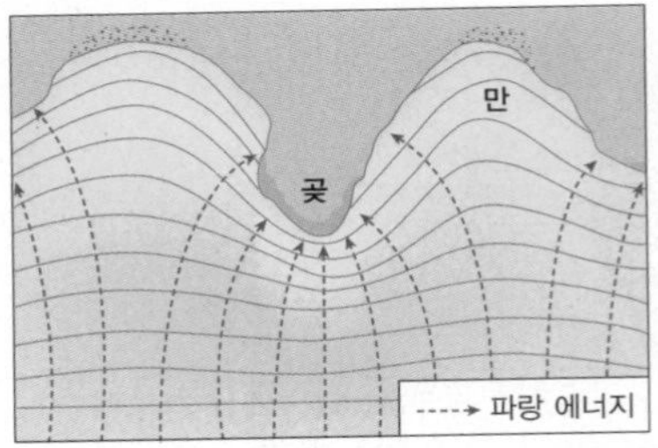

파랑은 바닷물이 바람의 영향을 받아 일렁이는 물결이다. 바다 쪽으로 돌출된 곶은 파랑의 에너지가 집중되어 침식 작용이 활발하며, 육지 쪽으로 후미진 만은 파랑의 퇴적 작용이 활발하다.

■ 파식대

암석 해안에서 해면 아래 또는 해수면 위에 파식 작용이 미치는 범위에 나타나는 침식면으로 바다 쪽으로 완만하게 경사진 평탄한 암반면을 말한다.

1. 다양한 해안 지형

(1) 암석 해안

① 바다쪽으로 돌출된 곶에서는 파랑의 침식 작용이 활발함

② 주요 지형

- 해안 절벽(해식애): 파랑의 침식 작용으로 형성된 절벽, 경관이 아름다워 관광지로 이용
- 파식대: 파랑의 침식 작용으로 형성된 해식애 전면에 생긴 완경사의 평탄면
- 해식 동굴: 파랑의 침식 작용으로 해안 절벽에 형성된 동굴
- 돌기둥(시 스택), 시 아치: 파랑의 침식 작용으로 형성된 기암괴석

→ 파도의 침식 작용에 의해 약한 부분이 침식되고, 비교적 단단한 부분이 남은 암초를 의미해.

→ 기이하게 생긴 바위와 괴상하게 생긴 돌을 말해.

(2) 모래 해안

① 육지쪽으로 들어간 만에서는 파랑의 퇴적 작용이 활발함

② 주요 지형

- 사빈(모래사장): 파랑과 연안류가 해안을 따라 모래를 쌓아 형성된 퇴적 지형
- 해안 사구: 사빈의 모래가 바람에 의해 이동되어 퇴적된 모래 언덕 자료 1
- 석호: 빙하기 이후 해수면 상승으로 해안의 만이 사주 등의 성장으로 인해 바다로부터 분리되어 만들어진 민물과 바닷물이 섞여 있는 호수

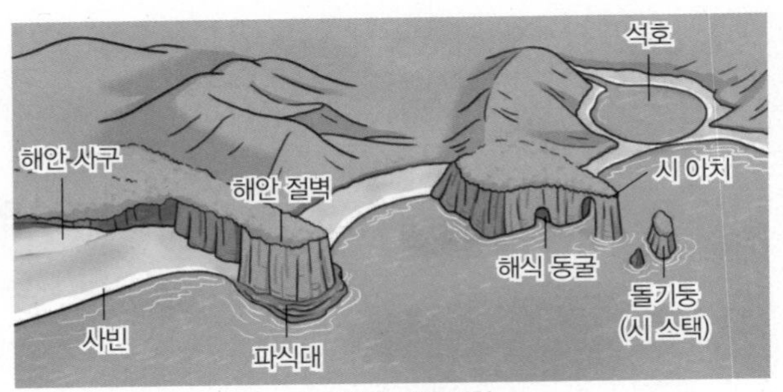

▲ 다양한 해안 지형

(3) 갯벌: 조류의 작용으로 미세한 흙이 퇴적되어 형성된 지형으로 조차로 인해 밀물 때는 침수되고, 썰물 때는 육지로 드러남 자료 2

→ 밀물과 썰물 때의 해수면 수위 차이를 조차라고 해.

(4) 산호초 해안, 맹그로브 숲: 해일이나 파랑의 침식 작용으로부터 해안을 보호하며 다양한 바다 생물의 안식처가 됨

→ 열대와 아열대의 갯벌이나 하구에서 자라는 나무들이 이룬 숲이야.

용어 알기

- **연안류** 연안 지대에서 해안을 따라 거의 평행하게 흐르는 바닷물의 흐름
- **사주** 해안의 모래가 파랑과 연안류 등에 의해 이동·퇴적되면서 생긴 막대 모양의 모래톱
- **조류** 밀물과 썰물 때문에 일어나는 바닷물의 흐름

자료 1 신두리 해안 사구(충청남도 태안군)

우리나라 최대의 해안 사구이다. 육지와 해양 생태계의 완충 지역으로, 다양한 사구 식물과 멸종위기 동식물이 서식하는 생태계적으로도 중요한 공간이다.

자료 2 몽생미셸(프랑스)

바스노르망디 해안에 있는 몽생미셸은 조차가 매우 커서 썰물 때는 육지와 연결되고 밀물 때는 섬이었다가 현재는 다리로 연결되어 있다.

자료 3 송네 피오르(노르웨이)

길이 204km로 해안 쪽으로 깎아지른 산 사이를 깊숙이 파고 들어간 노르웨이에서 가장 길고 수심이 깊은 피오르이다.

자료 4 그레이트배리어리프(오스트레일리아)

세계 최대의 산호초 지대로 독특한 해안 지형과 다양한 생물의 보호를 위해 유네스코 세계자연문화유산으로 지정되었다.

(5) **세계적으로 유명한 해안 지형**

① **송네 피오르(노르웨이)**: 피오르는 빙하의 침식으로 생긴 골짜기에 바닷물이 들어오면서 형성된 만으로, 수심이 깊은 곳은 약 1,300m에 이름 자료 3

② **그레이트배리어리프(오스트레일리아)**: '대보초'라고도 불리는 세계 최대의 산호초 지대로 주로 열대 지역의 얕은 바다에 사는 산호가 자라서 만들어짐 자료 4

③ **12사도 바위(오스트레일리아)**: 석회암으로 된 바위 절벽이 파랑의 침식 작용을 받아 해안 절벽과 돌기둥이 형성되었으며, 돌기둥은 새롭게 생겨나기도 하고 무너지기도 함 자료 5

④ **코파카바나 해변(브라질)**: 리우데자네이루 남부의 코파카바나 해변은 길게 뻗은 모래사장(사빈)이 유명하며, 해변 주위의 아름다운 산지 경관과 해안가의 관광 시설을 바탕으로 세계적인 해안 휴양지가 됨 자료 6

2. 해안 지역의 주민 생활

(1) **해안 지역의 이용**

① 전통적으로 어업과 양식업에 종사

② 대규모 무역항이나 공업 도시로 성장

③ 휴양 시설과 편의 시설을 갖춘 관광지

(2) **관광 산업이 미친 영향** 자료 7

긍정적 측면	• 일자리 창출 및 수익 증대 • 주민들의 삶의 질 향상
부정적 측면	• 해수욕장을 따라 방파제나 콘크리트 구조물 조성 → 경관 훼손 및 모래사장 침식 등 해안 지형 변화 • 해안 사구를 훼손하여 도로와 건물 건설 → 해안 생태계 파괴 • 외부 관광객과 지역 주민들 사이에 문화적 갈등 발생

(3) **개발과 보존의 균형을 꾀하는 해안 지역**

① **해안에 대한 시각 변화**: 해안 환경을 보전하고 후대에 물려주고자 노력

② **해안 침식 방지를 위한 인공 구조물 설치**: 그로인, 모래 포집기 등

③ **갯벌 보전을 위한 노력**: 람사르 협약에 가입 및 갯벌 보호 활동

④ **관광 형태의 변화**: 해안 생태계를 체험하고 즐기는 생태 관광으로 변모 자료 8

→ 중요 습지를 보호하기 위해 국제적인 협력으로 맺은 조약이야.

학습 내용 들여다보기

■ 인공 시설 조성에 따른 해안 침식

해수면 상승과 지구 온난화, 항만과 방파제 등 인공 구조물 설치로 동해안의 아름다운 백사장이 점점 줄어들고 있다.

■ 모래 포집기

모래의 이동이 활발한 지역을 대상으로 바람에 의한 모래 이동이 주로 일어나는 지표면에 대나무나 그물 따위로 만든 인위적 구조물을 설치하여 모래를 모아서 쌓는 장치이다.

■ 우리나라 최초로 람사르 협약에 등록된 순천만 습지

순천만은 강물을 따라 유입된 토사와 유기물 등이 바닷물의 조수 작용으로 퇴적되어 넓은 갯벌이 형성되어 있다.

용어 알기

- **해일** 해저의 지각 변동이나 해상의 기상 변화에 의하여 갑자기 바닷물이 크게 일어서 육지로 넘쳐 들어오는 것
- **석회암** 탄산 칼슘을 주성분으로 하는 퇴적암으로 석회석이라고도 함
- **그로인** 사빈의 침식을 막기 위하여 일정한 간격을 두고 해안에서 바깥으로 축조한 석축이나 콘크리트 구조물

자료 5 12사도 바위(오스트레일리아)

해안의 석회암 절벽이 파도에 깎여 육지와 분리되어 돌탑과 같은 형태를 하고 있다. 일부 돌기둥은 파도의 침식 작용으로 무너졌다.

자료 6 코파카바나 해변(브라질)

아름다운 해안선과 5km에 이르는 긴 모래사장이 유명하다. 세계적인 휴양지로 해변에는 주거 지역과 상업 시설이 들어서 있다.

자료 7 랑그도크루시용 해양 관광 단지(프랑스)

지중해성 기후가 나타나는 해안의 습지대를 관광지로 개발 후 관광 수익이 증대되었으나 교통 체증, 주차 문제, 시설 노후화 문제 등이 발생하고 있다.

자료 8 보령 머드 축제(충청남도 보령군)

대천해수욕장에서 진행되는 머드(진흙)를 주제로 한 축제로 지역 주민들의 자발적 참여를 유도하여 지역의 균형 발전을 위해 노력하고 있다.

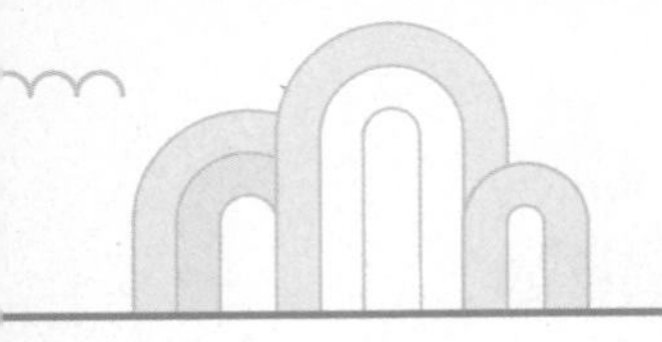

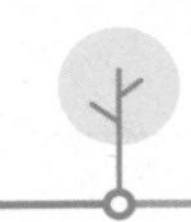

기본 문제

간단 체크

1 다음 설명이 맞으면 ○표, 틀리면 ×표 하시오.

(1) 해안 지역은 자연 경관이 아름다워 관광 자원으로 이용되기도 한다. ( )

(2) 파랑의 퇴적 작용이 활발하게 일어나는 곳에서는 모래사장 등이 형성된다. ( )

(3) 파랑의 침식 작용이 활발하게 일어나는 만에서는 해안 절벽, 돌기둥, 해식 동굴 등이 형성된다. ( )

(4) 바다와 육지가 만나는 해안에는 파랑과 조류 등에 의해 침식, 운반, 퇴적 작용이 지속해서 나타난다. ( )

(5) 조차가 큰 해안에는 갯벌이 형성되고, 일부 지역에는 산호초가 발달하여 아름다운 산호 해안이 형성되기도 한다. ( )

2 아래의 해안 지형을 바르게 연결하시오.

(1) 곶에서 형성 •

(2) 만에서 형성 •

• ㉠ 돌기둥
• ㉡ 모래사장
• ㉢ 해식 동굴
• ㉣ 해안 절벽

3 다음 설명 중 밑줄 친 부분을 바르게 고치시오.

(1) <u>파랑</u>은 밀물과 썰물 때문에 나타나는 바닷물의 흐름이다. ( )

(2) <u>조류</u>는 바닷물이 바람의 영향을 받아 일렁이는 물결이다. ( )

(3) 해안 사구는 모래사장의 모래가 <u>파랑</u>에 날려 언덕 모양으로 쌓인 지형이다. ( )

(4) 피오르는 빙하의 <u>퇴적</u>으로 생긴 골짜기에 바닷물이 들어오면서 형성된 만이다. ( )

01 다음 검색어 ㉠에 해당하는 용어로 옳은 것은?

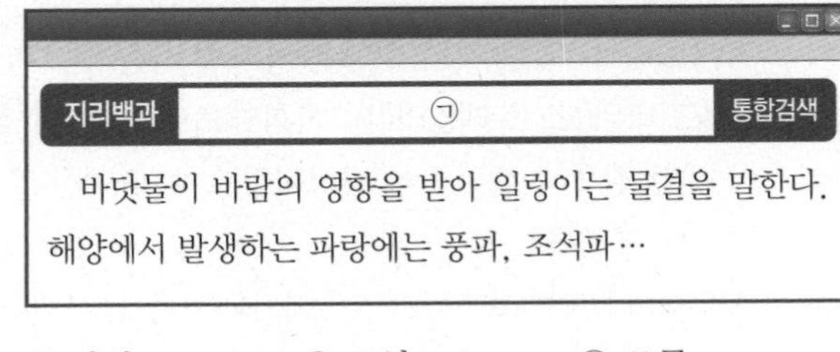

① 파랑 ② 조차 ③ 조류 ④ 일교차 ⑤ 연교차

02 파랑의 침식 작용과 관련된 지형을 〈보기〉에서 고른 것은?

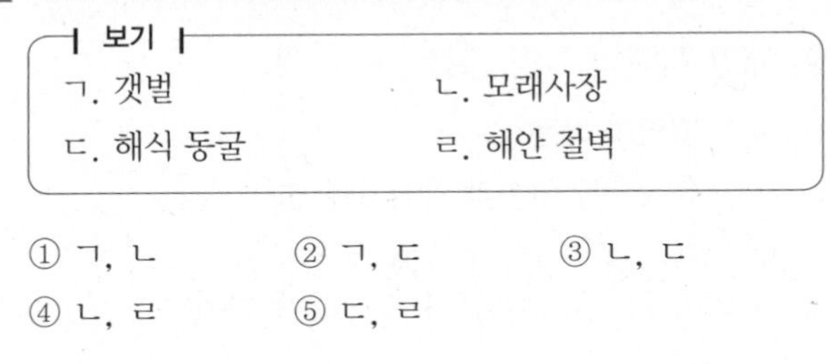
보기

ㄱ. 갯벌 ㄴ. 모래사장
ㄷ. 해식 동굴 ㄹ. 해안 절벽

① ㄱ, ㄴ ② ㄱ, ㄷ ③ ㄴ, ㄷ ④ ㄴ, ㄹ ⑤ ㄷ, ㄹ

03 다음 자료의 ㉠에 들어갈 용어로 옳은 것은?

프랑스 바스노르망디 해안에 있는 몽생미셸은 (㉠)이/가 매우 커서 밀물 때는 섬이 된다.

① 파랑 ② 조차 ③ 조류 ④ 일교차 ⑤ 연교차

04 다음 글이 설명하는 지형으로 옳은 것은?

해안의 만이 사주, 사취 등의 성장으로 바다로부터 분리되어 형성되며, 민물과 바닷물이 섞여 있는 호수를 말한다.

① 석호 ② 화산호 ③ 단층호 ④ 빙하호 ⑤ 우각호

05 (가) 지역에서 주로 볼 수 있는 지형을 〈보기〉에서 고른 것은?

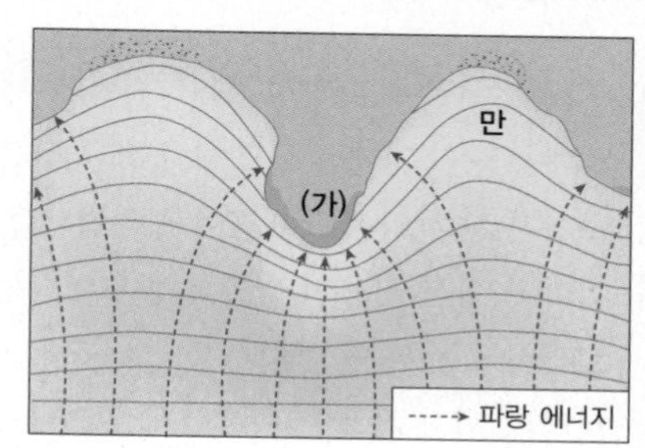

보기
ㄱ. 석호　ㄴ. 갯벌　ㄷ. 돌기둥
ㄹ. 모래사장　ㅁ. 해식 동굴　ㅂ. 해안 절벽

① ㄱ, ㄴ, ㄷ　② ㄱ, ㄷ, ㄹ　③ ㄱ, ㄷ, ㅁ
④ ㄴ, ㄷ, ㄹ　⑤ ㄷ, ㅁ, ㅂ

06 ㉠, ㉡에 해당하는 용어를 옳게 연결한 것은?

㉠ 바닷물이 바람의 영향을 받아 일렁이는 물결
㉡ 밀물과 썰물 때문에 나타나는 바닷물의 흐름

	㉠	㉡
①	해류	조류
②	파랑	조류
③	파랑	해류
④	조류	파랑
⑤	조류	해류

07 해안 지역의 주민 생활 모습에 대한 설명으로 옳지 않은 것은?

① 전통적으로 어업과 양식업에 종사한다.
② 갯벌이 발달한 곳에서는 간척 사업이 진행되기도 한다.
③ 해수욕장 등 관광 산업 발달로 관련 종사자가 증가하였다.
④ 바다가 육지 쪽으로 들어와 있는 만에서는 항만이 발달하기 어렵다.
⑤ 태풍이나 폭풍우를 대비해 방파제 등 인공 구조물을 설치하기도 한다.

08 사진과 같은 지형에 대한 설명으로 옳은 것은?

▲ 송네 피오르(노르웨이)

① '대보초'라고 불리는 세계 최대의 산호초 지대이다.
② 파랑의 퇴적 작용으로 형성된 모래사장이 분포한다.
③ 열대 지역의 얕은 바다에 사는 산호가 자라서 형성되었다.
④ 석회암으로 된 바위 절벽이 파랑의 침식 작용을 받아 형성되었다.
⑤ 빙하의 침식으로 생긴 골짜기에 바닷물이 들어오면서 형성된 만이다.

09 관광 산업이 해안 지역에 미친 긍정적 영향으로 옳은 것을 〈보기〉에서 고른 것은?

보기
ㄱ. 일자리를 창출하여 수익을 증대시킨다.
ㄴ. 인공 구조물 조성으로 해안 생태계가 파괴된다.
ㄷ. 교통량 증가에 따른 교통 체증, 주차 문제 등이 나타난다.
ㄹ. 지역 주민의 자발적 참여를 유도하여 지역에 대한 관심을 높인다.

① ㄱ, ㄴ　② ㄱ, ㄹ　③ ㄴ, ㄷ
④ ㄴ, ㄹ　⑤ ㄷ, ㄹ

실전 문제

01 사진과 같은 지형에 대한 설명으로 옳은 것을 〈보기〉에서 고른 것은?

보기

ㄱ. '대보초'라고 불리는 세계 최대의 산호초 지대이다.
ㄴ. 용암이 식는 속도의 차이로 형성된 동굴을 볼 수 있다.
ㄷ. 조류의 퇴적 작용으로 미세한 토사가 쌓여 형성된 퇴적 지형이다.
ㄹ. 산호초 대부분이 바다에 잠겨 있고, 일부가 바다 위로 나와 방파제와 같은 외관을 형성한다.

① ㄱ, ㄴ ② ㄱ, ㄷ ③ ㄱ, ㄹ
④ ㄴ, ㄹ ⑤ ㄷ, ㄹ

02 다음 검색어 ㉠에 해당하는 내용으로 옳은 것은?

지리백과 ㉠ 통합검색

오스트레일리아 빅토리아주에 있는, 수 만 년 동안 파도의 침식 작용으로 만들어진 바위기둥이다.

그레이트 오션 로드의 대표적인 해안 침식 지형이고, 해안의 석회암 절벽이 파도에 깎여 육지와 분리되어 마치 돌탑과 같은 형태를 하고 있다. 일 년에 약 2cm 정도씩 파도에 침식되고 있다.

① 송네 피오르 ② 12사도 바위
③ 밀퍼드 사운드 ④ 태즈메이니안 야생 지대
⑤ 그레이트배리어리프

03 교사의 질문에 바르게 대답한 학생을 고른 것은?

교사: 지난 시간에 다양한 해안 지형에 대해 학습한 내용을 한 가지씩 발표해 볼까요?
갑: 조차가 큰 해안에는 갯벌이 형성됩니다.
을: 파랑의 침식 작용이 활발하게 일어나는 만에서는 모래사장 등이 형성됩니다.
병: 파랑의 퇴적 작용이 활발하게 일어나는 곳에서는 해안 절벽 등이 형성됩니다.
정: 해안에는 파랑과 조류 등에 의해 침식, 운반, 퇴적 작용이 지속해서 나타납니다.

① 갑, 을 ② 갑, 정 ③ 을, 병
④ 을, 정 ⑤ 병, 정

04 자료와 같은 여행지를 지도의 A~E에서 고른 것은?

푸른 파도와 넓고 긴 백사장, 키가 큰 야자나무가 있는 하와이의 와이키키는 세계적으로 널리 알려진 해변으로, 매년 수많은 관광객이 찾는 곳이다.

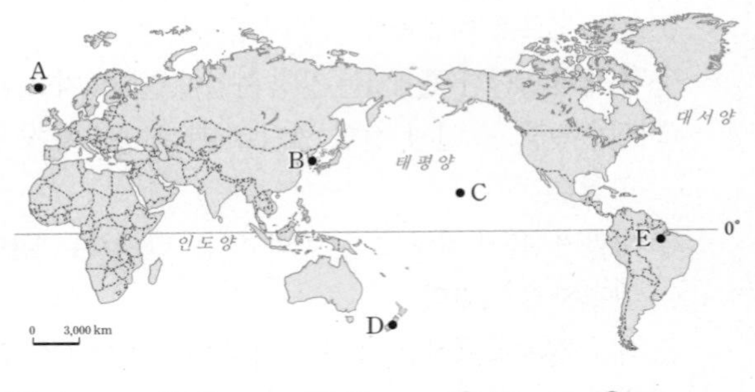

① A ② B ③ C ④ D ⑤ E

★ 중요 ★

05 사회 퀴즈에 대한 학생의 점수로 옳은 것는?

〈사회 퀴즈〉

관광 산업이 해안 지역에 미친 영향에 대한 설명 중 옳은 것은 ○표, 틀린 것은 ×표 하시오.

※ 단, 한 문제당 1점씩 배점하며, 틀리더라도 감점은 없음.

번호	문제	학생 답
1	관광 산업이 발달하면 일자리 창출, 수익 증대 등의 긍정적 영향이 나타난다.	○
2	해안 사구를 훼손하여 도로와 건물 등을 건설하면서 해안 생태계가 파괴되고 있다.	×
3	해수욕장을 따라 방파제나 콘크리트 구조물을 조성하면 해안 생태계를 보존할 수 있다.	○
4	지역 주민의 자발적 참여를 유도하여 지역에 대한 관심을 높이는 것은 긍정적 영향에 해당한다.	○

① 0점 ② 1점 ③ 2점
④ 3점 ⑤ 4점

고난도

06 프랑스 랑그도크루시용 해양 관광 단지에 대한 설명으로 옳지 않은 것은?

① 프랑스 중남부에 위치하여 지중해를 볼 수 있다.
② 툰드라 기후가 나타나며, 조차가 작은 해안 지역이다.
③ 관광객이 증가함에 따라 교통 체증, 주차 문제 등이 발생하였다.
④ 매년 1,000만여 명의 관광객을 유치하여 많은 관광 수입을 올리고 있다.
⑤ 해안 습지대였던 곳을 관광지로 개발하여 세계에서 가장 잘 개발된 해안 관광 단지로 평가받고 있다.

서술형 문제

[07~08] 다음은 여름 방학을 맞아 여행을 다녀온 학생이 조사한 자료이다.

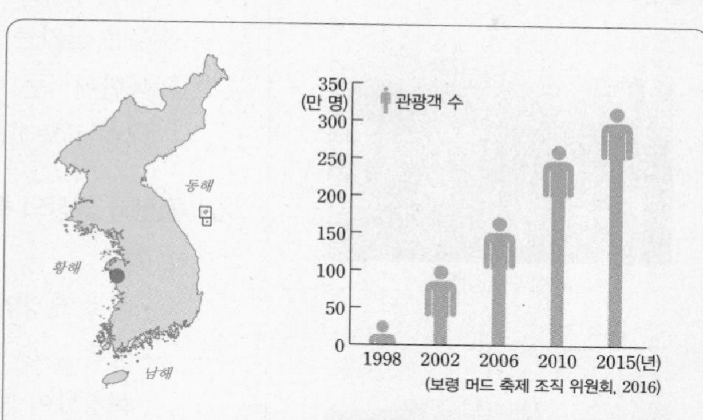

(보령 머드 축제 조직 위원회, 2016)

지난 여름 가족과 함께 충청남도 보령을 다녀왔다. 우리가 도착했을 때는 간조 시간이어서 해안에는 넓은 (㉠) 지형이 드러났다. (㉠)은/는 매우 고운 흙과 모래로 이루어져 발은 물론 허벅지까지 푹푹 빠지기도 한다.

07 위 지역에서 볼 수 있는 ㉠의 형성 과정을 제시어를 활용하여 서술하시오.

제시어: 조류, 밀물, 썰물, 퇴적

08 위 지역의 관광 산업 발달이 주민 생활에 미친 긍정적·부정적 영향을 한 가지씩 서술하시오.

긍정적인 영향:

부정적인 영향:

03 우리나라의 자연 경관

학습 내용 들여다보기

■ 돌산과 흙산

▲ 설악산(강원도)

▲ 지리산(전라남·북도, 경상남도)

돌산은 다양한 기암괴석으로 이루어져 산세가 험하고 경치가 빼어난 곳이 많으며 흙산은 동식물의 서식처가 되고 나무가 우거져 홍수·가뭄 예방 기능을 한다.

■ 리아스 해안

해안선의 형태가 복잡한 해안 중 그 형성 원인이 하천에 의해 침식된 육지가 침강하거나 해수면의 상승으로 형성된 해안이다. 전반적으로 리아스 해안은 만과 곶, 그리고 섬이 많은 복잡한 해안선을 형성하게 된다.

용어 알기

- **염전** 소금을 만들기 위하여 바닷물을 끌어들여 논처럼 만든 곳
- **간척 사업** 바다나 호수 주위에 둑을 쌓고 그 안의 물을 빼내어 육지나 경지로 만드는 일

1. 산지 지형

(1) 우리나라 산지의 특징 자료 1

① 국토의 약 70%가 산지이지만, 해발 고도가 대체로 낮고 완만함

② 높은 산지는 대부분 북동부 지역에 분포하며 동쪽이 높고 서쪽이 낮은 편임

③ 북한에서는 백두산이 해발 고도 2,744m로 최고봉이며, 남한에서는 한라산이 해발 고도 1,950m로 최고봉임

(2) 돌산과 흙산의 특징

① 돌산

- 주로 화강암으로 형성되어 커다란 암반이 봉우리를 이루는 경우가 많음
- 땅속 깊은 곳에서 형성된 화강암을 덮고 있던 지층이 침식을 받아 제거되면서 화강암이 땅 위로 드러남 예 설악산, 북한산, 월출산, 금강산 등

② 흙산

- 바위 위에 두꺼운 토양층으로 덮여 있어 식생 밀도가 높음
- 지층이 오랫동안 풍화와 침식을 받으면서 봉우리가 토양으로 두껍게 덮임 예 지리산, 덕유산 등

풍화: 지구의 대기, 물, 및 생명체와의 접촉을 통해 바위, 토양, 광물, 목재, 인공 물질 등이 분해되는 현상을 의미해.

(3) 하천의 특징: 동쪽에 높은 산지가 많아 큰 하천은 대부분 동쪽에서 서쪽으로 흐름 자료 2

하천: 일반적으로 상류에서는 산지 사이를 흐르면서 깊은 계곡을 만들고, 하류에서는 넓은 평야 위를 흘러.

2. 해안 지형

(1) 서·남해안

① 리아스 해안: 주로 만이 발달하여 해안선의 드나듦이 복잡하고 섬이 많이 분포하고 조차가 큰 편임

② 갯벌

- 큰 조차로 썰물 때 넓은 범위에 걸쳐 바닷물이 빠져나가면서 갯벌이 드러남
- 염전·양식장·관광지로 활용, 간척 사업을 통해 농경지·공업 단지로 조성

(2) 동해안

① 특징: 태백산맥과 해안선이 평행하게 발달하여 해안선이 단조로운 편

② 주요 지형: 조차가 작고 파랑의 작용이 활발하여 모래 해안(사빈, 석호 등), 암석 해안(해안 절벽, 돌기둥 등)과 같은 다양한 지형이 발달

자료 1 동고서저의 경동 지형

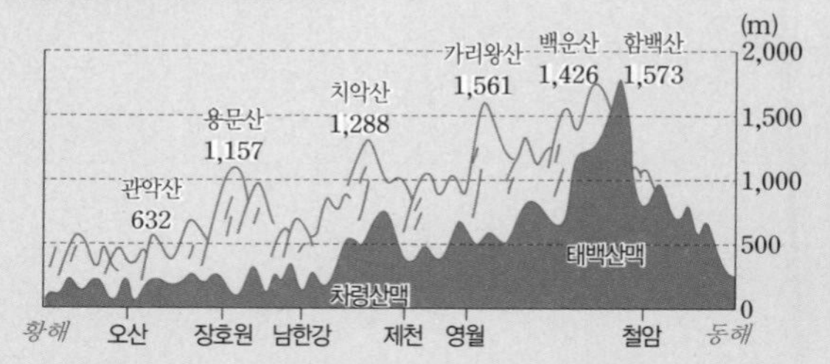

태백산맥과 높은 여러 산은 대부분 동해안에 치우쳐서 한반도의 등줄기를 이루며 솟아있다. 우리나라는 동해안 쪽은 높고 경사가 급하며 서쪽은 완만하여 큰 하천과 평야는 모두 서쪽과 남쪽에 치우쳐 있는 경동 지형(동쪽으로 기울어진 지형)을 이루고 있다.

자료 2 영산강(전라남도)

영산강은 전라남도 담양군에서 발원하여 남서쪽으로 흘러 황해로 흘러드는 강으로, 도시와 평야, 산지, 넓은 갯벌과 어우러져 멋진 풍경을 이룬다.

자료 3 고수동굴(충청북도 단양)

고수동굴은 고생대의 석회암층에서 만들어진 석회동굴로서 그 학술 가치가 크며 다양한 동굴 생성물을 한눈에 볼 수 있어 천연기념물로 지정하여 보호하고 있다.

3. 카르스트 지형

(1) **형성과 분포**

① 형성: 석회암이 빗물과 지하수에 의해 오랜 시간에 걸쳐 녹으면서 형성

② 분포: 강원도 영월과 삼척, 충청북도 단양 등

(2) **석회동굴** 자료 3

① 동굴 내부에 대표적인 카르스트 지형인 종유석, 석순, 석주 등이 발달

② 충청북도 단양의 고수동굴, 강원도 삼척의 환선굴, 경상북도 울진의 성류굴 등

③ 석회동굴의 내부

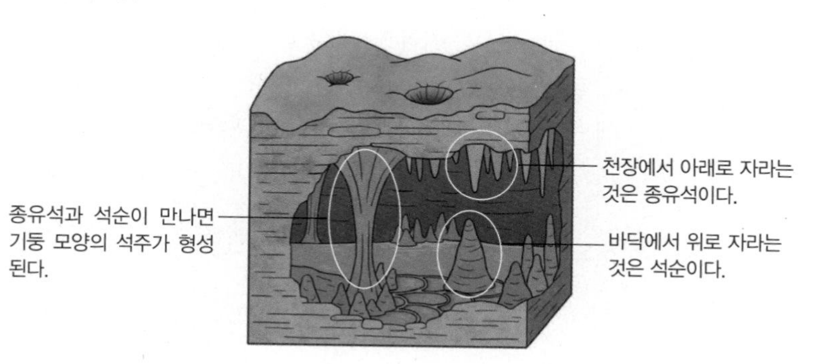

4. 화산섬, 제주도

(1) **세계 자연 유산**

① 유네스코 지정 자연환경 분야 3관왕 : 생물권 보전 지역, 세계 자연 유산, 세계 지질 공원으로 등재됨

② 한라산, 성산 일출봉, 거문오름 용암동굴계는 유네스코 세계 자연 유산에 등재되어 세계적으로 관심이 높아짐

(2) **다양한 화산 지형** 자료 4

한라산	• 산의 경사는 대체로 완만하지만, 정상 부근에서는 경사가 급함 • 백록담: 화구호
오름	• 한라산의 아래쪽인 완만한 경사가 나타나는 부분에 360여 개 분포 • 주화산의 산록의 틈을 따라 용암이나 가스가 분출하여 형성된 소규모 화산
주상절리	• 다각형의 기둥 모양으로 절벽을 이룸 • 용암이 흘러내리며 식는 과정에서 규칙적인 균열이 생겨 형성됨
용암동굴	• 용암이 지표면을 덮고 흐를 때 표면이 먼저 굳고 안쪽으로 용암이 흘러내려 형성됨 • 만장굴, 협재굴, 김녕굴 등

학습 내용 들여다보기

■ **우리나라의 국립공원**

국립공원은 우리나라를 대표하는 자연 생태계와 자연·문화 경관의 보전과 지속 가능한 이용을 위해 지정하고 국가가 관리하는 보호 지역이다. 우리나라에는 22개의 국립공원이 있으며, 유형에 따라 산악형(18개), 해상·해안형(3개), 사적형(1개)으로 구분하여 관리·운영되고 있다.

■ **유네스코(UNESCO)**

교육·과학·문화의 보급 및 교류를 통하여 국가 간의 협력 증진을 목적으로 설립된 국제 연합 전문 기구이며 인류가 보존 보호해야 할 문화, 자연유산을 세계 유산으로 지정하여 보호한다. 대한민국은 1950년에 가입했고, 1987년 제24회 총회에서 집행위원국에 선출된 바 있다. 본부는 프랑스 파리에 있다.

■ **제주도의 다양한 화산 지형**

용어 알기

- **종유석** 동굴 천장에 고드름같이 달려 있는 탄산칼슘 덩어리
- **오름** 제주도 한라산 기슭에 분포하는 소형 화산체. 기생 화산·측화산

자료 4 **제주도의 다양한 화산 지형**

▲ 한라산과 오름
전체적으로 완만한 방패 모양의 화산체이다. 정상에는 화구호인 백록담이 있으며, 주위에 360여 개의 오름이 있다.

▲ 지삿개 주상절리
기둥 형태인 주상절리는 뜨거운 용암이 식으면서 부피가 줄어 수직으로 쪼개지면서 형성되었다.

▲ 성산 일출봉
지하에서 올라온 뜨거운 마그마와 물이 만나 격렬하게 반응하면서 분출된 화산재가 쌓여 형성되었다.

▲ 만장굴
터널처럼 만들어진 용암동굴로 바닥의 경사는 완만하여, 대체로 천장이 둥근 모양이다.

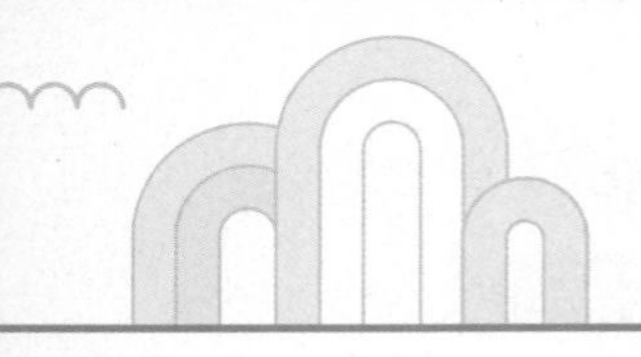
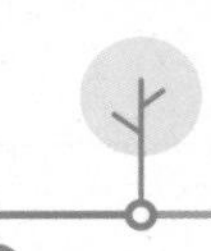

기본 문제

간단 체크

1 밑줄 친 부분을 옳게 고쳐 쓰시오.

(1) 석회동굴은 화강암이 오랜 시간 동안 지하수에 녹아서 만들어진 지형이다. (　　　)
(2) 우리나라는 동쪽에 높은 산지가 많아 큰 하천은 대부분 동쪽에서 북쪽으로 흐른다. (　　　)
(3) 동해안은 드넓은 갯벌과 낙조가 아름답고, 남해안은 많은 섬으로 이루어진 다도해가 절경이다. (　　　)

2 우리나라의 산을 바르게 연결하시오.

(1) 돌산 •
(2) 흙산 •

• ㉠ 지리산
• ㉡ 덕유산
• ㉢ 설악산
• ㉣ 북한산
• ㉤ 월출산

3 다음 설명이 맞으면 ○표, 틀리면 ×표 하시오.

(1) 제주도는 화산 활동으로 형성되어 특이하고 아름다운 자연 경관이 곳곳에 분포한다. (　)
(2) 한라산의 경사는 대체로 급하지만, 정상 부근에서는 경사가 완만하다. 산의 정상에는 화구호인 백록담이 있다. (　)
(3) 한라산, 성산 일출봉, 거문오름 용암 동굴계는 유네스코 세계 자연 유산에 등재되어 세계적으로 관심이 높아졌다. (　)
(4) 제주도는 생물권 보전 지역(2002년), 세계 자연 유산(2007년), 세계 지질 공원(2010년)으로 등재되어 유네스코 지정 자연환경 분야 3관왕이 되었다. (　)
(5) 용암이 흘러가면서 만들어 낸 주상절리, 용암이 굳으면서 다각형의 기둥 모양으로 쪼개진 용암동굴, 한라산의 사면에서 분출하여 형성된 소규모 화산인 오름 등은 대표적인 화산 지형이다. (　)

01 우리나라 산지의 특징으로 옳은 것을 〈보기〉에서 고른 것은?

| 보기 |
ㄱ. 우리나라는 국토의 70% 정도가 산지로 이루어져 있다.
ㄴ. 우리나라의 산지는 보전을 위해 국립공원으로 지정한 곳이 없다.
ㄷ. 지리산, 덕유산 등은 바위 위에 두꺼운 토양층이 덮여 있는 흙산이다.
ㄹ. 금강산, 설악산, 북한산, 월출산 등은 돌산으로, 석회암 바위가 드러나 있어 절경을 이룬다.

① ㄱ, ㄴ　② ㄱ, ㄷ　③ ㄴ, ㄷ
④ ㄴ, ㄹ　⑤ ㄷ, ㄹ

02 우리나라 하천에 대한 설명으로 옳은 것을 〈보기〉에서 고른 것은?

| 보기 |
ㄱ. 큰 하천은 대부분 동쪽에서 서쪽으로 흐른다.
ㄴ. 우리나라의 하천은 계절별 유량의 변동이 크다.
ㄷ. 황해로 흘러가는 하천의 하류에는 태백산맥이 자리잡고 있다.
ㄹ. 대체로 황해로 흘러가는 하천의 길이가 동해로 흐르는 하천보다 짧은 편이다.

① ㄱ, ㄴ　② ㄱ, ㄷ　③ ㄴ, ㄷ
④ ㄴ, ㄹ　⑤ ㄷ, ㄹ

03 제주도와 관련 있는 특징으로 옳은 것을 〈보기〉에서 고른 것은?

| 보기 |
ㄱ. 생물권 보전 지역　ㄴ. 세계 자연 유산
ㄷ. 지리산 둘레길 걷기　ㄹ. 세계 지질 공원
ㅁ. 다도해 해상 국립공원

① ㄱ, ㄴ, ㄷ　② ㄱ, ㄴ, ㄹ　③ ㄱ, ㄷ, ㅁ
④ ㄴ, ㄷ, ㄹ　⑤ ㄷ, ㄹ, ㅂ

04 (가), (나)에 해당하는 것을 옳게 연결한 것은?

(가) 용암이 흘러가면서 형성된 동굴
(나) 한라산의 사면에서 분출하여 형성된 측화산

	(가)	(나)
①	석회동굴	오름
②	석회동굴	종유석
③	용암동굴	오름
④	용암동굴	종유석
⑤	용암동굴	주상절리

05 다음 설명에 해당하는 지형으로 옳은 것은?

용암이 흘러내리면서 식는 과정에서 규칙적인 균열이 생겨 다각형의 기둥 모양으로 형성

① 오름 ② 화구호 ③ 종유석
④ 용암동굴 ⑤ 주상절리

06 다음 자료의 ㉠에 들어갈 용어로 옳은 것은?

파일(F) 편집(E) 보기(V) 즐겨찾기(A) 도구(T) 도움말(H)
검색어 ▼ 제주도의 세계 자연 유산 ▼ 검색

제주도의 한라산, (㉠), 거문오름 용암동굴계는 세계 자연 유산에 등재되었다.

① 우도 ② 산방산
③ 성산 일출봉 ④ 용머리 해안
⑤ 지삿개 주상절리

07 교사의 질문에 바르게 대답한 학생을 고른 것은?

교사: 지난 시간에 제주도의 특징에 대해 학습한 내용을 한 가지씩 발표해 볼까요?
갑: 매년 머드를 주제로 하는 체험형 축제를 개최하고 있어요.
을: 한라산, 성산 일출봉, 거문오름 용암동굴계는 유네스코 세계 자연 유산으로 등재되었어요.
병: 최근에는 제주도의 자연 경관을 즐길 수 있는 올레길 걷기 등과 같은 관광 상품이 개발되었어요.
정: 과거 해안 습지대였던 곳을 관광지로 개발하여 세계에서 가장 잘 개발된 해안 관광 단지로 평가받고 있어요.

① 갑, 을 ② 갑, 병 ③ 을, 병
④ 을, 정 ⑤ 병, 정

08 그림과 같이 형성된 지형에 대한 설명으로 옳은 것을 <보기>에서 고른 것은?

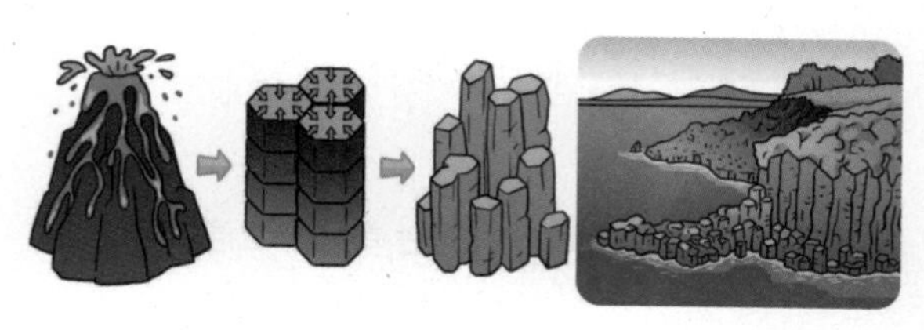

보기
ㄱ. 다각형의 기둥 모양으로 절벽을 이룬다.
ㄴ. 용암이 흘러내리면서 식는 과정에서 규칙적인 균열이 생겨 형성되었다.
ㄷ. 터널처럼 만들어진 동굴로 바닥의 경사는 완만하여, 대체로 천장이 둥근 모양이다.
ㄹ. 용암이 지표면을 덮고 흐를 때 표면이 먼저 굳고 안쪽으로 용암이 흘러내려 형성되었다.

① ㄱ, ㄴ ② ㄱ, ㄷ ③ ㄴ, ㄷ
④ ㄴ, ㄹ ⑤ ㄷ, ㄹ

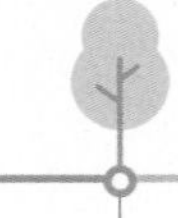

실전 문제

01 다음 지도에 표시된 지역과 관련된 설명으로 옳은 것을 〈보기〉에서 고른 것은?

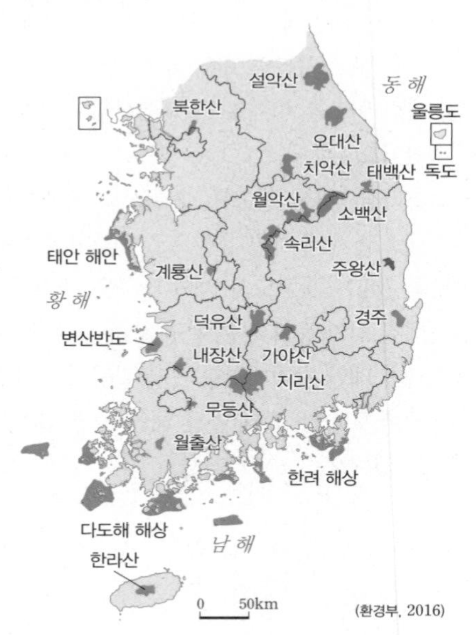

보기

ㄱ. 국가가 지정 관리하는 국립공원이다.
ㄴ. 산지보다 해상 관련 국립공원의 수가 많다.
ㄷ. 경주는 경상북도에 있는 사적형 국립공원이다.
ㄹ. 자연보호를 위해 관광객에게 개방하지 않는다.

① ㄱ, ㄴ ② ㄱ, ㄷ ③ ㄴ, ㄷ
④ ㄴ, ㄹ ⑤ ㄷ, ㄹ

★ 중요 ★

02 교사의 질문에 바르게 대답한 학생을 고른 것은?

교사: 지난 시간에 우리나라의 해안에 대해 학습한 내용을 한 가지씩 발표해 볼까요?
갑: 서해안 해안선의 드나듦이 복잡하고 조차가 커요.
을: 동해안에는 드넓은 갯벌과 낙조가 아름다워요.
병: 동해안은 모래사장과 해안 절벽이 푸른 바다와 어우러진 모습이 일품이에요.
정: 다도해 일대와 한려 해상은 국립공원으로 지정되기 위해 여러 방면으로 노력하고 있어요.

① 갑, 을 ② 갑, 병 ③ 을, 병
④ 을, 정 ⑤ 병, 정

03 제주도의 (가)~(라)에 위치한 지형을 옳게 연결한 것은?

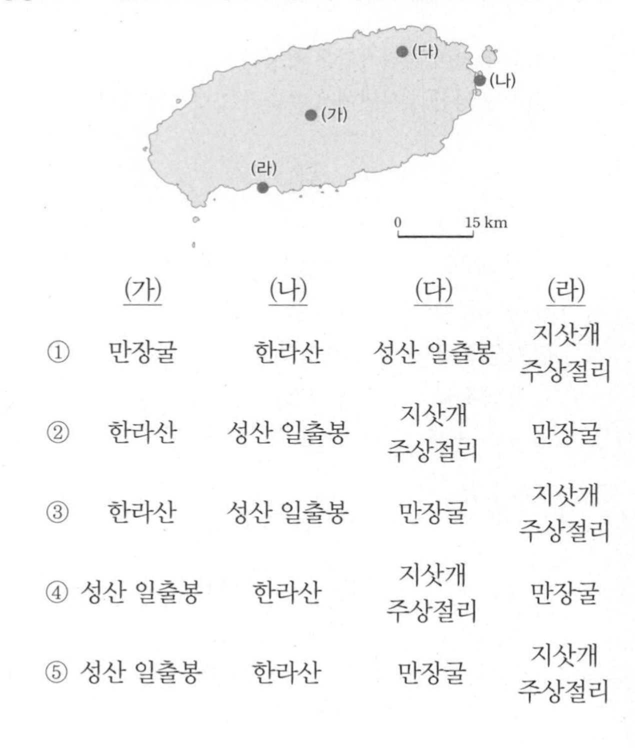

	(가)	(나)	(다)	(라)
①	만장굴	한라산	성산 일출봉	지삿개 주상절리
②	한라산	성산 일출봉	지삿개 주상절리	만장굴
③	한라산	성산 일출봉	만장굴	지삿개 주상절리
④	성산 일출봉	한라산	지삿개 주상절리	만장굴
⑤	성산 일출봉	한라산	만장굴	지삿개 주상절리

04 사진과 같은 지형에 대한 설명으로 옳은 것을 〈보기〉에서 고른 것은?

보기

ㄱ. 산의 정상에는 화구호인 백록담이 있다.
ㄴ. 다각형의 기둥 모양으로 절벽을 이룬다.
ㄷ. 원래는 섬이었으나, 육지와 연결되어 있다.
ㄹ. 산의 정상부에는 거대한 사발 모양의 분화구가 있다.

① ㄱ, ㄴ ② ㄱ, ㄷ ③ ㄴ, ㄷ
④ ㄴ, ㄹ ⑤ ㄷ, ㄹ

★ 중요 ★

05 (가)에 대한 설명으로 옳은 것을 〈보기〉에서 고른 것은?

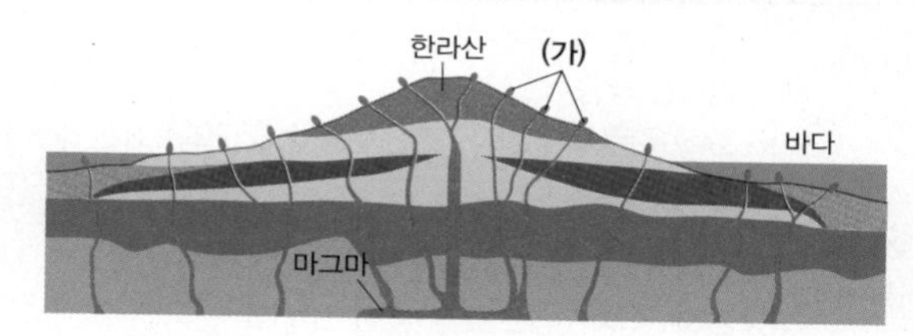

보기

ㄱ. 제주도 방언으로 오름이라고도 불린다.
ㄴ. 다각형의 기둥 모양으로 절벽을 이룬다.
ㄷ. 한라산의 사면에서 분출하여 형성되었다.
ㄹ. 양쪽에서 가해진 압력으로 지층이 휘어지면서 형성되었다.

① ㄱ, ㄴ ② ㄱ, ㄷ ③ ㄴ, ㄷ
④ ㄴ, ㄹ ⑤ ㄷ, ㄹ

06 다음 보고서의 ㉠에 해당하는 지형으로 옳은 것은?

사회 보고서

◇학년 ◇반 △△ 모둠

지형	(㉠)
지형 특징	1. 제주도의 화산 지형 중 하나 2. 용암이 흘러가면서 만들어짐 3. 만장굴, 김녕굴, 용천동굴 등

① 오름 ② 주상절리
③ 석회동굴 ④ 용암동굴
⑤ 기생 화산

서술형 문제

07 다음 지형의 형성 과정을 제시어를 활용하여 서술하시오.

▲ 북한산 국립 공원(서울)

단위 면적당 가장 많은 관람객이 찾는 것으로 기네스북에 등재된 국립공원이다.

제시어: 땅속, 땅 위, 마그마, 화강암

08 자료의 ㉠, ㉡에 들어갈 용어를 쓰고, ㉡의 형성 과정과 특징을 서술하시오.

나는 남한강의 맑고 푸른 물이 유유히 흐르는 강 가운데에 있는 세 개의 바위섬으로, 바위 위의 정자가 운치를 더해 주지. 나는 (㉠)(으)로 이루어져 있는데, (㉠)은/는 물에 녹는 성질이 있어. (㉠)은/는 오랜 시간 동안 지하수에 녹아서 (㉡)을/를 만들기도 해.

㉠: ㉡:

대단원 정리

❶ 습곡 작용과 단층 작용

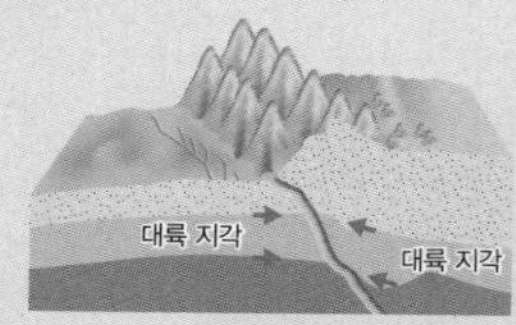

▲ 습곡 작용

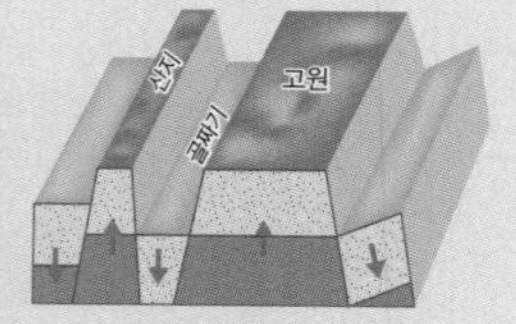

▲ 단층 작용

- (①) 작용은 양쪽에서 (②) 힘이 작용하여 (③)이 휘어지는 현상. 높고 가파른 (④)가 형성될 수 있음
- (⑤) 작용은 서로 (⑥) 방향으로 작용하는 압력을 받아 (⑦)이 끊어지거나 어긋나면서 (⑧)이나 골짜기를 형성

답 ① 습곡 ② 미는 ③ 지층 ④ 산지 ⑤ 단층 ⑥ 다른 ⑦ 지각 ⑧ 고원

❷ 세계의 산맥과 산지

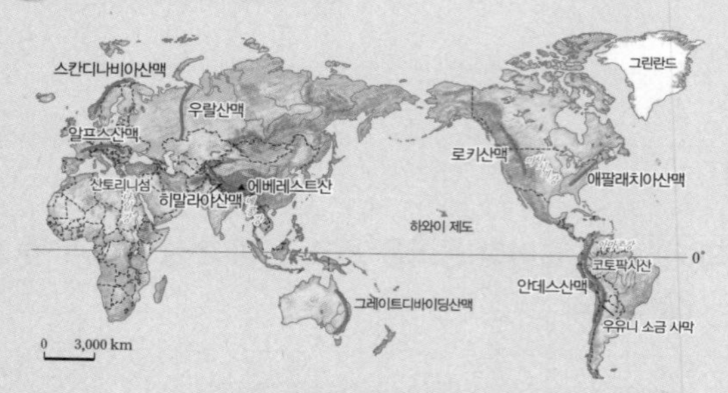

- (①) 산지는 오랫동안 (②)을 받아 고도가 낮고 (③)함
- (④) 산지는 해발 고도가 높고 험준하며, 지진이나 (⑤) 활동이 활발함

답 ① 고기 습곡 ② 침식 ③ 완만 ④ 신기 습곡 ⑤ 화산

❸ 파랑의 작용

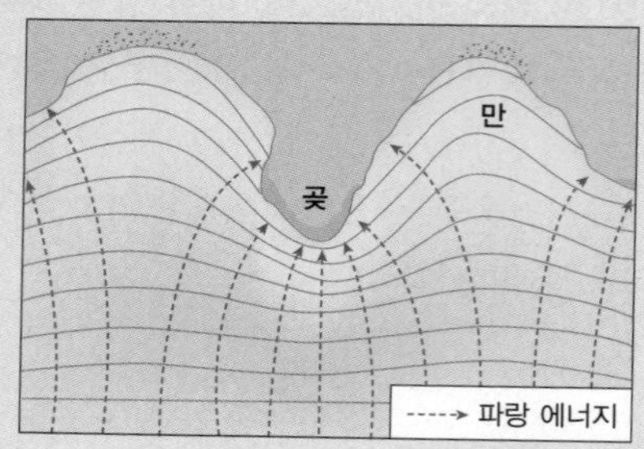

(①)은 바닷물이 (②)의 영향을 받아 일렁이는 물결, 바다 쪽으로 돌출된 (③)은 파랑의 에너지가 집중되어 (④) 작용이 활발하며, 육지 쪽으로 후미진 (⑤)은 파랑의 (⑥) 작용이 활발

답 ① 파랑 ② 바람 ③ 곶 ④ 침식 ⑤ 만 ⑥ 퇴적

1. 산지 지형으로 떠나는 여행

(1) 산지 지형의 형성

지구 내부의 힘에 의한 작용 ❶	• 지구 내부의 열에너지가 지각에 작용하여 지표의 기복을 만드는 작용 • 조륙 운동(융기, 침강), 조산 운동(습곡, 단층), 화산 활동 등
지구 외부의 힘에 의한 작용	• 지구 외부의 태양 에너지에 의한 물과 공기의 순환으로 지표가 변형되는 작용 • 침식 · 운반 · 퇴적 작용, 풍화 작용 등

(2) 세계의 산맥과 산지 ❷

고기 습곡 산지	• 오랫동안 침식을 받아 고도가 낮고 완만함 • 대표 산지: 우랄산맥, 그레이트디바이딩산맥, 애팔래치아산맥 등
신기 습곡 산지	• 해발 고도가 높고 험준하며, 지진이나 화산 활동 활발 • 대표 산지: 알프스산맥, 히말라야산맥, 로키산맥, 안데스산맥 등
고원	• 해발 고도가 높지만 기복이 작고 평탄한 지형 • 낮고 평탄했던 지형이 융기하거나, 화산 활동으로 흘러나온 용암이 굳어져 형성
화산	지하 또는 해저의 마그마가 분출하여 형성된 지형

(3) 산지 지역의 주민 생활

알프스 산지	• 산악 스포츠 및 관광 산업 발달 • 스위스의 소몰이 축제와 치즈 분배 축제
히말라야 산지	• 세계적으로 높은 봉우리에 등산객이 몰려들어 관광 산업 발달 • 고산 지역에서는 양이나 야크 등을 방목하는 목축업 발달
안데스 산지	• 고산 지역은 일 년 내내 봄처럼 따뜻한 기후 • 고대 문명 발달(마추픽추), 라틴 아메리카의 주요 도시는 고산 지역에 분포

2. 해안 지형으로 떠나는 여행

(1) 다양한 해안 지형 ❸

암석 해안	• 해안 절벽: 파랑의 침식 작용으로 형성된 절벽, 관광지로 주로 이용 • 파식대: 파랑의 침식 작용으로 해안 절벽 전면에 형성된 완경사의 평탄면 • 해식 동굴: 파랑의 침식 작용으로 해안 절벽에 형성된 동굴 • 돌기둥, 시 아치: 파랑의 침식 작용으로 형성된 기암괴석
모래 해안	• 사빈: 파랑과 연안류가 해안을 따라 모래를 쌓아 형성된 퇴적 지형 • 해안 사구: 사빈의 모래가 바람에 의해 이동되어 퇴적된 모래 언덕 • 석호: 후빙기 해수면 상승으로 해안 저지대가 침수되어 만을 만들고 그 앞에 사주가 발달하여 형성된 호수
갯벌	조류의 작용으로 미세한 흙이 퇴적되어 형성된 지형
기타	산호초 해안, 맹그로브 숲: 해일이나 파랑의 침식에서 해안을 보호하며 다양한 바다 생물의 안식처가 됨

(2) 세계적으로 유명한 해안 지형

송네 피오르	빙하의 침식으로 생긴 골짜기에 바닷물이 들어오면서 형성된 만
그레이트배리어리프	'대보초'라고도 불리는 세계 최대의 산호초 지대
12사도 바위	석회암으로 된 바위 절벽이 파랑의 침식 작용을 받아 해안 절벽과 돌기둥이 형성
코파카바나 해변	모래사장(사빈)이 유명하며, 세계적인 해안 휴양지

(3) 해안 지역의 주민 생활

해안 지역의 이용	• 어업과 양식업에 종사 • 대규모 무역항이나 공업 도시로 성장 • 아름다운 경관을 바탕으로 한 관광 산업 발달
관광 산업이 미친 영향	• 일자리 창출 및 수익 증대, 주민들의 삶의 질 향상 • 해안 생태계 파괴, 관광객과 주민 사이에 문화적 갈등 발생

3. 우리나라의 자연 경관

(1) 산지 지형 ❹

산지의 특징	• 국토의 약 70%가 산지이지만, 대체로 낮고 완만함 • 높은 산지는 대부분 북동부 지역에 분포, 동고서저의 지형
하천의 특징	큰 하천은 대부분 동쪽에서 서쪽으로 흐름

(2) 해안 지형

서·남해안	• 리아스 해안: 만의 발달로 해안선 복잡하고 섬이 많이 분포 • 조차가 커서 썰물 때 바닷물이 빠져나가면서 넓은 갯벌이 드러남 • 염전, 양식장, 관광지로 활용하거나 간척 사업을 통해 농경지, 공업 단지로 조성
동해안	• 산맥과 해안선이 평행하게 발달하여 해안선이 단조로운 편 • 조차가 작고 파랑의 작용이 활발하여 다양한 지형이 발달

(3) 카르스트 지형 ❺

형성 원인	석회암의 주성분인 탄산칼슘이 물에 의해 녹으면서 형성
분포	강원도 남부와 충청북도 북동부 일대
석회동굴	종유석, 석순, 석주 등이 발달

(4) 화산섬, 제주도

세계 자연 유산	한라산, 성산 일출봉, 거문오름 용암동굴계
한라산	• 전체적으로 경사가 완만하여 방패 모양을 이루나 정상 부분은 급경사를 이룸 • 백록담(화구호)
오름	화산 활동에 의해 형성된 소규모 화산
현무암	지표수를 구하기 어려워 밭농사 중심의 토지 이용
용암동굴	용암이 지표면을 덮고 흐를 때 식으면서 형성된 동굴

❹ 중부 지방의 단면도

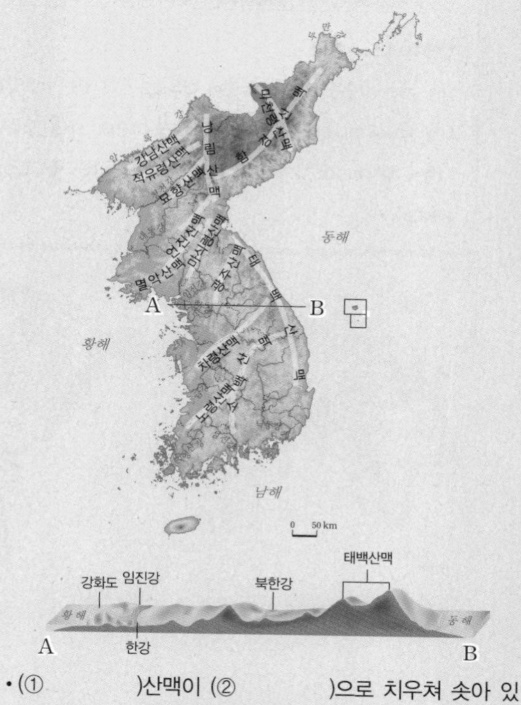

• (①)산맥이 (②)으로 치우쳐 솟아 있어 (③)으로는 경사가 완만하고 (④)으로는 경사가 급함
• 우리나라는 동쪽에 높은 (⑤)가 많아 큰 (⑥)은 대부분 (⑦)에서 (⑧)으로 흐름

답 ① 태백 ② 동쪽 ③ 서쪽 ④ 동쪽 ⑤ 산지 ⑥ 하천 ⑦ 동쪽 ⑧ 서쪽

❺ 석회동굴의 내부 모습

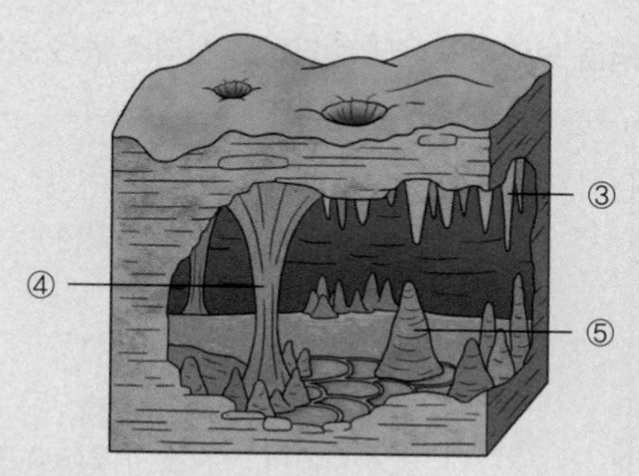

• 석회동굴은 (①)이 오랜 시간 동안 (②)에 녹아서 만들어진 지형
• 동굴 내부에서는 (③), 석순, (④) 등 신비로운 풍경을 경험할 수 있음. 종유석과 (⑤)이 만나면 (⑥) 모양의 (⑦)가 형성

답 ① 석회암 ② 지하수 ③ 종유석 ④ 석주 ⑤ 석순 ⑥ 기둥 ⑦ 석주

대단원 마무리

01 다음은 어느 지역을 소개한 자료의 일부이다. 이 지역의 산지를 지도에서 고른 것은?

> 안녕하세요? 여러분.
> 제가 사는 이곳은 대부분의 주민이 힌두교를 믿고 있는 카트만두라는 도시입니다. 우리나라는 세계 10대 최고봉 가운데 8개를 보유한 국가로 지형이 험악하기로 유명한 산악 국가이기도 합니다. 북쪽으로는 중국의 티베트…….

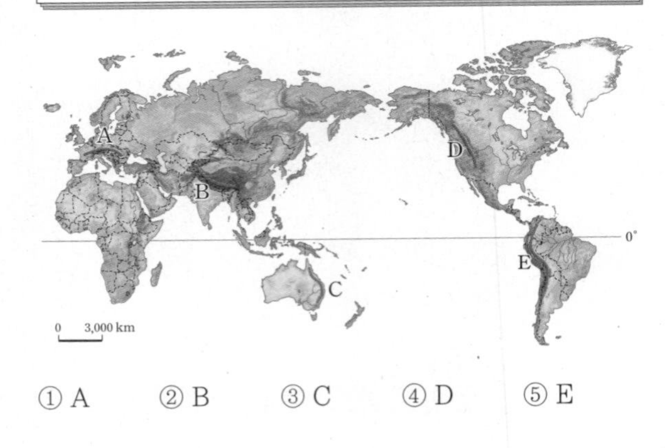

① A ② B ③ C ④ D ⑤ E

02 다음 보고서의 ㉠에 해당하는 산지로 옳은 것은?

사회 보고서	
	◇학년 ◇반 △△ 모둠
지역	(㉠)
관광 상품	1. 소몰이 축제 2. 마터호른산과 등산 열차 3. 산지에서 키운 소의 우유로 만든 치즈

① 우랄 산지 ② 로키 산지
③ 알프스 산지 ④ 안데스 산지
⑤ 히말라야 산지

03 다음 (가), (나) 산맥의 공통점으로 옳은 것을 〈보기〉에서 고른 것은?

> (가) 북아메리카의 동부를 북동에서 남서로 뻗어 있는 산맥을 말하며 길이는 약 1,800km이고 최고봉은 높이 2,037m인 미첼산이다.
> (나) 러시아 북부를 북에서 남으로 뻗어 있는 산맥이며, 길이 2,000km이고, 최고봉은 나로드나야산(1,894m)이다. 북부는 비교적 높고 동서의 너비가 좁으며, 남부로 갈수록 낮아지고 동서의 너비가 넓어진다.

보기
ㄱ. 고기 습곡 산지이다.
ㄴ. 오랜 시간 동안 풍화와 침식을 받았다.
ㄷ. 해저에서 화산이 폭발하여 형성되었다.
ㄹ. 형성 시기가 오래되지 않아 높고 험준하다.

① ㄱ, ㄴ ② ㄱ, ㄷ ③ ㄴ, ㄷ
④ ㄴ, ㄹ ⑤ ㄷ, ㄹ

04 그림과 같은 과정으로 형성된 산지로 옳은 것을 〈보기〉에서 고른 것은?

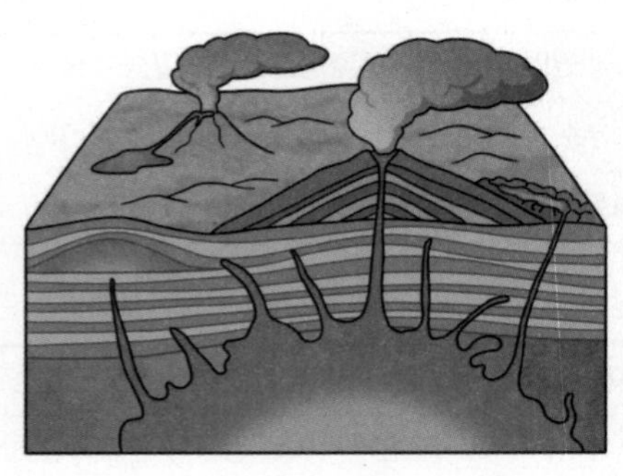

보기
ㄱ. 몽블랑산 ㄴ. 코토팍시산
ㄷ. 에베레스트산 ㄹ. 킬리만자로산

① ㄱ, ㄴ ② ㄱ, ㄷ ③ ㄴ, ㄷ
④ ㄴ, ㄹ ⑤ ㄷ, ㄹ

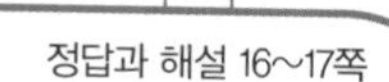

05 다음 설명과 관련된 국가로 옳은 것은?

> 남아메리카 대륙 북서부에 있는 나라로, 에스파냐의 식민지였다. 에스파냐어를 사용하며 대부분의 국민이 가톨릭교를 믿는다. 분화 활동을 하는 화산 중 세계에서 가장 높은 코토팍시산이 있다.

① 브라질 ② 멕시코 ③ 에콰도르
④ 콜롬비아 ⑤ 볼리비아

06 다음 자료의 ㉠, ㉡에 들어갈 용어를 옳게 연결한 것은?

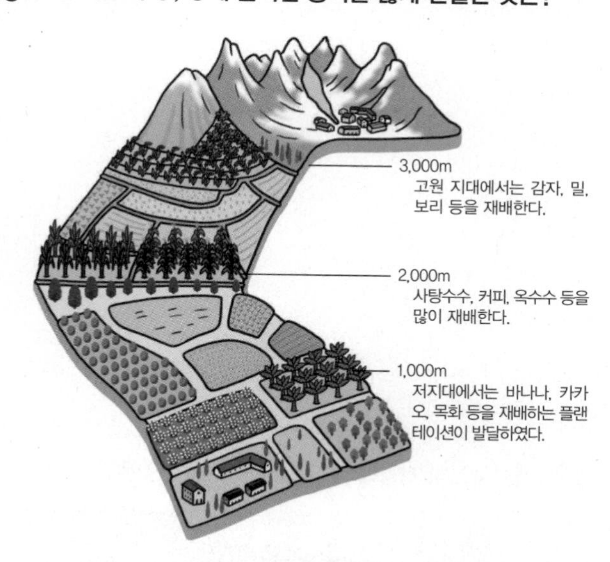

> 위의 그림처럼 안데스 산지에서는 해발 고도가 높아질수록 (㉠)이 낮아지기 때문에 (㉡)가 나타나는 저지대에서부터 해발 고도가 높아짐에 따라 서로 다른 작물을 재배한다.

	㉠	㉡
①	강수량	열대 기후
②	강수량	온대 기후
③	기온	온대 기후
④	기온	열대 기후
⑤	기온	냉대 기후

07 다음 글에서 설명하고 있는 지형으로 옳은 것을 그림의 A~E에서 고른 것은?

> 파랑의 작용으로 모래가 장기간 퇴적되어 생긴 해안의 모래 퇴적 지형이며, 해안의 퇴적 지형 중 특별히 모래로 구성되어 모래사장이 넓게 나타나는 지형을 말한다. 일반적으로 해수욕장으로 이용된다.

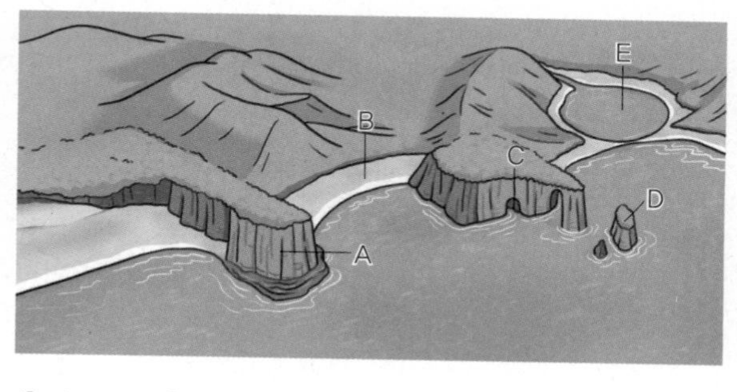

① A ② B ③ C ④ D ⑤ E

08 (가)에서 나타나는 해안 지형의 특징으로 옳은 것을 〈보기〉에서 고른 것은?

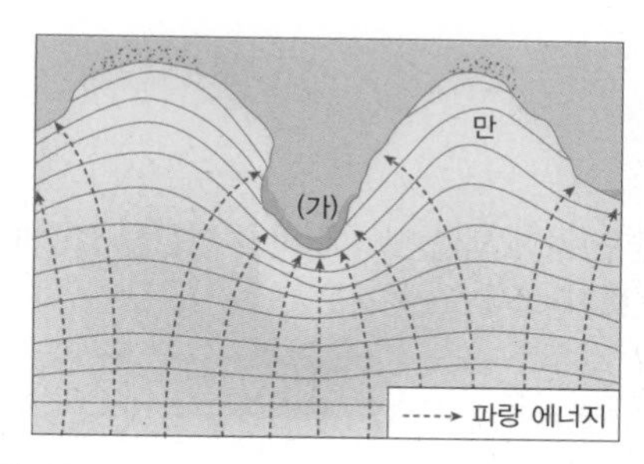

보기
ㄱ. 갯벌, 모래사장이 주로 형성된다.
ㄴ. 파랑의 퇴적 작용이 활발하게 일어난다.
ㄷ. 파랑의 침식 작용이 활발하게 일어난다.
ㄹ. 해안 절벽, 돌기둥, 동굴 등이 주로 형성된다.

① ㄱ, ㄴ ② ㄱ, ㄷ ③ ㄴ, ㄷ
④ ㄴ, ㄹ ⑤ ㄷ, ㄹ

09 다음 지형에 대한 설명으로 옳은 것을 〈보기〉에서 고른 것은?

▲ 송네 피오르(노르웨이)

| 보기 |

ㄱ. 열대 지역의 얕은 바다에 사는 산호가 자라서 형성되었다.
ㄴ. 석회암으로 된 바위 절벽이 파랑의 침식 작용을 받아 형성되었다.
ㄷ. 빙하의 침식으로 생긴 골짜기에 바닷물이 들어오면서 형성된 만이다.
ㄹ. 수심이 깊은 곳은 약 1,300m에 이르며, 경치가 좋아 관광지로 유명하다.

① ㄱ, ㄴ ② ㄱ, ㄷ ③ ㄴ, ㄷ
④ ㄴ, ㄹ ⑤ ㄷ, ㄹ

10 관광 산업이 해안 지역에 미친 부정적 영향에 해당하는 것을 〈보기〉에서 고른 것은?

| 보기 |

ㄱ. 일자리를 창출하여 수익을 증대시킨다.
ㄴ. 인공 구조물 조성에 따른 해안 생태계가 파괴된다.
ㄷ. 교통량 증가에 따른 교통 체증, 주차 문제 등이 나타난다.
ㄹ. 지역 주민의 자발적 참여를 유도하여 지역에 대한 관심을 높인다.

① ㄱ, ㄴ ② ㄱ, ㄷ ③ ㄴ, ㄷ
④ ㄴ, ㄹ ⑤ ㄷ, ㄹ

11 다음 사회 퀴즈에 대한 학생의 점수로 옳은 것은?

〈사회 퀴즈〉

오른쪽 사진의 지형 경관 특징에 대한 설명 중 옳은 것은 ○표, 틀린 것은 ×표 하시오.
※ 단, 한 문제당 1점씩 배점하며, 틀리더라도 감점은 없음.

▲ 그레이트배리어리프

번호	문제	학생 답
1	'대보초'라고 불리는 세계 최대의 산호초 지대이다.	○
2	파랑의 퇴적 작용으로 형성된 모래사장이 분포한다.	×
3	석회암으로 된 바위 절벽이 파랑의 침식 작용을 받아 형성되었다.	×
4	산호초는 주로 열대 지역의 얕은 바다에 사는 산호가 자라서 만들어진 것이다.	○

① 0점 ② 1점 ③ 2점
④ 3점 ⑤ 4점

12 다음 사진의 지형에 대한 설명으로 옳은 것은?

▲ 해안 사구(충청남도 태안군)

① 후빙기 해수면 상승으로 만들어진다.
② 모래가 많아 해수욕장으로 이용된다.
③ 조류의 퇴적 작용으로 형성된 지형이다.
④ 파랑의 퇴적 작용으로 형성된 모래사장이 분포한다.
⑤ 모래사장의 모래가 바람에 날려 언덕 모양으로 쌓인 지형이다.

13 다음 자료의 (가)에 해당하는 용어로 옳은 것은?

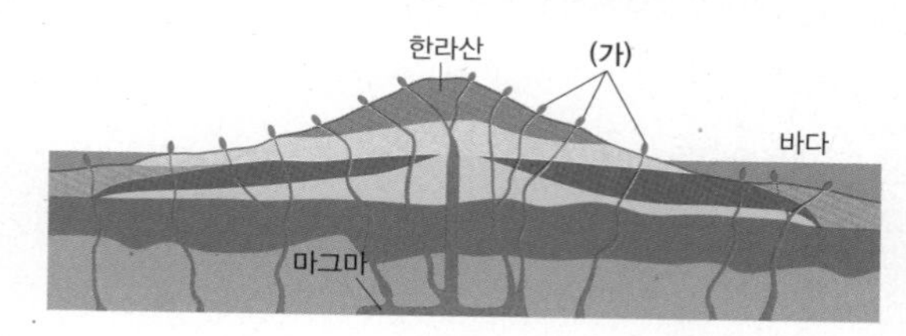

한라산의 사면에서 분출하여 형성된 측화산으로, 제주도 방언으로 '오름'이라고도 불린다.

① 주상절리
② 석회동굴
③ 용암동굴
④ 기생 화산
⑤ 수성 화산

14 제주도의 지형과 자연 경관에 대한 내용 중 옳지 않은 것은?

① 한라산은 남한에서 3번째로 높은 산이며, 석회암으로 이루어져 있다.
② 제주도의 자연 경관을 즐길 수 있는 올레길 걷기 등과 같은 관광 상품이 개발되었다.
③ 제주도는 화산 활동으로 형성되어 특이하고 아름다운 자연 경관이 곳곳에 분포한다.
④ 한라산의 정상에는 화구호인 백록담이 있으며, 주위 사방에 360여 개의 오름이 있다.
⑤ 한라산, 성산 일출봉, 거문오름 용암동굴계는 유네스코 세계 자연 유산에 등재되었다.

서술형

15 다음 사진에 나타난 동굴의 형성 과정을 비교하여 서술하시오.

▲ 만장굴(제주특별자치도)

▲ 고수동굴(충청북도 단양)

서술형

16 사진에 나타난 해안의 특징을 비교하여 서술하시오.(단, 제시어를 모두 활용)

▲ 인천광역시 영종도

▲ 강원도 강릉

제시어: 조차, 갯벌, 해안선, 파랑

다양한 세계, 다양한 문화

세계의 다양한 문화 지역

학습 내용 들여다보기

■ **축제**

개인 또는 집단에 특별한 의미가 있는 일 혹은 시간을 기념하는 일종의 의식이다. 오랜 전통을 가지고 있는 축제는 지역 주민들의 생활 양식과 문화가 배어 있다.

- 스웨덴 – 하지 축제
- 프랑스 – 망통 레몬 축제
- 네덜란드 – 치즈 축제
- 브라질 – 리우 카니발 축제
- 타이 – 송크란 축제
- 스페인 – 토마토 축제
- 독일 – 맥주 축제
- 중국 – 하얼빈 빙등제
- 페루 – 쿠스코 태양제
- 한국 – 안동 하회탈 축제

■ **세계의 종교 인구(2015년)**

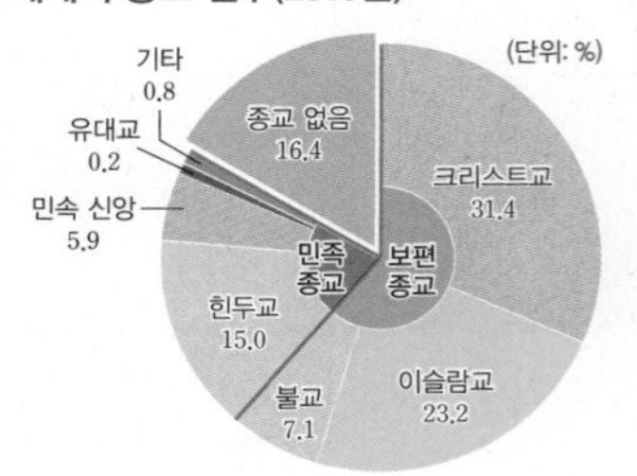

(PEW Research Center, 2015)

크리스트교는 그리스 정교회, 가톨릭, 개신교로 분리되어 현재 세 종교로 나뉘어 있다.

용어 알기

- **경관** 기후, 지형, 토양 따위의 자연적 요소에 대하여 인간의 활동이 작용하여 만들어 낸 지역의 통일된 특성. 자연경관과 문화 경관으로 구분
- **어족** 언어들의 한 무리로 기원이 같은 데서 갈라져 나왔다고 보는 언어를 통틀어 이르는 말

1. 지역마다 다른 문화

(1) 문화와 문화 경관

① 문화: 인간이 자연환경을 극복하고 자연과 상호 작용하는 과정에서 만들어 낸 생활 양식이나 사고방식 → 사람들은 누구나 환경에 적응하거나 환경을 극복하면서 살아가고 있어.

② 문화 경관 → 그 지역의 문화를 이해하고, 지역 간 문화의 차이를 파악할 수 있어.

- 인간이 자연환경에 적응하는 과정에서 땅 위에 만들어 놓은 모든 생활 모습
- 종교 경관, 건축 경관, 축제 등 눈으로 볼 수 있는 형태로 나타남

(2) 문화 지역의 형성

① 문화 지역(문화권) → 지리적으로 가까운 지역은 오랜 기간 접촉하고 교류하면서 서로 비슷한 문화가 나타나기도 해.

- 같은 문화 요소를 공유하거나 유사한 문화 경관이 나타나는 공간적 범위
- 종교, 언어, 민족, 의식주 등 다양한 문화 요소를 기준으로 구분

② 문화 지역의 특징

- 문화 지역은 고정되지 않고 구분 기준에 따라 달라질 수 있음
- 문화 지역을 구분하는 기준에 따라 두 지역이 하나의 문화 지역으로 묶이기도 하고, 서로 다른 문화 지역으로 나뉘기도 함

(3) 문화 지역의 구분

① 다양한 언어와 문화 지역 → 언어는 문자를 통해 인류의 역사와 문화를 다음 세대로 전달하는 역할을 해.

- 언어는 사람의 생각이나 느낌을 나타내거나 전달하는 기능이 있음
- 하나의 민족은 같은 언어를 사용하기 때문에 민족을 구분하는 기준이 되기도 함
- 현재 약 6,000여 종의 언어가 존재하며, 구조나 어법에 따라 비슷한 계통끼리 묶어 몇가지 어족으로 분류

② 다양한 종교와 문화 지역 자료 1 → 종교는 세계 전 지역으로 전파되는 보편 종교와 특정 지역의 특정 민족이 믿는 민족 종교로 구분할 수 있어.

- 종교는 개인의 신앙을 넘어 지역의 의식주 생활이나 행동 양식에 많은 영향을 끼침
- 크리스트교 문화 지역: 높고 뾰족한 십자가를 세운 성당이나 교회
- 이슬람교 문화 지역: 둥근 지붕과 뾰족한 탑으로 이루어진 모스크, 돼지고기 금기 등
- 불교 문화 지역: 사찰, 불상, 탑 등
- 힌두교 문화 지역: 지역마다 다른 신을 모시는 사원, 소를 숭배하여 소고기를 먹지 않음

자료 1 다양한 종교 문화

독일의 쾰른 대성당은 정면에서 보이는 뾰족하게 솟은 두 개의 첨탑으로 잘 알려진 고딕양식의 교회이다.

이슬람교에서 모스크는 집단 예배를 보는 신앙 공동체의 중심지로 군사, 정치, 사회, 교육 등의 공공 행사가 이루어진다.

예산 수덕사 대웅전과 삼층석탑이다. 불상을 모신 사찰, 사리를 안치한 탑 등은 대표적인 불교 경관이다.

힌두교 문화 지역에서는 사람들이 소를 신성시하며, 갠지스강에서 종교의식으로 목욕을 하는 모습을 볼 수 있다.

2. 지역별로 문화 차이가 발생하는 이유

(1) 자연환경에 따른 문화의 지역 차

① 사람들은 자연환경에 적응하거나 이를 이용하면서 지역마다 다른 문화를 형성

② 의식주 문화 → 의식주 문화는 그 지역의 자연환경 특성을 잘 반영해.

- 의복: 추운 곳에서는 몸을 감싸는 털옷, 더운 곳에서는 통풍이 잘되는 옷 자료 2
- 음식: 자연환경에 따라 구할 수 있는 재료가 달라 조리 방식과 먹는 방법이 다양
- 가옥: 기후 환경을 극복하는 형태로 발달하며 주변에서 쉽게 구할 수 있는 재료를 이용 자료 3

③ 농업 방식

- 강수량이 풍부한 열대 계절풍 기후 지역에서는 벼농사가 발달
- 서남아시아와 극지방 등 강수량이 부족한 지역에서는 농사가 불리하여 유목이 발달

(유목: 일정한 거처를 정하지 아니하고 물과 풀밭을 찾아 옮겨 다니면서 목축을 하는 것을 말해.)

(2) 경제·사회적 환경에 따른 문화의 지역 차

→ 산업이 발달한 곳은 교통·통신 수단이 함께 발달하기 때문에 세계적으로 유행하는 대중문화의 전파 속도도 빨라.

① 경제 발전 수준에 따라 문화 경관이 달라지기도 함

- 경제가 발전할수록 인공적인 경관이 두드러지며 현대적인 생활 모습이 나타남
- 문화가 서로 교류하여 다양해지고 새로운 문화가 만들어지거나 기존의 문화가 사라지기도 함

② 문화는 종교, 언어, 관습과 같은 사회·문화적 환경의 차이 때문에 생기기도 함

- 이슬람교에서는 돼지고기와 술을 금식하고 할랄 식품만 먹음, 여성들은 부르카나 히잡 착용
- 힌두교에서는 소고기를 먹지 않고, 여성들은 사리를 입음

(3) 세계의 다양한 문화 지역

학습 내용 들여다보기

▪ 할랄 식품

'할랄'은 아랍어로 '허용된 것'이라는 뜻으로, 할랄 식품은 이슬람 율법으로 허용되는 이슬람교도가 먹을 수 있는 식품을 의미한다.

▪ 이슬람교 여성의 복장

▲ 부르카 ▲ 히잡 ▲ 차도르

종교적 계율이 강한 지역이나 신앙이 강한 여성일수록 신체 노출 부위가 적은 옷을 입는다.

▪ 힌두교

힌두교는 인도 신화를 기반으로 하는 종교로 여러 신의 존재를 믿는다. 인도, 네팔, 발리섬에서 많은 사람이 믿고 있다. 2020년 기준으로 11억 6천만 명(세계 인구의 15%) 이상이 믿는다.

▪ 사리

사리는 인도 여성의 전통 의상으로 바느질이 되어 있지 않은 길이 5~7m에, 폭이 1~1.5m의 직사각형 천이다. 천의 양쪽 끝으로 허리와 어깨를 감싸고 남은 부분을 머리에 쓰며 입는다. 현재에도 인도의 여성들이 일상복으로 즐겨 입는다.

용어 알기

- **민족** 일정한 지역에서 오랜 세월 동안 공동생활을 하면서 언어와 문화상의 공통성에 기초하여 역사적으로 형성된 사회 집단. 인종이나 국가 단위인 국민과 반드시 일치하는 것은 아님

자료 2 의복 문화의 지역 차

적도 주변의 열대 기후 지역에서는 무더위를 피하려고 통풍이 잘되는 간편한 옷을 입는다.

극지방의 한대 기후 지역에서는 추위를 피하려고 보온이 잘되는 가죽옷이나 털옷을 입는다.

자료 3 가옥 문화의 지역 차

건조 기후 지역에서는 기온의 일교차가 커서 벽은 두껍고 창문은 작게 만들며, 비가 거의 오지 않아 지붕은 평평하게 한다.

이탈리아는 석회암이 많은 지역으로 석회암을 쌓아 올려 지은 흰색 벽의 집들을 많이 볼 수 있다.

기본 문제

간단 체크

1 다음 설명이 맞으면 ○표, 틀리면 ×표 하시오.

(1) 인간이 자연환경을 극복하고 자연과 상호 작용하는 과정에서 만들어 낸 사고방식이나 생활 양식을 문화라고 한다. ( )

(2) 문화는 종교 경관, 언어 경관, 건축 경관 등 눈으로 볼 수 있는 형태로 나타나기도 하는데, 이를 문화 경관이라고 한다. ( )

(3) 문화 경관을 통해 우리는 그 지역의 문화를 이해할 수 있지만 지역 간 문화의 차이는 파악할 수 없다. ( )

(4) 비슷한 문화가 나타나는 지역을 하나의 문화권으로 묶을 수 있는데, 이를 문화 지역이라고 한다. ( )

(5) 문화 지역은 종교, 언어, 민족, 의식주 등의 문화 요소를 기준으로 구분할 수 없다. ( )

2 아래 종교의 특징을 바르게 연결하시오.

(1) 불교 • • ㉠ 소를 숭배

(2) 힌두교 • • ㉡ 사찰과 불상

(3) 이슬람교 • • ㉢ 둥근 지붕과 뾰족한 탑

(4) 크리스트교 • • ㉣ 십자가를 세운 성당, 교회

3 다음 설명 중 밑줄 친 부분을 바르게 고쳐 쓰시오.

(1) 서로 다른 문화적 배경을 지닌 개인이나 집단이 만나는 것을 문화 전파라고 한다. ( )

(2) 건조 기후 지역에서는 통풍이 잘되는 옷을 입고 카사바, 얌 등으로 음식을 만들어 먹는다. ( )

(3) 유럽 문화 지역은 종교는 이슬람교로 단일하지만, 전통 가옥의 재료는 지역마다 다르게 나타난다. ( )

01 다음 글이 설명하는 용어로 옳은 것은?

> 인간이 자연환경을 극복하고 자연과 상호 작용하는 과정에서 만들어 낸 사고방식이나 생활 양식을 말한다.

① 정치 ② 종교 ③ 경제
④ 자원 ⑤ 문화

02 다음 문화가 공통으로 나타나는 문화 지역으로 옳은 것은?

> • 불교 문화 • 한자 문화
> • 유교 문화 • 벼농사 문화

① 유럽 문화 지역 ② 인도 문화 지역
③ 아랍 문화 지역 ④ 북극 문화 지역
⑤ 동아시아 문화 지역

03 문화 지역에 관한 설명으로 옳은 것을 〈보기〉에서 고른 것은?

> 보기
> ㄱ. 고정되어 있어 달라지지 않는다.
> ㄴ. 비슷한 문화 경관이 나타나는 지역이다.
> ㄷ. 하나의 문화 지역으로만 구분할 수 있다.
> ㄹ. 언어, 종교, 음식 등으로 구분할 수 있다.

① ㄱ, ㄴ ② ㄱ, ㄷ ③ ㄴ, ㄷ
④ ㄴ, ㄹ ⑤ ㄷ, ㄹ

04 다음 문화 경관과 관련 있는 종교를 〈보기〉에서 고른 것은?

보기
ㄱ. 불교　ㄴ. 유대교　ㄷ. 이슬람교
ㄹ. 힌두교　ㅁ. 크리스트교

① ㄱ, ㄴ, ㄷ　② ㄱ, ㄷ, ㄹ　③ ㄴ, ㄷ, ㄹ
④ ㄴ, ㄷ, ㅁ　⑤ ㄷ, ㄹ, ㅁ

05 다음 글의 ㉠, ㉡에 들어갈 용어를 옳게 연결한 것은?

문화는 종교 경관, 언어 경관, 건축 경관 등 눈으로 볼 수 있는 형태로 나타나기도 하는데, 이를 (㉠)이라고 한다. 이러한 (㉠)을 통해 우리는 그 지역의 문화를 이해할 수 있고, 지역 간 문화의 차이도 파악할 수 있다. 비슷한 문화가 나타나는 지역을 하나의 문화권으로 묶을 수 있는데, 이를 (㉡)이라고 한다. (㉡)은 종교, 언어, 민족, 의식주 등 다양한 문화 요소를 기준으로 구분할 수 있다.

	㉠	㉡
①	문화 지역	문화 경관
②	문화 경관	문화 지역
③	문화 경관	문화 공간
④	문화 지역	문화 공간
⑤	문화 공간	문화 지역

06 다음 자료의 (가), (나) 지역에서 나타나는 종교에 대한 설명으로 옳은 것을 〈보기〉에서 고른 것은?

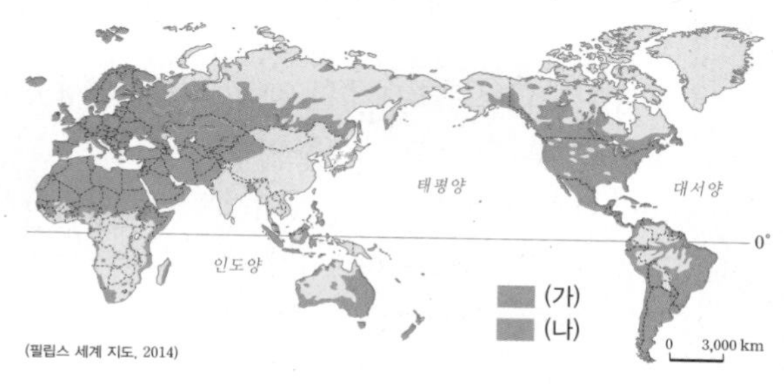

(필립스 세계 지도, 2014)

보기
ㄱ. (가)는 건조 문화 지역에서 주로 나타난다.
ㄴ. (가) 문화 지역에서는 십자가를 세운 성당이나 교회가 대표적 경관이다.
ㄷ. (나) 문화 지역에서는 둥근 지붕과 뾰족한 탑으로 이루어진 모스크가 나타난다.
ㄹ. (나) 문화 지역에서는 소를 숭배하여 소고기를 먹지 않는다.

① ㄱ, ㄴ　② ㄱ, ㄷ　③ ㄴ, ㄷ
④ ㄴ, ㄹ　⑤ ㄷ, ㄹ

07 보고서의 ㉠에 해당하는 종교로 옳은 것은?

사회 보고서

◇학년 ◇반 △△ 모둠

종교	(㉠)
특징	1. 돼지고기 금기 2. 둥근 지붕과 뾰족한 탑의 모스크 3. 건조한 서남아시아 지역에 주로 분포

① 유교　② 불교　③ 힌두교
④ 이슬람교　⑤ 크리스트교

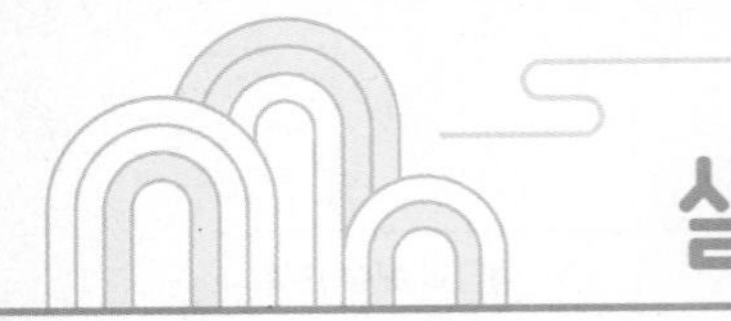

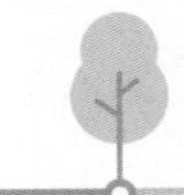

실전 문제

★ 중요 ★

01 문화 지역에 대한 설명으로 옳지 않은 것은?

① 문화 지역은 고정된 것이어서, 그 기준에 따라 달라질 수 없다.
② 유럽은 크리스트교가 생활 양식에 크게 영향을 미친 곳으로 하나의 문화 지역을 이룬다.
③ 유럽 문화 지역은 종교는 크리스트교로 단일하지만, 전통 가옥의 재료는 지역마다 다르게 나타난다.
④ 문화 지역을 구분하는 기준에 따라 두 지역이 하나의 문화 지역으로 묶이기도 하고, 서로 다른 문화 지역으로 나뉘기도 한다.
⑤ 이탈리아의 전통 가옥은 주로 돌로 이루어졌지만 폴란드의 전통 가옥은 주로 통나무로 이루어져 있어 가옥의 재료를 기준으로 할 때 두 국가는 서로 다른 문화 지역에 속한다.

02 다음은 세계의 종교 인구를 나타낸 자료이다. (가), (나)에 해당하는 종교를 옳게 연결한 것은?

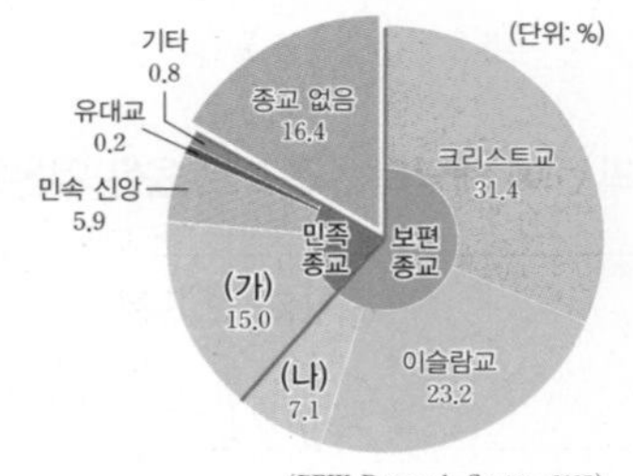

(PEW Research Center, 2015)

	(가)	(나)
①	유교	불교
②	불교	유교
③	불교	힌두교
④	힌두교	유교
⑤	힌두교	불교

03 다음 내용과 관련 없는 국가를 〈보기〉에서 고른 것은?

- 문자 – 한자 문화 지역
- 사상 측면 – 유교 문화 지역
- 식사 도구 – 젓가락 문화 지역

보기
ㄱ. 한국　ㄴ. 중국　ㄷ. 일본
ㄹ. 인도　ㅁ. 터키　ㅂ. 러시아

① ㄱ, ㄴ, ㄷ　② ㄱ, ㄷ, ㄹ　③ ㄴ, ㄷ, ㄹ
④ ㄷ, ㄹ, ㅁ　⑤ ㄹ, ㅁ, ㅂ

04 세계의 문화 지역에 대한 설명으로 옳은 것은?

① 불교와 힌두교의 발상지는 아랍 문화 지역과 관계가 있다.
② 애버리지니, 유럽 문화 전파는 인도 문화 지역과 관계가 있다.
③ 영어, 개신교, 다양한 인종과 문화는 라틴 아메리카 문화 지역과 관계가 있다.
④ 원시 종교, 부족 문화, 과거 유럽의 식민지는 아프리카 문화 지역과 관계가 있다.
⑤ 에스파냐어 · 포르투갈어, 가톨릭교는 앵글로아메리카 문화 지역과 관계가 있다.

05 (가) 문화 지역에 해당하는 특징을 〈보기〉에서 고른 것은?

(디르케 세계지도, 2015)

보기
ㄱ. 벼농사　ㄴ. 이슬람교
ㄷ. 한자 문화　ㄹ. 고상 가옥

① ㄱ, ㄴ　② ㄱ, ㄷ　③ ㄴ, ㄷ
④ ㄴ, ㄹ　⑤ ㄷ, ㄹ

고난도

06 (가)~(다) 문화 지역에 해당하는 언어를 옳게 연결한 것은?

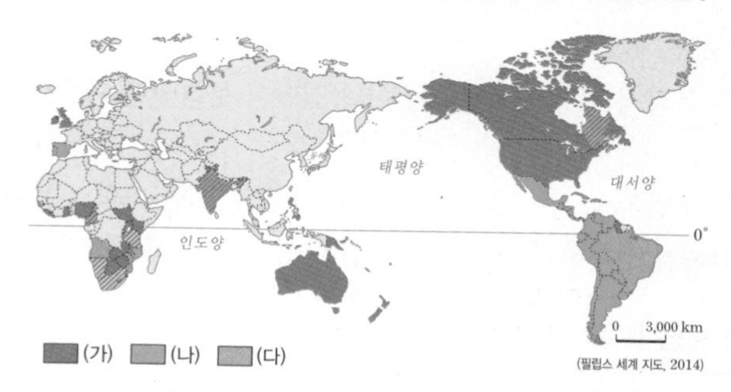

	(가)	(나)	(다)
①	에스파냐어	영어	포르투갈어
②	포르투갈어	에스파냐어	영어
③	포르투갈어	영어	에스파냐어
④	영어	에스파냐어	포르투갈어
⑤	영어	포르투갈어	에스파냐어

07 사진과 관련된 지역의 문화 모습을 〈보기〉에서 고른 것은?

| 보기 |

ㄱ. 밀과 대추야자 등을 주로 먹는다.
ㄴ. 카사바, 얌 등으로 음식을 만들어 먹는다.
ㄷ. 무더위를 피하려고 통풍이 잘되는 간편한 옷을 입는다.
ㄹ. 햇볕과 모래바람을 차단할 수 있도록 온몸을 감싸는 옷을 입는다.

① ㄱ, ㄴ ② ㄱ, ㄷ ③ ㄴ, ㄷ
④ ㄴ, ㄷ ⑤ ㄷ, ㄹ

서술형 문제

08 사진과 같은 의복 문화와 주거 문화가 나타나는 이유를 이 지역의 자연환경과 관련지어 서술하시오. (단, 주어진 제시어를 모두 포함)

제시어: 한대 기후, 보온, 영구 동토층, 붕괴

09 다음은 세계의 종교 인구를 나타낸 자료이다. (가)와 (나)에 해당하는 종교와 그 특징을 비교하여 서술하시오. (단, 주어진 제시어를 모두 포함)

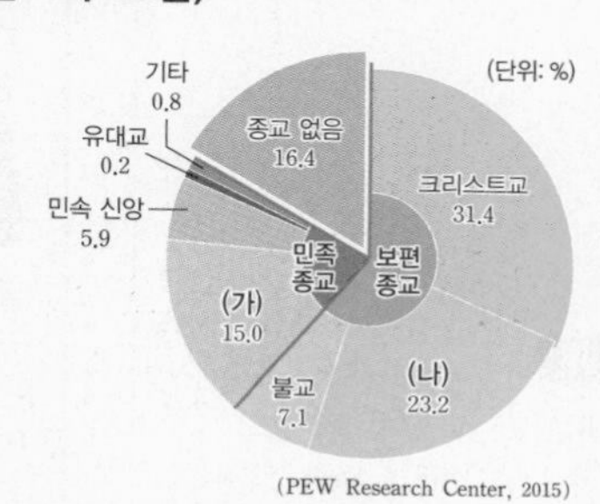

제시어: 돼지고기, 술, 부르카, 소, 사리

02 세계화에 따른 문화 변화

학습 내용 들여다보기

■ **발견과 발명**
발견은 이미 존재하고 있었던 것을 모르고 있다가 지식 또는 기술의 발전으로 존재가 밝혀지는 것을 말한다. 예를 들어 비타민, 태양의 흑점이나 새로운 병원균의 발견이 있다.
발명은 전에는 존재하지 않던 물건을 새롭게 만들어내는 것을 말한다. 예를 들어 전화나 비행기, 컴퓨터, 바퀴, 종교, 신화의 발명이 있다.

■ **문화 변용**

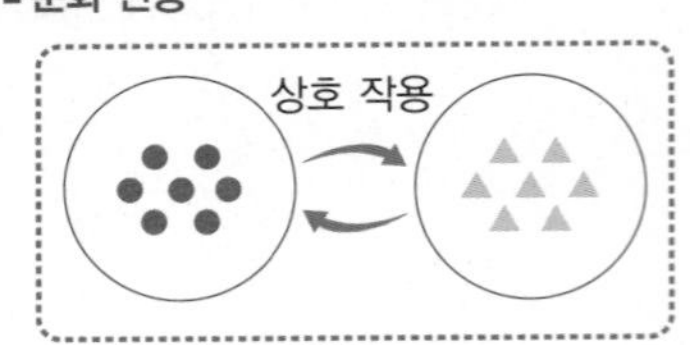

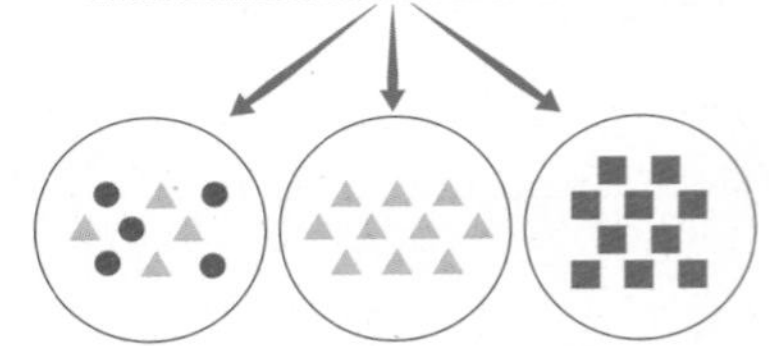

〈문화 공존〉 서로 다른 두 문화가 함께 존재함
〈문화 동화〉 하나의 문화는 남고 다른 문화는 사라짐
〈문화 융합〉 두 문화가 만나 새로운 문화가 만들어짐
A 문화 B 문화 C 문화

■ **타갈로그어**
필리핀 마닐라를 중심으로 하는 루손섬 중부, 민다나오섬, 비사얀섬 등에 분포하는 타갈로그족의 언어로 영어와 함께 필리핀의 공용어로 사용된다.

용어 알기
- **변용** 용모가 바뀜. 또는 그렇게 바뀐 용모
- **동화** 성질, 양식, 사상 따위가 다르던 것이 서로 같게 됨

1. 문화 변용

(1) 문화 접촉과 문화 전파 자료 1 자료 2

① **문화 접촉**: 서로 다른 문화적 배경을 지닌 개인이나 집단이 문화적인 면에서 지속해서 만나는 것 (오늘날 문화 변화의 커다란 요인으로 작용하고 있어.)

② **문화 전파**: 문화 접촉이 반복적으로 이루어지고 시간이 흐르면 한 사회의 문화 요소가 다른 사회로 전해져 정착하게 되는 것 예 햄버거, 축구의 세계적 확산 등

(2) 문화 전파에 따른 문화 변용 자료 3

(문화 변용: 문화 접촉이나 문화 전파를 통해 둘 이상의 서로 다른 문화가 만나 지역의 고유한 문화 형태에 변화가 나타나는 현상이나 과정을 말해.)

구분	내용
문화 공존	기존 문화와 새로운 문화가 함께 존재함 예 서로 다른 시기에 들어온 불교·유교·크리스트교 모두 우리 문화의 일부를 이룸
문화 동화	새로운 문화가 확산하면서 기존 문화가 사라짐 예 과거 우리나라 글의 세로쓰기 방식은 가로쓰기 방식이 들어와 확산하면서 사라짐
문화 융합	기존 문화와 새로운 문화가 만나 또 다른 문화가 형성됨 예 우리나라의 온돌과 서양식 침대가 결합하여 돌침대가 만들어짐

(3) 문화 변용에 따른 지역 변화

① 지역마다 다양한 모습으로 나타남
② 지역 고유의 문화적 특성을 유지하면서 다른 문화를 받아들여 새로운 문화를 창조하기도 함
③ 전파된 문화를 선택적으로 받아들여 변형하기도 함
④ 영향력이 강한 문화에 동화되어 지역의 고유한 문화적 특성이 사라지기도 함

더 알아보기 문화 변용에 따른 필리핀의 변화

▲ 필리핀의 언어

▲ 필리핀의 종교

▲ 필리핀의 승합차 지프니

필리핀에서는 영어와 함께 고유 언어인 타갈로그어를 사용하고 있는데, 이는 문화 공존의 사례로 볼 수 있다. 필리핀은 에스파냐와 미국의 영향으로 대부분의 사람이 크리스트교를 믿고 있으며 전통 신앙을 믿는 사람들은 거의 사라졌다. 이는 문화 동화의 사례에 해당한다. 필리핀의 지프니는 사람과 짐을 실을 수 있는 승합차로, 서양에서 들여온 자동차에 독특한 색과 문양으로 장식한 것이다. 이는 기존의 문화가 외국의 문화와 만나 새로운 문화를 형성한 문화 융합에 해당한다.

자료 1 힙합 문화의 전파

힙합은 흑인들 사이에서 싹튼 자유와 즉흥성의 문화이다. 힙합은 춤을 넘어 패션과 생활 양식으로 자리 잡았다.

자료 2 축구와 크리켓의 전파

축구와 크리켓은 영국에서 시작된 스포츠이다. 오늘날 세계의 대부분 국가에서 축구를 즐기고 있으나, 크리켓은 그렇지 않다.

자료 3 우리나라의 김치 버거

햄버거는 세계 어디에서나 쉽게 볼 수 있는 음식이지만, 여러 지역에서 그 지역의 특색이 반영된 다양한 메뉴를 볼 수 있다.

2. 세계화가 문화에 미친 영향

(1) 세계화에 따른 문화 변용

→ 국제 사회가 국경을 초월하여 하나의 지구촌으로 통합되어 가는 현상을 의미해.

① 문화의 세계화: 교통과 통신의 발달로 국경을 초월하여 지역 간 상호 작용이 더욱 활발해짐 → 세계화에 따라 각 지역의 문화가 점차 유사해지는 현상

② 문화의 다양화: 세계화에 따라 지역 간 문화 교류가 확대됨 → 문화의 다양화에 따라 삶이 더욱 풍요로워짐 자료 4

③ 문화의 획일화: 영향력이 큰 외래문화가 유입되면서 전통문화가 사라짐

(2) 문화의 세계화가 지역에 미친 영향

① 문화적 갈등 발생 → 서로 다른 문화들이 같이 공존할 수밖에 없는 상황에서 발생하는 문제를 문화 갈등이라고 해.

- 문화가 세계 여러 지역으로 확산하는 과정에서 지역 간 문화적 차이로 갈등이 나타나기도 함
- 청소년 문화의 급격한 서구화로 세대 간 문화 이해의 격차가 커지기도 함

② 서구 문화로의 획일화 자료 5

- 경쟁에서 뒤처진 지역의 전통문화가 소멸하기도 하고 문화적 다양성이나 정체성이 훼손되기도 함
- 세계화를 계기로 전통문화의 소중함과 가치를 새롭게 인식하기도 함

③ 지역 문화를 창조적으로 발전시키기 위한 노력 자료 6

- 전통문화에 새로운 문화를 더하여 지역 문화를 창조적으로 발전시키기도 함
- 전통문화를 이용한 축제를 개최하는 등 전통문화의 가치를 재발견하고 보존하기 위한 노력이 계속되고 있음

더 알아보기 커피의 세계화

(S 커피 누리집, 2016) S 커피 전문점이 있는 국가 ▲ 이슬람 건축물과 커피 전문점

커피는 원산지 에티오피아에서 오랜 기간에 걸쳐 세계 방방곡곡으로 퍼져나가 오늘날 전 세계로 전파되었다. 세계 여러 국가에 매장이 있는 S 커피 전문점은 세계에서 가장 규모가 큰 커피 전문점으로 모두 같은 커피, 같은 서비스를 제공하고 같은 간판과 상표로 되어 있지만, 건물의 경관은 지역의 고유한 문화와 어우러지기도 한다.

학습 내용 들여다보기

■ **세계화**

인간의 공간적 활동 범위가 국경을 초월하여 전 세계가 같은 정치적·경제적·문화적 생활권을 형성해 나가는 범세계적인 흐름과 추세를 세계화라고 한다.

■ **전 세계에서 상영되는 미국 만화 영화**

▲ 디즈니 만화 영화 – 주토피아

이 영화는 상영되는 국가별로 뉴스 보도자 모습에 변화를 주었는데, 미국과 캐나다에서는 '무스', 오스트레일리아와 뉴질랜드에서는 '코알라', 중국에서는 '판다', 일본에서는 '너구리', 브라질에서는 '재규어'가 보도자를 맡았다. 이는 국가별로 사람들이 친근하게 생각하는 동물이 다른 것을 반영한 것이다.

용어 알기

- **획일화** 모두가 한결같아서 다름이 없게 됨. 또는 모두가 한결같아서 다름이 없게 함
- **서구화** 서구인의 문화나 생활 방식에 영향을 받아 닮아 감. 또는 그렇게 하게 함

자료 4 음식 문화의 다양화

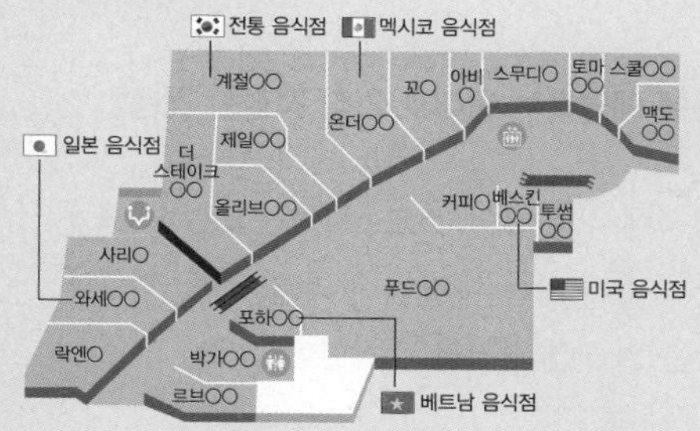

세계화에 따라 대형 식당가에서는 세계화의 상징인 커피, 패스트푸드, 아이스크림을 포함한 다양한 국가의 음식을 즐길 수 있다.

자료 5 서구 문화로의 획일화

전 세계 많은 나라에서 전통 의상을 대신해 양복과 넥타이, 청바지와 티셔츠, 후드티를 입는 등 서구 문화를 공유하고 있다.

자료 6 전통문화의 보존

성공회의 강화 성당은 영국인 선교사의 노력으로 1900년 세워진 건물로 동양의 건축과 서양의 사상이 어우러지는 곳이다.

기본 문제

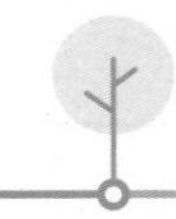

간단 체크

1 다음 설명이 맞으면 ○표, 틀리면 ×표 하시오.

(1) 과학 기술의 발달로 교통과 통신이 편리해지면서 지역 간 교류가 확대되었으며, 이로써 접촉과 전파에 따른 문화 변화가 감소하였다. ( )

(2) 서로 다른 문화적 배경을 지닌 개인이나 집단이 만나는 것을 문화 접촉이라고 한다. ( )

(3) 문화 접촉이 반복적으로 이루어지고 시간이 흐르면 한 사회의 문화 요소가 다른 사회로 전해져 정착하게 되는데, 이를 문화 전파라고 한다. ( )

(4) 세계인들이 청바지를 입게 된 것은 지역 간 문화 전파의 사례에 해당하지 않는다. ( )

2 문화 변용에 관한 사례를 바르게 연결하시오.

(1) 문화 공존 • • ㉠ 온돌이 침대와 결합하여 돌침대가 만들어짐

(2) 문화 동화 • • ㉡ 우리나라에 불교, 유교, 크리스트교가 전파되어 문화의 일부가 됨

(3) 문화 융합 • • ㉢ 우리나라에서 과거의 세로쓰기 방식이 현재 가로쓰기 방식으로 변화함

3 밑줄 친 부분을 바르게 고쳐 쓰시오.

(1) 문화 전파로 외부에서 새로운 문화가 들어오면서 기존의 문화가 변화하는 현상을 <u>문화 접촉</u>이라고 한다.
( )

(2) 교통과 통신이 발달하면서 국경을 초월하여 지역 간 상호 작용이 활발해지는 것을 <u>획일화</u>라고 한다.
( )

(3) 세계화에 따라 강력한 영향력을 가진 외래문화가 유입되면 전통문화가 사라지면서 문화가 <u>일상화</u>된다.
( )

01 다음 빈칸에 해당하는 검색어로 옳은 것은?

지리백과 [ ] 통합검색

서로 다른 문화적 배경을 지닌 개인이나 집단이 문화적인 면에서 지속해서 접촉하는 것으로 오늘날 문화 변화의 커다란 요인으로 작용한다.

① 문화 전파 ② 문화 경관 ③ 문화 변용
④ 문화 접촉 ⑤ 문화 지역

02 문화 접촉과 문화 전파에 대한 옳은 설명을 〈보기〉에서 고른 것은?

보기

ㄱ. 세계인들이 청바지를 입게 된 것은 지역 간 문화 전파의 사례에 해당한다.
ㄴ. 서로 다른 문화적 배경을 지닌 개인이나 집단이 만나는 것을 문화 접촉이라고 한다.
ㄷ. 문화 전파가 반복적으로 이루어지고 시간이 흐르면 한 사회의 문화 요소가 다른 사회로 전해져 정착하게 되는 것을 문화 접촉이라고 한다.
ㄹ. 과학 기술의 발달로 교통과 통신이 편리해지면서 지역 간 교류가 확대되었으며, 이로써 접촉과 전파에 따른 문화 변화가 감소하였다.

① ㄱ, ㄴ ② ㄱ, ㄷ ③ ㄴ, ㄷ
④ ㄴ, ㄹ ⑤ ㄷ, ㄹ

03 다음 글의 내용에 해당하는 용어로 가장 적절한 것은?

축구는 영국에서 시작된 스포츠이다. 오늘날 세계에서 축구를 즐기지 않는 나라는 거의 없으며, 지구촌 인구의 절반은 월드컵 경기를 관람한다.

① 문화 접촉 ② 문화 공존 ③ 문화 전파
④ 문화 창조 ⑤ 문화 생활

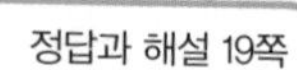

04 자료의 ㉠, ㉡에 들어갈 용어를 옳게 연결한 것은?

> 질문: 지역 간 교류 없이 문화가 바뀔 수도 있나요?
> 답변: 우리나라에서 금속 활자가 만들어지면서 인쇄 문화가 발달하였습니다. 이렇듯 문화는 (㉠) 이외에 발견과 (㉡)에 의해서도 바뀔 수 있습니다.

	㉠	㉡		㉠	㉡
①	문화 접촉	발전	②	문화 창조	발명
③	문화 공존	발전	④	문화 접촉	발명
⑤	문화 공존	전파			

05 지도에 대한 설명으로 옳은 것을 〈보기〉에서 고른 것은?

보기
ㄱ. 크리켓보다 축구를 즐기는 국가가 더 많다.
ㄴ. 문화의 전파 범위는 문화별로 같게 나타난다.
ㄷ. 축구는 크리켓보다 더 넓은 지역에 전파되었다.
ㄹ. 축구를 즐기는 국가에서는 크리켓을 하지 않는다.

① ㄱ, ㄴ ② ㄱ, ㄷ ③ ㄴ, ㄷ
④ ㄴ, ㄹ ⑤ ㄷ, ㄹ

[06~07] 문화 변용에 대한 자료이다. 자료를 보고 물음에 답하시오.

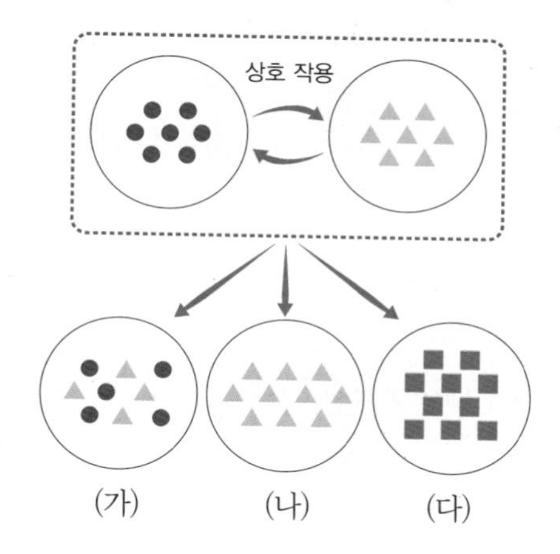

06 (가)~(다)에 해당하는 용어를 옳게 연결한 것은?

	(가)	(나)	(다)
①	문화 동화	문화 공존	문화 융합
②	문화 융합	문화 동화	문화 공존
③	문화 융합	문화 공존	문화 동화
④	문화 공존	문화 동화	문화 융합
⑤	문화 공존	문화 융합	문화 동화

07 (가)~(다)에 해당하는 사례로 가장 적절한 것은?

① (가) – 필리핀은 에스파냐와 미국의 영향으로 크리스트교를 믿는다.
② (가) – 우리나라는 과거 세로쓰기를 하였으나, 가로쓰기 방식이 들어오면서 점차 사라졌다.
③ (나) – 우리나라의 떡볶이와 유럽의 치즈가 만나 치즈떡볶이가 만들어졌다.
④ (나) – 불교, 유교, 크리스트교는 서로 다른 시기에 우리나라로 들어왔지만 모두 우리 문화의 일부다.
⑤ (다) – 우리나라의 온돌이 서양에서 들어온 침대와 결합하여 돌침대가 만들어졌다.

실전 문제

01 자료의 내용에 해당하는 문화 지역으로 옳은 것은?

> • 탱고와 레게
> • 16세기 에스파냐와 포르투갈의 식민 지배
> • 종교 전파로 주민 대부분이 가톨릭교 신자

① 유럽 문화 지역
② 아랍 문화 지역
③ 동남아시아 문화 지역
④ 라틴 아메리카 문화 지역
⑤ 앵글로아메리카 문화 지역

02 다음 글의 내용에 해당하는 용어로 가장 적절한 것은?

> 나는 '지프니'라고 해. 필리핀을 방문하면 나를 타 볼 수 있을 거야. 나는 승합차로, 서양에서 들어온 자동차에 독특한 색과 문양으로 장식한 것이 특징이야.

① 문화 접촉　② 문화 공존　③ 문화 융합
④ 문화 창조　⑤ 문화 동화

03 세계화에 따른 문화 변화에 대한 설명으로 옳지 않은 것은?

① 동남아시아 지역에서는 쌀로 만든 음식을 주로 먹는다.
② 아프리카의 말리에서는 진흙으로 건축된 모스크를 볼 수 있다.
③ 이슬람 문화권에서 햄버거를 만들 때 돼지고기를 사용하지 않는다.
④ 강화도의 성공회 성당은 동양의 건축과 서양의 사상이 어우러진 곳이다.
⑤ 교통과 통신의 발달로 국가 간 상호 의존성이 감소하면서 세계화에 따른 문화 변화가 이뤄지고 있다.

★ 중요 ★

04 자료의 내용에 해당하는 용어로 가장 적절한 것은?

> 세계화에 따라 강력한 영향력을 가진 외래문화가 유입되면 전통문화가 사라진다. 청바지와 티셔츠, 양복 차림이 보편화되면서 전통 복장인 한복은 명절이나 특별한 행사 때에만 입는 옷으로 바뀌고 있다.

① 문화 접촉　② 문화 공존
③ 문화 융합　④ 문화 창조
⑤ 문화의 획일화

05 자료의 ㉠에 해당하는 음식으로 옳은 것은?

> (㉠)은/는 카페인을 함유하고 있으며, 독특한 향기가 있어 차의 원료로 널리 애용되고, 과자나 음료수의 복합 원료로도 많이 쓴다. 원산지 에티오피아에서는 농부들이 자생하는 (㉠) 열매를 끓여서 죽이나 약으로 먹기도 했다. 9세기 무렵 아라비아반도로 전해져 처음 재배되었으며, 나중에는 이집트, 시리아, 터키에 전해졌다. 이 음료는 13세기 이전까지는 성직자만 마실 수 있었으나, 전 세계로 전파되어 오늘날 세계인의 대표적인 음료로 애용되고 있다.

① 포도　② 콜라　③ 커피
④ 카카오　⑤ 대추야자

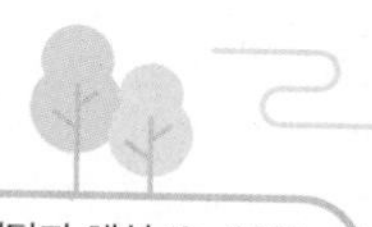

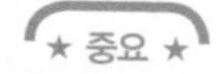

06 사회 퀴즈에 대한 학생의 점수로 옳은 것은?

〈사회 퀴즈〉

[물음] 세계화와 문화의 세계화에 대한 설명 중 옳은 것은 ○표, 틀린 것은 ×표 하시오.

(※ 단, 한 문제당 1점씩 배점하며, 틀리더라도 감점은 없음.)

번호	문 제	학생 답
1	교통과 통신이 발달하면서 국경을 초월하여 지역 간 상호 작용이 활발해지고 있다.	○
2	전 세계의 상호 의존성이 작아지면서 세계가 하나의 체계로 통합되는 현상이 세계화이다.	×
3	세계화에 따라 각 지역의 문화가 점차 유사해지는 현상인 문화의 세계화가 나타나고 있다.	○
4	문화의 세계화란 국제 사회가 국경을 초월하여 하나의 지구촌으로 통합되어 가는 현상을 의미한다.	×

① 0점　② 1점　③ 2점
④ 3점　⑤ 4점

고난도

07 세계화에 따른 문화의 다양화에 대한 설명으로 옳은 것을 〈보기〉에서 고른 것은?

보기

ㄱ. 세계 각국에서 들어온 다양한 음식을 맛볼 수 있다.
ㄴ. 세계화에 따라 지역 간 문화 교류가 줄어들고 있다.
ㄷ. 문화의 다양화에 따라 우리의 삶도 풍요로워지고 있다.
ㄹ. 강력한 영향력을 가진 외래문화가 유입되면 전통문화가 사라질 수 있다.

① ㄱ, ㄴ　② ㄱ, ㄷ　③ ㄴ, ㄷ
④ ㄴ, ㄹ　⑤ ㄷ, ㄹ

서술형 문제

08 다음 자료를 보고, 세계화가 문화 변용에 끼친 긍정적 영향과 아래와 같이 여러 나라의 음식점을 볼 수 있게 된 배경을 각각 서술하시오.

▲ 대형 식당가 약도

09 다음과 같은 현상이 나타나게 된 배경을 서술하시오.

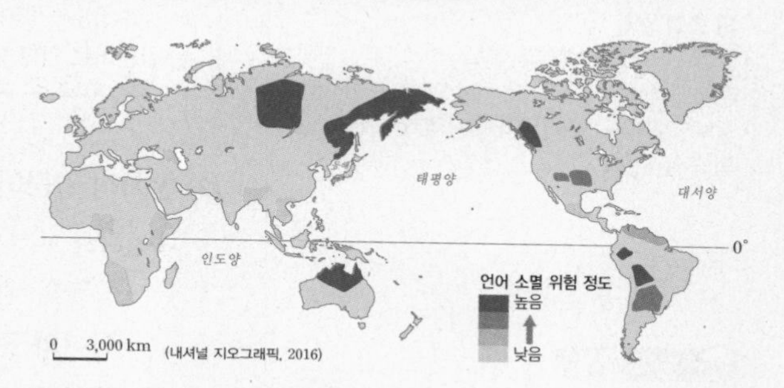

전 세계적으로 언어가 2주마다 하나씩 사라지고 있다. 1970년 이후 전 세계 언어 중 6%는 이미 사라졌고, 25%는 다음 세대에 완전히 전승되지 않아 소멸할 위험에 처해 있다.

문화의 공존과 갈등

1. 서로 다른 문화의 공존과 갈등

(1) 서로 다른 문화의 공존

① 오래전부터 세계의 다양한 문화는 지역 간 교류를 통해 서로 영향을 주고받음

② 오늘날 세계의 각 지역에는 서로 다른 문화를 가진 사람들이 공존하는 곳이 늘고 있음

③ 사례 지역

- 스위스: 독일어, 프랑스어, 이탈리아어, 레토로망스어를 공용어로 사용 자료 1
- 싱가포르, 말레이시아: 서로 다른 민족, 언어, 종교가 공존하는 대표적인 나라
- 브라질: 아메리카 원주민, 유럽계 백인, 아프리카계 흑인이 함께 다양한 문화를 가꾸어 온 나라, 전체 인구에서 혼혈 인종의 비중도 매우 높지만 인종과 민족 간의 갈등은 적은 편 자료 2
- 남아프리카 공화국: 아파르트헤이트라는 인종 차별 정책을 실시했으나, 넬슨 만델라가 집권하면서 인종 차별 철폐를 추진함 자료 3

더 알아보기 서로 다른 언어로 조화를 이루는 나라, 스위스

스위스는 여러 민족, 언어, 종교가 뒤섞여 종교와 언어로 인한 문화 갈등이 존재하였으나, 스위스 정부가 균형적이고 다양한 언어 정책을 펼치며 서로 다른 문화가 공존할 수 있도록 하였다. 스위스는 독일어, 프랑스어, 이탈리아어, 레토로망스어를 공용어로 사용하고 있다. 스위스는 공공 기관의 모든 문서를 네 가지 공용어로 각각 발행하고, 언어별 인구에 비례하여 공무원을 채용한다. 모든 학교에서 주로 사용하는 언어 외에 다른 언어를 하나 이상 배우도록 의무화하는 등 다양한 노력을 기울이고 있기 때문에 언어로 인한 갈등이 거의 나타나지 않는다.

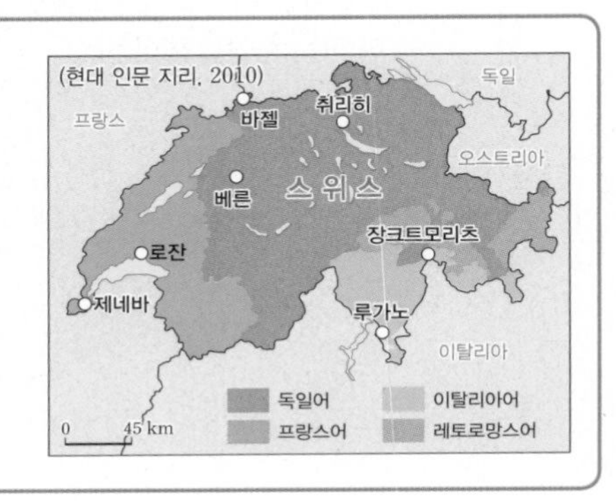

(2) 문화적 갈등이 나타나는 지역

① 원인

- 종교와 언어는 지역이나 집단을 가르는 가장 기본적인 문화 요소로 서로 다른 언어와 종교는 조화를 이루면서 공존하기도 하지만, 서로 다른 문화에 대한 이해와 존중이 부족하여 갈등의 원인이 되기도 함
- 종교나 언어 갈등에 영토, 자원, 국제 하천, 교통로 등을 둘러싼 정치적·경제적 이해관계까지 맞물려 갈등이 깊어지기도 함

학습 내용 들여다보기

■ 싱가포르의 공용어

▲ 네 가지 공용어가 함께 쓰여진 싱가포르의 지폐

싱가포르는 원래 말레이인이 살던 곳이었으나, 영국의 식민 지배를 겪으며, 현재는 영어, 말레이어, 타밀어, 중국어를 공용어로 사용하고 있다.

■ 싱가포르의 종교 경관

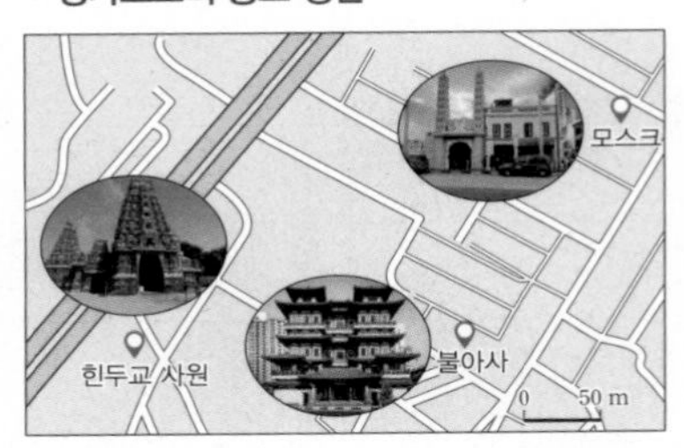

불과 몇백 미터를 사이에 두고 이슬람교, 힌두교, 불교 사원이 위치한다. 문화 공존을 보여 주는 대표적인 종교 경관이다.

■ 브라질의 혼혈 인종

- 메스티소: 아메리카 원주민과 유럽계 백인 간의 혼혈 인종
- 물라토: 유럽계 백인과 아프리카계 흑인 간의 혼혈 인종
- 삼보: 아메리카 원주민과 아프리카계 흑인 간의 혼혈 인종

용어 알기

- **공존** 두 가지 이상의 사물이나 현상이 함께 존재함
- **철폐** 전에 있던 제도나 규칙 따위를 걷어치워서 없앰

자료 1 네 개의 공용어를 사용하는 스위스

스위스는 화폐나 공공 문서, 안내판 등에 네 개의 언어를 함께 사용하며 다민족 다언어로 인한 불편과 갈등을 줄이기 위해 노력하고 있다.

자료 2 브라질의 다양한 인종

브라질은 아메리카 원주민, 유럽계 백인, 아프리카계 흑인이 함께 문화를 가꾸어 온 나라로, 전체 인구에서 혼혈 인종이 차지하는 비중이 높다.

자료 3 넬슨 만데라

넬슨 만델라는 남아프리카 공화국의 인권 운동가이다. 대통령이 된 후 흑인, 백인, 아시아계 등이 공존하는 나라로 만들기 위해 노력하였다.

② 언어 갈등

- 캐나다 퀘벡주: 프랑스어를 사용하는 퀘벡주와 영어를 사용하는 다른 주와의 갈등
- 벨기에: 네덜란드어를 사용하는 지역과 프랑스어를 사용하는 지역 간의 갈등

③ 종교 갈등 자료 4

- 팔레스타인-이스라엘 분쟁: 이슬람교를 믿는 팔레스타인과 유대교를 믿는 이스라엘 간의 분쟁
- 카슈미르 분쟁: 카슈미르 지역을 두고 힌두교를 주로 믿는 인도와 이슬람교를 주로 믿는 파키스탄 간의 분쟁 자료 5
- 북아일랜드 분쟁 : 개신교를 믿는 영국과 가톨릭교를 믿는 아일랜드 간의 분쟁
- 스리랑카 분쟁: 불교를 믿는 싱할라족과 힌두교를 믿는 소수 민족인 타밀족 간의 갈등

→ 개신교: 종교 개혁의 결과로 가톨릭에서 갈라져 나온 기독교야.

더 알아보기 팔레스타인 – 이스라엘 분쟁

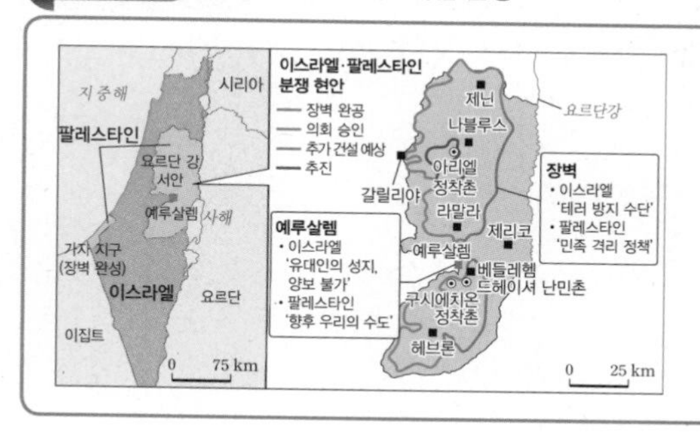

제2차 세계 대전 이후 유대교를 믿는 유대인들이 성서 기록을 근거로 팔레스타인 지역에 이스라엘을 세운 뒤 영토를 넓히자 이슬람교를 믿는 팔레스타인 사람들은 자신들의 영토를 빼앗겼다. 이후 팔레스타인 구역과 이스라엘로 분할되었으나 팔레스타인 사람들은 이스라엘의 지배에 대항하여 독립 국가 건설을 주장하고 이스라엘은 팔레스타인에 보복 공격을 가하고 있다.

2. 다양한 문화의 공존

(1) 문화의 다양성 인정

① 다양한 삶의 방식을 지닌 개인이나 집단 간의 문화적 차이를 인정

② 창조적 사고와 사회 발전의 토대가 되며, 사회 통합과 평화를 보장함

(2) 국가적 차원의 노력: 다민족으로 구성된 국가에서는 여러 개의 공용어를 지정하거나 종교의 자유를 법으로 보장

(3) 개인적 차원의 노력: 문화 상대주의와 다문화주의의 태도를 지녀야 함

① 문화 상대주의: 세계 문화의 다양성을 인정하고, 각 문화는 독특한 자연환경과 역사적·사회적 상황에서 이해해야 한다는 견해

→ 다른 문화의 고유한 가치를 내 입장이 아닌 상대의 처지에서 이해하고 존중하는 태도야.

② 다문화주의: 다양한 문화적 요소를 단일의 문화나 언어로 동화시키지 않고 문화적 다양성을 인정하며 공존을 위하여 노력하는 태도

학습 내용 들여다보기

■ **캐나다 퀘벡주**

캐나다에서는 주로 영어를 사용하지만, 퀘벡주에서는 프랑스어를 주로 사용하고 프랑스의 문화를 유지하며 살아간다.

■ **북아일랜드 분쟁**

기존에 가톨릭 국가였던 아일랜드는 개신교 국가인 영국의 식민 지배를 받다 1922년 영국으로부터 독립하였으나 북아일랜드만 영국령으로 남겨지게 되며 갈등이 시작되었다. 북아일랜드의 가톨릭교 신자들은 영국의 지배에 저항하는 반면, 개신교 신자들은 영국에 귀속되어 있기를 희망하여 갈등이 계속되고 있다.

■ **스리랑카 분쟁**

스리랑카는 인구의 다수를 차지하는 불교계 싱할라족(74%)과 힌두교를 믿는 타밀족(18%) 간의 뿌리 깊은 종족·종교 간 갈등이 계속되고 있다. 영국으로부터 독립 이후 집권하고 있는 싱할라족 정부군과 싱할라족의 탄압과 차별 정책에 반발해 분리 독립 운동을 추진해온 타밀 반군 간의 무력 충돌은 1983년부터 오늘날까지 10만 명 이상의 사망자와 수십만의 부상자, 그리고 1백만 명 이상의 난민을 발생시켰다.

용어 알기

- **분쟁** 말썽을 일으키어 시끄럽고 복잡하게 다툼
- **다문화주의** 여러 유형의 이질적인 문화를 제도권 안으로 유연하게 수용하자는 태도나 입장

자료 4 벨기에의 언어 갈등

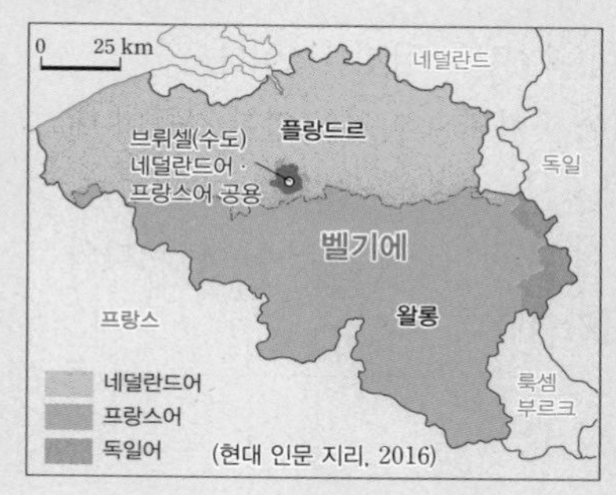

(현대 인문 지리, 2016)

벨기에는 네덜란드어를 사용하는 북부 지역과 프랑스어를 사용하는 남부 지역 간의 갈등이 발생하고 있다. 벨기에의 언어 갈등은 북부 지역과 남부 지역 간의 경제적 격차 문제와 관련이 깊다.

자료 5 카슈미르 분쟁

(르몽드 세계사, 2015)

인도 북서부의 카슈미르 지역은 많은 주민이 이슬람교를 믿고 있기 때문에 영국으로부터 독립할 때 파키스탄의 영토가 될 예정이었다. 그러나 힌두교를 믿는 카슈미르의 지배층이 이 지역의 통치권을 인도로 넘기면서 힌두교를 믿는 인도와 이슬람교를 믿는 파키스탄 간의 갈등이 시작되었다.

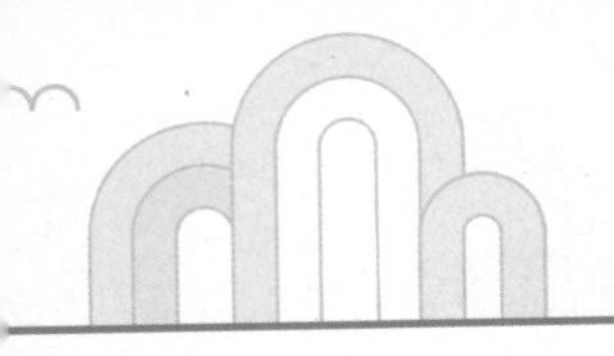
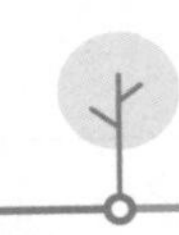

기본 문제

간단 체크

1 다음 설명이 맞으면 ○표, 틀리면 ×표 하시오.

(1) 오늘날 세계의 각 지역에는 서로 다른 문화를 가진 사람들이 공존하는 곳이 줄어들고 있다. (　　)

(2) 스위스는 독일어, 프랑스어, 이탈리아어, 레토로망스어를 공용어로 사용하는 다언어 국가로, 이로 인한 갈등이 많은 편이다. (　　)

(3) 싱가포르는 서로 다른 민족, 언어, 종교가 공존하는 대표적인 국가로 꼽히고 있다. (　　)

(4) 브라질은 아메리카 원주민, 유럽계 백인, 아프리카계 흑인이 함께 문화를 가꾸어 온 나라이다. (　　)

(5) 아메리카 원주민과 유럽계 백인 간의 혼혈 인종을 삼보라고 한다. (　　)

2 문화 갈등의 종류와 그에 해당하는 지역을 바르게 연결하시오.

(1) 종교 갈등 •

(2) 언어 갈등 •

• ㉠ 벨기에
• ㉡ 팔레스타인
• ㉢ 캐나다 퀘벡주
• ㉣ 영국의 북아일랜드
• ㉤ 인도 북서부의 카슈미르

3 다음 설명 중 밑줄 친 부분을 바르게 고쳐 쓰시오.

(1) 아메리카 원주민과 아프리카계 흑인 간의 혼혈 인종을 <u>물라토</u>라고 한다. (　　　　)

(2) 유럽계 백인과 아프리카계 흑인 간의 혼혈 인종을 <u>메스티소</u>라고 한다. (　　　　)

(3) 서로 다른 문화가 공존하기 위해서는 무엇보다 <u>자문화 중심주의</u> 관점에서 상대방의 문화, 특히 소수의 문화를 존중하는 태도와 자세를 갖는 것이 중요하다. (　　　　)

01 다음 자료의 빈칸에 해당하는 국가로 옳은 것은?

(　　　　)은/는 원래 말레이인이 살던 곳이었으나, 영국의 식민 지배 과정에서 영국인과 인도인, 중국인 등이 유입되었다. 이에 따라 영어, 말레이어, 타밀어, 중국어가 (　　　　)의 공용어로 사용되고 있다.

① 태국 ② 베트남 ③ 싱가포르
④ 말레이시아 ⑤ 인도네시아

02 자료에 대한 설명으로 옳은 것을 〈보기〉에서 고른 것은?

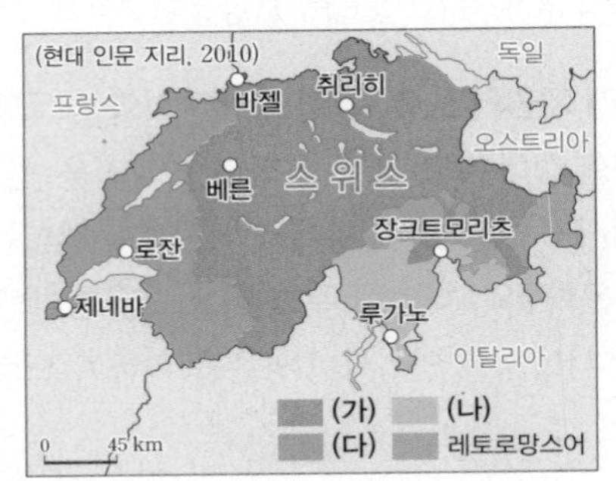

보기

ㄱ. (가)는 독일어이다.
ㄴ. (나)는 프랑스어, (다)는 이탈리아어이다.
ㄷ. 스위스는 다언어 국가여서 언어로 인한 갈등이 매우 높은 편이다.
ㄹ. 스위스는 사방이 다른 나라로 둘러싸여서 바다와 접하지 않은 국가이다.

① ㄱ, ㄴ ② ㄱ, ㄷ ③ ㄱ, ㄹ
④ ㄴ, ㄷ ⑤ ㄷ, ㄹ

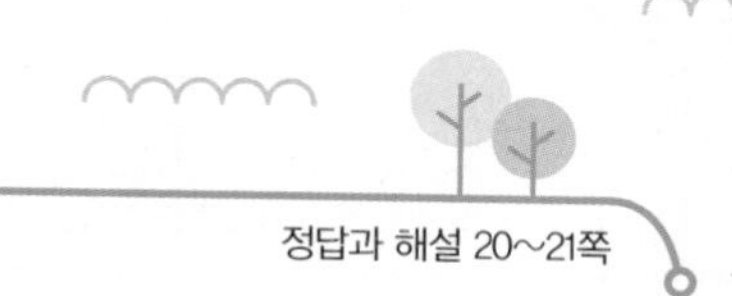

03 브라질의 혼혈 인종에 대한 설명이다. (가)~(다)에 대한 용어를 옳게 연결한 것은?

(가): 아메리카 원주민과 유럽계 백인 간의 혼혈 인종을 말한다.
(나): 유럽계 백인과 아프리카계 흑인 간의 혼혈 인종을 말한다.
(다): 아메리카 원주민과 아프리카계 흑인 간의 혼혈 인종을 말한다.

	(가)	(나)	(다)
①	삼보	물라토	메스티소
②	물라토	삼보	메스티소
③	물라토	메스티소	삼보
④	메스티소	삼보	물라토
⑤	메스티소	물라토	삼보

04 자료에 대한 설명으로 옳은 것을 〈보기〉에서 고른 것은?

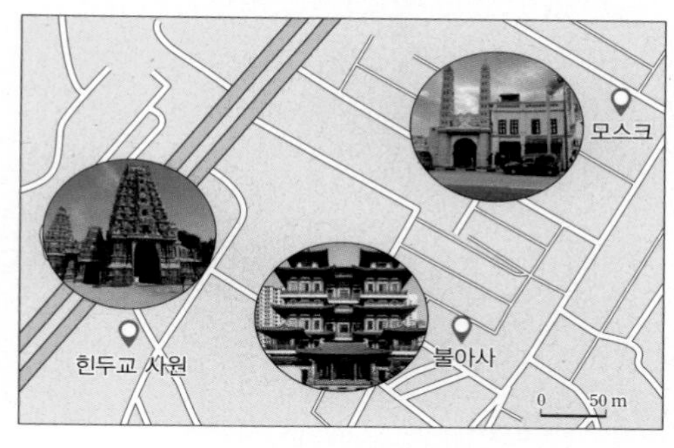

▲ 싱가포르의 종교 경관

보기
ㄱ. 자료는 문화 공존의 사례에 해당한다.
ㄴ. 싱가포르에는 다양한 종교가 전파되었다.
ㄷ. 싱가포르에는 크리스트교가 전파되지 않았다.
ㄹ. 다양한 종교로 인한 갈등과 분쟁이 심한 국가이다.

① ㄱ, ㄴ ② ㄱ, ㄷ ③ ㄴ, ㄷ
④ ㄴ, ㄹ ⑤ ㄷ, ㄹ

05 다음 지역에서 공통으로 발생하는 문화적 갈등의 원인으로 옳은 것은?

- 스리랑카
- 영국의 북아일랜드
- 이스라엘과 팔레스타인
- 인도 북서부의 카슈미르

① 영토 갈등 ② 종교 갈등 ③ 언어 갈등
④ 민족 갈등 ⑤ 인종 갈등

06 보고서의 ㉠에 해당하는 국가로 옳은 것은?

사회 보고서

◇학년 ◇반 △△ 모둠

국가	(㉠)
문화 갈등 원인	1. 플랑드르 지역과 왈롱 지역 간의 경제 격차 문제 발생 2. 프랑스어권과 네덜란드어권 간의 갈등 3. 일부 지역은 독일어 사용

① 스위스 ② 벨기에 ③ 프랑스
④ 네덜란드 ⑤ 룩셈부르크

07 ㉠에 알맞은 문화 이해 태도로 옳은 것은?

서로 다른 문화가 공존하기 위해서는 무엇보다 (㉠)의 관점에서 상대방의 문화, 특히 소수의 문화를 존중하는 태도와 자세를 갖는 것이 중요하다.

① 문화 민족주의 ② 문화 사대주의
③ 문화 상대주의 ④ 문화 제국주의
⑤ 자문화 중심주의

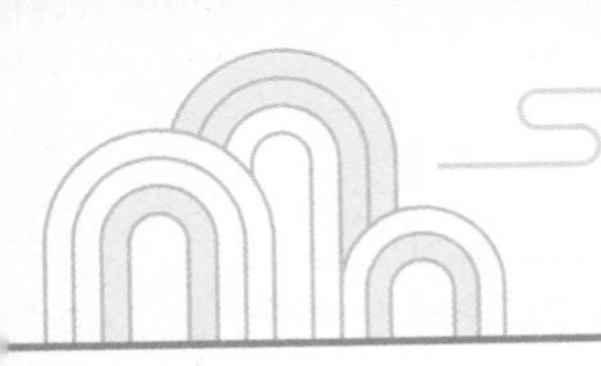
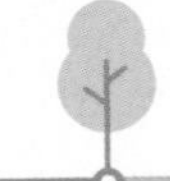

실전 문제

01 교사의 질문에 바르게 대답한 학생을 고른 것은?

교사: 문화의 공존과 갈등에 대해 조사한 내용을 한 가지씩 발표해 볼까요?
갑: 스위스는 독일어, 프랑스어, 이탈리아어, 레토로망스어를 공용어로 사용하는 다언어 국가이지만, 이로 인한 갈등이 적은 편입니다.
을: 스위스는 학교에서 독일어, 프랑스어, 이탈리아어, 레토로망스어, 영어를 의무적으로 배우도록 하고 있어 언어 갈등이 줄어들었습니다.
병: 스위스는 언어 갈등을 줄이기 위해 정부의 공식 문서를 독일어로만 작성하여 통일성을 꾀하고 있습니다.
정: 싱가포르와 말레이시아도 서로 다른 민족, 언어, 종교가 공존하는 대표적인 국가로 꼽히고 있습니다.

① 갑, 을 ② 갑, 정 ③ 을, 병
④ 을, 정 ⑤ 병, 정

02 ㉠에 해당하는 인물로 옳은 것은?

(㉠)은/는 남아프리카 공화국의 흑인 인권 운동가이다. 그는 남아프리카 공화국의 백인 정부에 대항하다가 종신형을 선고받고 27년여 동안을 감옥에서 지냈다. (㉠)은/는 흑인들의 지속적인 저항 운동 덕분에 석방되었으며, 그 이후 대화와 타협을 통해 남아프리카 공화국에 새로운 정권을 만들었다. 그는 대통령이 된 후 자신의 조국을 흑인, 백인, 아시아계 등이 무지개처럼 공존하는 나라로 만들기 위해 최선을 다하였다.

① 넬슨 만델라 ② 버락 오바마
③ 마이클 잭슨 ④ 오프라 윈프리
⑤ 마틴 루터 킹

[03~04] 자료를 보고 물음에 답하시오.

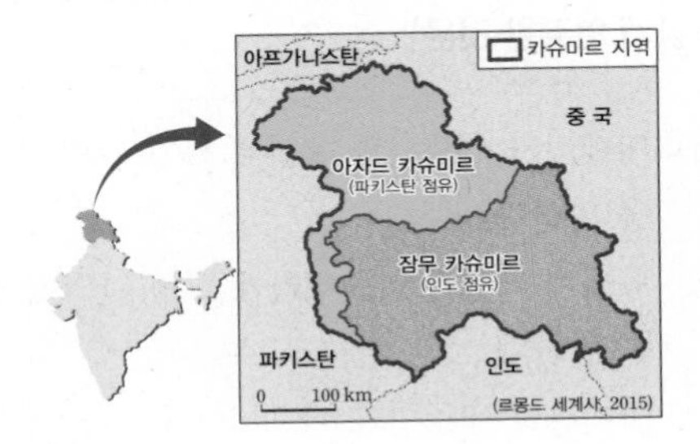

고난도
03 위 자료에 대한 설명으로 옳은 것을 〈보기〉에서 고른 것은?

| 보기 |
ㄱ. 인도 북서부의 카슈미르 지역은 과거 영국의 지배를 받았다.
ㄴ. 싱할라족과 타밀족 간의 종교 갈등이 발생하여 전쟁이 발생하였다.
ㄷ. 국제 연합의 중재로 전쟁이 중단되고 카슈미르 지역이 분할되었으나, 두 진영 간의 갈등은 지속되고 있다.
ㄹ. 영국으로부터 독립할 때 인도의 땅이 될 예정이었으나, 인도의 지배층이 파키스탄에 통치권을 넘기면서 이 지역을 놓고 갈등이 시작되었다.

① ㄱ, ㄴ ② ㄱ, ㄷ ③ ㄱ, ㄹ
④ ㄴ, ㄹ ⑤ ㄷ, ㄹ

★ 중요 ★
04 위 자료에 나타난 지역의 문화 갈등 원인으로 옳은 것은?

① 유대교도와 불교도 간의 종교 문제
② 유대교도와 힌두교도 간의 종교 문제
③ 이슬람교도와 유대교도 간의 종교 문제
④ 이슬람교도와 힌두교도 간의 종교 문제
⑤ 크리스트교도와 힌두교도 간의 종교 문제

05 다음 지도에 표시된 (가), (나), (다)를 옳게 연결한 것은?

	(가)	(나)	(다)
①	프랑스어	독일어	네덜란드어
②	프랑스어	룩셈부르크어	독일어
③	네덜란드어	독일어	룩셈부르크어
④	네덜란드어	프랑스어	독일어
⑤	네덜란드어	프랑스어	룩셈부르크어

고난도

06 종교 갈등 지역에 대한 설명으로 옳은 것을 〈보기〉에서 고른 것은?

보기

ㄱ. 나이지리아는 북부의 이슬람교와 남부의 힌두교 사이의 갈등이 발생하였다.

ㄴ. 주민 대부분이 가톨릭교도인 필리핀에서는 이슬람교도가 많은 민다나오섬에서 테러가 발생하기도 하였다.

ㄷ. 수단은 북부의 아랍계 이슬람교도와 남부의 불교도 간의 갈등이 발생하여, 2011년에 남수단이 독립하였다.

ㄹ. 북아일랜드에서는 개신교를 믿는 영국과 가톨릭교를 믿는 북아일랜드의 독립 요구에 따른 갈등이 발생하였다.

① ㄱ, ㄴ ② ㄱ, ㄷ ③ ㄴ, ㄷ
④ ㄴ, ㄹ ⑤ ㄷ, ㄹ

서술형 문제

[07~08] 자료를 보고 물음에 답하시오.

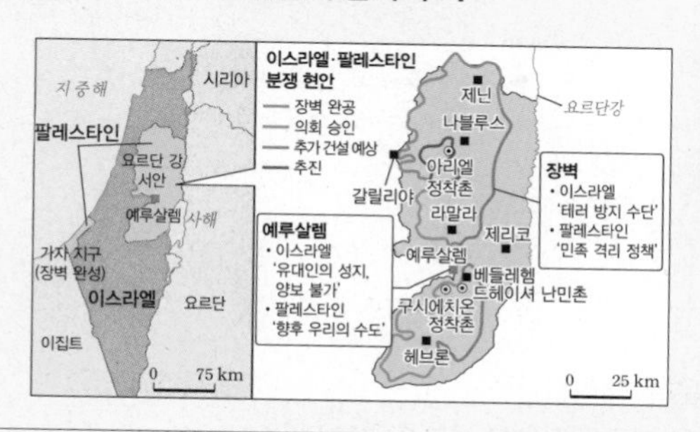

제2차 세계 대전 이후 유대인들이 팔레스타인 사람들이 사는 땅으로 들어오기 시작하면서 갈등이 시작되었다. ___㉠___
팔레스타인 지역은 팔레스타인과 이스라엘 간 종교, 민족, 영토 갈등으로 인해 서남아시아의 대표적인 분쟁 지역이다.

07 밑줄 친 ㉠부분에 들어갈 문장을 제시어를 활용하여 서술하시오.

제시어: 유대교, 이슬람교, 이스라엘, 팔레스타인

08 자료의 두 집단이 공존하기 위해 지녀야 할 태도를 서술하시오.

대단원 정리

❶ 세계의 문화 지역 구분

(디르케 세계지도, 2015)

- 북극 문화 지역은 순록을 (①)하는 지역이 있으며, 추운 기후에 적응한 생활 양식이 나타남
- (②) 문화 지역은 크리스트교 문화가 발달하였으며, 일찍 산업화를 이룸
- 동아시아 문화 지역은 유교, 불교, 한자, (③) 문화 등의 공통점이 나타남
- 건조 문화 지역은 주로 유목 생활을 하며, 대부분의 주민이 (④)를 믿음
- 인도 문화 지역은 (⑤)와 힌두교의 발상지로 다양한 종교와 언어가 나타남
- (⑥) 문화 지역은 유럽의 식민 지배를 받은 국가가 많으며, 부족 중심의 생활을 함
- 동남아시아 문화 지역은 주로 (⑦)를 지으며, 인도와 중국의 영향을 많이 받음
- 오세아니아 문화 지역은 유럽인이 개척한 지역으로, (⑧) 문화의 전통이 남아 있음
- 앵글로아메리카 문화 지역은 산업이 발달하였으며, (⑨) 구성이 매우 다양함
- 라틴아메리카 문화 지역은 인디오, 백인, 흑인, (⑩)족으로 구성되어 독특한 문화를 형성함

답 ① 유목 ② 유럽 ③ 젓가락 ④ 이슬람교 ⑤ 불교 ⑥ 아프리카 ⑦ 벼농사 ⑧ 원주민 ⑨ 인종 ⑩ 혼혈

❷ 종교와 문화 지역

(필립스 세계 지도, 2014)

- 크리스트교 문화 지역에서는 높고 뾰족한 (①)를 세운 성당이나 (②)를 볼 수 있고, (③) 문화 지역에서는 (④), 불상, 탑을 볼 수 있음
- 이슬람교 문화 지역에서는 둥근 지붕과 뾰족한 탑으로 이루어진 (⑤)를 볼 수 있고, (⑥) 식품만 먹으며, (⑦)에서는 소를 숭배하여 (⑧)를 먹지 않음

답 ① 십자가 ② 교회 ③ 불교 ④ 사찰 ⑤ 모스크 ⑥ 할랄 ⑦ 힌두교 ⑧ 소고기

1. 다양한 문화 지역

(1) 지역마다 다른 문화

문화	인간이 자연환경을 극복하고 자연과 상호 작용하는 과정에서 만들어 낸 사고방식이나 생활 양식
문화 경관	눈으로 볼 수 있는 형태로 나타나는 문화
문화 지역 ❶	• 같은 문화 요소를 공유하거나 유사한 문화 경관이 나타나는 공간적 범위 → 문화권 • 종교, 언어, 민족, 의식주 등 다양한 문화 요소를 기준으로 구분 • 문화 지역은 구분 기준에 따라 달라질 수 있음
언어와 문화 지역	일반적으로 하나의 민족은 같은 언어를 사용하기 때문에 민족을 구분하는 기준이 되기도 함
종교와 문화 지역 ❷	• 크리스트교 문화 지역: 높고 뾰족한 십자가를 세운 성당이나 교회 • 불교 문화 지역: 사찰, 불상, 탑 등 • 이슬람교 문화 지역: 둥근 지붕과 뾰족한 탑으로 이루어진 모스크, 돼지고기 금기 등 • 힌두교 문화 지역: 지역마다 다른 신을 모시는 사원, 소를 숭배하여 소고기를 먹지 않음

(2) 지역별로 문화의 차이가 발생하는 이유

의식주 문화	• 의복: 추운 곳에서는 몸을 감싸는 털옷, 더운 곳에서는 통풍이 잘되는 옷 • 음식: 환경에 따라 구할 수 있는 재료가 다르기 때문에 조리 방식과 먹는 방법이 다양함 • 가옥: 주변에서 쉽게 구할 수 있는 재료를 이용하며, 기후 환경을 극복하는 형태로 발달
농업 방식	• 강수량이 풍부한 동남아시아 지역에서는 주로 벼농사 • 강수량이 부족한 서남아시아 지역이나 농경에 불리한 극지방은 각기 다른 방식의 유목이 이루어짐
산업 발달, 소득 수준에 따른 차이	• 경제 발전 수준이 높을수록 인공적인 경관과 현대적인 생활 • 인터넷과 교통수단 등이 발달하면서 문화가 서로 교류하여 다양해지고 융합되거나 사라지기도 함
종교, 언어, 관습 등에 따른 차이	• 이슬람교: 돼지고기를 먹지 않고, 할랄 식품만 먹음, 여성은 부르카나 히잡 착용 • 힌두교: 소고기를 먹지 않고, 여성들은 사리를 입음

2. 세계화에 따른 문화 변화

(1) 문화 변용

문화 접촉	서로 다른 문화적 배경을 지닌 개인이나 집단이 문화적인 면에서 지속해서 접촉하는 것
문화 전파	문화 접촉이 반복적으로 이루어지고 시간이 흐르면 한 사회의 문화 요소가 다른 사회로 전해져 정착하게 되는 것
문화 전파에 따른 문화 변용 ❸	문화 공존: 서로 다른 두 문화가 함께 존재함
	문화 동화: 하나의 문화는 남고, 다른 문화는 사라짐
	문화 융합: 두 문화가 만나 새로운 문화가 만들어짐

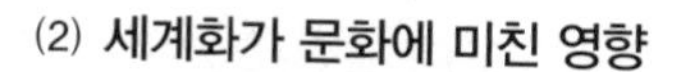

(2) 세계화가 문화에 미친 영향

문화의 세계화	교통과 통신의 발달로 지역 간 상호 작용이 활발해짐
문화의 다양화	문화가 다양해짐 → 삶이 더욱 풍요로워짐
문화의 획일화	외래문화가 유입되면서 전통문화가 사라짐
문화적 갈등 발생	지역 간 문화적 차이, 세대 간 문화 격차
서구 문화로의 획일화	지역의 전통문화가 소멸하기도 하고 문화적 다양성이나 정체성이 훼손되기도 함
지역 문화를 창조적으로 발전시키기 위한 노력	전통문화에 새로운 문화를 더하여 지역 문화를 창조적으로 발전시키기 위한 시도

3. 문화의 공존과 갈등

(1) 서로 다른 문화의 공존과 갈등

문화의 공존	오늘날 세계의 각 지역에는 서로 다른 문화를 가진 사람들이 공존하는 곳이 늘고 있음
스위스	독일어, 프랑스어, 이탈리아어, 레토로망스어를 공용어로 사용
싱가포르, 말레이시아	서로 다른 민족, 언어, 종교가 공존하는 대표적인 국가
브라질 ❹	아메리카 원주민, 유럽계 백인, 아프리카계 흑인이 함께 문화를 가꾸어 온 나라
문화적 갈등의 원인	언어와 종교의 차이
언어 갈등	• 캐나다 퀘벡주: 프랑스어를 사용하고 프랑스 문화를 유지하며 살아가는 퀘벡주와 캐나다 본토와의 갈등 • 벨기에: 네덜란드어를 사용하는 북부 지역과 프랑스어를 사용하는 남부 지역 간의 갈등
종교 갈등	• 팔레스타인-이스라엘 분쟁: 이슬람교를 믿는 팔레스타인과 유대교를 믿는 이스라엘 간의 분쟁 • 카슈미르 분쟁: 카슈미르 지역을 두고 인도(힌두교)와 파키스탄(이슬람교) 간의 분쟁 • 북아일랜드 분쟁: 영국(개신교)과 아일랜드(가톨릭교) 간의 분쟁

(2) 다양한 문화의 공존

문화의 다양성 인정	다양한 삶의 방식을 지닌 개인이나 집단 간의 문화적 차이를 인정
국가적 차원의 노력	여러 개의 공용어를 지정하거나 종교의 자유를 법으로 보장
개인적 차원의 노력	문화 상대주의: 다른 문화의 고유한 가치를 내 입장이 아닌 상대의 처지에서 이해하고 존중하는 태도

❸ 문화 변용의 이해

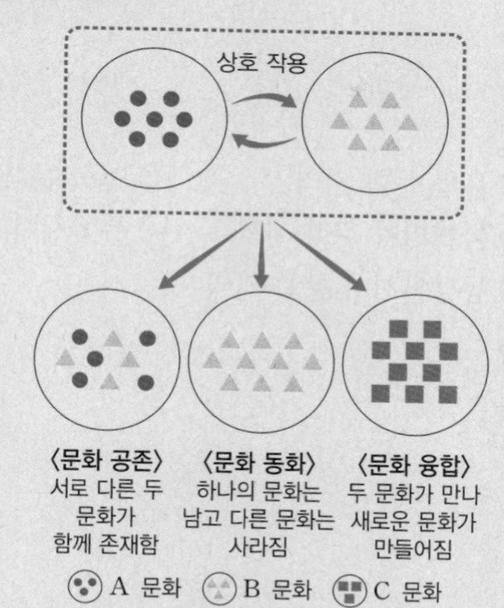

• 불교, (①　　　　), 크리스트교는 서로 다른 시기에 우리나라로 들어왔지만 모두 우리 문화의 일부를 이루는데, 이는 (②　　　　)의 사례가 됨. 또한 우리나라에서는 과거 글을 쓸 때 세로쓰기를 하였으나, 가로쓰기 방식이 들어오고 확산되면서 세로쓰기는 찾아보기 어려워졌는데, 이는 (③　　　　)의 사례에 해당

• 우리나라의 (④　　　　)이 서양에서 들어온 (⑤　　　　)와 결합하여 돌침대가 만들어진 것처럼 기존의 문화가 외국에서 들어온 문화와 만나 새로운 문화를 형성하는 (⑥　　　　)이 이루어지기도 함

답 ① 유교 ② 문화 공존 ③ 문화 동화 ④ 온돌 ⑤ 침대 ⑥ 문화 융합

❹ 라틴 아메리카의 인종과 민족

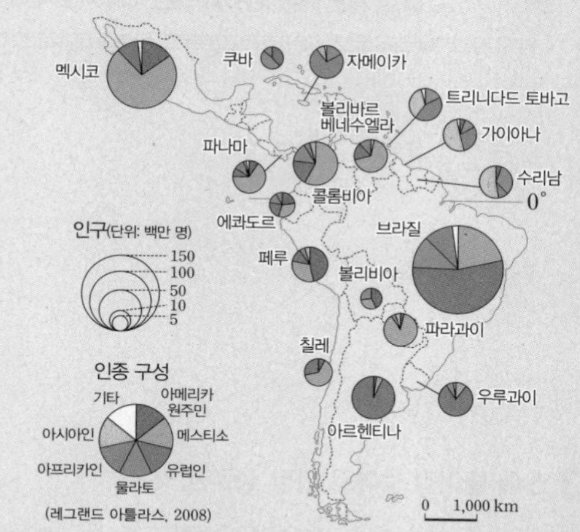

• (①　　　　)은 아메리카 (②　　　　), 유럽계 백인, 아프리카계 (③　　　　)이 함께 문화를 가꾸어 온 나라로, 전체 인구에서 (④　　　　), 삼보, (⑤　　　　) 등의 (⑥　　　　) 인종이 차지하는 비중도 매우 높음. 주민들 간의 경제적 격차가 크지만, (⑦　　　　)과 민족 간의 갈등이 큰 편은 아님

답 ① 브라질 ② 원주민 ③ 흑인 ④ 메스티소 ⑤ 물라토 ⑥ 혼혈 ⑦ 인종

대단원 마무리

01 다음 문화가 공통으로 나타나는 문화 지역으로 옳은 것은?

• 불교 문화 • 한자 문화
• 유교 문화 • 벼농사 문화

① 유럽 문화 지역 ② 인도 문화 지역
③ 아프리카 문화 지역 ④ 동아시아 문화 지역
⑤ 동남아시아 문화 지역

02 문화 지역의 구분에 대한 내용 중 옳지 않은 것은?

* 문화 지역의 구분

ㄱ. 문화 지역은 고정된 것이어서, 그 기준에 따라 달라지지 않는다.
ㄴ. 문화 지역은 종교, 언어, 민족, 의식주 등 다양한 문화 요소를 기준으로 구분할 수 있다.
ㄷ. 유럽은 크리스트교가 생활 양식에 크게 영향을 미친 곳으로 하나의 문화 지역을 이룬다.
ㄹ. 비슷한 문화가 나타나는 지역을 하나의 문화권으로 묶을 수 있는데, 이를 문화 지역이라고 한다.
ㅁ. 세계에는 다양한 문화 지역이 존재하는데, 문화 지역을 구분하는 기준에 따라 두 지역이 하나의 문화 지역으로 묶이기도 하고, 서로 다른 문화 지역으로 나뉘기도 한다.

① ㄱ ② ㄴ ③ ㄷ
④ ㄹ ⑤ ㅁ

03 ㉠에 들어갈 용어로 가장 적절한 것은?

인간이 자연환경을 극복하고 자연과 상호 작용하는 과정에서 만들어 낸 사고방식이나 생활 양식을 (㉠)(이)라고 한다.

① 정치 ② 경제 ③ 사회
④ 자원 ⑤ 문화

04 지도는 종교를 기준으로 문화 지역을 구분한 것이다. (가)~(라)에 해당하는 종교를 옳게 연결한 것은?

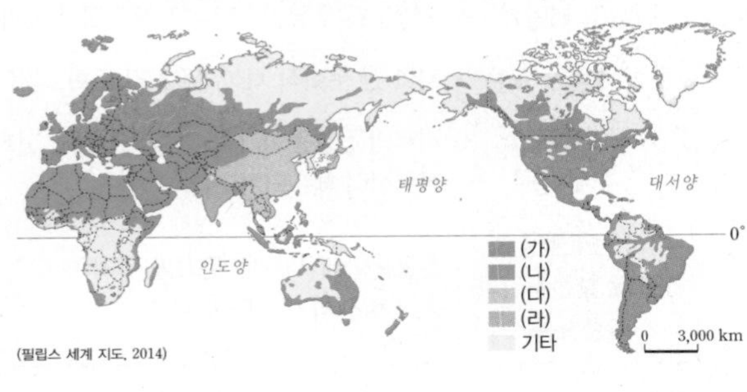

(필립스 세계 지도, 2014)

	(가)	(나)	(다)	(라)
①	이슬람교	힌두교	크리스트교	불교
②	이슬람교	힌두교	불교	크리스트교
③	크리스트교	이슬람교	힌두교	불교
④	크리스트교	불교	이슬람교	힌두교
⑤	크리스트교	이슬람교	불교	힌두교

05 보고서의 ㉠에 해당하는 종교로 옳은 것은?

사회 보고서

◇학년 ◇반 △△ 모둠

종교	(㉠)
특징	1. 높고 뾰족한 십자가를 세운 성당이나 교회 2. 예수 그리스도의 인격과 교훈을 중심으로 하는 종교 3. 유일신을 섬기고, 예수 그리스도를 구세주로 믿음

① 유교 ② 불교 ③ 힌두교
④ 이슬람교 ⑤ 크리스트교

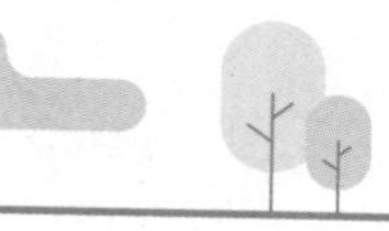

06 지도는 언어를 기준으로 문화 지역을 구분한 것이다. (가), (나), (다)에 대한 설명으로 옳은 것을 〈보기〉에서 고른 것은?

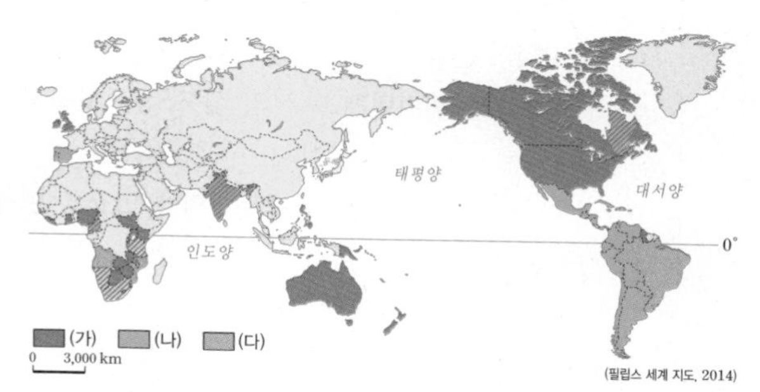

보기
ㄱ. (가)는 신대륙으로의 이주로 사용자 수가 획기적으로 증가하였다.
ㄴ. (가)의 사용 국가에는 미국, 캐나다, 오스트레일리아, 뉴질랜드 등이 있다.
ㄷ. (나)는 에스파냐어로서 주로 브라질에서 사용되고 있다.
ㄹ. (다)는 포르투갈어로서 라틴 아메리카의 대부분 지역에서 사용되고 있다.

① ㄱ, ㄴ ② ㄱ, ㄷ ③ ㄴ, ㄷ
④ ㄴ, ㄹ ⑤ ㄷ, ㄹ

07 다음 자료에 해당하는 국가로 옳은 것은?

질문	답변
1. 남반구에 위치합니까?	아니오
2. 인구가 1억 명이 넘습니까?	예
3. 크리스트교 문화 지역입니까?	예
4. 에스파냐어 문화 지역입니까?	예

① 칠레 ② 페루 ③ 멕시코
④ 브라질 ⑤ 아르헨티나

08 (가) 문화 지역에 해당하는 특징을 〈보기〉에서 고른 것은?

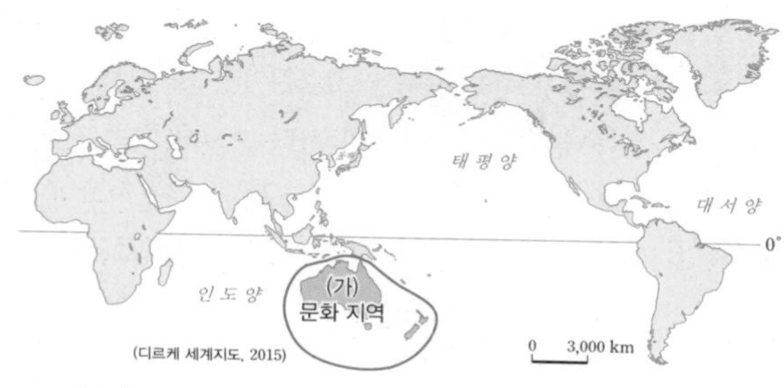

보기
ㄱ. 영어 ㄴ. 벼농사 ㄷ. 이슬람교
ㄹ. 유럽 문화 ㅁ. 고상 가옥 ㅂ. 애버리지니

① ㄱ, ㄴ, ㄷ ② ㄱ, ㄹ, ㅂ ③ ㄴ, ㄷ, ㅁ
④ ㄷ, ㄹ, ㅁ ⑤ ㄹ, ㅁ, ㅂ

09 사진과 관련된 지역의 문화 모습으로 옳은 것을 〈보기〉에서 고른 것은?

보기
ㄱ. 고상 가옥이나 수상 가옥을 주로 짓는다.
ㄴ. 카사바, 얌 등으로 음식을 만들어 먹는다.
ㄷ. 보온이 잘되는 가죽옷이나 털옷을 입는다.
ㄹ. 비타민을 섭취하기 위해 생선과 날고기 등을 먹는다.

① ㄱ, ㄴ ② ㄱ, ㄷ ③ ㄴ, ㄷ
④ ㄴ, ㄷ ⑤ ㄷ, ㄹ

10 다음 글의 ㉠, ㉡에 들어갈 용어를 옳게 연결한 것은?

> 서로 다른 문화적 배경을 지닌 개인이나 집단이 만나는 것을 (㉠)(이)라고 하는데, 지역 간 (㉠)은/는 오늘날 문화 변화의 커다란 요인으로 작용하고 있다. (㉠)이/가 반복적으로 이루어지고 시간이 흐르면 한 사회의 문화 요소가 다른 사회로 전해져 정착하게 되는데, 이를 (㉡)(이)라고 한다. 세계인들이 청바지를 입게 된 것은 지역 간 (㉡)의 사례에 해당한다.

	㉠	㉡
①	문화 접촉	문화 전파
②	문화 접촉	문화 공존
③	문화 전파	문화 접촉
④	문화 전파	문화 공존
⑤	문화 공존	문화 전파

11 자료의 ㉠에 들어갈 운동 종목으로 옳은 것은?

> (㉠)와 크리켓은 영국에서 시작된 스포츠이다. 오늘날 세계에서 (㉠)를 즐기지 않는 나라는 거의 없으며, 지구촌 인구의 절반은 월드컵 경기를 관람한다. 반면에 크리켓을 즐기는 나라는 많지 않다. 영국의 영향을 받은 인도, 오스트레일리아, 뉴질랜드 등에서만 크리켓을 즐길 뿐이다.

① 야구 ② 농구 ③ 축구
④ 배구 ⑤ 골프

12 세계화에 따른 문화의 획일화에 대한 설명으로 옳은 것을 <보기>에서 고른 것은?

보기
ㄱ. 전통문화가 사라지면서 문화가 획일화된다.
ㄴ. 각 지역의 문화가 점차 유사해지는 현상을 말한다.
ㄷ. 문화가 다양해지면서 우리의 삶도 풍요로워지고 있다.
ㄹ. 세계화로 영향력이 큰 외래문화의 유입으로 인해 발생한다.

① ㄱ, ㄴ ② ㄱ, ㄹ ③ ㄴ, ㄷ
④ ㄴ, ㄹ ⑤ ㄷ, ㄹ

13 지도의 (가), (나), (다)에 해당하는 언어를 옳게 연결한 것은?

	(가)	(나)	(다)
①	오스트리아어	독일어	프랑스어
②	스위스어	프랑스어	이탈리아어
③	스위스어	이탈리아어	프랑스어
④	독일어	프랑스어	이탈리아어
⑤	독일어	이탈리아어	프랑스어

14 교사의 질문에 바르게 대답한 학생만을 있는 대로 고른 것은?

교사: 브라질의 다양한 인종과 민족에 대해 조사한 내용을 한 가지씩 발표해 볼까요?
갑: 브라질은 아메리카 원주민, 유럽계 백인, 아프리카계 흑인이 함께 문화를 가꾸어 온 나라입니다.
을: 전체 인구에서 메스티소, 삼보, 물라토 등의 혼혈 인종이 차지하는 비중도 매우 높습니다.
병: 메스티소란 아메리카 원주민과 유럽계 백인 간의 혼혈 인종을 말합니다.
정: 물라토란 아메리카 원주민과 아프리카계 흑인 간의 혼혈 인종을 말합니다.

① 갑, 을 ② 갑, 병
③ 갑, 을, 병 ④ 을, 병, 정
⑤ 갑, 을, 병, 정

15 다음 글의 ㉠~㉢에 해당하는 국가를 옳게 연결한 것은?

(㉠) 북서부의 카슈미르 지역은 많은 주민이 이슬람교를 믿기 때문에 (㉡)(으)로부터 독립할 때 (㉢)의 땅이 될 예정이었다. 그러나 힌두교를 믿던 카슈미르의 지배층이 (㉠)에 통치권을 넘기면서 이 지역을 놓고 (㉠)와/과 (㉢) 간에 갈등이 시작되었다. 이후 국제 연합의 중재로 전쟁이 중단되고 카슈미르 지역이 분할되었으나, 두 진영 간의 갈등은 지속되고 있다.

	㉠	㉡	㉢
①	파키스탄	프랑스	인도
②	파키스탄	영국	인도
③	인도	프랑스	파키스탄
④	인도	영국	파키스탄
⑤	인도	영국	아프가니스탄

서술형

16 세계의 종교 인구를 나타낸 자료이다. (가)와 (나) 종교의 특징을 비교하여 서술하시오. (단, 주어진 제시어를 모두 포함)

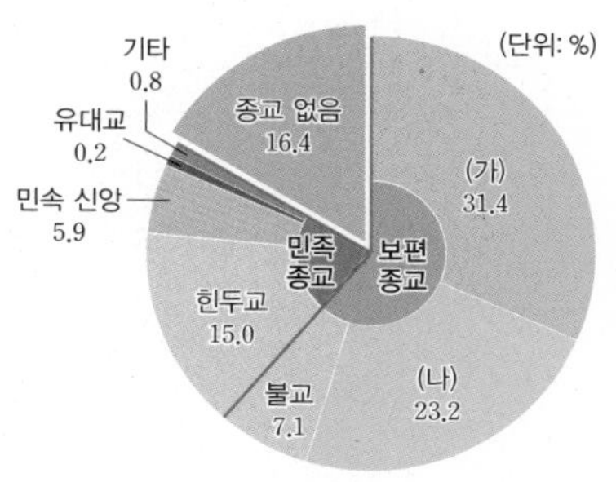

제시어: 돼지고기, 술, 부르카, 예수, 교회

서술형

17 문화 변용에 대한 자료이다. (가)~(다)에 해당하는 용어를 쓰고, 각각의 사례를 한 가지씩 서술하시오.

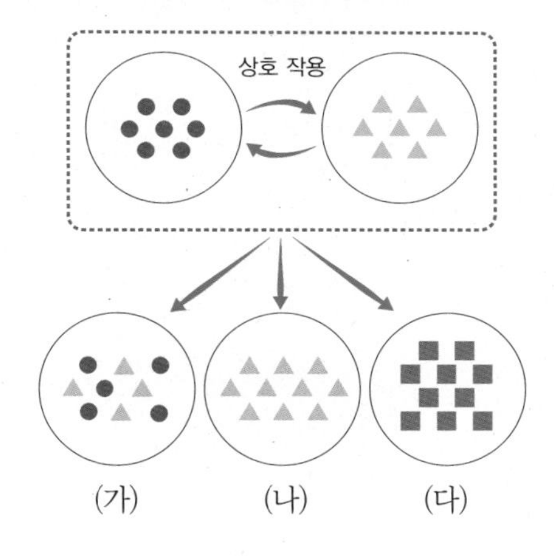

지구 곳곳에서 일어나는 자연재해

01 자연재해 발생 지역

1. 자연재해

(1) 자연재해의 의미: 인간과 인간 생활에 피해를 주는 자연 현상

(2) 자연재해의 종류

① 지형과 관련된 자연재해: 화산 활동, 지진, 지진 해일(쓰나미) 등

② 기후와 관련된 자연재해: 홍수, 가뭄, 폭설, 한파, 폭염, 열대 저기압, 토네이도 등

(3) 자연재해의 특징

① 특정 지역에서 반복적으로 나타나는 경향이 많음

② 최근 기상 이변으로 자연재해가 과거에 비해 자주, 크게 발생함 자료 1

2. 지형과 관련된 자연재해

(1) 화산 활동과 지진

① 의미

화산 활동	지각의 약한 틈을 따라 마그마가 지표면 위로 분출하는 현상
지진	지구 내부에서 생긴 에너지가 지표면에 전달되어 땅이 흔들리고 갈라지는 현상

② 발생 원인: 지각을 구성하는 여러 판들의 충돌

→ 판들이 움직이면서 서로 부딪히고 밀어내는 과정 중 엄청난 에너지가 발생

③ 발생 지역: 지각판들이 만나는 경계 부분

예 알프스 · 히말라야 조산대, 환태평양 조산대

환(環)은 고리라는 뜻으로, 환태평양이란 태평양 가장자리를 고리 모양으로 둘러싸고 있다는 뜻이야.

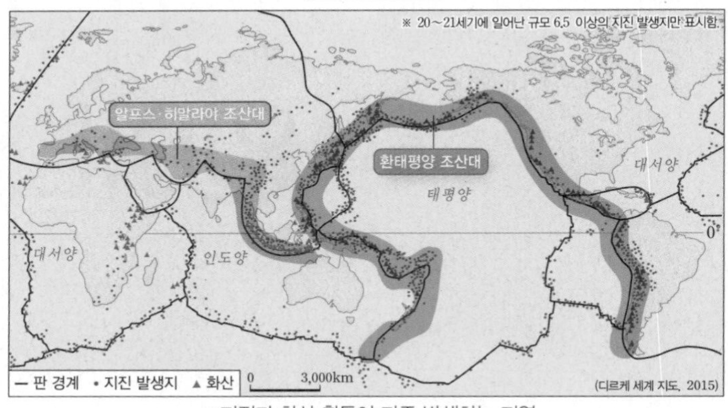

▲ 지진과 화산 활동이 자주 발생하는 지역

학습 내용 들여다보기

■ 토네이도

미국 중남부에서 주로 발생하는 소용돌이 바람으로 토네이도는 에스파냐어로 뇌우(천둥을 동반한 비)라는 뜻이다. 지상에서 부는 바람 중 가장 빠른 바람으로 미국에서는 연간 150~500개가 발생하여 많은 인명 및 재산 피해를 유발한다.

■ 알프스 · 히말라야 조산대

유럽 남부 – 이란 – 인도 북부 – 인도네시아를 연결하는 조산대. '세계의 지붕'이라 불리는 히말라야산맥이 이에 포함된다.

■ 환태평양 조산대

아메리카 서부 – 일본 – 필리핀 – 뉴질랜드를 연결하는 조산대. 세계 지진의 90%, 화산의 75%가 몰려 있어 '불의 고리'라고도 한다.

용어 알기

- **지각** 지구 표면의 암석으로 둘러싼 일종의 지구 겉껍데기. 여러 개의 판으로 구성되어 있음
- **조산대** 조산 운동(습곡, 단층)이 일어나는 지역. 보통 띠 모양으로 나타나며, 화산과 지진의 발생 지역과 일치함

자료 1 **기후 변화와 자연재해의 증가**

지구 기온이 사상 최고를 경신한 2015년 세계 곳곳에서 홍수 · 폭염 · 폭설이 발생하였다. 지구 온난화는 앞으로도 기후 관련 자연재해 발생에 큰 영향을 줄 것으로 예상된다.

자료 2 **지진 해일의 발생**

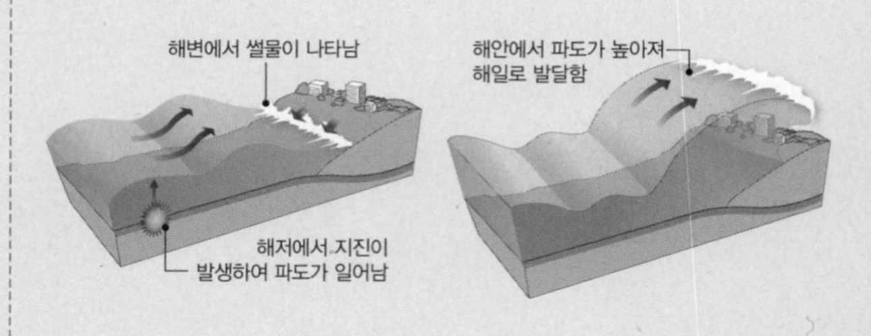

해저에서의 화산 활동과 지진으로 인해 형성된 파도는 해안으로 이동한다. 이때 해안에 가까워질수록 파도의 높이는 점차 높아지며 해안 지역에 큰 피해를 주는 경우가 많다.

(2) **지진 해일** 자료 2 → '항구의 파도'라는 뜻을 가진 일본어 '쓰나미'라고 부르기도 해.

① 의미: 바다 밑에서 발생한 충격(화산 활동, 지진 등)으로 형성된 거대한 파도가 육지로 밀려오는 현상

② 발생 지역: 화산 활동과 지진이 빈번하게 일어나는 태평양, 인도양 일대

③ 특징: 매우 빠른 속도로 진행, 발생 지점부터 수천 km 떨어진 지역까지 영향

3. 기후와 관련된 자연재해 자료 3

(1) **홍수**

① 의미: 비가 많이 내려 강, 시내, 호수가 범람하는 현상

② 발생 원인: 짧은 시간에 비가 집중적으로 내리거나 오랜 기간 지속해서 내리는 경우

③ 발생 지역

→ 동부·동남·남부 아시아 지역으로 연 강수량의 절반 이상이 5~10월에 집중되어 홍수 피해가 심하지.

강수량이 많은 지역	열대 저기압이나 고온 다습한 계절풍의 영향을 많이 받는 지역
범람하기 쉬운 조건을 가진 곳	큰 강의 하류 지역 및 저지대
북극해 연안의 하천 유역	봄철에 얼음이 한꺼번에 녹아 하천으로 모여 범람함

→ 북극을 둘러싼 바다. 5대양 중 하나로 천연자원이 풍부하여 인접 국가 간 분쟁이 많은 바다야.

(2) **가뭄**

① 의미: 오랜 기간 비가 내리지 않아 땅이 메마르고 물이 부족한 현상

② 발생 지역: 건조 기후 지역과 그 주변 지역 → 강수량보다 증발량이 큰 지역들이지.

예 아프리카 사헬 지대, 중국 내륙, 인도 서부, 북아메리카 중서부 지역

③ 특징

- 오랜 시간에 걸쳐 넓은 범위에서 발생
- 최근 지구 온난화와 사막화의 영향으로 발생 지역이 확대

(3) **열대 저기압** 자료 4

① 의미: 열대 지역의 해상에서 발생하여 중위도 지역으로 이동하면서 강한 바람과 많은 비를 동반하는 저기압

② 발생 지역: 물의 온도가 높고 공기 중에 수증기가 많은 적도 부근의 바다

③ 피해 지역: 중위도 지역, 지역에 따라 부르는 이름이 다양

④ 특징

- 강한 바람과 많은 비를 동반
- 이동 경로를 예측하기 어려워 큰 피해가 발생함

학습 내용 들여다보기

■ **레나강의 봄철 홍수**

러시아의 레나강은 봄철에 얼음이 녹아 상류의 유량은 증가하나 하류인 북극해 근처의 얼음이 녹지 않아 얼음 위로 상류의 물이 흘러 홍수가 발생한다. 이때 얼음을 깨기 위해 전투기가 동원되기도 한다.

■ **사헬 지대**

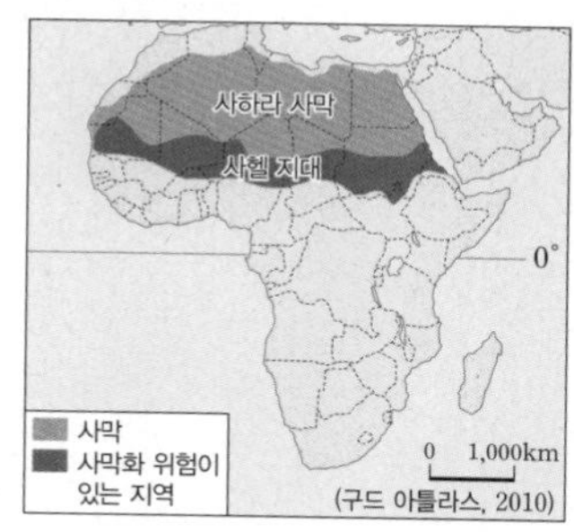

아랍어로 '가장자리'라는 뜻을 지닌 사헬 지대는 사하라의 사막 기후와 스텝 기후가 만나는 지역을 일컫는다.

용어 알기

- **범람** 홍수 때 강물이 평상시의 물길에서 흘러 넘치는 현상
- **저기압** 주변보다 기압(공기의 압력)이 상대적으로 낮은 범위. 저기압의 중심부를 향해 바람이 불어오며 대개 저기압 지역에서는 날씨가 좋지 않은 것이 일반적임
- **유량** 하천에 흘러 들어온 물의 양

자료 3 홍수와 가뭄 피해가 자주 발생하는 지역

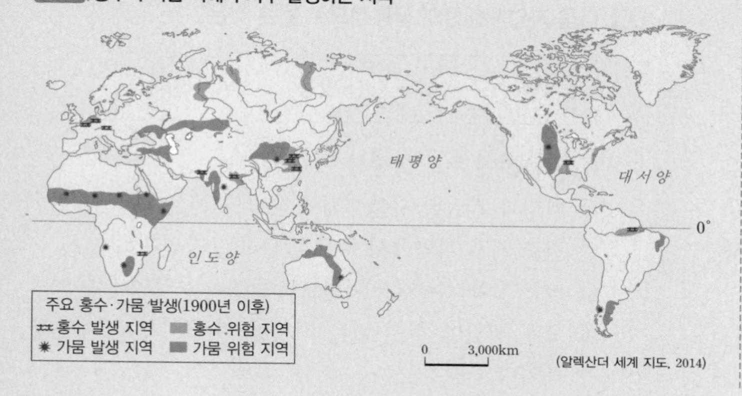

자료 4 열대 저기압의 발생과 영향

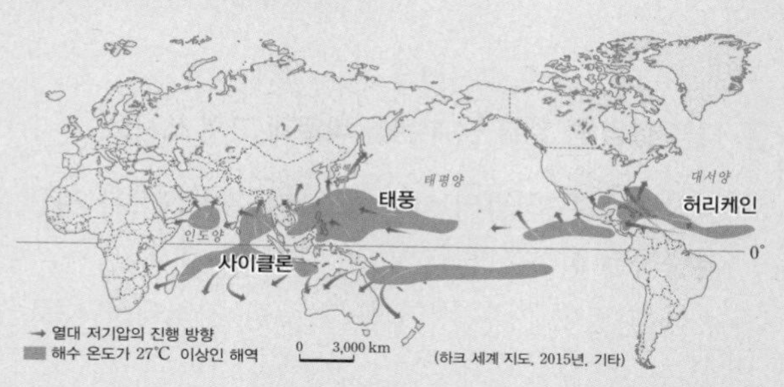

열대 저기압은 영향을 미치는 지역에 따라 태풍(북태평양 서부), 사이클론(인도양 일대), 허리케인(북아메리카)으로 불린다. 우리나라는 여름에서 초가을(7~9월) 사이에 태풍이 통과하며 큰 피해가 발생하기도 한다.

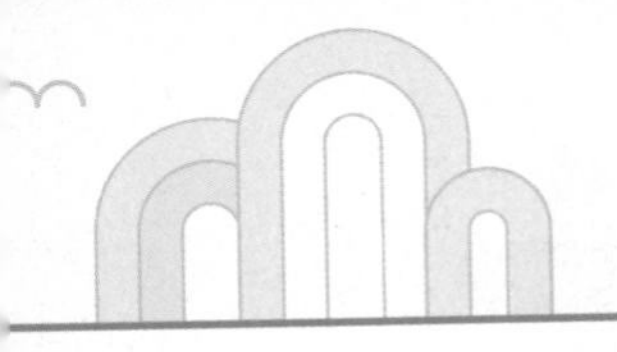
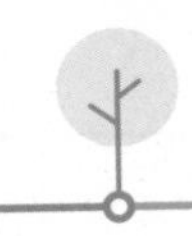

기본 문제

간단 체크

1 다음 설명이 맞으면 ○표, 틀리면 ×표 하시오.

(1) 최근 기술의 발달로 자연재해의 발생 빈도가 줄어들고 있는 추세이다. ( )

(2) 화산 활동과 지진은 판의 중앙부에서 주로 발생한다. ( )

(3) 지진 해일은 화산 활동과 지진이 빈번하게 발생하는 태평양과 인도양에서 주로 볼 수 있는 자연재해이다. ( )

(4) 가뭄은 다른 자연재해에 비해 오랜 시간에 걸쳐 나타나는 것이 특징이다. ( )

(5) 열대 저기압은 중위도 지역의 해상에서 만들어져 열대 지역으로 이동하여 강한 바람과 많은 비를 동반하는 저기압을 말한다. ( )

2 다음 자연재해의 종류와 해당 사례를 바르게 연결하시오.

(1) 지형과 관련된 자연재해 •

(2) 기후와 관련된 자연재해 •

• ㉠ 가뭄
• ㉡ 지진
• ㉢ 홍수
• ㉣ 지진 해일
• ㉤ 열대 저기압

3 다음 설명 중 밑줄 친 부분을 바르게 고쳐 쓰시오.

(1) 화산 활동은 <u>맨틀</u>의 약한 틈을 따라 마그마가 지표 위로 분출하는 현상이다. ( )

(2) 가뭄은 <u>열대</u> 기후 지역과 그 주변 지역에서 주로 발생한다. ( )

(3) 우리나라를 비롯한 동부 아시아 지역에 영향을 미치는 열대 저기압을 <u>사이클론</u>이라고 부른다. ( )

[01~02] 다음 지도를 보고 물음에 답하시오.

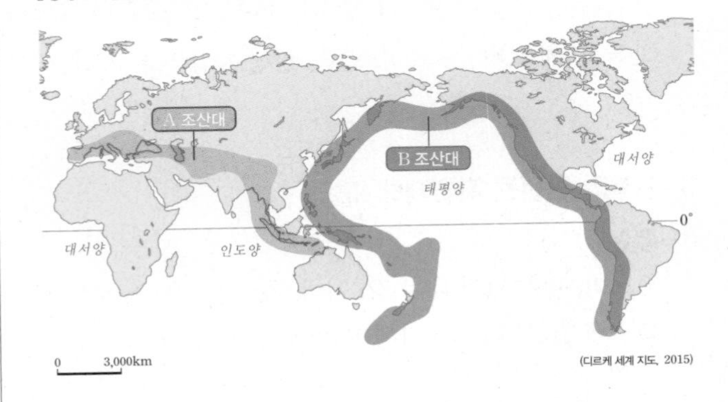

01 위 지도의 A와 B에 들어갈 조산대의 명칭을 바르게 연결한 것은?

	A	B
①	환대서양	환태평양
②	환태평양	환대서양
③	환태평양	알프스·히말라야
④	알프스·히말라야	환대서양
⑤	알프스·히말라야	환태평양

02 위 지도의 A와 B에서 주로 발생하는 자연재해를 〈보기〉에서 모두 고른 것은?

보기
ㄱ. 가뭄 ㄴ. 지진 ㄷ. 홍수
ㄹ. 지진 해일 ㅁ. 화산 활동 ㅂ. 열대 저기압

① ㄱ, ㄴ, ㄷ ② ㄱ, ㄴ, ㅁ ③ ㄴ, ㄷ, ㅂ
④ ㄴ, ㄹ, ㅁ ⑤ ㄷ, ㄹ, ㅂ

03 다음 자연재해들의 공통점으로 옳은 것은?

• 지진 • 화산 활동 • 지진 해일

① 겨울철에 주로 발생한다.
② 지형과 관련된 자연재해에 해당된다.
③ 건조 기후 지역에서 주로 발생하는 자연재해이다.
④ 최근 잦아지는 기상 이변으로 발생하는 자연재해이다.
⑤ 오랜 시간에 걸쳐 넓은 지역에 피해를 주는 자연재해이다.

04 **다음에서 설명하는 자연재해로 옳은 것은?**

> 오랜 기간 비가 내리지 않아 땅이 메마르고 물이 부족한 현상

① 가뭄 ② 지진 ③ 홍수
④ 지진 해일 ⑤ 열대 저기압

05 **지진 해일의 발생 원인으로 옳은 것은?**

① 과거보다 기온이 상승했기 때문에
② 짧은 시간에 비가 집중되었기 때문에
③ 바다 밑에서 발생한 화산 폭발 때문에
④ 열대 저기압이 자주 발생했기 때문에
⑤ 사막화로 사막의 범위가 늘어났기 때문에

06 **홍수가 발생하기 쉬운 지역을 〈보기〉에서 모두 고른 것은?**

> 보기
> ㄱ. 중국의 내륙 지역
> ㄴ. 큰 강의 하류 및 저지대
> ㄷ. 봄철 북극해 연안의 하천 유역
> ㄹ. 편서풍의 영향을 받는 동남아시아

① ㄱ, ㄴ ② ㄱ, ㄷ ③ ㄴ, ㄷ
④ ㄴ, ㄹ ⑤ ㄷ, ㄹ

07 **다음 지도에 표시된 지역의 명칭과 이 지역에서 주로 발생하는 자연재해의 종류로 옳은 것은?**

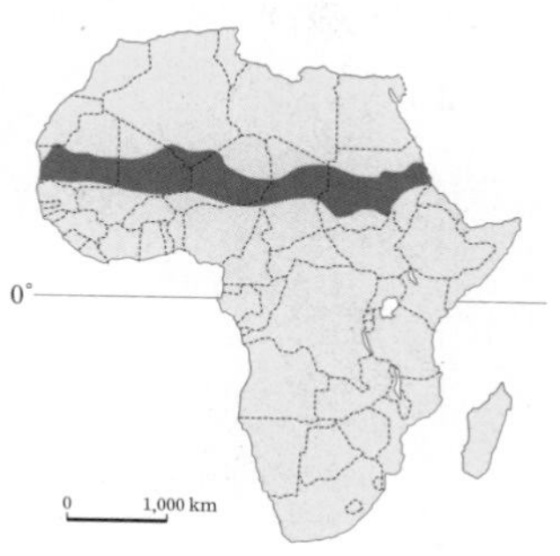

	지역 명칭	자연재해
①	사헬 지대	가뭄
②	사헬 지대	홍수
③	사하라 사막	가뭄
④	사하라 사막	지진
⑤	사하라 사막	열대 저기압

08 **지도는 어느 자연재해의 발생 지역과 이동 방향을 나타낸 것이다. 이 자연재해에 대한 설명으로 옳지 않은 것은?**

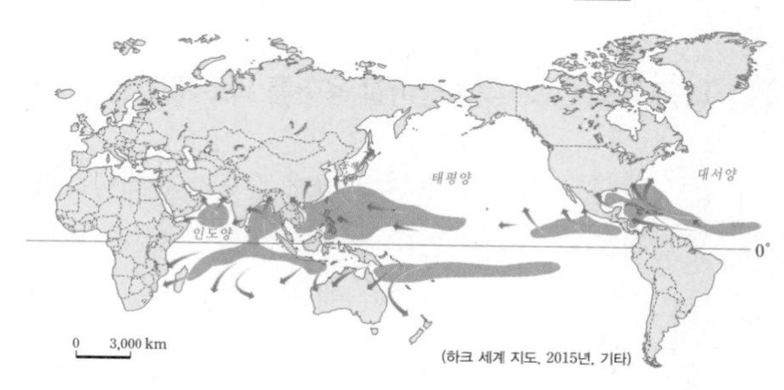

(하크 세계 지도, 2015년, 기타)

① 지역에 따라 부르는 이름이 다양하다.
② 오랜 시간에 걸쳐 넓은 범위에서 발생한다.
③ 강한 바람과 많은 비를 동반하는 자연재해이다.
④ 이동 경로를 예측하기 어려워 큰 피해를 유발하는 자연재해이다.
⑤ 물의 온도가 높고 공기 중에 수증기가 많은 열대 바다 위에서 발생한다.

실전 문제

01 다음은 지구 평균 온도가 사상 최고 기록을 경신하였던 2015년 세계 곳곳에서 발생한 자연재해이다. 이에 대한 설명으로 가장 적절한 것은?

① 자연재해는 특정 지역에서 반복적으로 나타난다.
② 기술의 발달은 자연재해의 발생과 피해를 줄여준다.
③ 지구 온난화는 지형과 관련된 자연재해의 발생 빈도를 증가시킨다.
④ 지구가 지금보다 더워지게 되면 홍수, 폭염의 발생 빈도는 더욱 늘어날 것이다.
⑤ 지구 온난화는 홍수, 폭염의 발생은 증가시키나 폭설, 한파의 발생은 억제하는 효과가 있다.

02 다음 글의 ㉠과 ㉡에 들어갈 용어를 바르게 고른 것은?

열대 저기압 중 매년 2~3개 정도가 우리나라를 직접적으로 통과하는데 이를 (㉠)이라 부른다. (㉠)은 주로 (㉡)에 우리나라 부근을 통과하며 많은 피해를 유발한다.

	㉠	㉡
①	태풍	4, 5, 6월
②	태풍	7, 8, 9월
③	사이클론	4, 5, 6월
④	사이클론	10, 11월
⑤	허리케인	7, 8, 9월

03 다음 교사의 질문에 바르게 답을 한 학생을 고른 것은?

교사: 다음 지도에 표시된 레나강은 북극해로 유입되는 러시아의 하천입니다. 레나강 유역에서 주로 볼 수 있는 자연재해에 대해 발표해 볼 학생 있나요?

가영: 열대 저기압과 큰 관련이 있습니다.
나예: 북극해 밑에서 발생하는 충격으로 만들어진 거대한 파도가 내륙에 영향을 미쳐 발생해요.
다솔: 주로 저지대에서 더 큰 피해가 발생하지요.
라온: 주로 봄철에 자연재해가 많이 발생합니다.

① 가영, 나예 ② 가영, 다솔 ③ 나예, 다솔
④ 나예, 라온 ⑤ 다솔, 라온

고난도

04 다음 필리핀 지폐를 보고 나눈 학생들의 대화 중 잘못 말한 학생은?

① 가영: 필리핀은 판과 판의 경계에 위치하겠지.
② 나예: 그래서 화산 폭발이 잦은 국가 중 하나야.
③ 다솔: 화산 폭발과 함께 지진도 많이 발생할 거야.
④ 라온: 알프스·히말라야 조산대에 위치한 필리핀의 모습을 잘 보여 주고 있어.
⑤ 마음: 섬나라인 필리핀의 경우 지진 해일의 가능성도 높을 거라 예상할 수 있어.

[05~06] 다음 지도를 보고 물음에 답하시오.

(알렉산더 세계 지도, 2014)

05 위 지도의 A 자연재해에 해당하는 사진으로 옳은 것은?

① ② ③ ④ ⑤

★ 중요 ★

06 위 지도의 A, B 자연재해에 대한 설명으로 옳은 것은?

① A는 지각 운동, B는 기상 현상과 관련이 있다.
② A는 큰 강 주변의 고산 지대에서 주로 발생한다.
③ B는 주로 열대 기후 지역에서 발생한다.
④ B는 화산 활동의 발생 지역과 일치한다.
⑤ B의 발생 지역은 최근 점차 확대되고 있다.

서술형 문제

★ 중요 ★

07 다음 지도의 A, B 조산대 명칭과 이 지역에서 자주 발생하는 자연재해의 종류 세 가지를 서술하시오.

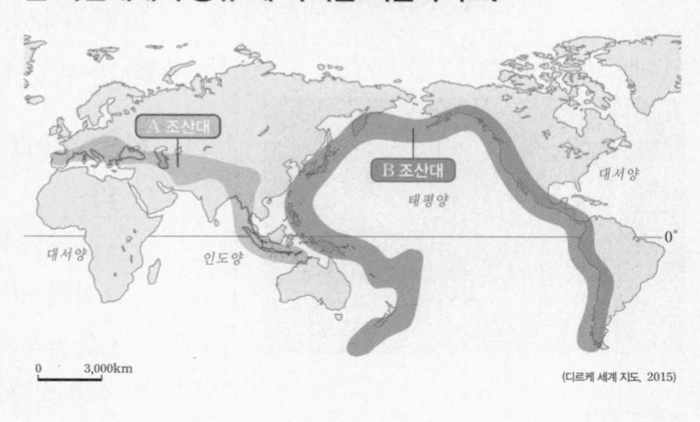

(디르케 세계 지도, 2015)

08 다음 그림을 통해 방글라데시에서 홍수 피해가 잦은 이유를 두 가지 이상 서술하시오.

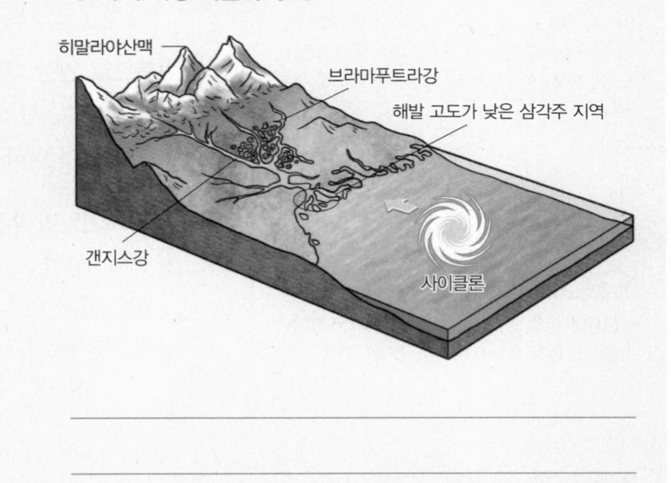

02~03 자연재해와 주민 생활 ~ 자연재해 대응 방안

1. 지형과 관련된 자연재해와 주민 생활

(1) 지진으로 인한 피해

① 건물과 도로가 붕괴하며 인명과 재산 피해가 발생

② 산사태와 화재가 발생

③ 바다 밑에서 지진 발생 시 지진 해일이 동반되어 해안 지역에 피해 발생

(2) 화산 활동과 주민 생활 자료 1

① 피해

- 용암, 화산재 등이 분출하여 농경지와 각종 시설물에 피해가 발생
- 인명 및 재산 피해가 발생
- 화산재가 햇빛을 차단하여 기온이 떨어지고 항공기 운항을 방해

② 주민 생활에 도움을 주는 화산 → 화산 폭발의 위험에도 불구하고 화산으로부터 얻을 수 있는 이점이 많기 때문에 화산 주변에 사람들이 살고 있지.

- 농업 발달: 화산 폭발 시 분출한 화산재가 쌓이면 비옥한 토양(화산회토)이 만들어져 농업에 이용 예 인도네시아(벼, 커피), 이탈리아(포도, 오렌지)
- 광업 발달: 유황과 구리 등 광물 자원이 생성 예 인도네시아(유황), 칠레(구리)
- 관광업 발달: 독특한 화산 지형(분화구)과 온천을 관광자원으로 이용 예 일본, 뉴질랜드, 이탈리아
- 지열 활용: 땅속의 열에너지를 이용한 지열 발전을 통해 전기를 생산

2. 기후와 관련된 자연재해와 주민 생활

(1) 홍수와 주민 생활

① 피해: 저지대 침수, 산사태로 많은 인명 및 재산 피해가 발생

② 주민 생활에 도움을 주는 홍수: 가뭄을 해소, 하천의 범람으로 물과 영양분이 공급되어 토양을 비옥하게 만듦 → 주기적으로 하천이 범람하는 큰 강 유역에서 고대 문명이 꽃피게 된 이유야.

(2) 가뭄으로 인한 피해

① 생활용수, 산업용수의 부족

② 농작물이 말라죽거나 산불이 발생

(3) 열대 저기압과 주민 생활

① 피해: 항만 시설이나 선박, 양식장 피해, 해일로 인해 해안 저지대 침수, 강한 바람과 폭우로 인명, 재산 피해가 발생

② 이로운 점: 가뭄 해결, 바닷물을 순환시켜 적조 현상을 완화

학습 내용 들여다보기

■ **지열 발전**

아이슬란드는 전체 전력 생산의 30%를 지열로 생산하며 전기 생산 후 남는 온수를 이용해 온천, 난방, 농업에 활용한다.

■ **화산회토**

화산 활동으로 분출된 화산재가 쌓여 형성된 토양이다. 비옥한 토양으로 농사에 유리하다.

■ **홍수와 주민 생활**

메콩강의 경우 홍수로 형성된 비옥한 토지를 이용한 벼농사가 일찍부터 발달하였다.

■ **적조 현상**

바닷속 플랑크톤이 갑자기 늘어나 바다의 색깔이 붉은빛으로 변하는 현상. 적조 현상이 발생 시 어패류가 집단으로 폐사하여 큰 피해를 유발한다.

용어 알기

- **산사태** 폭우, 지진, 태풍 등에 의해 산 중턱의 암석과 흙이 갑자기 무너져 내리는 현상

자료 1 화산과 주민 생활(인도네시아 자와섬)

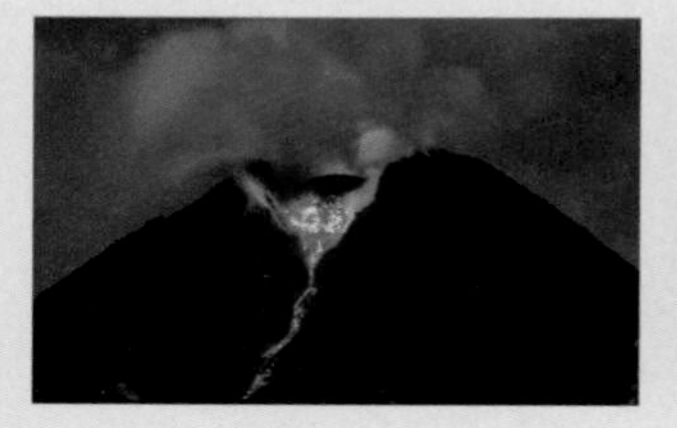

▲ 므라피 화산

▲ 화산 지프차 투어

▲ 주민 대피용 벙커

▲ 화산 근처 벼농사

자와섬의 므라피 화산은 잦은 폭발로 많은 인명 피해가 발생하는 인도네시아의 대표적인 화산이다. 하지만 여전히 많은 주민이 남아 농사를 짓고 화산을 관광 상품으로 개발하여 이용하고 있다. 많은 화산이 집중된 자와섬은 인도네시아 전체 면적의 5%에 불과한 작은 섬이지만 인구의 56%가 몰려 있는 인구 밀집 지역이다.

3. 인간 활동에 의해 증가하는 자연재해

(1) 인간 활동과 자연재해

① 최근 산업화, 도시화로 자연환경이 파괴되며 자연재해의 피해가 증가함

② 자연재해로 인한 피해는 재해 예방 능력에 따라 다르게 나타남 자료 2

- 자연재해의 피해를 줄이기 위한 경보 시스템이 잘 구축된 선진국이 개발 도상국에 비해 자연재해로 인한 피해가 적음

(2) 인간 활동과 홍수(도시 홍수) 자료 3

① 원인: 인구 증가와 도시화 → 녹지 공간의 부족, 포장 면적(콘크리트, 아스팔트)의 증가

② 결과: 토양에 흡수되는 물은 감소하고 하천으로 유입되는 빗물이 많아지면서, 도시 지역에서 홍수 발생 위험이 커짐

→ 빗물 저장 공원, 빌딩 옥상 정원, 빗물을 투과하는 아스팔트로 교체 등의 방법을 통해 홍수 발생 위험도를 줄일 수 있어.

(3) 인간 활동과 사막화

① 사막화: 사막 주변의 초원 지대가 인간의 개발과 오랜 가뭄으로 사막과 같이 변하는 현상

② 원인

- 과도한 가축 방목과 농업으로 인한 삼림과 초원의 파괴
- 지구 온난화로 인한 극심한 가뭄

③ 주요 발생 지역: 아프리카 사헬 지대, 중국 내륙 지역

④ 피해: 식량 부족 문제, 기아 문제

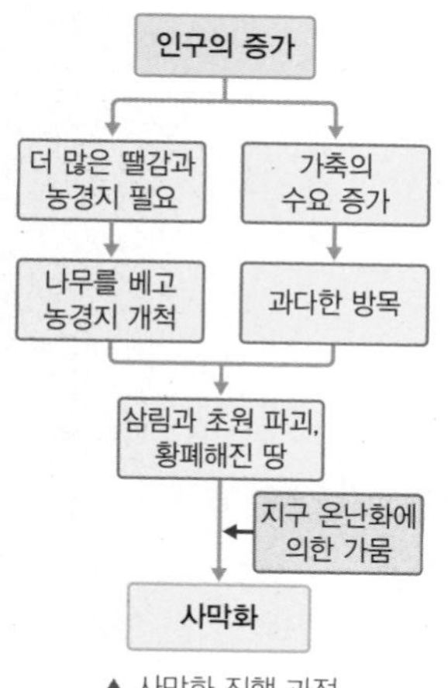

▲ 사막화 진행 과정

4. 자연재해의 피해를 줄이기 위한 노력

(1) 지진과 화산 활동 피해를 줄이기 위한 노력

① 건물을 지을 때 내진 설계를 의무화, 평상시 지진 대비 훈련을 실시

② 해안 지역에서는 지진 해일의 관측과 경보 전파 체계를 구축

(2) 홍수와 가뭄 피해를 줄이기 위한 노력

① 홍수: 다목적 댐과 제방의 건설, 녹색 댐 조성, 홍수에 대비한 가옥 구조

→ 수상 가옥이 대표적이야.

② 가뭄 : 지하수 개발, 해수 담수화 시설 및 빗물 저장 시설의 구축

→ 일상생활에서 이용하기 힘든 바닷물의 염분을 제거해 일상생활에 사용 가능하도록 하는 기술을 말해.

(3) 사막화로 인한 피해를 줄이기 위한 노력

① 지역적 측면: 무분별한 방목 금지, 나무와 풀 등을 심어 녹지 면적 넓히기

② 국제적 측면: 유엔 사막화 방지 협약(UNCCD)을 통한 개발 도상국 지원

→ 사막화로 어려움을 겪는 개발 도상국에게 경제적·기술적인 지원을 하기 위한 국제 협약이야.

학습 내용 들여다보기

■ **아랄해의 사막화**

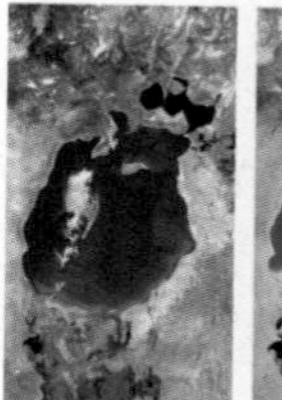
▲ 1990년

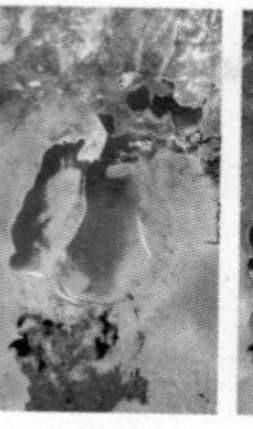
▲ 2000년

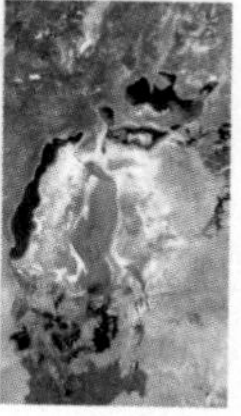
▲ 2010년

세계에서 네 번째로 큰 호수였던 아랄해는 과도한 목화 재배로 강물의 유입이 줄어들면서 호수 면적이 줄고 사막화가 진행되고 있다.

■ **내진 설계**

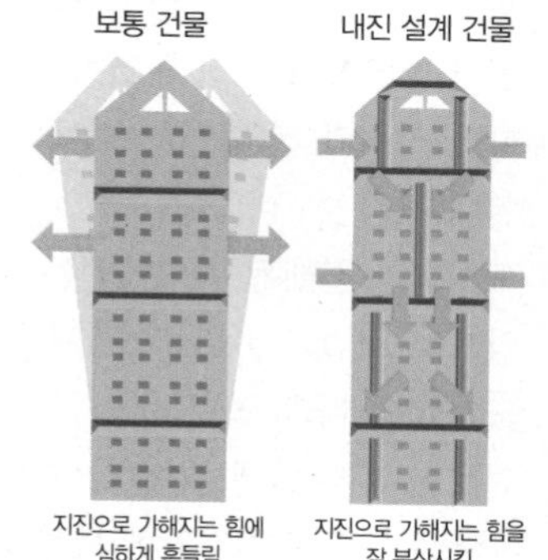

건물이 지진에 무너지는 것을 막기 위해 지진을 견딜 수 있도록 건물을 설계하는 것이다.

■ **녹색 댐**

삼림(나무가 우거진 숲)은 빗물을 머금었다가 서서히 흘려보내 홍수와 가뭄을 조절한다. 마치 댐과 같은 역할을 해서 녹색 댐이라고 한다.

용어 알기

- **포장 면적** 도시화에 따라 건물, 도로 등의 건설로 물이 땅속으로 통과하지 못하는 면적
- **방목** 목초가 자라는 지역에 가축을 놓아 기르는 사육법
- **제방** 하천이나 호수, 바닷물이 넘쳐흐르는 것을 막거나 물을 저장하기 위하여 흙이나 돌, 콘크리트 등으로 쌓은 구축물

자료 2 자연재해에 대한 대비와 피해

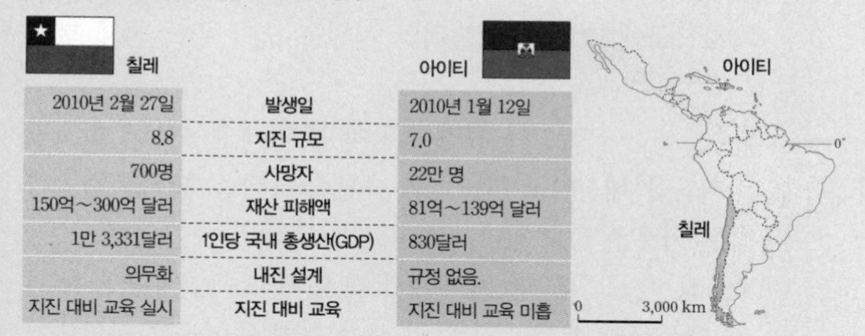

칠레		아이티
2010년 2월 27일	발생일	2010년 1월 12일
8.8	지진 규모	7.0
700명	사망자	22만 명
150억~300억 달러	재산 피해액	81억~139억 달러
1만 3,331달러	1인당 국내 총생산(GDP)	830달러
의무화	내진 설계	규정 없음.
지진 대비 교육 실시	지진 대비 교육	지진 대비 교육 미흡

2010년 칠레와 아이티에서 발생한 지진의 경우 규모는 칠레가 더 컸으나, 지진 대비가 부족한 아이티에서 더 큰 피해가 발생하였다.

자료 3 포장 면적 증가에 따른 물 순환 변화

▲ 개발 전

▲ 개발 후

도시 개발로 아스팔트와 콘크리트 포장 면적이 늘어나면 빗물이 땅으로 흡수되지 못하고 한꺼번에 하천으로 몰리면서 홍수 발생 위험이 커진다.

기본 문제

간단 체크

1 다음 설명이 맞으면 ○표, 틀리면 ×표 하시오.

(1) 지진의 경우 독특한 지형을 만들어내어 관광 산업에 이용되기도 한다. ( )

(2) 화산 폭발에 의한 재산 및 인명 피해로 화산 주변에는 사람들이 거주하지 않는다. ( )

(3) 화산 활동이 활발한 이탈리아에서는 비옥한 토양을 이용하여 포도, 오렌지 등을 재배한다. ( )

(4) 홍수는 가뭄을 해소하고 비옥한 토양을 만들어내는 등 인간 생활에 유용한 측면이 있다. ( )

(5) 항만 시설과 선박, 양식장에 큰 피해를 주는 자연재해는 열대 저기압이다. ( )

(6) 도시화가 진행된 지역에서는 도시화 이전보다 빗물이 토양으로 스며드는 비율이 줄어든다. ( )

(7) 도시화에 따라 경보 시스템이 구축된 도시가 도시화 이전보다 홍수 발생 위험이 줄었다. ( )

(8) 아랄해는 열대 저기압에 의한 폭우로 홍수가 자주 발생하는 곳이다. ( )

(9) 최근 심각한 지구 온난화는 사막화의 주된 원인이다. ( )

(10) 유엔 사막화 방지 협약은 사막화 방지를 위해 나무를 심는 자원봉사자들의 지원을 위해 설립된 민간단체를 말한다. ( )

2 자연재해의 종류와 피해를 줄이기 위한 대책을 바르게 연결하시오.

(1) 지진 •	• ㉠ 무분별한 방목 금지
(2) 홍수 •	• ㉡ 다목적 댐, 제방 건설
(3) 가뭄 •	• ㉢ 지하수 개발, 빗물 저장 시설 구축
(4) 사막화 •	• ㉣ 내진 설계, 지진 대비 훈련 실시

3 다음 밑줄 친 부분을 바르게 고쳐 쓰시오.

(1) 지진은 건물과 도로를 붕괴시키고, 특히 해안 지역에서는 홍수를 동반하며 큰 피해를 유발하는 자연재해이다. ( )

(2) 아이슬란드나 뉴질랜드와 같이 화산 활동이 잦은 국가에서는 이를 이용한 풍력 발전이 발달하였다. ( )

(3) 지하수를 개발하고 빗물 저장 시설을 구축하는 것은 홍수 피해를 줄이기 위한 대책 중 하나이다. ( )

(4) 도시에서 홍수가 자주 발생하는 이유는 콘크리트, 아스팔트 등 녹지 면적이 늘어났기 때문이다. ( )

(5) 내진 설계는 홍수의 피해로부터 건물이 견딜 수 있도록 설계한 건축물을 말한다. ( )

(6) 사막화를 막기 위한 국제적 측면의 노력으로는 무분별한 방목의 금지, 나무와 풀 등을 심어 녹지 면적 넓히기 등이 있다. ( )

4 빈칸에 들어갈 알맞은 말을 쓰시오.

(1) 화산 활동이 많이 일어나는 지역에서는 유황과 ( )와/과 같은 광물 자원이 풍부하다.

(2) ( ) 발전은 지구 내부의 열에너지를 이용하여 전력을 생산하는 방식을 말한다.

(3) 사막화는 사막 주변의 초원 지대가 인간의 개발과 오랜 가뭄으로 사막과 같이 변하는 현상으로, 아프리카 ( ) 지대에서 심각하게 나타나고 있다.

(4) ( )은/는 사막화로 어려움을 겪는 개발도상국에 경제적·기술적인 지원을 하기 위한 국제 협약이다.

(5) ( )은/는 주민 생활에 큰 피해를 주기도 하지만 가뭄을 해결하고 바닷물을 순환시켜 적조 현상을 완화하는 이로운 점도 있다.

(6) ( )은/는 세계에서 네 번째로 큰 호수였으나 과도한 목화 재배로 호수 면적이 크게 줄어들고 사막화가 진행되고 있다.

정답과 해설 25쪽

01 다음 글에서 설명하는 국가를 지도에서 바르게 고른 것은?

알프스·히말라야 조산대에 위치한 국가로 지진이 자주 발생한다. 특히 2015년 4월 이 나라의 수도 카트만두 북서쪽 77km 지역에서 규모 7.8의 지진이 일어나 8,400명 이상이 사망하는 등 많은 인명·재산 피해가 발생하였다.

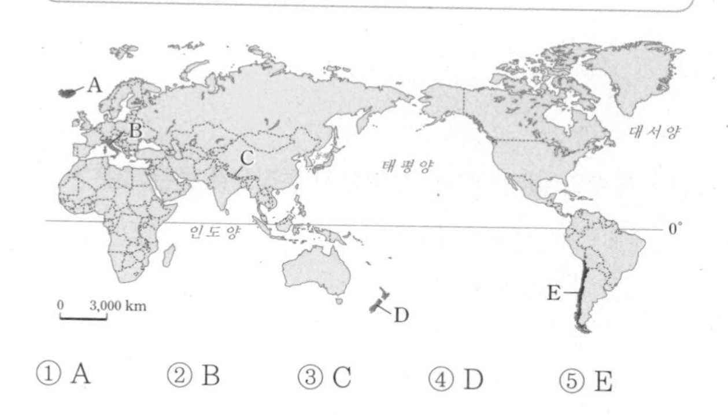

① A ② B ③ C ④ D ⑤ E

02 다음 사진의 시설과 관련 있는 자연재해로 옳은 것은?

▲ 인도네시아 자와섬의 주민 대피용 벙커

① 지진 ② 홍수 ③ 사막화
④ 화산 폭발 ⑤ 열대 저기압

03 화산 폭발이 잦은 이탈리아에서 주로 재배하는 작물로 옳은 것을 〈보기〉에서 고른 것은?

보기
ㄱ. 벼 ㄴ. 포도
ㄷ. 커피 ㄹ. 오렌지

① ㄱ, ㄴ ② ㄱ, ㄷ ③ ㄴ, ㄷ
④ ㄴ, ㄹ ⑤ ㄷ, ㄹ

04 다음 빈칸의 ㉠과 ㉡에 들어갈 용어를 바르게 고른 것은?

화산 폭발은 인명·재산 피해를 유발하나 이점 역시 많다. 화산이 있는 지역에서는 화산의 열에너지를 이용해 전기를 생산하는데 이를 (㉠) 발전이라고 한다. 또한 농업이 발달하는데 특히 (㉡)에서는 벼와 커피를 재배한다.

	㉠	㉡
①	수력	일본
②	지열	아이슬란드
③	지열	인도네시아
④	화력	일본
⑤	화력	인도네시아

05 다음 사진의 자연재해에 대한 설명으로 옳지 않은 것은?

① 지각판의 경계에서 주로 발생한다.
② 용암의 분출로 많은 인명 피해를 유발한다.
③ 독특한 지형을 만들어 내어 관광 산업 발달에 기여한다.
④ 화산 폭발은 지구의 기온을 상승시켜 사막화 현상의 원인이 되기도 한다.
⑤ 폭발 후 화산재에 의해 햇빛이 차단되어 항공기 운항을 방해하기도 한다.

06 다음에서 설명하는 주민 생활과 관련된 자연재해로 옳은 것은?

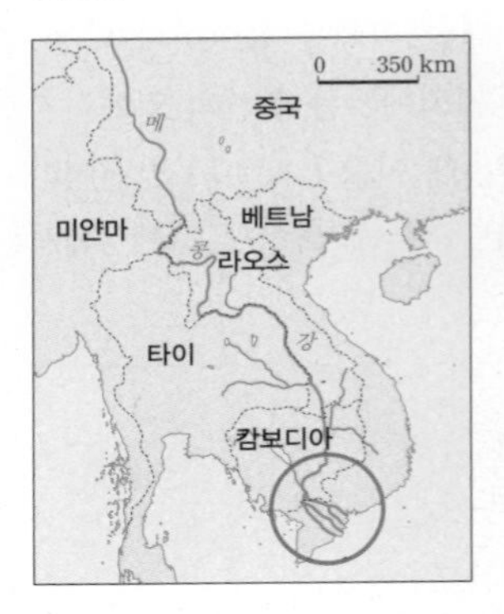

베트남의 메콩강 하류 지역은 비옥한 토지를 바탕으로 벼농사가 발달한 지역이다. 이 지역은 풍부한 식량 자원을 바탕으로 베트남 인구의 약 30%가 거주하고 있는 인구 밀집 지역이다.

① 지진 ② 홍수 ③ 사막화
④ 화산 폭발 ⑤ 열대 저기압

07 다음과 같은 가옥 구조와 관련된 자연재해가 가진 이점으로 옳은 것은?

① 지열을 이용해 전력을 생산한다.
② 온천이 발달하여 관광 산업에 이용된다.
③ 토양에 영양분을 공급하여 농업이 발달한다.
④ 바닷물을 순환시켜 적조 현상을 완화한다.
⑤ 유황과 구리 등 광물 자원을 생산하는 광업이 발달한다.

08 도시에서 홍수 피해가 증가하는 원인을 〈보기〉에서 고른 것은?

보기
ㄱ. 녹지 면적의 감소
ㄴ. 포장 면적의 증가
ㄷ. 새로운 농경지 개척
ㄹ. 다목적 댐 또는 제방의 건설

① ㄱ, ㄴ ② ㄱ, ㄷ ③ ㄴ, ㄷ
④ ㄴ, ㄹ ⑤ ㄷ, ㄹ

09 홍수와 열대 저기압의 공통된 특징으로 옳은 것은?

① 가뭄 문제를 해결한다.
② 대기 오염이 심해진다.
③ 지구 온난화를 야기한다.
④ 산사태와 화재가 발생한다.
⑤ 관광 산업 발달을 촉진한다.

10 다음 도식의 ㉠에 들어갈 용어로 옳은 것은?

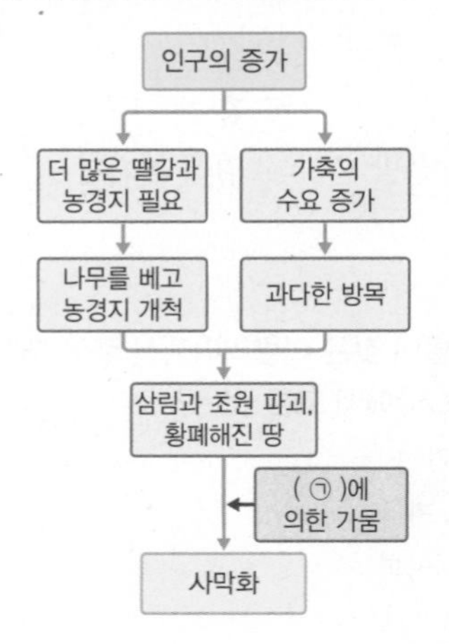

① 지진 ② 산업화 ③ 도시화
④ 화산 폭발 ⑤ 지구 온난화

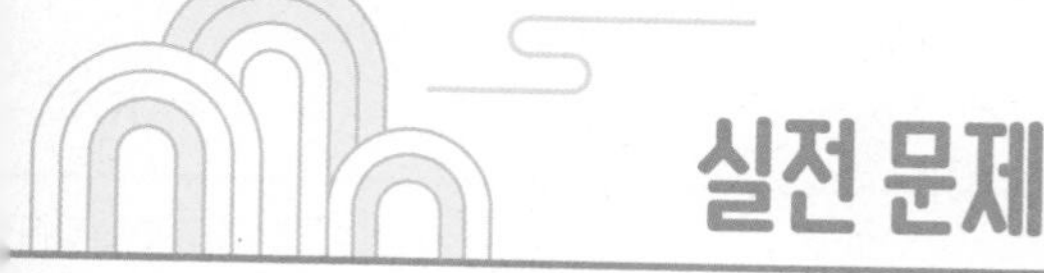

실전 문제

[01~02] 다음 교사와 학생의 대화를 보고 물음에 답하시오.

교사: 이번 시간에는 화산 지역에 대해 탐구해 보도록 하지요. 화산 지역 탐구 주제로는 무엇이 좋을까요?
가영: 산업화·도시화로 증가하는 화산 폭발 문제가 좋을 것 같습니다.
나예: 화산 폭발 문제를 해결하기 위한 국제 협약에 대해 조사해 보는 건 어떨까요?
교사: 좋습니다. 아울러 화산을 이용한 주민들의 생활 모습에 대해서도 조사해 보려고 합니다. 어느 지역을 조사하는 것이 좋을까요?
다솔: 건조 기후 지역이 좋습니다.
라온: 판과 판의 경계에 위치한 국가 중 선택을 해야 합니다.
교사: 자, 그렇다면 구체적인 나라와 대상을 정해보도록 하지요.
마음: (㉠)이/가 어떨까요?

01 위의 대화 중 교사의 질문에 바르게 답한 학생의 수는?

① 0명 ② 1명 ③ 2명
④ 3명 ⑤ 4명

02 위의 대화 중 ㉠에 들어갈 대답으로 옳지 않은 것은?

① 일본의 온천 관광
② 칠레의 구리 광산
③ 아이슬란드의 지열 발전소
④ 중국 내몽골 지역의 초원 지대
⑤ 이탈리아의 폼페이 유적 관광지

03 다음 글에서 설명하는 자연재해의 또 다른 피해 사례로 옳은 것을 〈보기〉에서 모두 고른 것은?

양식장이 많은 남해안에서 이 자연재해가 발생하는 시기에는 큰 주의가 요구된다. 강풍과 높은 파도로 인해 양식장 시설이 부서지면서 키우던 생선이 바다로 나가버리는 일이 자주 발생하기 때문이다. 육상에서 수조에 생선을 양식하는 경우에도 방심은 금물이다. 이 자연재해로 인해 정전과 단수가 발생하는 경우 산소 공급장치가 고장나 물고기들이 집단 폐사(쓰러져 죽는 것)하기도 한다.

보기
ㄱ. 해안 저지대 침수
ㄴ. 지구 온난화 야기
ㄷ. 항만 시설과 선박의 피해
ㄹ. 햇빛 차단으로 인한 기온 하강

① ㄱ, ㄴ ② ㄱ, ㄷ ③ ㄴ, ㄷ
④ ㄴ, ㄹ ⑤ ㄷ, ㄹ

고난도

04 다음은 해외여행 중인 가영이가 보낸 여행 엽서이다. 가영이가 여행 중 관찰 가능한 것으로 옳은 것은?

하윤아 안녕?
나는 지금 아이슬란드의 '블루 라군'에 와 있어!. 아이슬란드는 북극에 가까운 나라지만 생각보다는 따듯해. '블루 라군'은 지하 2,000m 아래에서 솟아오르는 뜨거운 물을 활용한 온천으로 많은 관광객들이 방문하는 곳이야.
받는 사람
하윤에게

① 태풍이 통과한 후 훼손된 항구
② 오랜 가뭄으로 인해 메마른 호수
③ 항공편 무더기 취소로 인해 혼잡한 공항
④ 홍수 시의 수위에 맞추어 높게 지은 가옥
⑤ 지난 홍수로 인해 무너진 제방을 보수하는 인부들

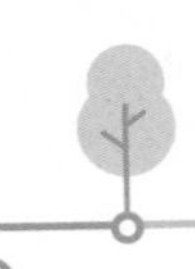

05 다음 가옥 구조와 관련된 자연재해의 이점을 〈보기〉에서 고른 것은?

오키나와에서는 담과 연결된 대문 대신 가옥의 내부를 가릴 수 있을 정도의 작은 돌벽을 세워 놓았다. 담과 대문을 연결하면 강한 바람에 의해 가옥이 무너질 수 있기 때문이다.

보기
ㄱ. 무더위를 식혀 주고 가뭄을 해결한다.
ㄴ. 토양을 비옥하게 하여 농업이 발달한다.
ㄷ. 바닷물을 순환시켜 적조 현상을 완화한다.
ㄹ. 독특한 지형을 만들어 관광 산업에 이용된다.

① ㄱ, ㄴ ② ㄱ, ㄷ ③ ㄴ, ㄷ
④ ㄴ, ㄹ ⑤ ㄷ, ㄹ

★ 중요 ★

06 다음은 한 자연재해의 피해를 줄이는 방법이다. 이 자연재해의 피해를 줄이기 위한 또 다른 방법으로 옳은 것은?

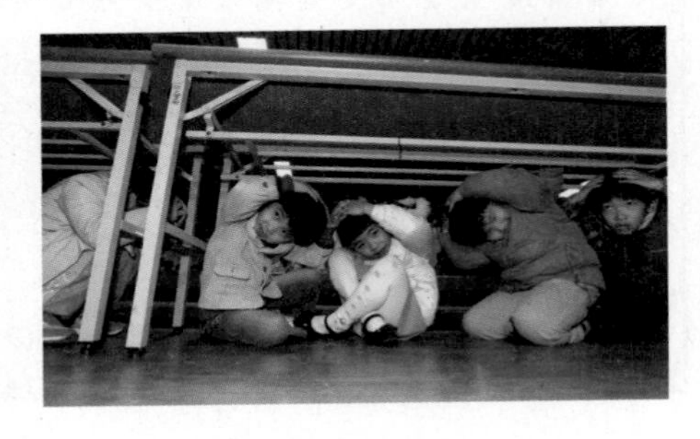

① 다목적 댐과 제방을 건설한다.
② 나무를 심어 우거진 숲을 만든다.
③ 선박을 대피시키고 배수 시설을 정비한다.
④ 건물을 지을 때 내진 설계를 반영하여 짓는다.
⑤ 저지대에 있는 경우 신속하게 고지대로 이동한다.

07 다음 그림을 보고 학생들이 나눈 대화 중 잘못 말한 학생은?

▲ 개발 전

▲ 개발 후

가영: 과거에 비해 포장 면적이 늘어났어.
나예: 비가 내렸을 경우 땅으로 스며드는 양이 과거에 비해 줄어들었어.
다솔: 개발 후에 홍수 발생 위험이 커지게 되지.
라온: 개발 후 빗물이 모여 물이 순환되면 적조 현상이 완화되는 장점이 있어.
마음: 건물 옥상에 정원을 가꾸는 방법은 이 자연재해로 인한 피해를 줄일 수 있는 방법 중 하나야.

① 가영 ② 나영 ③ 다솔
④ 라온 ⑤ 마음

08 다음 사진과 관련된 자연재해의 피해를 줄이기 위한 지역적 측면의 노력으로 옳은 것은?

① 무분별한 방목을 금지한다.
② 건물을 지을 때 내진 설계를 의무화한다.
③ 도시화를 통해 다양한 구조물을 구축한다.
④ 경보 전파 체계를 구축하여 미리 대피할 수 있도록 한다.
⑤ 국제 회의를 통해 이 자연재해로 인한 피해를 줄이기 위한 협약을 체결한다.

고난도

09 다음 자료를 통해 알 수 있는 자연재해의 특징으로 옳은 것은?

칠레		아이티
2010년 2월 27일	발생일	2010년 1월 12일
8.8	지진 규모	7.0
700명	사망자	22만 명
150억~300억 달러	재산 피해액	81억~139억 달러
1만 3,331달러	1인당 국내 총생산(GDP)	830달러
의무화	내진 설계	규정 없음.
지진 대비 교육 실시	지진 대비 교육	지진 대비 교육 미흡

① 자연재해에 의한 피해는 자연재해의 강도에 의해 결정된다.
② 자연재해에 대비를 잘한 국가일수록 자연재해에 의한 피해가 적다.
③ 지진의 강도가 더 큰 칠레가 아이티보다 훨씬 큰 피해를 입었다.
④ 최근 기후 변화로 발생하는 자연재해의 빈도와 강도가 높아지고 있다.
⑤ 지진과 같은 자연재해는 예측이 불가능하며 대비하는 것은 불가능하다.

10 다음 대화의 빈칸에 들어갈 말로 옳은 것은?

준석: 이번 여름 방학 때는 무엇을 할 거야?
유빈: 응, 이번 방학 때는 중국 내몽골 지역으로 봉사 여행을 다녀올 생각이야.
준석: 아, 정말? 거기는 어떤 곳인데?
유빈: 과거에는 초원이 있었던 곳인데 최근에는 척박하고 황량한 곳으로 바뀌고 있어.
준석: 그곳에 가서 어떤 봉사 활동을 할 생각이야?
유빈: ______________________

① 나무를 심는 봉사 활동을 할 생각이야.
② 농가에 가서 부족한 일손을 도울 생각이야.
③ 자주 침수되는 지역에 경고판을 설치할 거야.
④ 건물 붕괴로 집을 잃은 사람들을 도와줄 거야.
⑤ 지난 홍수로 발생한 이재민들을 도와줄 거야.

서술형 문제

11 아래 글의 밑줄 친 질문에 대한 대답을 세 가지 이상의 근거를 들어 서술하시오.

인도네시아는 무려 17,000여 개의 섬으로 구성된 섬나라이다. 이 중 자와섬은 많은 화산에서 잦은 폭발이 일어나 인명 피해가 자주 발생하는 위험한 섬이다. 반면 인근에 있는 보르네오섬은 화산에서 멀리 떨어져 비교적 안전하며 무엇보다 자와섬보다 네 배나 크다. 두 섬 중 어느 섬에 더 많은 사람이 살고 있을까?

대부분 보르네오섬을 선택하겠지만 실제로는 그렇지 않다. 크고 안전한 보르네오섬은 2,000만 명이 사는데, 작고 위험한 자와섬에는 무려 1억 4,100만 명 이상이 살고 있다. 왜 사람들은 작고 화산 폭발 위험이 있는 자와섬에 사는 걸까?

12 다음 신문 기사의 제목에서 언급하는 자연재해의 명칭과 자연재해의 피해를 줄이는 방법을 두 가지 이상 서술하시오.

- 이란 '물 부족 시위' 6일째… 피격 경찰 사망 등 격화 조짐
- 미국 서부 힙쓴 대형 산불로 '불구름' 등장…10km까지 솟아

대단원 정리

❶ 자연재해의 종류

▲ (①) ▲ (②)

▲ (③) ▲ (④)

▲ (⑤) ▲ (⑥)

답 ① 지진 ② 홍수 ③ 가뭄 ④ 열대 저기압 ⑤ 화산 폭발 ⑥ 지진 해일

❷ 세계의 조산대

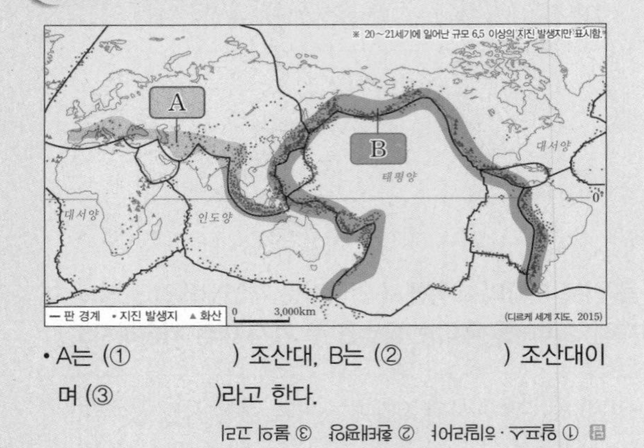

• A는 (①) 조산대, B는 (②) 조산대이며 (③)라고 한다.

답 ① 알프스·히말라야 ② 환태평양 ③ 불의 고리

❸ 열대 저기압의 발생과 영향

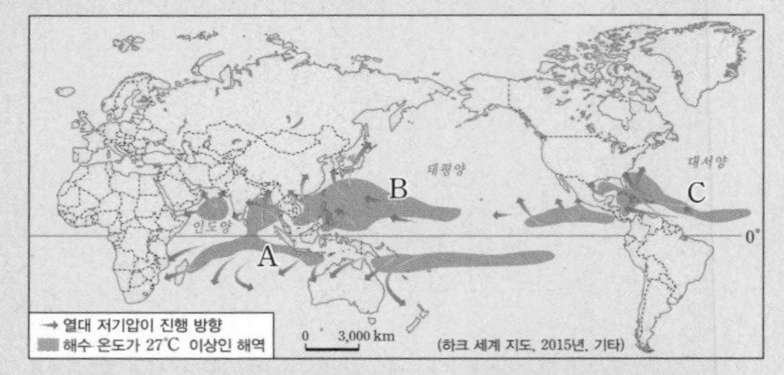

• 열대 저기압은 열대 (①)에서 형성되어 (②) 지역에 영향을 미치는 저기압이다.
• A: 사이클론 → (③) 일대
• B: (④) → 북태평양 서부
• C: (⑤) → 북아메리카

답 ① 해상 ② 중위도 ③ 인도양 ④ 태풍 ⑤ 허리케인

1. 자연재해 발생 지역

(1) 자연재해의 정의와 종류 ❶

정의	인간과 인간 생활에 피해를 주는 자연 현상	
종류	지형 관련 자연재해	화산 활동, 지진, 지진 해일
	기후 관련 자연재해	홍수, 가뭄, 폭설, 열대 저기압
특징	• 특정 지역에서 반복적으로 나타나는 경향 • 최근 기상 이변으로 과거에 비해 자주 크게 발생	

(2) 지형과 관련된 자연재해

발생 지역 ❷	판과 판이 충돌하는 판의 경계 지역 → 조산대	
	알프스·히말라야 조산대	유럽 남부 – 이란 – 인도 북부 – 인도네시아
	환태평양 조산대	아메리카 서부 – 일본 – 필리핀 – 뉴질랜드 지진·화산 활동이 몰려있는 불의 고리
화산 활동	지각의 약한 틈을 따라 마그마가 분출하는 현상	
지진	지구 내부에서 발생한 에너지로 땅이 흔들리고 갈라지는 현상	
지진 해일	바다 밑에서 발생한 충격(화산 활동, 지진 등)으로 형성된 거대한 파도가 육지로 밀려오는 현상	

(3) 기후와 관련된 자연재해

홍수	의미	비가 많이 내려 강과 호수가 범람하는 현상
	발생 원인	짧은 시간에 비가 집중적으로 내리거나 오랜 기간 지속적으로 내리는 경우
	발생 지역	• 열대 저기압이나 계절풍의 영향을 받는 지역 • 큰 강의 하류 지역 및 저지대 • 봄철 얼음이 녹는 북극해 연안
가뭄	의미	오랜 기간 비가 내리지 않아 땅이 메마르고 물이 부족한 현상
	발생 지역	건조 기후 지역과 그 주변 지역 → 중국 내륙, 사하라 사막 주변 사헬 지대
	특징	• 오랜 시간에 걸쳐 넓은 범위에서 발생 • 지구 온난화, 사막화로 발생 지역이 확대
열대 저기압 ❸	의미	• 열대 해상에서 발생해 중위도에 영향을 미치는 저기압 • 강한 바람과 비를 동반
	특징	• 피해 지역에 따라 부르는 명칭이 다양함 • 태풍: 북태평양 서부 • 사이클론: 인도양 일대 • 허리케인: 북아메리카 • 이동 경로를 예측하기 어려워 큰 피해 발생

2. 자연재해와 주민 생활 ~ 3. 자연재해 대응 방안

(1) 지형과 관련된 자연재해와 주민 생활

지진	피해	• 건물 · 도로 붕괴 • 산사태 · 화재 발생 • 지진 해일 유발
화산 활동 ❹	피해	• 용암 · 화산재 분출 • 인명, 재산 피해 • 화산재에 의한 기온 하강과 항공기 운항 방해
	이점	• 화산회토 형성 → 농업 발달 • 유황 · 구리 등 광물 형성 → 광업 발달 • 온천, 독특한 지형 → 관광업 발달 • 땅속의 열에너지 → 지열 발전

(2) 기후와 관련된 자연재해와 주민 생활

홍수	피해	• 저지대 침수 • 산사태로 인한 인명, 재산 피해
	이점	• 가뭄 해소 • 토양에 영양분 공급 → 농업 발달
가뭄	피해	용수 부족, 산불 발생
열대 저기압	피해	• 항만 시설 · 선박 · 양식장 피해 • 폭우, 강풍 → 저지대 침수, 시설물 파괴
	이점	가뭄 해소, 적조 현상 완화

(3) 인간 활동에 의해 증가하는 자연재해

도시 홍수❺	원인	산업화 · 도시화 → 녹지 공간↓, 포장 면적↑
	결과	하천에 유입되는 빗물이 많아져 홍수 유발
사막화 ❻	원인	• 과도한 가축 방목 · 농업 → 삼림 · 초원 파괴 • 지구 온난화로 인한 가뭄
	결과	• 초원지대가 사막으로 변화 • 발생 지역: 중국 내륙, 사헬 지대 • 식량 부족 문제, 기아 문제

(4) 자연재해의 피해를 줄이기 위한 노력

지진	• 내진 설계의 의무화 • 지진 대피 훈련 지진 해일 관측과 경보 전파 체계 구축
홍수	• 다목적 댐과 제방 건설 • 녹색 댐 조성 • 수상 가옥
가뭄	• 지하수 개발 • 해수 담수화 시설 · 빗물 저장 시설 구축
사막화	무분별한 방목 금지, 녹지 조성, 사막화 방지 협약

❹ 화산 활동과 주민 생활

• 이탈리아는 폼페이 유적과 같이 화산 활동을 이용한 (①) 산업이 발달한 국가이다.

• 화산 활동에 의해 만들어지는 열에너지는 지열 발전과 더불어 (②)을 이용한 관광 산업 발달에 도움을 준다.

답 ① 관광 ② 온천

❺ 인간 활동과 홍수

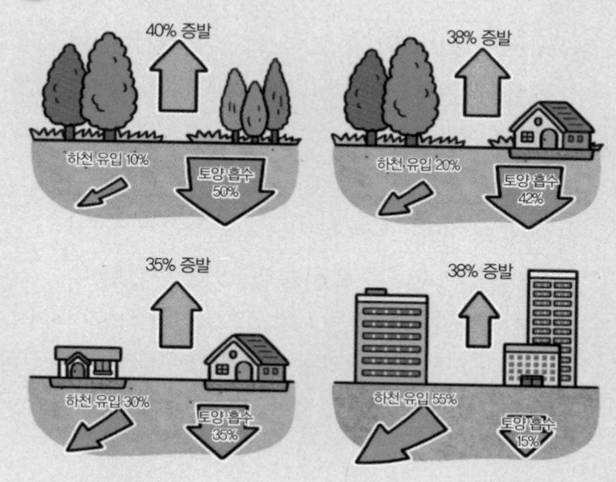

• 산업화와 (①)로 도시 내 녹지 공간이 줄어들고 포장 면적은 늘어나게 된다.

• 이러한 변화는 비가 내릴 때 토양으로 흡수되는 빗물의 양은 (②)하고, 하천으로 유입하는 빗물의 양은 증가하여 (③) 발생 위험이 커지게 된다.

답 ① 도시화 ② 감소 ③ 홍수

❻ 인간 활동과 사막화

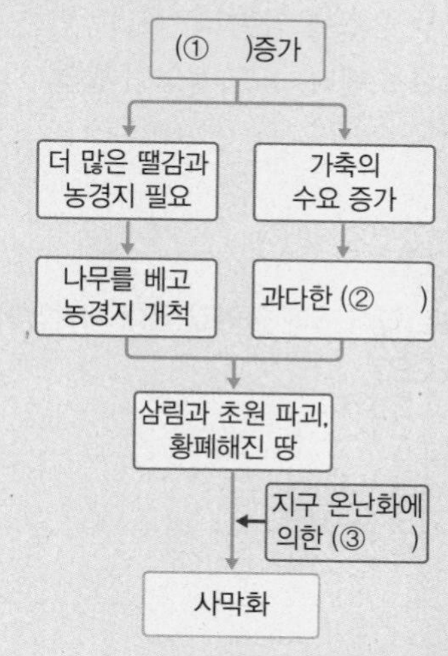

답 ① 인구 ② 방목 ③ 가뭄

대단원 마무리

[01~02] 다음 낱말 퍼즐을 보고 물음에 답하시오.

		㉠	ⓒ		
㉡ⓐ		ⓑ 지			ⓓ
		열		㉢	
		발			
		전			

[가로 열쇠]

㉠ (   )

㉡ 사하라 사막 이남 지역으로 최근 사막화를 심하게 겪고 있음

㉢ 지구 내부에서 생긴 에너지가 지표면에 전달되어 땅이 흔들리고 갈라지는 현상

[세로 열쇠]

ⓐ 열대 저기압의 종류 중 하나

ⓑ 아이슬란드에서 주로 사용하고 있는 발전 방식

ⓒ 조산 운동이 일어나는 지역으로 화산과 지진이 자주 일어남

ⓓ 건물이 지진에 무너지는 것을 막기 위해 지진을 견딜 수 있도록 건물을 설계하는 것

01 위 낱말 퍼즐 가로 열쇠 ㉠에 들어갈 설명으로 옳은 것은?

① 미국 중남부에서 주로 발생하는 소용돌이 바람
② 화산 활동으로 분출된 화산재가 쌓여 형성된 토양
③ 바닷속 플랑크톤이 갑자기 늘어나 바다의 색깔이 붉은빛으로 변하는 현상
④ 바다 밑에서 발생한 충격으로 형성된 거대한 파도가 육지로 밀려오는 현상
⑤ 남부 유럽에 있는 국가로 빈번한 화산 활동을 바탕으로 오렌지, 포도 농업이 발달

서술형

02 위 세로 열쇠 ⓐ에 들어갈 열대 저기압의 명칭과 피해 지역을 쓰시오.

03 다음 지선이의 세계 여행 계획표를 통해 알 수 있는 지선이의 여행 경로로 옳은 것은?

○ 첫 번째 방문 국가 일정
- 히말라야산맥에서 일출 감상하기
- 2015년 지진 이후 아직 남아 있는 이재민 지원을 위한 현지 모금 운동에 참여하기

○ 두 번째 방문 국가 일정
- 높게 지은 물 위의 가옥들을 배경으로 사진찍기
- 잦은 홍수로 형성된 메콩강 하류의 벼농사 지대 둘러보기

○ 세 번째 방문 국가 일정
- 아타카마 사막의 구리 광산 둘러보기

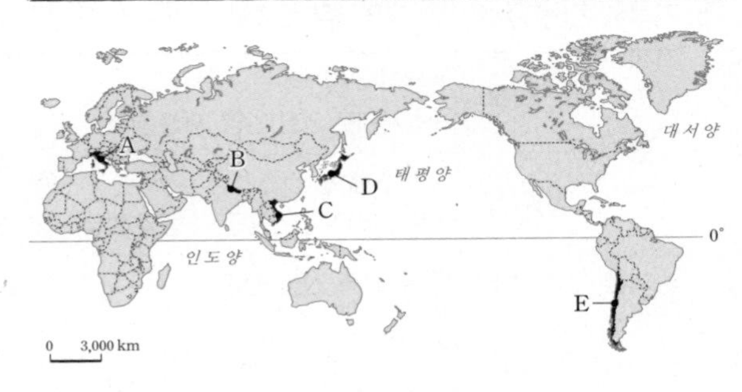

① A → B → C
② A → D → E
③ B → C → E
④ B → D → E
⑤ C → D → E

04 다음 퀴즈의 정답에 해당하는 국가는?

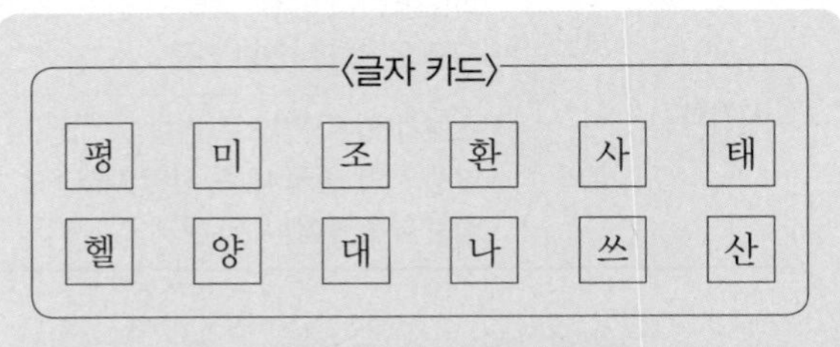

• 퀴즈 : 다음 ㉠과 ㉡에 해당하는 용어를 〈글자 카드〉에서 찾아 제외하고 남은 글자로 만들 수 있는 용어와 관련 있는 국가가 아닌 것은?

㉠ 가뭄의 피해가 심각하게 발생하는 지역
㉡ 지진 해일을 부르는 또 다른 용어, '항구의 바다'라는 뜻을 지닌 일본어

① 미국　② 네팔　③ 일본
④ 필리핀　⑤ 뉴질랜드

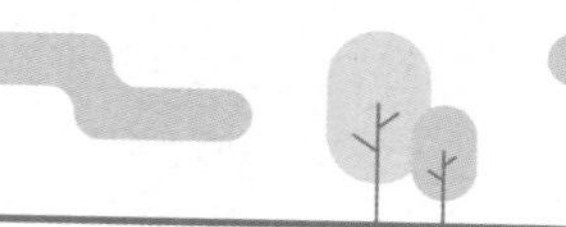

05 다음 중 지형과 관련된 자연재해를 〈보기〉에서 고른 것은?

보기

① ㄱ, ㄴ ② ㄱ, ㄹ ③ ㄴ, ㄷ
④ ㄴ, ㄹ ⑤ ㄷ, ㄹ

06 다음 지도에 표시된 지역에서 주로 발생하는 자연재해와 주로 발생하는 계절을 바르게 나열한 것은?

	자연재해	발생하는 계절
①	홍수	봄
②	지진	여름
③	홍수	여름
④	화산 폭발	가을
⑤	지진 해일	가을

07 다음 지도에 표시된 지역에서 발생하는 자연재해로 옳은 것은?

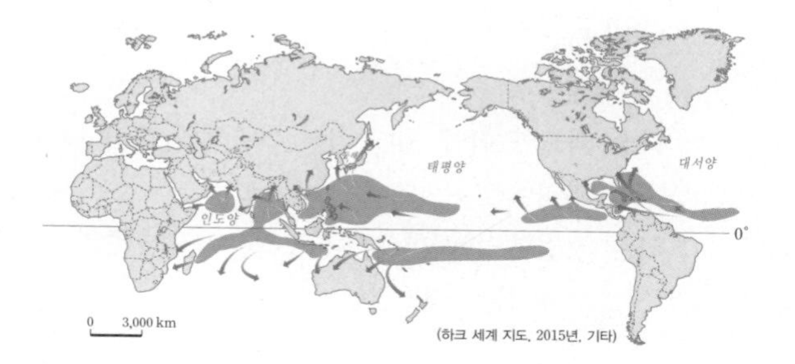

(하크 세계 지도, 2015년, 기타)

① 지진 ② 홍수 ③ 사막화
④ 화산 폭발 ⑤ 열대 저기압

[08~09] 다음 신문 기사를 보고 물음에 답하시오.

○○일보 2020. 11. 18

이탈리아 남부의 화산섬인 스트롬볼리섬에서 일주일 사이에 두 번의 폭발이 일어났다. 유명 인사들의 휴양지로도 유명한 스트롬볼리섬은 1932년부터 지속해서 분화하고 있으며 특히 2002년에 발생한 화산 폭발에는 6명이 다치고 선박과 일부 건물이 피해를 보기도 하였다.

스트롬볼리라는 화산섬의 지명은 월트디즈니의 대표 애니메이션인 '피노키오'에 등장하는 악당의 이름에도 그대로 사용되었다. 애니메이션 속 유랑 극단의 주인인 스트롬볼리는 살아있는 인형인 피노키오를 새장에 가두고 돈벌이를 위해 착취하였다. 애니메이션 '피노키오'는 <u>사람들이 스트롬볼리산을 어떻게 생각하는지 알 수 있는 좋은 예이다.</u>

08 위 글의 밑줄 친 부분의 근거가 되는 것을 〈보기〉에서 고른 것은?

보기
ㄱ. 많은 인명, 재산 피해를 발생한다.
ㄴ. 무더위를 유발하고 초원을 파괴한다.
ㄷ. 항만 시설이나 선박, 양식장에 피해를 준다.
ㄹ. 폭발 시 나온 화산재에 의해 항공기 운항을 방해한다.

① ㄱ, ㄴ ② ㄱ, ㄹ ③ ㄴ, ㄷ
④ ㄴ, ㄹ ⑤ ㄷ, ㄹ

09 위와 같이 화산 활동에 의한 피해에도 불구하고 화산 주변에 사람들이 거주하는 이유로 옳지 <u>않은</u> 것은?

① 관광 산업에 도움이 된다.
② 지열을 이용하여 전기를 생산한다.
③ 무더위를 식혀주고 가뭄을 해소한다.
④ 토양을 비옥하게 하여 농업에 유리하다.
⑤ 다양한 광물 자원을 형성하여 광업이 발달한다.

10 다음 스무고개 퀴즈의 정답에 해당하는 국가로 옳은 것은?

미혜: 열대 저기압의 영향을 받는 국가인가요?
영준: 아니오
미혜: 알프스·히말라야 조산대에 위치하나요?
영준: 예
미혜: 섬나라인가요?
영준: 아니오
미혜: 포도와 오렌지가 특산물인 나라인가요?
영준: 예
미혜: 아! 정답은 ______________ 입니다.

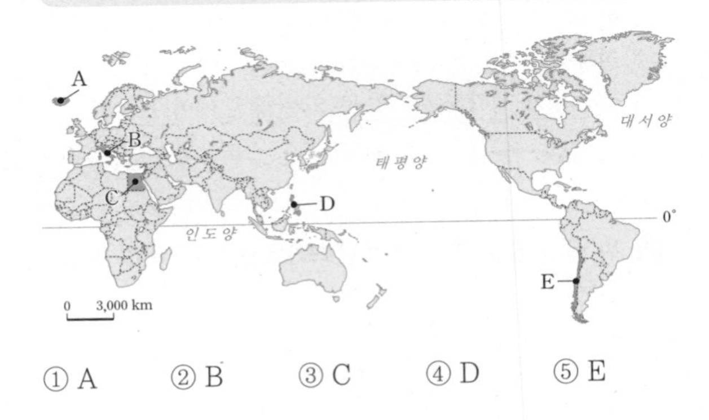

① A ② B ③ C ④ D ⑤ E

11 도시에서 다음과 같은 시설을 설치하는 경우 기대되는 효과로 옳은 것은?

▲ 빗물 저장 공원

▲ 옥상에 설치된 정원

① 화산재로부터 주민들을 보호한다.
② 홍수 발생 시 피해를 줄일 수 있다.
③ 지진 발생 시 건물 붕괴를 막을 수 있다.
④ 열대 저기압 통과 시 바람의 세기를 줄일 수 있다.
⑤ 폭설 시 공공시설에 쌓이는 눈을 신속히 제거할 수 있다.

12 다음 자연재해에 대한 설명으로 옳지 않은 것은?

① 강풍과 집중 호우를 유발한다.
② 주로 열대 해상에서 발생한다.
③ 우리나라의 경우 여름에서 초가을에 주로 발생한다.
④ 이와 같은 자연재해가 발생하면 적조 현상이 더욱 심각해진다.
⑤ 항만 시설이나 선박, 양식장 등에 피해가 발생하지 않도록 주의해야 한다.

13 다음은 아랄해의 크기가 줄어든 이유에 대한 학생들의 대화이다. 바르게 답한 학생을 고른 것은?

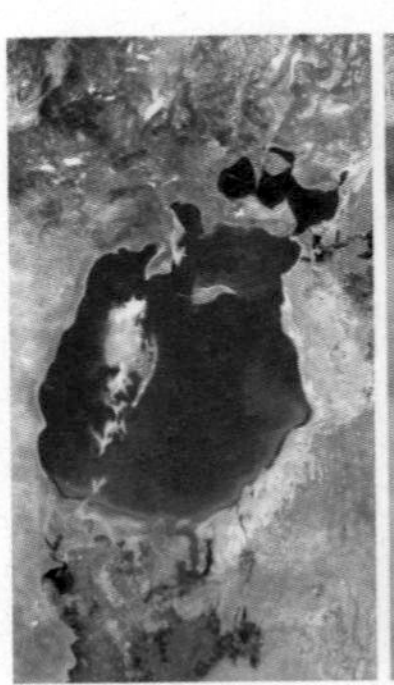
▲ 1990년

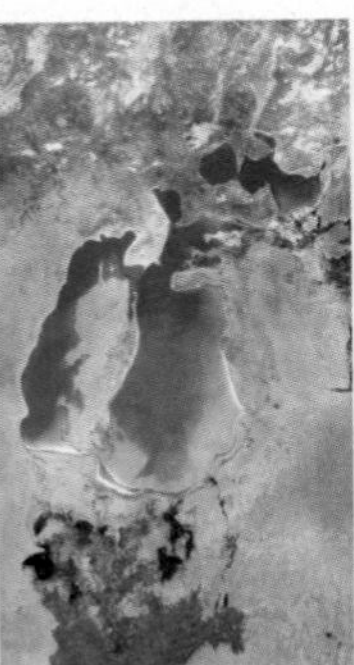
▲ 2000년

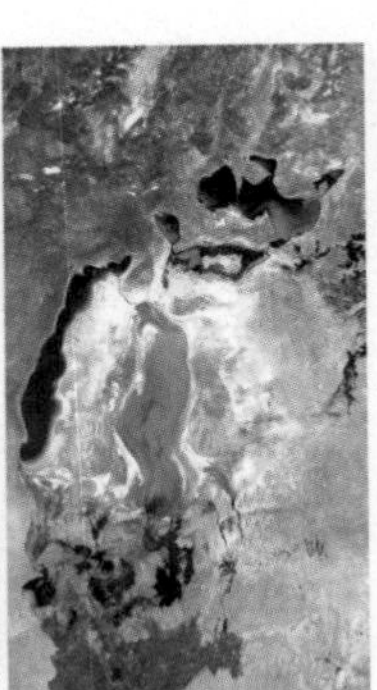
▲ 2010년

가영: 지구 온난화가 큰 영향을 미쳤어.
나예: 기상 이변으로 인한 하천의 범람도 한 원인이 되었지.
다솔: 과도한 작물 재배 역시 아랄해의 크기 변화에 관련이 있어.
라온: 산업화·도시화에 의한 포장 면적의 증가 역시 빠져서는 안 될 원인이야.

① 가영, 나예 ② 가영, 다솔 ③ 나예, 다솔
④ 나예, 라온 ⑤ 다솔, 라온

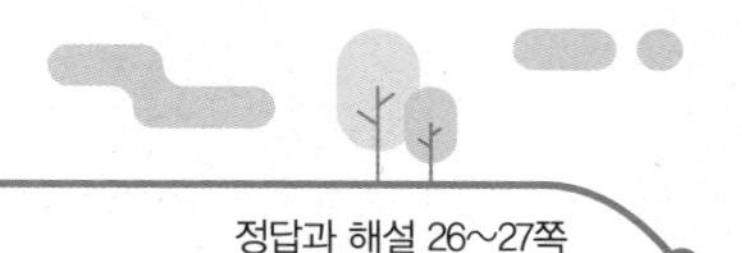

14 다음 자료를 읽고 나눈 학생들의 대화 중 바르게 답을 한 학생을 고른 것은?

브라질의 쿠리치바는 대표적인 생태 도시로, 주민 1인당 녹지 면적이 세계 보건 기구가 권장하는 양보다 4배 이상 넓다. 쿠리치바는 홍수가 자주 일어나는 하천 주위를 깊이 파서 호수와 도랑을 만들고, 그 주변에 자연 습지를 만들어 유량을 조절하도록 하였다. 또한 상습 침수 지역에는 도로와 건물의 건설을 금지하는 대신 주변에 나무를 심는 정책을 시행한다.

가영: 쿠리치바는 다른 도시들에 비해 포장 면적의 비율이 낮을 거야.
나예: 비가 왔을 때 다른 도시들에 비해 강으로 물이 빠르게 유입되게 될 거야.
다솔: 녹지가 많을수록 토양으로 흡수되는 물의 양이 많아 홍수의 위험도가 낮아지지.
라온: 지하수를 개발하고 해수 담수화 시설을 만든다면 더욱 홍수를 예방하는 데 도움이 될 거야.

① 가영, 나예 ② 가영, 다솔 ③ 나예, 다솔
④ 나예, 라온 ⑤ 다솔, 라온

15 다음 뉴스 보도의 ㉠에 대한 설명으로 옳은 것은?

① 지구 온난화로 인해 발생한다.
② 가뭄을 해소한다는 이점이 있다.
③ 아이슬란드에선 ㉠을 활용하여 전기를 생산한다.
④ 발생 지역에서 멀리 떨어진 지역에도 영향이 있다.
⑤ 해수 담수화 시설 구축을 통해 피해를 줄일 수 있다.

16 수업 내용에 대한 가영이의 필기 내용 중 잘못된 것은?

자연재해 – 홍수
〈1〉 발생 지역: ㉠ 열대 저기압이나 계절풍의 영향을 받는 지역
㉡ 하지만 봄철에 북극해 연안에서도 홍수가 발생
〈2〉 피해 모습: ㉢ 저지대 침수, 산사태 발생
〈3〉 이점: ㉣ 가뭄 해소, 광업 발달
〈4〉 피해를 줄이기 위한 노력:
㉤ 다목적 댐과 제방 건설, 녹색 댐 조성

① ㉠ ② ㉡ ③ ㉢ ④ ㉣ ⑤ ㉤

서술형

17 다음 자료의 (가)에 들어갈 자연재해를 막기 위한 국제 협약의 명칭과 주요 내용을 서술하시오.

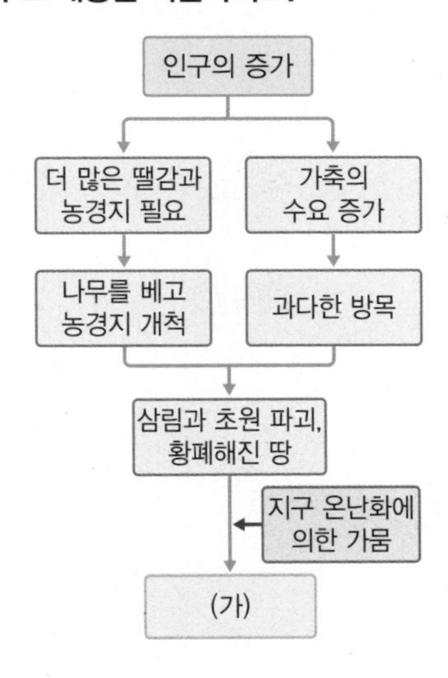

자원을 둘러싼 경쟁과 갈등

01 자원의 특성과 자원 갈등

학습 내용 들여다보기

■ 자원의 의미

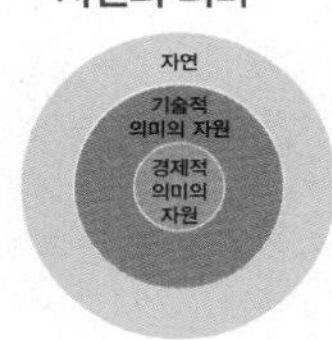

자연에 있는 것 중 경제적 가치가 있고 기술적으로 개발할 수 있는 것을 자원이라고 한다. 기술이 발전한다면 자원의 범위는 넓어진다.

■ 자원의 유한성

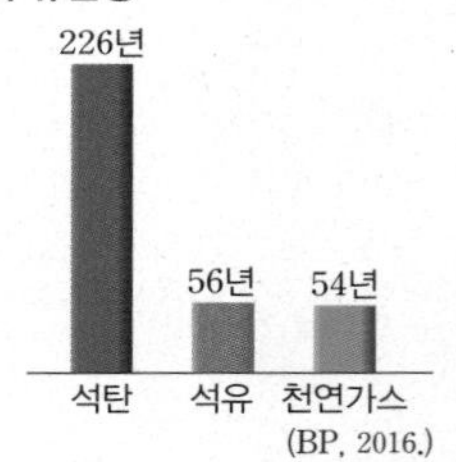

▲ 주요 에너지 자원의 가채 연수

■ 주요 자원의 생산

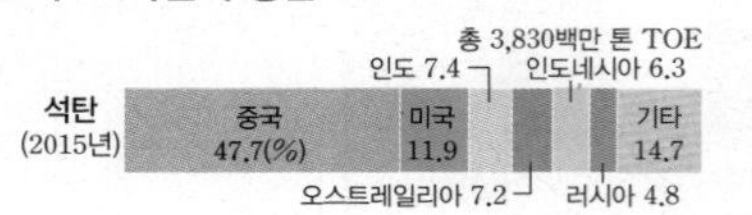

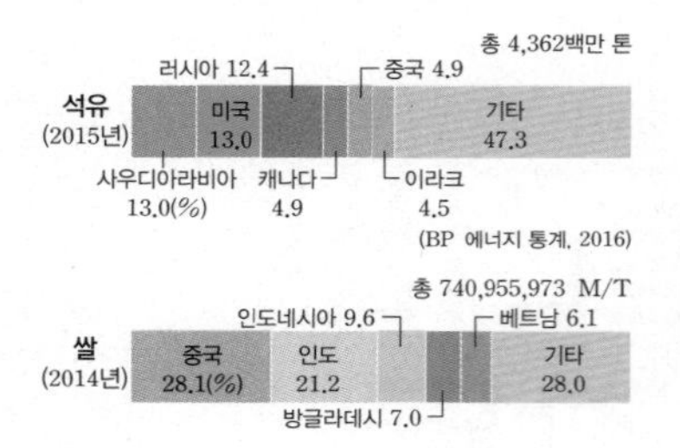

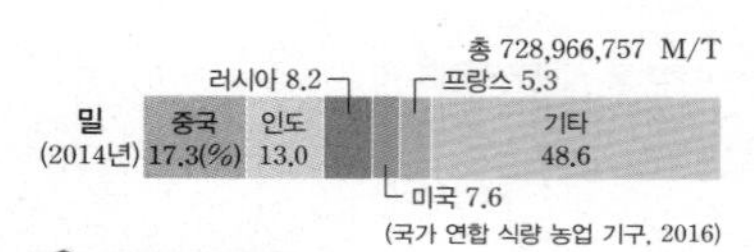

용어 알기

- **가채 연수** 앞으로 얼마나 오랫동안 자원을 채굴할 수 있는가를 보여 주는 지표

1. 자원의 의미와 특성

(1) **자원**: 인간 생활에 쓸모가 있고, 현재 기술로 개발할 수 있으며 경제적으로 이용 가치가 있는 것

(2) **자원의 특성**

① 유한성: 대부분의 자원은 매장량이 한정되어 있음. 재생 가능 정도에 따라 자원을 구분

재생 가능한 자원은 태양광, 풍력, 수력이 있고, 재생 불가능한 자원은 석탄, 석유, 천연가스 등이 있어.

② 가변성: 자원의 가치는 시대와 장소, 과학 기술의 발달, 사회·문화적 배경에 따라 변화

③ 편재성: 자원은 지역적으로 고르게 분포하지 않고 일부 지역에 집중적으로 분포

→ 자원의 지역 간 이동이 활발히 이루어지고 자원 확보 과정에서 세계 각국 간 경쟁과 갈등이 발생하는 원인이 돼.

2. 자원의 분포와 소비

(1) **에너지 자원** 자료 1

① 석유: 현재 세계에서 가장 많이 소비하는 에너지 자원

주요 수출국은 사우디아라비아, 러시아, 아랍 에미리트 등이고 주요 수입국은 미국, 중국, 인도, 일본 등이야.

- 페르시아만을 중심으로 한 서남아시아 지역에 세계 매장량의 47%가 집중
- 지역적으로 불균등하게 분포하여 국제 이동량이 많음

② 석탄: 석유보다 지역적으로 고루 분포하여 국제 이동량이 적음

→ 석유가 매장되어 있는 국가와 주로 사용하는 국가가 달라서 이동량이 많을 수밖에 없지.

(2) **식량 자원** 자료 2

① 쌀: 아시아의 계절풍 기후 지역에서 주로 생산, 대체로 생산지에서 소비가 되어 국제 이동량이 적음

② 밀: 서늘하거나 비교적 건조한 지역에서도 잘 자라 전 세계적으로 재배됨, 소비 지역이 널리 분포하여 국제 이동량이 많음

③ 옥수수: 아메리카 대륙에서 주로 생산, 가축 사료와 바이오 에너지의 원료로 이용

살아있는 생물체로부터 생겨나는 에너지를 이용하여 연료 또는 전기·열에너지를 얻는 것을 말해.

(3) **물 자원**

① 인간 생활에 필수적이지만 대체할 수 없는 자원

② 분포: 적도 지방은 물 자원이 풍부하고 사막과 그 주변 지역은 물 부족 문제 심각

③ 물 자원 확보를 위한 노력: 댐과 저수지 건설, 해수 담수화 시설 구축, 지하수 개발

자료 1 석유의 분포와 이동

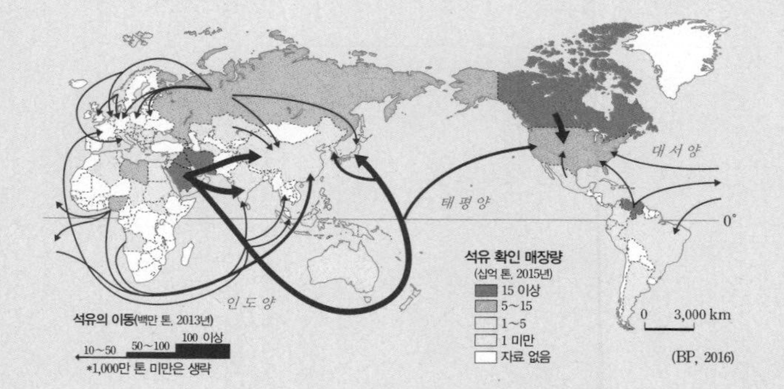

석유는 편재성이 높아 국제 이동량이 많은 자원으로 서남아시아 지역에서 동부 아시아, 유럽, 미국 등지로 주로 이동한다.

자료 2 식량 자원의 분포와 이동

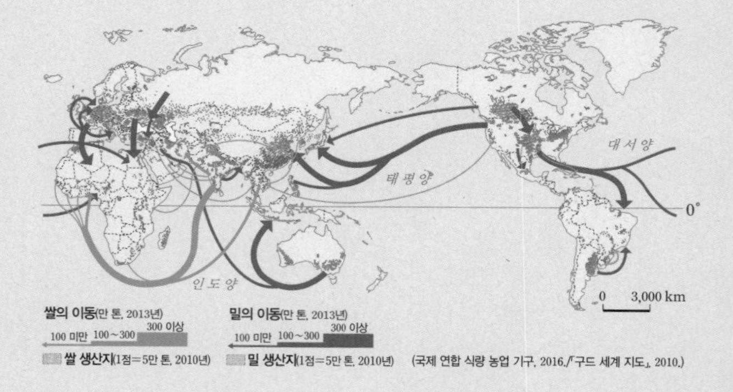

생산지에서 소비되는 양이 많아 이동량이 적은 쌀과 비교해 밀은 국제 이동량이 많다. 주로 아메리카, 오세아니아에서 아시아로 이동한다.

3. 자원을 둘러싼 갈등

(1) 석유 자원을 둘러싼 갈등 자료 3 자료 4

① **원인**: 석유 자원이 가진 유한성과 편재성, 주요 산유국들이 석유 수출국 기구(OPEC)를 만들어 자국의 이익을 추구
→ 자원 민족주의

② **분쟁 지역**: 석유 매장지가 여러 국가에 걸쳐 있거나, 경계가 분명하지 않은 바다에 있는 경우 주변국 간의 갈등이 발생
예 페르시아만 연안, 기니만 연안, 카스피해, 북극해

③ **석유 확보를 위한 노력**: 해외 유전 개발, 석유 수입국 다변화, 셰일 오일 개발

(2) 식량 자원을 둘러싼 갈등

① **원인**: 빠른 인구 증가로 인한 식량 수요 증가, 곡물 가격 상승(육류 소비 증가에 따른 사료용 곡물 수요 증가, 기후 변화에 따른 식량 생산량 감소, 국제 식량 대기업의 영향력 확대에 따른 식량 분배의 불균형)

② **결과**: 식량 부족 문제, 물가 상승 문제

→ 기업들이 더 많은 이윤을 추구하기 위해 식량이 부족한 국가를 상대로 곡물 가격을 올리기 때문이야.

(3) 물 자원을 둘러싼 갈등 자료 5

① **원인**: 인구 증가와 산업 발달에 따른 물 소비량의 증가

② **분쟁 지역**: 여러 국가를 거쳐서 흐르는 국제 하천
예 나일강, 요르단강, 티그리스·유프라테스강, 메콩강

→ 여러 나라를 지나는 하천을 일컫는 용어로 하천의 상류에 자리한 국가와 하류에 자리한 국가 간 물 자원의 확보를 위해 갈등이 일어날 수 있어.

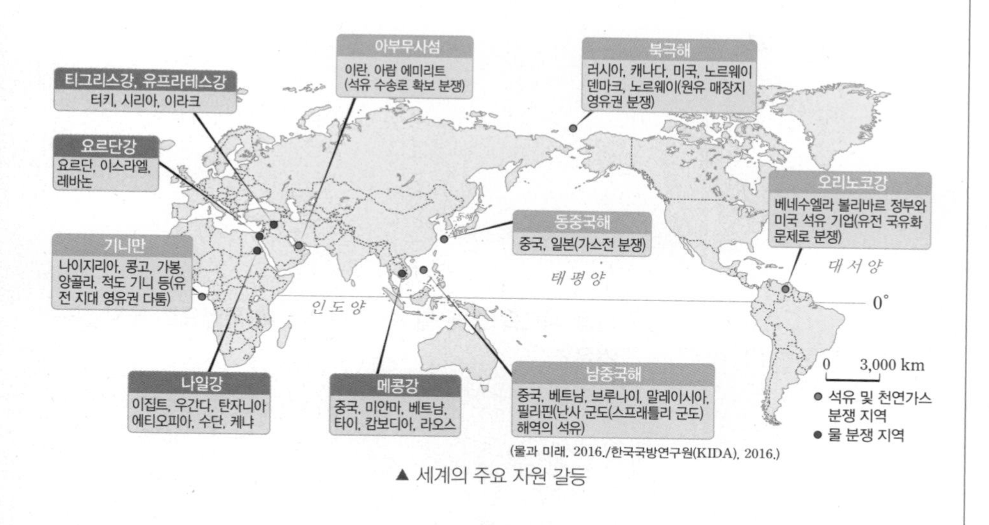

▲ 세계의 주요 자원 갈등

학습 내용 들여다보기

■ **자원 확보를 위한 중국의 아프리카 진출**

중국은 더욱더 많은 자원의 확보를 위해 아프리카 여러 국가와의 경제적 지원과 협력을 강화하고 있다.

■ **셰일 오일**

오일 셰일이라고 불리는 암석에 스며들어 있는 원유(정제하기 전 그대로의 기름)로 최근에 주목받는 에너지 자원이다.

▲ 셰일 오일층

용어 알기

- **산유국** 자국의 영토와 영해에서 석유를 채굴하는 국가
- **자원 민족주의** 자원을 풍부하게 보유한 국가가 자국의 이익을 위해 자원을 정치적으로 이용하여 영향력을 행사하려는 현상
- **국제 식량 대기업** 세계에서 생산되는 곡물을 유통하여 돈을 버는 다국적 기업. 4대 핵심 기업이 세계 곡물 시장의 약 80%를 장악하며, 곡물 가격에 큰 영향을 미침

자료 3 카스피해 분쟁

석유와 천연가스가 풍부히 매장된 카스피해에서는 인근 국가들이 인접한 해안선 길이에 따라 지역을 나누자는 주장과 모든 국가가 균등히 나누자는 주장이 대립하고 있다.

자료 4 북극해 분쟁

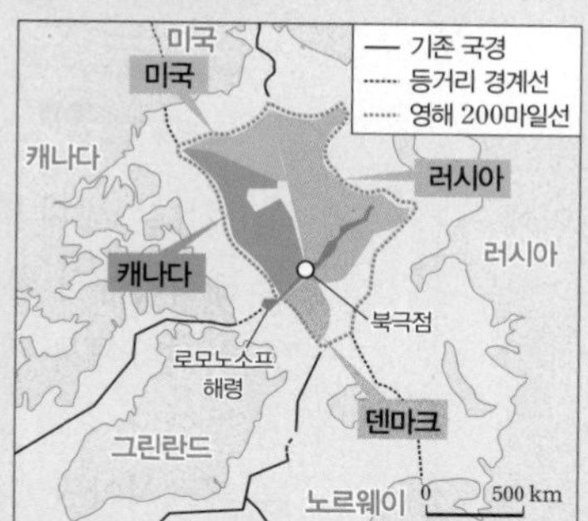

지구 온난화로 석유와 천연가스 등 자원이 풍부한 북극해의 개발 가능성이 커지고 있다. 북극해 인접 국가들은 서로 영유권을 주장하고 있다.

자료 5 메콩강 물 분쟁

중국 남부에서 시작하여 라오스, 캄보디아, 베트남 등 여러 국가를 지나는 국제 하천인 메콩강은 동남아시아 국가들의 주요 수자원 공급지이다. 하지만 최근 중국이 홍수 조절, 전력 생산을 목적으로 메콩강 상류 지역에 댐을 건설하면서 하류에 있는 캄보디아, 베트남과 갈등을 겪고 있다.

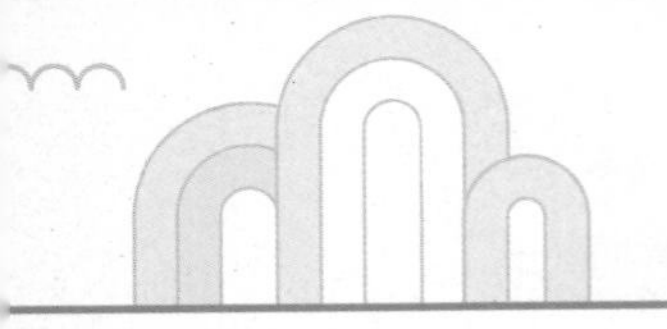
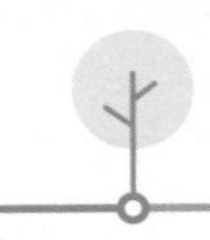

기본 문제

간단 체크

1 다음 설명이 맞으면 ○표, 틀리면 ×표 하시오.

(1) 태양광, 수력, 천연가스는 재생 가능한 자원이다. (　　)

(2) 페르시아만을 중심으로 한 서남아시아 지역은 세계 석유 매장량의 절반 정도가 집중된 지역이다. (　　)

(3) 쌀은 밀보다 재배되는 지역이 넓지만 생산지에서 대부분 소비되기 때문에 국제 이동량이 적다. (　　)

(4) 석유 수출국 기구(OPEC)는 석유 자원의 균등한 분배를 위해 설립된 기구이다. (　　)

(5) 농업 기술의 발달로 식량 생산이 급격하게 늘게 되면서 식량 자원의 부족 문제는 점차 감소하고 있다. (　　)

2 석유 자원의 주요 수출국과 수입국에 해당하는 국가를 바르게 연결하시오.

(1) 주요 수출국 •

(2) 주요 수입국 •

• ㉠ 미국
• ㉡ 인도
• ㉢ 일본
• ㉣ 러시아
• ㉤ 사우디아라비아

3 다음 설명 중 밑줄 친 부분을 바르게 고쳐 쓰시오.

(1) 자원이 지역적으로 고르게 분포하지 않고 일부 지역에 집중되는 현상을 자원의 <u>가변성</u>이라고 한다. (　　　)

(2) 쌀은 아시아의 <u>편서풍</u> 기후 지역에서 주로 생산된다. (　　　)

(3) <u>카스피해</u>는 지구 온난화로 얼음이 녹으면서 자원 개발의 가능성이 커지자 인접 국가들이 영유권을 주장하고 있는 곳이다. (　　　)

01 다음 교사의 질문에 옳은 답을 한 학생을 고른 것은?

교사: 다음 그림을 보고 자원의 의미에 대해 발표해 볼까요?

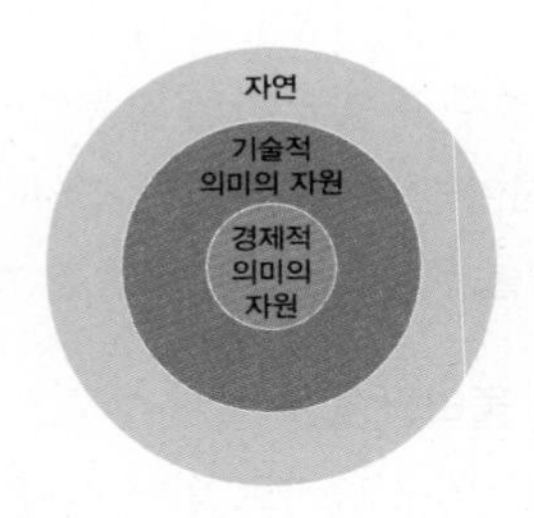

가영: 자연과 자원은 같은 개념이에요.
나예: 기술이 발전한다면 자원의 범위는 늘어날 거에요.
다솔: 개발할 기술이 있으면서 경제적인 가치가 있어야만 자원이라고 할 수 있어요.
라온: 아니에요. 경제적 이익이 없더라도 기술로 개발할 수 있다면 자원이라 할 수 있어요.

① 가영, 나예　② 가영, 다솔　③ 가영, 라온
④ 나예, 다솔　⑤ 나예, 라온

02 다음 지도를 통해 알 수 있는 석유의 특징으로 옳지 <u>않은</u> 것은?

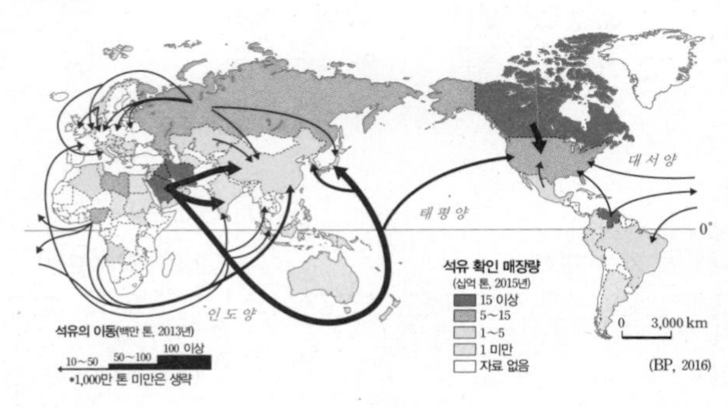

① 석유는 세계 각 지역에 고르게 분포한다.
② 캐나다에서 생산되는 석유는 주로 미국으로 이동한다.
③ 러시아에서 생산되는 석유는 주로 북서 유럽으로 이동한다.
④ 페르시아만에서 생산되는 석유는 주로 일본, 한국 등으로 이동한다.
⑤ 미국은 석유의 확인 매장량이 많으나 대표적인 석유 수입국 중 하나이다.

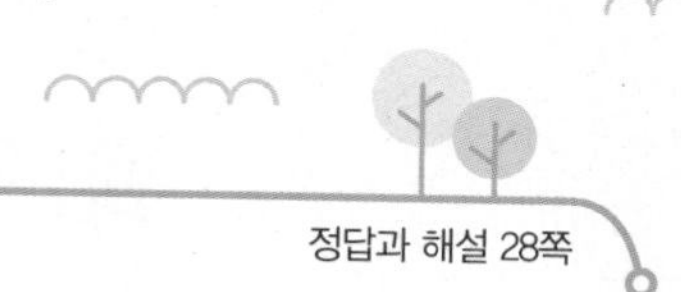

03 다음에서 설명하는 식량 자원으로 옳은 것은?

- 아메리카 대륙에서 주로 생산한다.
- 가축 사료나 바이오 에너지의 원료로 사용된다.

① 밀　② 쌀　③ 콩
④ 감자　⑤ 옥수수

04 다음 (가), (나)에 해당하는 자원의 특성으로 옳은 것은?

(가) 현재와 같은 수준으로 석유를 사용한다면 약 49년 후에는 석유가 고갈될 것으로 예상한다.
(나) 우리나라에서 소고기는 매우 중요한 식량 자원이지만 소를 신성시하는 힌두교 국가에서 소고기는 식량으로서의 가치를 지니지 못한다.

	(가)	(나)
①	유한성	가변성
②	가변성	편재성
③	유한성	편재성
④	편재성	가변성
⑤	편재성	유한성

05 식량 자원을 둘러싼 갈등이 발생하는 원인으로 옳지 않은 것은?

① 급격한 인구 증가
② 사료용 곡물 수요 증가
③ 전쟁으로 인한 농경지 감소
④ 기후 변화로 인한 식량 감소
⑤ 국제 식량 대기업의 영향력 증가

06 다음 지역에서 분쟁의 원인이 되는 자원을 〈보기〉에서 고른 것은?

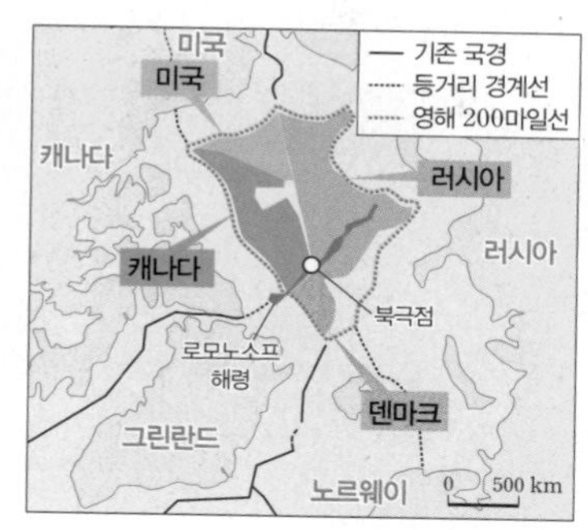

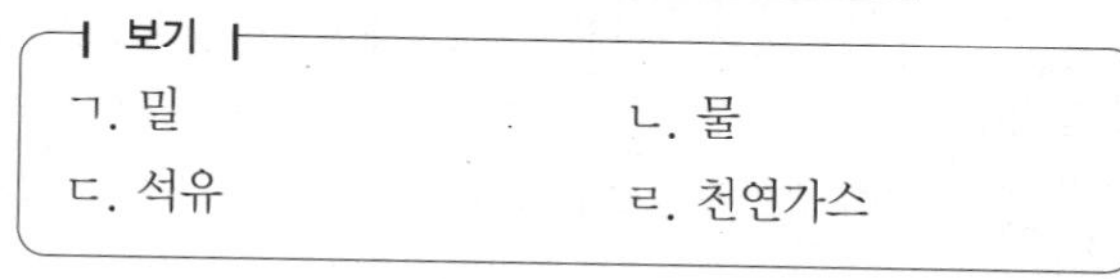
보기
ㄱ. 밀　ㄴ. 물
ㄷ. 석유　ㄹ. 천연가스

① ㄱ, ㄴ　② ㄱ, ㄷ　③ ㄴ, ㄷ
④ ㄴ, ㄹ　⑤ ㄷ, ㄹ

07 다음 중 식량 자원을 둘러싼 갈등의 원인에 해당하지 않는 것은?

① 기후 변화
② 육류 소비 증가
③ 빠른 인구 증가
④ 국제 식량 대기업의 영향력 확대
⑤ 기계화에 따른 농업 방식의 변화

08 다음 지도에 표시된 지역에서 발생하는 갈등과 관련이 있는 자원은?

① 물　② 밀　③ 석유
④ 석탄　⑤ 천연가스

실전 문제

★ 중요 ★

01 **다음은 2015년 기준 특정 에너지 자원의 생산률을 나타낸 것이다. (가), (나)에 들어갈 자원을 옳게 연결한 것은?**

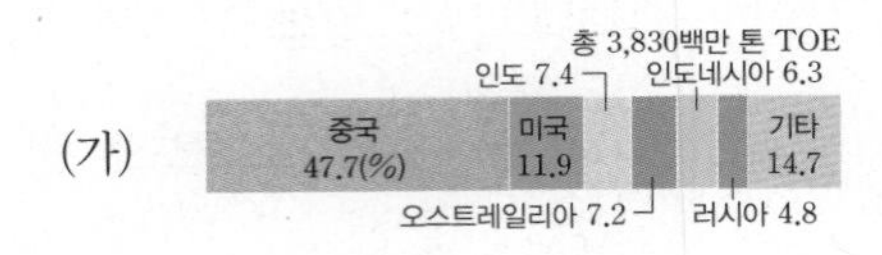

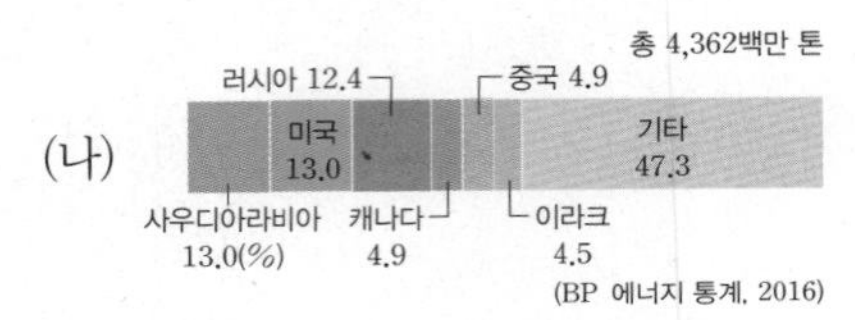

(BP 에너지 통계, 2016)

	(가)	(나)
①	석탄	석유
②	석탄	천연가스
③	석유	석탄
④	석유	천연가스
⑤	천연가스	석탄

02 **다음은 국가별 1인당 물 자원 분포를 나타낸 지도이다. 이에 대한 설명으로 옳은 것을 〈보기〉에서 고른 것은?**

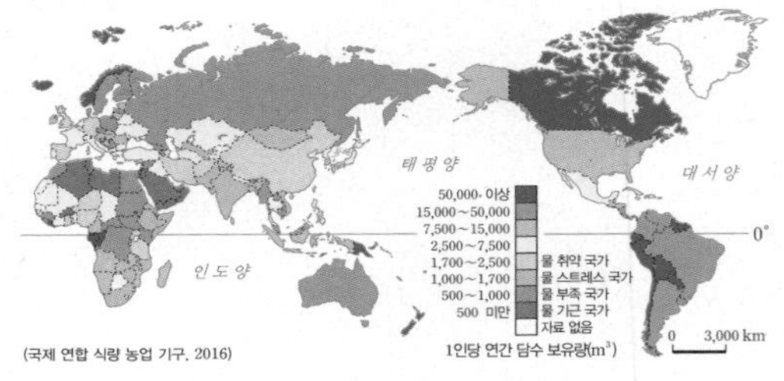

(국제 연합 식량 농업 기구, 2016)

보기

ㄱ. 세계의 물 자원은 고르게 분포하고 있다.
ㄴ. 주로 사막과 그 주변 지역이 1인당 물 보유량이 적다.
ㄷ. 세계에서 가장 물 부족 국가가 많은 곳은 적도를 끼고 있는 지역이다.
ㄹ. 물 자원의 확보를 위해서는 댐과 저수지를 건설하고 해수 담수화 시설을 구축하는 것이 필요하다.

① ㄱ, ㄴ　② ㄱ, ㄷ　③ ㄴ, ㄷ
④ ㄴ, ㄹ　⑤ ㄷ, ㄹ

[03~04] 다음 지도를 보고 물음에 답하시오.

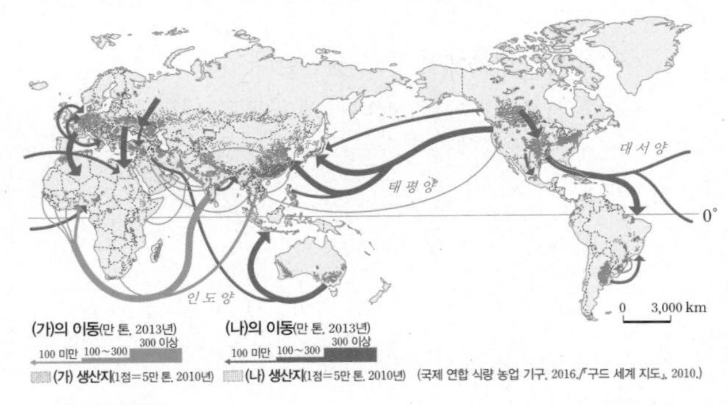

(국제 연합 식량 농업 기구, 2016; 『구드 세계 지도』, 2010)

★ 중요 ★

03 **위 지도의 (가), (나)에 들어갈 식량 자원으로 옳은 것은?**

	(가)	(나)
①	밀	쌀
②	밀	옥수수
③	쌀	밀
④	쌀	옥수수
⑤	옥수수	밀

★ 중요 ★

04 **위 지도의 (가), (나)에 대한 특징으로 옳지 않은 것은?**

① (가): 대체로 생산지에서 소비량이 많다.
② (가): 주로 아시아의 계절풍 기후 지역에서 생산된다.
③ (나): 가축 사료와 바이오 에너지의 원료로 이용된다.
④ (나): (가)에 비해 재배 조건이 까다롭지 않아 재배 면적이 넓다.
⑤ (나): 주로 아메리카, 오세아니아 대륙에서 아시아 대륙으로 이동한다.

고난도

05 다음 자료에 대한 설명으로 옳지 않은 것은?

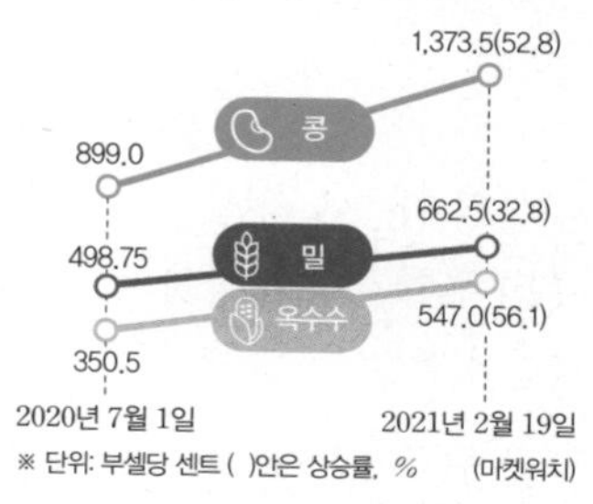

▲ 세계 곡물 가격 추이

① 곡물 가격의 상승은 물가 상승 문제를 유발한다.
② 기후 변화가 지속된다면 곡물 가격은 하락할 것이다.
③ 육류 소비량이 증가한다면 옥수수 가격은 더욱 상승할 것이다.
④ 식량 부족 문제는 2020년에 비해 2021년 심각하게 발생할 것이다.
⑤ 국제 식량 대기업의 영향력이 클수록 곡물 가격은 더 상승할 것이다.

06 다음에서 설명하는 지역을 지도에서 바르게 고른 것은?

- 세계에서 가장 긴 강이 흐르는 지역
- 강이 흐르는 지역 중 사막과 그 주변 지역이 있어 물 자원의 확보를 놓고 분쟁이 자주 발생함
- 대표적인 분쟁: 이 강의 상류에 자리한 에티오피아가 르네상스 댐을 건설하자 하류의 이집트와 수단이 반발함

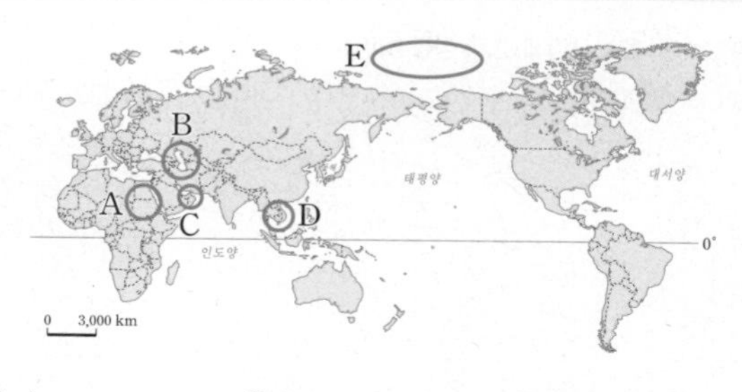

① A ② B ③ C
④ D ⑤ E

서술형 문제

고난도

07 다음 지역에서 국제 분쟁이 발생하는 원인이 되는 자원의 명칭과 이 자원을 더 많이 확보하는 방법을 두 가지 이상 서술하시오.

• 메콩강 • 나일강 • 요르단강

★ 중요 ★

08 다음 (가), (나) 식량 자원 중 재배 면적이 넓은 자원의 기호와 명칭을 쓰고 그 이유를 서술하시오.

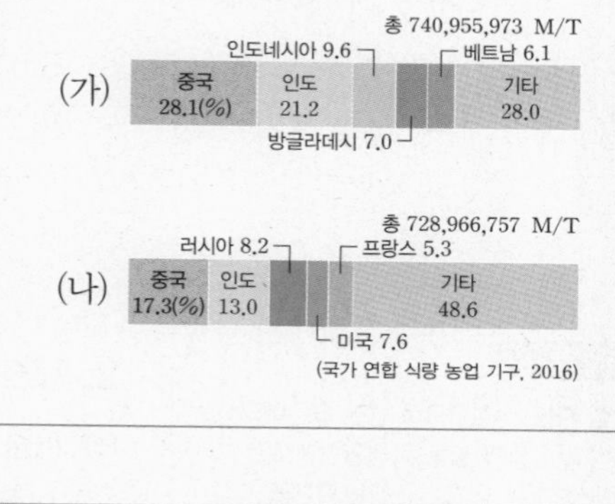

자원과 주민 생활

1. 풍부한 자원을 바탕으로 성장한 지역

(1) 자원 개발의 긍정적 측면 자료 1

① 자원 수출로 많은 소득이 발생
- 도로, 항만, 공항 등 사회 간접 자본의 확충에 사용
- 교육 및 의료 사업에 투자하여 주민 생활 수준이 향상

② 자원을 이용하여 공업, 광업 등 산업이 발달

(2) 자원 개발로 성장한 국가들 자료 2

① 미국, 캐나다, 오스트레일리아
- 넓은 영토에 자원 매장량이 풍부한 국가
  예 미국: 석탄, 석유, 구리, 철광석
  오스트레일리아: 철광석, 금, 은, 다이아몬드
- 자국에서 생산한 자원과 뛰어난 기술력을 바탕으로 경제 성장을 이룬 선진국들

② 서남아시아의 국가들
- 석유 자원이 풍부한 사우디아라비아, 쿠웨이트, 아랍 에미리트 등
- 석유 개발 이전: 유목과 오아시스 농업 위주
- 석유 개발 이후: 석유를 수출하여 벌어들인 수입으로 도로, 항만, 공항 등 사회 간접 시설을 확충하고 교육 및 의료에 투자함

→ 이 과정에서 유목민의 수가 감소하고, 전통적인 사고방식이 변화하게 되었어.

③ 노르웨이
- 북해의 석유, 천연가스 수출을 통해 부유한 국가로 성장
- 자원의 수출로 벌어들인 돈을 국가가 직접 관리하며 복지에 투자하여 국민의 삶의 질 개선에 힘씀

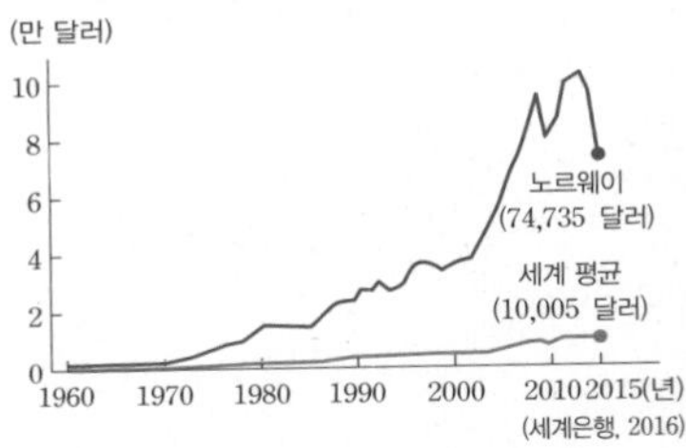

▲ 노르웨이의 1인당 GDP

④ 보츠와나
- 세계적인 다이아몬드 채굴 국가
- 정치적 안정과 강력한 반부패 정책으로 아프리카 내 부국으로 성장함

→ 2015년 국제투명성기구가 발표한 세계 부패인식지수에서 유일하게 우리나라보다 높은 순위를 기록한 아프리카 국가로 반부패에 대한 공교육을 엄격하게 실시하고 있어.

2. 자원이 풍부하지만 어려움을 겪는 지역

(1) 자원 개발의 부정적 측면 자료 3

① 환경 문제: 무리한 자원 개발로 대기·수질·토양 오염이 발생

② 갈등 발생: 자원의 소유권을 둘러싸고 경쟁이 심화하여 갈등과 전쟁이 발생

학습 내용 들여다보기

■ 아랍 에미리트의 두바이

작은 어촌이었던 두바이는 석유 개발 이후 세계적인 중계무역지로 성장하였다.

■ 오스트레일리아의 탄광

오스트레일리아는 철광석 매장 세계 1위, 석탄 매장 세계 4위의 자원 부국으로 수출량도 세계적인 수준이다.

용어 알기

- **사회 간접 자본** 직접적으로 생산 활동에 사용되지는 않으나 경제 활동을 원활하게 하는 데 필요한 시설. 도로, 항만, 철도가 대표적임
- **국내 총생산(GDP)** 한 나라 내에서 일정 기간 생산한 재화와 서비스의 가치를 더한 것

자료 1 자원의 수출과 경제 성장

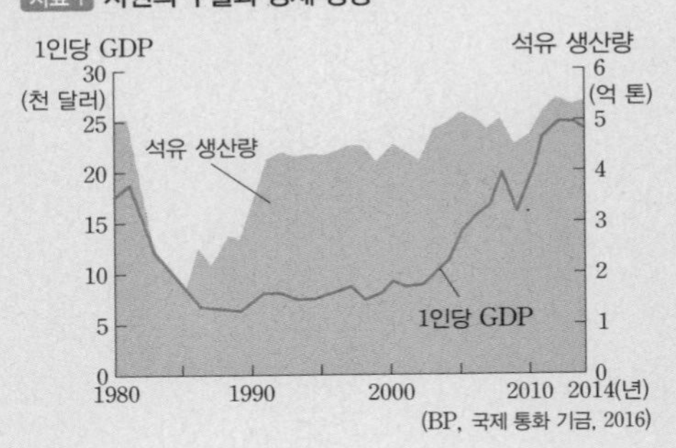

◀ 사우디아라비아의 석유 생산량과 1인당 GDP 변화

석유 생산량이 증가하면 1인당 GDP는 상승하고, 반면 석유 생산량이 감소하면 1인당 GDP는 감소하는 등 자원 개발과 경제 성장은 밀접한 관계가 있다.

자료 2 자원 개발 국가의 경제 성장 차이

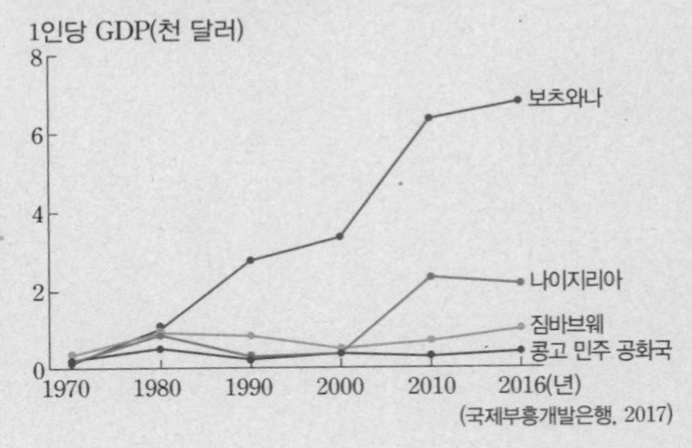

◀ 자원 개발 국가의 1인당 GDP 변화

자원이 풍부한 국가이더라도 정치적으로 안정된 국가(보츠와나)와는 달리 자원 개발에 따른 갈등, 부정부패가 만연한 국가(콩고 민주 공화국)의 경제 성장에는 큰 차이가 있다.

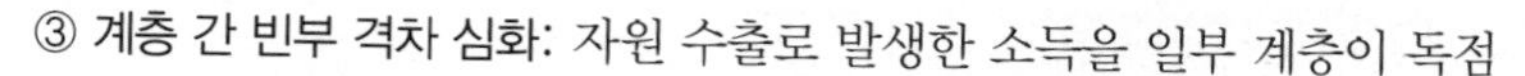

③ 계층 간 빈부 격차 심화: 자원 수출로 발생한 소득을 일부 계층이 독점

④ 산업의 불균형 발전: 자원 개발과 관련된 산업만 발전

⑤ 자원 고갈 시 경제 침체: 자원 수출에 경제를 의존하는 국가의 경우 자원의 고갈 시 주민들의 생활이 어려워짐

→ 독재자나 일부 부족이 수입을 독점하면서 또 다른 내전의 한 원인이 되지.

(2) **자원 개발에 어려움을 겪는 국가들**

① 공통점

- 자원을 개발할 자본과 기술 수준이 낮음
- 정치 상황이 불안정하고 부패가 심해 자원 개발로 얻은 소득을 효율적으로 분배하지 못함

② 대표적인 사례

국가	내용
나이지리아	• 석유와 천연가스 생산량이 많지만 빈부 격차와 갈등이 야기됨 • 자원 생산 및 운송 과정에서 환경이 오염되고 생활 터전이 파괴
콩고 민주 공화국	• 콜탄의 세계적 생산지 → 세계 콜탄의 80%가 콩고 민주 공화국에 묻혀 있어. • 자원을 둘러싸고 오랜 기간 내전이 발생, 열대 우림 파괴
시에라리온	• 세계적인 다이아몬드 생산 국가 • 다이아몬드 광산을 차지하기 위해 내전이 발생

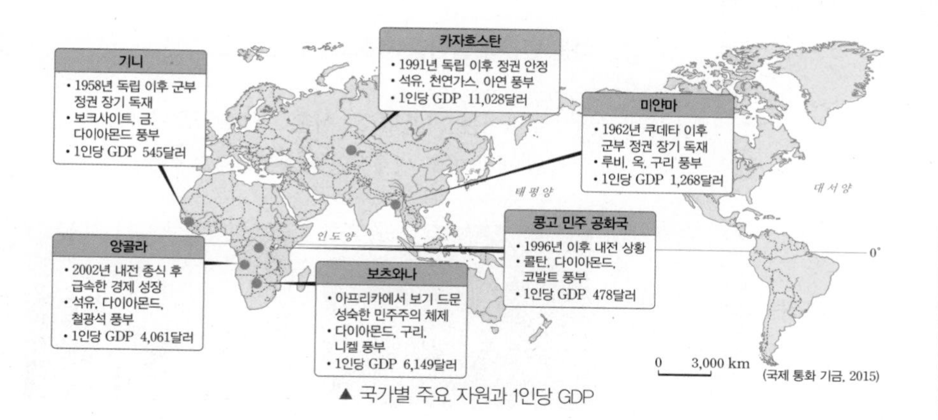

▲ 국가별 주요 자원과 1인당 GDP

3. 자원의 이동과 지구촌 자료 4

(1) **국가 간 상호 연결성 확대**: 우리가 사용하는 물건 하나를 만들기 위해서는 세계 여러 지역의 다양한 자원이 필요 → 자원을 이용하면서 우리의 삶이 다른 국가·지역 주민들과 긴밀하게 연결됨

(2) **윤리적 소비의 중요성**: 우리의 소비 행위가 다른 사람, 사회, 환경에 어떠한 결과를 가져오는지 고려하며, 바람직한 방향으로 자원을 소비해야 함

→ 친환경 소비(에너지 절감 제품 사용, 유기농 제품 소비, 동물 보호 제품 소비 등) 제품뿐 아니라 생산자에게 정당한 값을 치르는 공정 무역, 로컬 푸드, 공정 여행 등이 있어.

학습 내용 들여다보기

■ 콩고 민주 공화국의 콜탄 채굴

콜탄 채굴을 위해 어린아이가 고된 노동을 하고 있다. 콜탄 광산을 장악한 반군들은 12시간 이상씩 아이들을 강제로 콜탄 채굴에 동원하고 있다.

■ 시에라리온의 다이아몬드 채굴

다이아몬드 광산 개발을 통해 생긴 소득은 주민들에게 돌아가지 않고 정부군과 반군의 내전에 쓰일 무기 구매에 이용되었다.

용어 알기

- **콜탄** 휴대 전화나 컴퓨터 등 첨단 기기에 들어가는 천연자원
- **상호 연결성** 사물과 사물 또는 현상과 현상이 서로 이어지거나 관계를 맺는 성질

자료 3 나이지리아의 유전 개발

▲ 나이저강 석유 생산 시설

▲ 석유에 오염된 물고기

나이지리아는 석유와 천연가스를 수출하지만 부정부패 때문에 국민은 혜택을 거의 받지 못하고 있다. 유전이 집중된 나이저강 삼각주는 석유 개발로 기름이 유출되면서 많은 환경 오염이 발생하고 있다.

자료 4 청바지 생산으로 본 자원의 이동

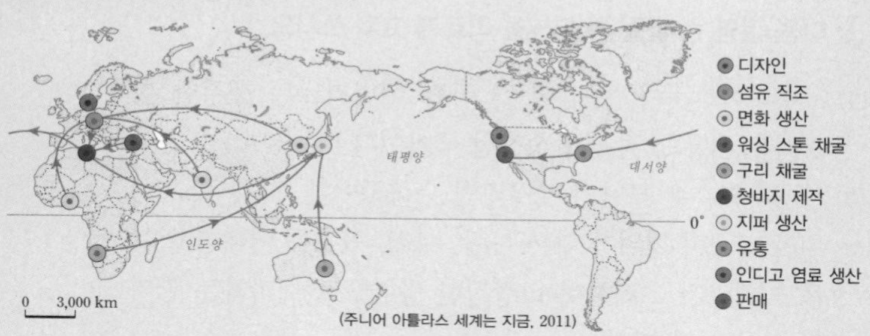

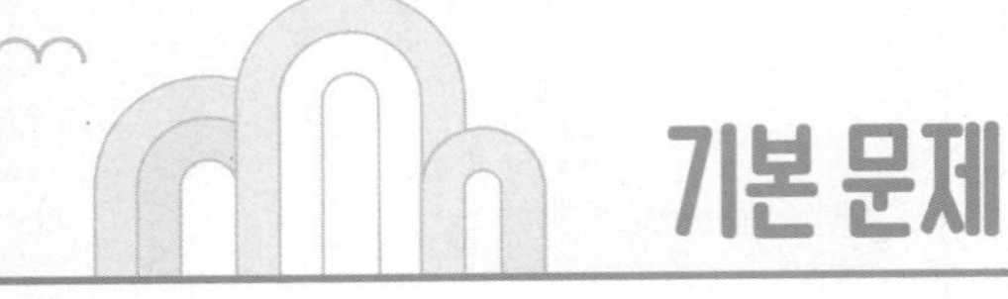

기본 문제

간단 체크

1 다음 설명이 맞으면 ○표, 틀리면 ×표 하시오.

(1) 미국, 캐나다, 오스트레일리아는 풍부한 자원 매장을 바탕으로 경제 성장을 이룬 선진국이다. (　　)

(2) 사우디아라비아, 쿠웨이트, 아랍 에미리트는 콜탄과 다이아몬드가 풍부하게 매장되어 있지만, 정치가 불안정해 어려움을 겪는 나라이다. (　　)

(3) 보츠와나는 세계적인 다이아몬드 생산 국가로 정치가 안정되어 있고 부정부패가 적어 아프리카 내 부국으로 성장하고 있다. (　　)

(4) 나이지리아는 석유 생산으로 벌어들이는 수익을 국가가 관리하고 국민의 복지에 적극적으로 투자하고 있어 국민의 삶이 질이 높은 국가이다. (　　)

(6) 우리가 사용하고 있는 물건을 생산하는데 세계 여러 지역의 자원이 쓰이고 있으며 우리들의 삶은 다른 국가나 주민과 긴밀하게 연결되어 있다. (　　)

2 자원 개발로 성장한 국가와 자원 개발에 어려움을 겪는 국가를 바르게 연결하시오.

(1) 자원 개발로 성장한 국가 •

(2) 자원 개발에 어려움을 겪는 국가 •

• ㉠ 미국
• ㉡ 보츠와나
• ㉢ 나이지리아
• ㉣ 시에라리온
• ㉤ 사우디아라비아
• ㉥ 콩고 민주 공화국

3 다음 설명 중 밑줄 친 부분을 바르게 고쳐 쓰시오.

(1) 사우디아라비아, 쿠웨이트, 아랍 에미리트는 풍부한 철광석을 이용해 경제가 성장한 국가이다. (　　　)

(2) 시에라리온은 콜탄의 세계적인 수출국이다. (　　　)

(3) 우리의 소비 행위가 다른 사람, 사회, 환경에 어떠한 영향을 미치는지 고려하며 바람직한 방향으로 소비하는 합리적 소비가 필요하다. (　　　)

01 자원의 개발로 나타나는 긍정적 영향에 해당하지 않은 것은?

① 국가 수출이 증대된다.
② 정치가 안정되고 부정부패가 사라진다.
③ 도로, 항만 등 사회 간접 자본이 확충된다.
④ 교육 및 의료 시설에 대한 투자가 늘어난다.
⑤ 공업과 광업이 발달하며 일자리가 창출된다.

02 다음 빈칸에 들어갈 자원으로 옳은 것은?

> 두바이는 과거 작은 어촌 마을이었으나 (　　　) 자원 개발 이후 세계적인 중계무역지로 성장하였다.

▲ 1950년대 두바이

▲ 현재 두바이

① 석탄　② 석유　③ 콜탄
④ 천연가스　⑤ 다이아몬드

03 다음 중 풍부한 석유 자원을 바탕으로 경제 성장을 이루어 낸 국가를 〈보기〉에서 고른 것은?

> 보기
> ㄱ. 노르웨이　ㄴ. 보츠와나
> ㄷ. 나이지리아　ㄹ. 아랍 에미리트

① ㄱ, ㄴ　② ㄱ, ㄹ　③ ㄴ, ㄷ
④ ㄴ, ㄹ　⑤ ㄷ, ㄹ

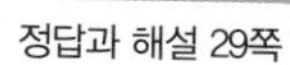

04 다음 그래프는 자원이 풍부한 국가들의 1인당 GDP를 나타낸 것이다. 이 그래프에 대한 해석으로 옳은 것은?

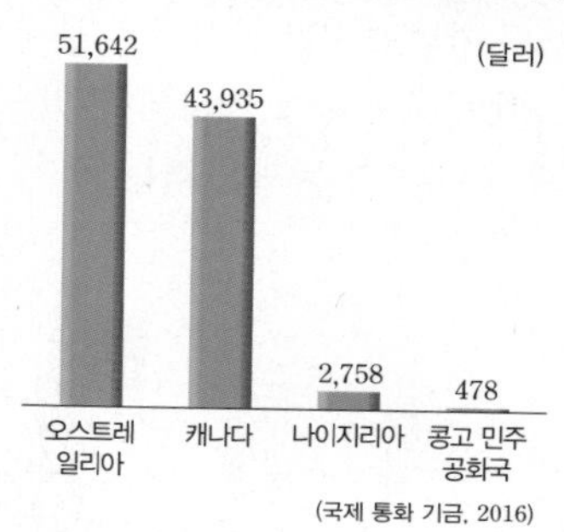

(국제 통화 기금, 2016)

① 자원이 풍부한 국가들은 1인당 GDP가 높다.
② 보유한 자원의 가치에 따라 경제 발전의 정도가 다르다.
③ 자원이 풍부하지만 환경 오염이 심한 경우 경제 발전 정도가 낮다.
④ 자원이 풍부하지만, 자원을 수출할 수 없는 경우 경제 발전 정도가 낮다.
⑤ 자원이 풍부하지만, 자본과 기술 수준이 낮고 정치가 불안정한 경우 경제 발전 정도가 낮다.

05 다음은 사우디아라비아의 석유 생산량과 1인당 GDP의 변화를 나타낸 것이다. 이 그래프에 대한 해석으로 옳은 것은?

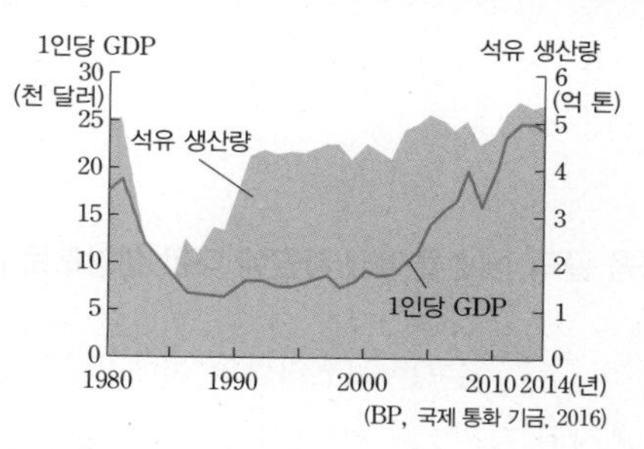

(BP, 국제 통화 기금, 2016)

① 석유의 생산량과 경제 성장은 큰 관련이 없다.
② 석유의 가격이 높을 때 1인당 GDP가 높게 나타난다.
③ 석유의 생산량이 많을수록 1인당 GDP가 높게 나타난다.
④ 정치적으로 안정된 시기에 1인당 GDP가 높게 나타난다.
⑤ 사회 간접 시설이 확충된 시기에 1인당 GDP가 높게 나타난다.

06 다음에서 설명하는 국가로 옳은 것은?

- 금, 은, 다이아몬드와 같은 자원도 풍부함
- 철광석 매장량 1위, 석탄 매장량 4위에 해당하는 자원 부국
- 자원 개발로 얻은 이익을 교육 의료 등 복지 정책에 투자하는 선진국

① 미국 ② 노르웨이
③ 시에라리온 ④ 아랍 에미리트
⑤ 오스트레일리아

07 다음에서 설명하는 국가로 옳은 것은?

- 영국의 식민 지배를 받다가 1961년에 독립한 국가
- 1991~2002년에 걸쳐 반정부 세력과 내전이 발생한 국가
- 다이아몬드가 풍부하며 이를 다룬 영화 「블러드 다이아몬드」의 배경이 된 국가

① 가나 ② 보츠와나
③ 시에라리온 ④ 사우디아라비아
⑤ 콩고 민주 공화국

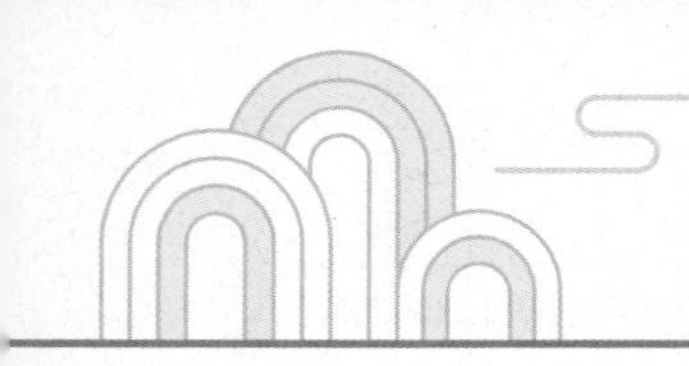

실전 문제

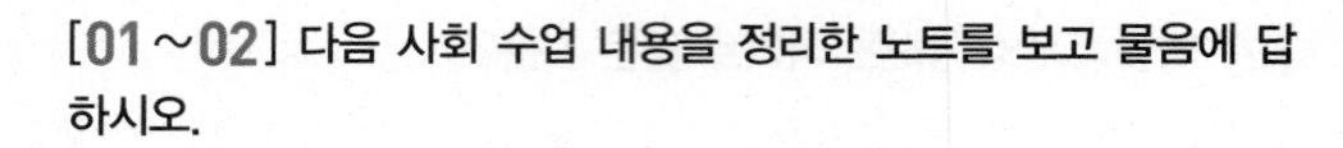

[01~02] 다음 사회 수업 내용을 정리한 노트를 보고 물음에 답하시오.

> • 자원이 풍부한 지역의 주민 생활 모습
> 〈1〉 풍부한 자원을 통해 성장한 국가
> ① 석유가 풍부한 서남아시아 국가들
> 특징: 석유 개발 이후 전통적인 생활 방식이 변화함
> ② (　　　㉠　　　)
> - 영토가 넓고 자원 매장량이 풍부함
> - 풍부한 자원과 기술력으로 선진국으로 성장함
> 〈2〉 자원 개발에 어려움을 겪는 국가
> ① ㉡ 자원 개발이 갖는 부정적 측면
> ② 예: 나이지리아, 콩고 민주 공화국 등

★ 중요 ★

01 위 필기 내용의 ㉠에 해당하는 국가를 지도에서 고른 것은?

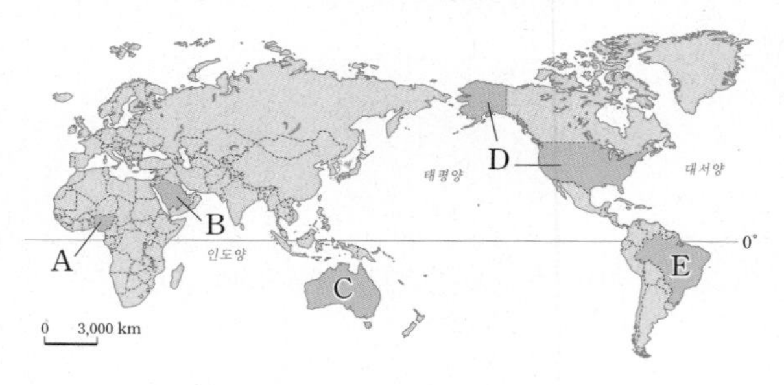

① A, B　② A, C　③ C, D
④ C, E　④ D, E

02 위 필기 내용의 ㉡에 들어갈 내용으로 옳지 <u>않은</u> 것은?

① 빈부 격차 심화
② 산업의 불균형 발전
③ 자원 고갈 시 경제 침체
④ 자원의 비윤리적 소비 증가
⑤ 대기 · 토양 · 수질 오염의 발생

고난도

03 다음 (가), (나)에 해당하는 국가를 옳게 연결한 것은?

> (가) 석유 개발에 따른 환경 오염 문제가 심각한 국가
> (나) 콜탄이 풍부하게 매장되어 있으나 내전과 열대 우림 파괴 문제를 겪는 국가

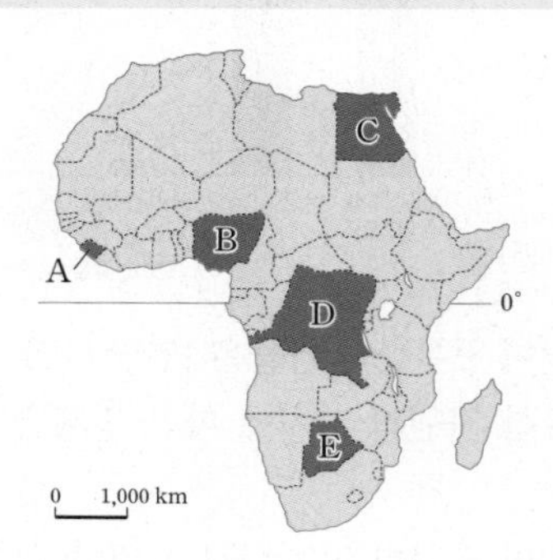

	(가)	(나)
①	A	D
②	A	E
③	B	D
④	B	E
⑤	C	E

04 다음 글의 ㉠에 들어갈 자원에 대한 설명으로 옳은 것은?

> (㉠)은/는 보츠와나와 시에라리온에 풍부하게 매장된 자원이다. 보츠와나는 풍부한 (㉠)을/를 바탕으로 성장하였으나 반면 시에라리온은 오히려 자원 확보를 둘러싼 내전으로 고통을 받고 있다.

① 보석용으로 사용되는 자원이다.
② 바이오 에너지 생산에 이용된다.
③ 페르시아만에서 주로 매장되어 있다.
④ 핸드폰 및 첨단 기기의 재료로 이용된다.
⑤ 석유의 대체 자원으로 최근 강조되고 있다.

05 자원이 풍부한 국가 중 보츠와나와 콩고 민주 공화국의 1인당 국내 총생산(GDP)이 다음과 같이 차이나는 이유로 옳은 것은?

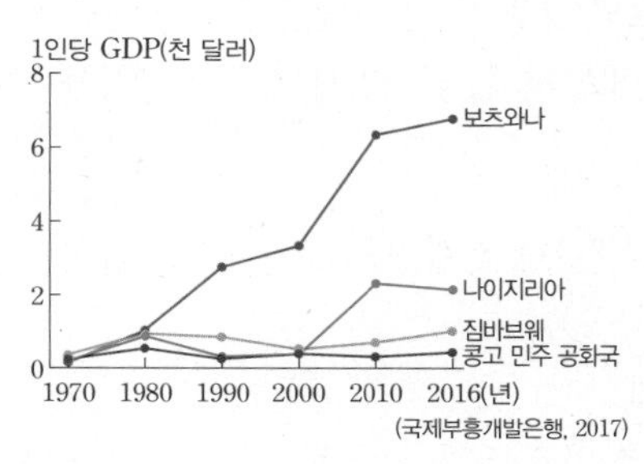

(국제부흥개발은행, 2017)

① 기술력　② 환경 오염
③ 정치적 안정　④ 외국의 원조
⑤ 보유 자원의 가치

고난도

06 다음 교사의 질문에 옳게 답을 한 학생을 고른 것은?

교사: 다음은 미국 L 청바지 생산 과정을 나타낸 지도입니다. 이 지도를 통해 무엇을 알 수 있을까요?

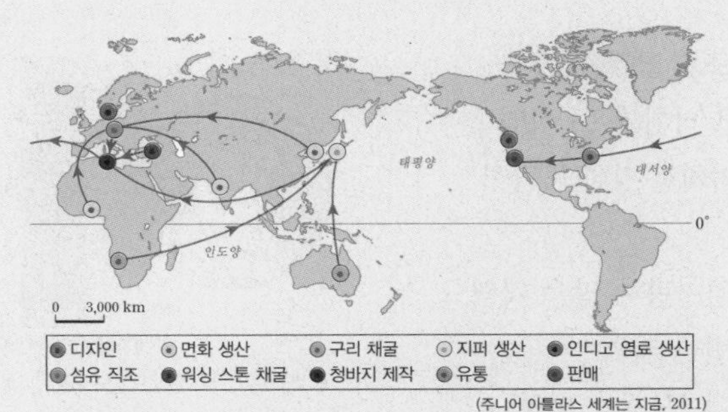

(주니어 아틀라스 세계는 지금, 2011)

가영: 물건을 만드는 데 세계 여러 지역의 자원이 사용되고 있어요.
나예: 점차 시간이 지나고 기술이 발달한다면 한 국가 내에서 자원 생산, 제품 제조가 이루어집니다.
다솔: 우리의 삶이 다른 국가나 지역과 밀접한 관계가 있다는 점을 알 수 있어요.
라온: 청바지의 생산 과정을 통해 윤리적인 소비의 중요성을 알 수 있어요.

① 가영, 나예　② 가영, 다솔　③ 나예, 다솔
④ 나예, 라온　⑤ 다솔, 라온

서술형 문제

07 다음 국가들이 세계적인 선진국이 될 수 있었던 이유를 두 가지 측면에서 서술하시오.

• 미국　• 캐나다　• 오스트레일리아

고난도

08 다음과 같이 노르웨이가 세계에서 가장 살기 좋은 나라 1위로 선정된 이유를 자원과 연관 지어 서술하시오.

Q 2020년 세계에서 가장 살기 좋은 나라?

순위	국가	점수
1위	노르웨이	92.73점
2위	덴마크	92.11점
3위	핀란드	91.89점
4위	뉴질랜드	91.64점
5위	스웨덴	91.62점

(미국 비영리단체인 사회발전조사기구)

03 지속 가능한 자원 개발

1. 자원의 지속 가능한 활용 방안

(1) 필요성

① 자원 고갈의 위험성: 화석 연료의 경우 한 번 사용하면 다시 사용할 수 없음
→ 현재 가장 많이 사용하고 있는 에너지 자원들로 석유, 석탄, 천연가스가 대표적이야.

② 환경 오염 야기: 화석 연료의 연소 시 환경 오염과 지구 온난화를 야기함
→ 화석 연료를 사용할 때 에너지를 사용한 후 남게 되는 이산화 탄소 등이 대기로 방출되면 산성비나 지구 온난화를 일으키게 돼.

(2) 방법

① 실생활 속 자원 절약의 습관화: 냉난방 절제, 대중교통 이용, 일회용품 사용 자제

② 자원 절약을 위한 정책 마련

- 에너지 소비 효율 등급 표시제
- 탄소 포인트제: 온실가스 감축 실적에 따라 탄소 포인트를 발급하고, 이에 상응하는 혜택을 제공하는 제도
→ 최근에는 환경 성적 표지 제도로 통합되어 '탄소 발자국'이라는 이름으로 바뀌어 운영되고 있어.
- 탄소 성적 표지제: 제품의 생산, 수송, 사용, 폐기 등 모든 과정에서 발생하는 이산화탄소 배출량을 제품 겉면에 표기하는 제도

③ 신·재생 에너지의 개발과 이용

2. 신·재생 에너지의 종류와 특징

(1) 정의: 화석 연료를 재활용하거나 재생 가능한 자원을 변환하여 이용하는 에너지

(2) 종류

① 기술 발달로 등장한 신에너지: 수소 에너지, 연료 전지, 석탄 액화 등

② 자연에서 얻는 재생 가능한 에너지: 태양광, 태양열, 풍력, 지열, 조력, 바이오 에너지 등
→ 태양광은 태양의 빛에너지, 태양열은 태양의 열에너지를 전기 에너지로 변환하여 전기를 생산한다는 차이점이 있어.

(3) 특징

① 고갈 우려가 적고, 친환경적 → 기존 사용하는 화석 연료의 한계를 극복

② 화석 연료와 비교해 지구상에 비교적 고르게 분포

(4) 신·재생 에너지의 입지 조건 자료 1

① 수력: 유량이 풍부하고 낙차가 큰 지역

② 풍력: 산지와 해안 지역처럼 강한 바람이 지속해서 부는 지역

③ 태양광: 사막과 같이 일사량이 많은 지역

④ 지열: 화산 활동이 활발한 지역

⑤ 조력: 조석 간만의 차가 큰 해안 지역

재생 에너지 중 수력, 풍력 순으로 비중이 높아.

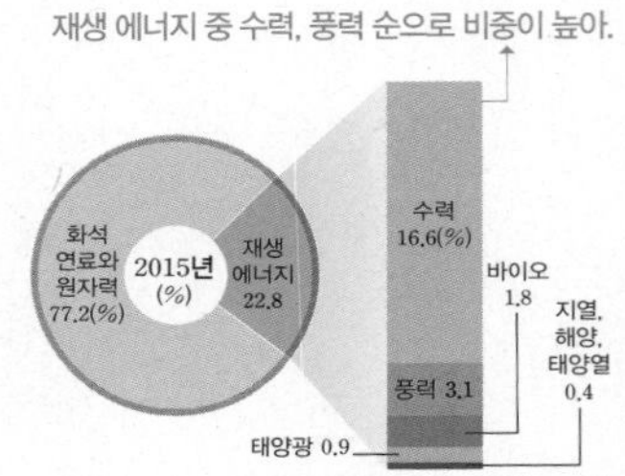

(국제 재생 에너지 정책 네트워크, 2016)

▲ 세계 전력 생산에서 재생 에너지가 차지하는 비중

학습 내용 들여다보기

■ 에너지 소비 효율 등급 표시제

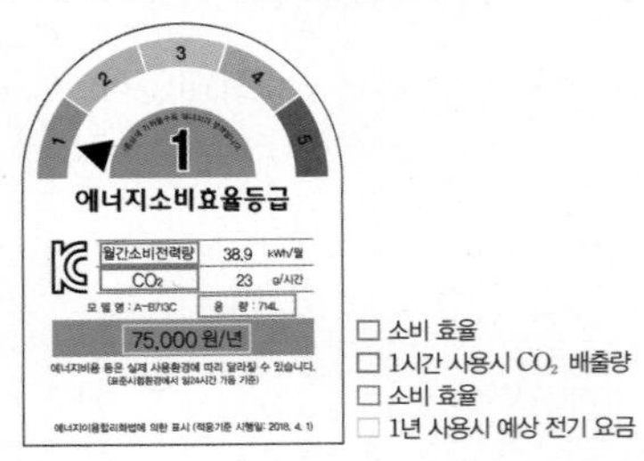

제품의 에너지 소비 효율 또는 에너지 사용량에 따라 1~5 등급으로 구분하여 표시하는 제도이다.

■ 아이슬란드의 지열 활용

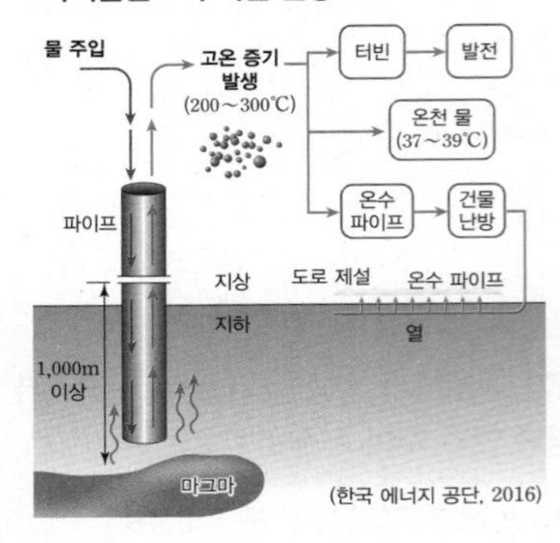

(한국 에너지 공단, 2016)

용어 알기

- **고갈** 어떤 일의 바탕이 되는 돈, 물자 등이 다 하여 없어짐
- **일사량** 태양으로부터 나오는 태양 복사 에너지를 받는 양
- **조석 간만의 차** 밀물과 썰물의 변화에 따라 바닷물의 수위가 가장 높을 때(만조)와 낮을 때(간조)의 차이

자료 1 **신·재생 에너지의 국가별 이용 현황(2015년)**

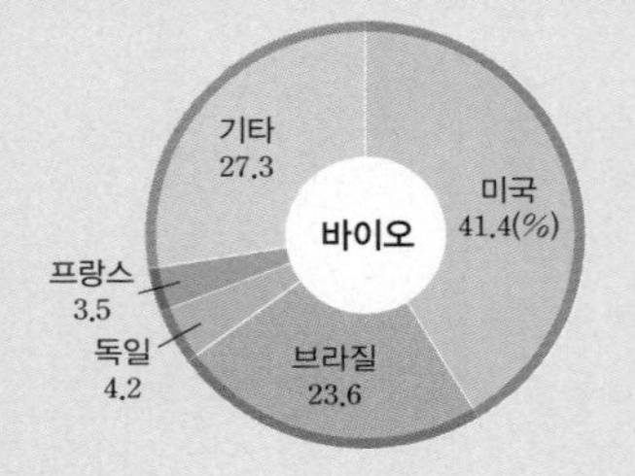

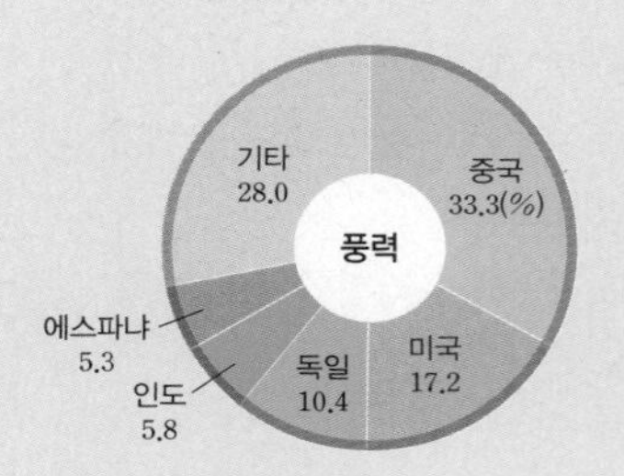

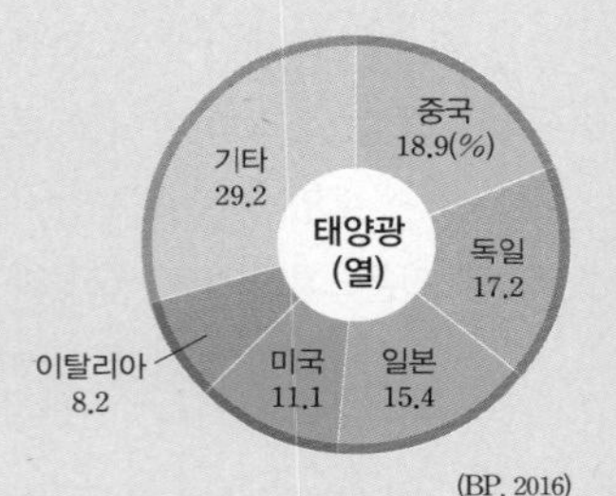

(BP, 2016)

바이오 에너지는 옥수수, 사탕수수의 생산량이 많은 국가(미국, 브라질), 지열은 조산대에 있는 국가(필리핀, 인도네시아, 뉴질랜드, 이탈리아, 아이슬란드 등)에서 적극적으로 이용되고 있다.

(5) **우리나라의 신·재생 에너지 개발 현황**

① 풍력: 강원도 대관령, 경상북도 영덕군, 제주도 일대

② 태양광: 호남 지방, 영남 북부 지방

③ 조력: 경기도 안산시 시화호

3. 지속 가능한 자원 개발이 가져온 변화

(1) 지속 가능한 자원 개발의 효과

① 친환경 에너지 분야와 관련된 새로운 일자리 창출

② 고갈 가능성 없는 무한한 에너지 공급

→ 에너지 사용은 물론 남는 에너지를 팔아 수익 창출 가능

③ 화석 연료에 대한 의존도 감소

④ 주민들에게 쾌적한 환경을 제공

⑤ 에너지 관련 시설을 이용한 관광 산업 발달

→ 덴마크, 미국, 영국과 같은 나라에서는 바다 위에 설치한 해상 풍력 발전 단지를 관광 상품으로 개발하여 많은 수익을 내고 있어.

(2) 지속 가능한 자원 개발의 단점

① 단점 자료 2

- 저장과 수송이 어려움
- 대량 생산이 어려워 경제성이 낮음
- 개발 초기에 많은 투자 비용이 발생
- 에너지로 활용하기까지 복잡한 공정과 기술이 필요함 → 기술력이 낮은 개발 도상국의 경우 이용하기 어려움
- 자연환경의 제약이 있어 일부 지역에서만 이용할 수 있음
  예 지열(화산 활동이 활발한 곳), 조력(조석 간만의 차가 큰 곳)
- 대규모 태양광, 풍력, 조력 발전 단지 건설 시 주변 자연환경을 파괴

② 신·재생 에너지별 문제점

수력 자료 3	• 댐 건설로 수몰 지구 발생 → 주민들이 삶의 터전을 잃고, 문화재가 수몰 • 상류와 하류의 생태계 순환 단절 → 하천 생태계에 큰 변화 야기
조력	• 방조제 부근 해안 생태계 파괴 → 어획량 감소 • 발전소 건설 초기 높은 설치 비용
태양광	태양 전지판의 강한 열과 빛으로 주변 지역에 피해 발생
풍력	소음 및 전자파로 피해 발생
바이오 에너지	• 옥수수, 콩 등 곡물 가격의 상승 → 개발 도상국의 식량 부족 문제 야기 • 토양 및 수질 오염 발생

학습 내용 들여다보기

■ **우리나라 도별 신·재생 에너지 생산 현황 (2015년)**

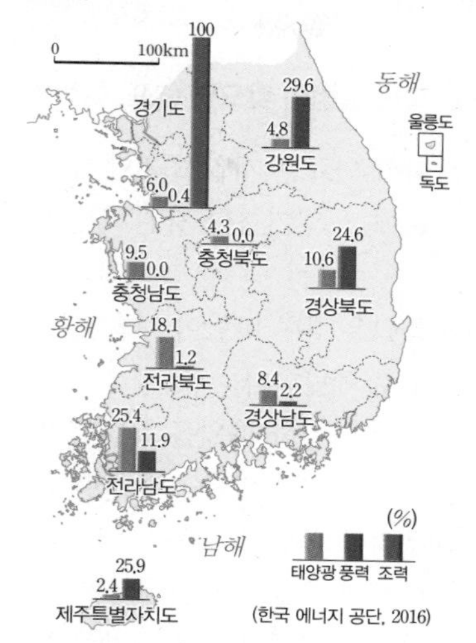

풍력 발전은 강원도(대관령)·제주도·경상북도(영덕), 태양광 발전은 호남 지방(전라남·북도)과 영남 지방(경상남·북도), 조력 발전은 경기도(안산 시화호)에서 높은 비중을 차지하고 있다.

■ **시화호 조력 발전소**

조석 간만의 차가 큰 서해안에 자리한 세계 최대 규모의 조력 발전소이다. 무한의 조력 에너지를 사용하기 때문에 에너지 자원이 고갈되지 않고 기후와 계절의 영향을 받지 않는다는 장점이 있다.

용어 알기

- **공정** 하나의 제품이 완성되기까지 거치는 작업 단계
- **수몰 지구** 물속에 잠긴 지역
- **OECD** 경제 협력 개발 기구. 회원국 간 정책 협력과 조정을 통해 경제적 협력을 도모하는 기구. 일반적으로 선진국들이 많이 가입해 있음

자료 2 **세계 신·재생 에너지 소비량 변화**

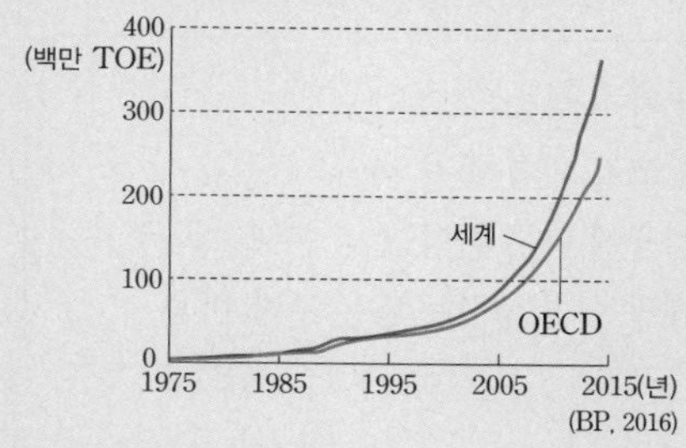

신·재생 에너지의 소비량은 OECD 가입국(선진국)의 비중이 크다.

자료 3 **싼샤 댐으로 본 수력 발전의 문제점(싼샤 댐과 장비 장군의 묘)**

중국 양쯔강의 싼샤 댐은 홍수 예방, 관광지 개발 등 경제적 효과가 크지만 수질 오염, 생태계 약화 등의 문제 또한 발생하였다. 특히, 장비 장군의 묘와 같이 역사적 가치가 큰 유적지들이 수몰 위기에 처해 사회적 문제가 되기도 하였다.

기본 문제

간단 체크

1 다음 설명이 맞으면 ○표, 틀리면 ×표 하시오.

(1) 화석 연료는 개발 초기에 많은 투자 비용이 드는 단점 때문에 지속 가능한 자원 개발의 필요성이 대두되고 있다. (　　)

(2) 풍력은 강한 바람이 지속해서 부는 산지와 해안 지역에서 주로 개발한다. (　　)

(3) 지속 가능한 자원을 개발하면 새로운 일자리를 창출하고 관광 산업의 발달을 촉진한다는 장점이 있다. (　　)

(4) 우리나라의 경우 풍력 발전은 호남 지방과 영남 북부 지방에서 주로 이용된다. (　　)

(5) 바이오 에너지는 곡물 가격을 상승시켜 개발 도상국에 식량 부족 문제를 일으킨다. (　　)

2 신·재생 에너지와 입지 조건을 바르게 연결하시오.

(1) 수력 •　　　• ㉠ 사막

(2) 풍력 •　　　• ㉡ 조산대

(3) 조력 •　　　• ㉢ 산지와 해안 지역

(4) 지열 •　　　• ㉣ 조석 간만의 차가 큰 지역

(5) 태양광 •　　　• ㉤ 유량이 풍부하고 낙차가 큰 지역

3 다음 설명 중 밑줄 친 부분을 바르게 고쳐 쓰시오.

(1) <u>조력</u> 발전은 소음 및 전자파로 피해가 발생한다는 단점이 있다. (　　　　)

(2) 신·재생 에너지 중 수소 에너지, 연료 전지, 석탄 액화 등은 <u>재생</u> 에너지에 해당한다. (　　　　)

(3) 조석 간만의 차가 큰 서해안에 있는 <u>청평호</u> 조력 발전소는 세계 최대 규모의 조력 발전소이다. (　　　　)

01 다음 교사와 학생의 대화 중 바르게 답을 한 학생을 고른 것은?

교사: 다음은 우리나라 가전 제품 및 자동차 등에 의무적으로 부착하도록 법으로 정해놓은 라벨입니다. 이에 관해 설명해 볼까요?

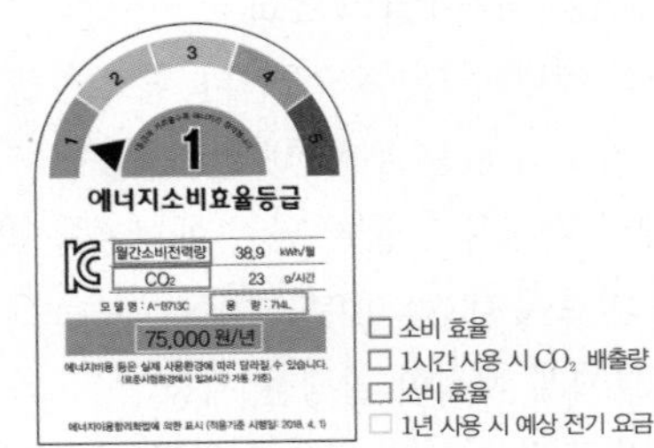

가영: 제품의 에너지 소비 효율 정도를 알려주는 라벨이에요.

나예: 제품의 가격도 한눈에 알아볼 수 있지요.

다솔: 제품의 바람직한 사용 방법을 안내해 안전사고를 예방하기 위한 목적도 있어요.

라온: 이와 비슷한 목적으로 실시하는 제도로는 탄소 성적 표지제가 있습니다.

① 가영, 다솔　② 가영, 라온　③ 나예, 다솔
④ 나예, 라온　⑤ 다솔, 라온

02 지속 가능한 자원의 필요성이 강조되는 이유로 옳은 것을 〈보기〉에서 고른 것은?

| 보기 |
ㄱ. 화석 연료의 가격 상승
ㄴ. 화석 연료의 고갈 위험 증가
ㄷ. 화석 연료 사용에 따른 환경 오염 문제
ㄹ. 화석 연료 개발 시 발생하는 많은 투자 비용

① ㄱ, ㄴ　② ㄱ, ㄷ　③ ㄴ, ㄷ
④ ㄴ, ㄹ　⑤ ㄷ, ㄹ

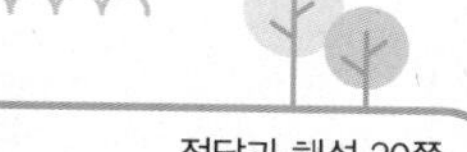

[03~04] 다음은 2015년 한 에너지 자원의 국가별 이용 현황을 나타낸 그래프이다. 물음에 답하시오.

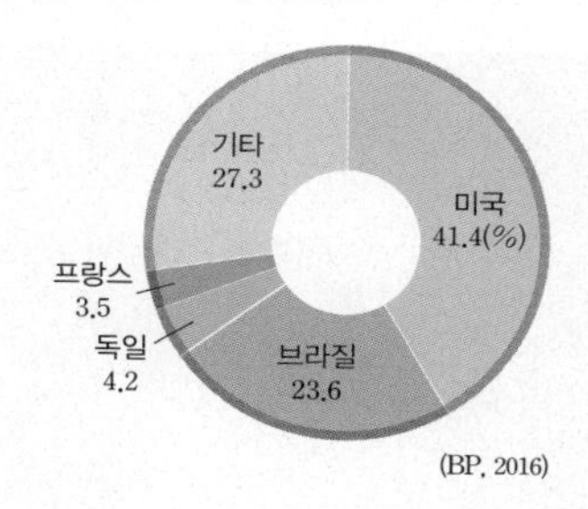

03 위 그래프에서 표현한 에너지 자원으로 옳은 것은?

① 수력 ② 조력
③ 지열 ④ 풍력
⑤ 바이오 에너지

04 위 그래프의 에너지 자원에 대한 학생들의 대화 중 바르게 답을 한 학생은?

> 가영: 유량이 풍부하고 낙차가 큰 지역에서 주로 사용하는 에너지 자원이야.
> 나예: 한 번 사용하면 다시는 사용할 수 없기 때문에 지속 가능한 자원으로 대체해야 할 필요성이 있어.
> 다솔: 수몰 지구가 발생하고 하천 생태계에 악영향을 미치지.
> 라온: 곡물 가격이 상승해 개발 도상국의 식량 문제도 야기하는 에너지 자원이야.
> 마음: 우리나라에 이 에너지 자원을 활용한 세계 최대 규모의 발전소가 있어.

① 가영 ② 나예 ③ 다솔
④ 라온 ⑤ 마음

05 다음 (가), (나) 에너지 자원의 명칭을 옳게 연결한 것은?

(가) (나)

	(가)	(나)
①	수력	조력
②	수력	풍력
③	풍력	조력
④	풍력	수력
⑤	풍력	태양광

06 지속 가능한 자원 개발로 얻을 수 있는 효과가 아닌 것은?

① 지역 사회에 쾌적한 환경 제공
② 초과 에너지 판매에 따른 수익 창출
③ 값싼 전기 생산에 따른 전기세 인하 효과
④ 에너지 관련 시설을 이용한 관광 산업 발달
⑤ 친환경 에너지 분야와 관련된 새로운 일자리 창출

07 전력 생산 시 소음 및 전자파로 피해를 유발하는 신·재생 에너지로 옳은 것은?

① 수력 ② 조력 ③ 지열
④ 풍력 ⑤ 태양광

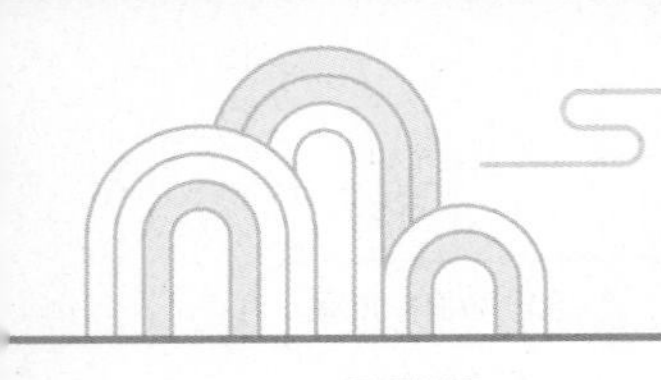
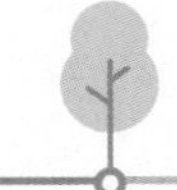

실전 문제

고난도

01 **다음은 세계 신·재생 에너지 소비량 변화를 나타낸 그래프이다. 세계 신·재생 에너지 소비량 중 OECD 가입국의 비중이 높은 이유를 〈보기〉에서 고른 것은?**

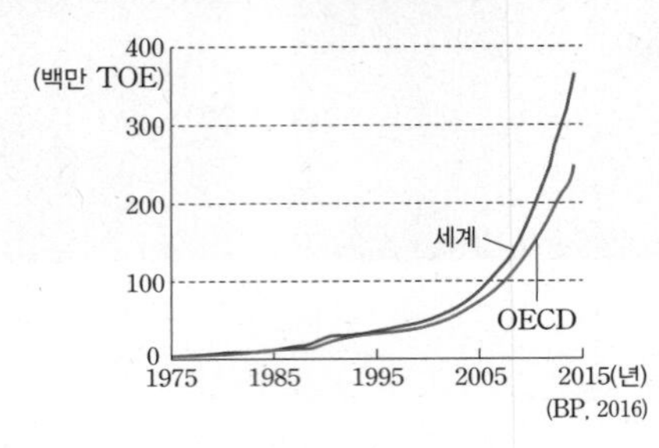

| 보기 |

ㄱ. 개발 초기에 드는 투자 비용이 많아서
ㄴ. 에너지 활용에 복잡한 공정과 기술이 필요해서
ㄷ. 신·재생 에너지 사용에 필요한 자원이 선진국에 집중되어 있어서
ㄹ. 신·재생 에너지를 이용할 수 있는 자연적 조건을 만족하는 지역이 선진국에 많아서

① ㄱ, ㄴ ② ㄱ, ㄷ ③ ㄴ, ㄷ
④ ㄴ, ㄹ ⑤ ㄷ, ㄹ

02 **다음 빈칸에 들어갈 에너지에 대한 설명으로 옳은 것은?**

아이슬란드의 대표 온천인 블루 라군은 ( )(으)로 전기를 생산하고 남은 물을 이용한 야외 수영장이다.

① 해양 생태계를 파괴한다는 문제가 있다.
② 판과 판의 경계 지역에서 주로 이용된다.
③ 유량이 풍부한 지역에서 활용 시 유리하다.
④ 친환경적이나 고갈 위험이 많은 에너지이다.
⑤ 화석 연료와 비교해 전 세계적으로 고루 분포한다.

고난도

03 **다음과 같은 신·재생 에너지를 적극적으로 활용하고 있지 <u>않은</u> 국가를 지도에서 고른 것은?**

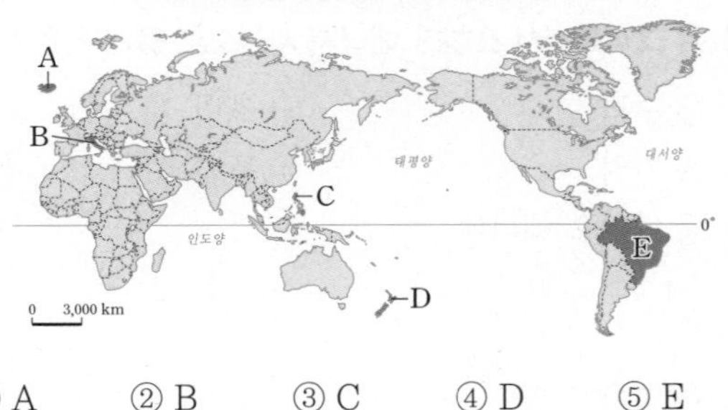

① A ② B ③ C ④ D ⑤ E

★ 중요 ★

04 **다음 교사와 학생의 대화 중 바르게 답을 한 학생을 고른 것은?**

교사: 화석 연료 사용에 따른 문제점에는 무엇이 있나요?
가영: 화석 연료는 지구 온난화를 야기합니다.
나예: 개발 초기에 높은 비용이 들어갑니다.
교사: 그렇다면 지속 가능하게 자원을 사용하기 위해서는 어떤 노력을 해야 할까요?
다솔: 대중교통을 이용해야 합니다.
라온: 지구 온난화를 막기 위해 냉방을 적극적으로 해야 합니다.

① 가영, 나예 ② 가영, 다솔 ③ 나예, 다솔
④ 나예, 라온 ⑤ 다솔, 라온

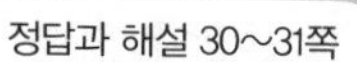

[05~06] 다음은 2015년 우리나라 신·재생 에너지 개발 현황을 나타낸 그래프이다. 그래프를 보고 물음에 답하시오.

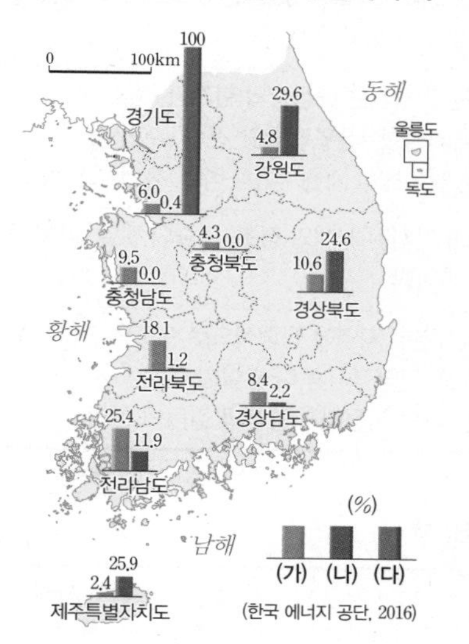

(한국 에너지 공단, 2016)

★ 중요 ★

05 위 지도의 (가), (나)에 들어갈 에너지 자원으로 옳은 것은?

	(가)	(나)
①	조력	풍력
②	풍력	조력
③	풍력	태양열
④	태양열	조력
⑤	태양열	풍력

06 위 지도의 (다) 에너지 자원이 가진 단점으로 옳은 것은?

① 토양 및 수질 오염이 발생한다.
② 옥수수, 콩 등 곡물 가격이 상승한다.
③ 소음 및 전자파에 의한 피해가 발생한다.
④ 발전소 주변은 강한 열과 빛 때문에 피해가 발생한다.
⑤ 발전소 부근의 해안 생태계가 파괴되고 어획량이 감소한다.

서술형 문제

07 다음과 같은 국가별 이용 현황을 보이는 에너지 자원의 명칭과 이 에너지 자원을 주로 활용하고 있는 지역을 위치와 연관 지어 서술하시오.

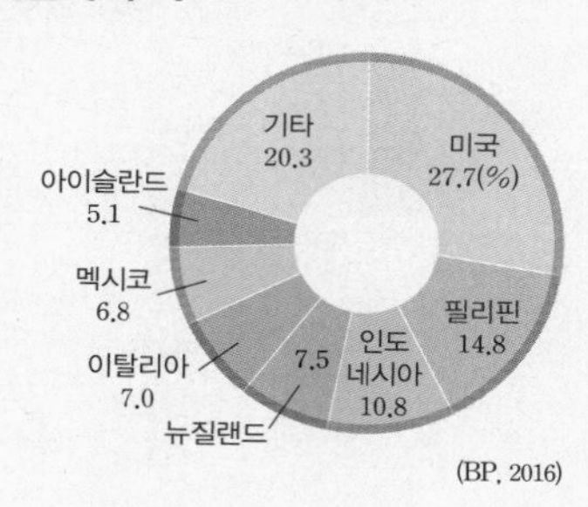

(BP, 2016)

08 다음 기사에서 설명하는 문제점 이외 수력 발전이 가지고 있는 또 다른 문제점을 서술하시오.

○○일보 2004. 09. 17.

최근 중국 양쯔강에 완공된 싼샤 댐으로 우리나라 주변 해양 생태계가 파괴될 수 있다는 우려의 목소리가 커지고 있다.

국립수산과학원은 싼샤 댐 완공 전과 이후 우리나라 주변 바다의 변화 모습을 조사한 결과 이전보다 염분 농도와 해수 온도는 상승하였다는 조사 결과를 발표하였다. 특히 눈에 띄는 것은 과거와 비교해 바닷속 식물성 플랑크톤의 수가 크게 줄었다는 점이다. 식물성 플랑크톤이 줄어들면 이를 먹이로 하는 동물성 플랑크톤도 줄어들게 되고 어족 자원이 줄어들게 된다.

국립수산과학원 연구관 김○○ 박사는 "싼샤 댐 완공 이후 중국에서 가까운 남해와 황해는 물론 동해까지 영향을 미쳐 우리나라 주변 해양 생태계 파괴가 우려된다."라고 말했다.

대단원 정리

❶ 주요 자원의 생산량

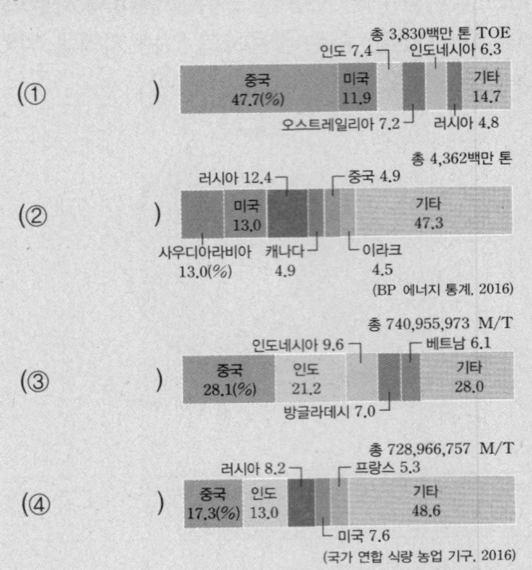

- 석유의 경우 (⑤)만에 집중되어 분포하고 있어 국제 이동량이 많다.

답 ① 석탄 ② 석유 ③ 쌀 ④ 밀 ⑤ 페르시아

❷ 자원을 둘러싼 갈등

- 자원을 둘러싸고 갈등이 발생하는 이유는 자원의 특성 중 (⑤)성과 관련이 깊다.

답 ① 석유 ② 물 ③ 식량 ④ 북극해 ⑤ 편재

❸ 물 자원을 둘러싼 갈등

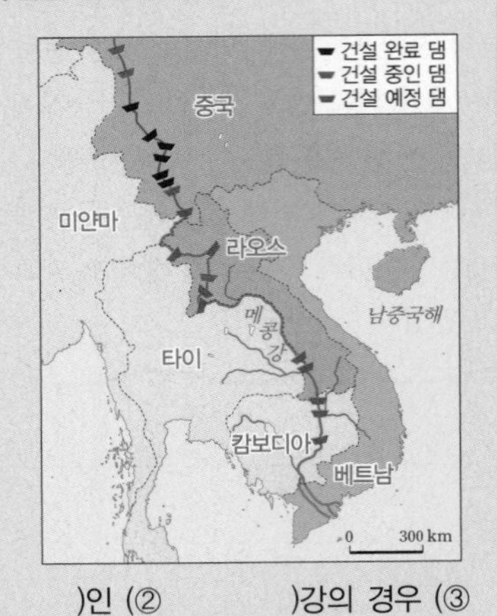

- (①)인 (②)강의 경우 (③) 자원을 둘러싸고 갈등이 일어나고 있다.
- 물 자원을 둘러싼 갈등은 인구 증가와 산업 발달에 의해 물의 (④)량이 증가했기 때문에 발생한다.

답 ① 국제 하천 ② 메콩 ③ 물 ④ 소비

1. 자원의 특성과 자원 갈등

(1) 자원의 특성

구분	내용
의미	인간 생활에 쓸모가 있고, 현재 기술로 개발할 수 있으며 경제적으로 이용 가치 있는 것
유한성	대부분의 자원은 매장량의 한계가 있음 • 재생 가능한 자원: 태양광, 풍력, 수력 등 • 재생 불가능한 자원: 석탄, 석유, 천연가스 등
가변성	자원의 가치는 시대와 장소, 기술의 발달, 사회·문화적 배경에 따라 변화함
편재성	자원은 일부 지역에 집중적으로 분포함 • 자원의 지역간 이동이 활발한 이유 • 자원 확보 과정에서 경쟁과 갈등의 원인

(2) 자원의 분포와 소비 ❶

구분		내용
에너지 자원	석유	• 가장 많이 소비되는 에너지 자원 • 페르시아만을 중심으로 한 서남아시아 지역에 집중 • 편재성이 커 국제 이동량이 많음 • 주요 수출국: 사우디아라비아, 러시아, 아랍 에미리트 등 • 주요 수입국: 미국, 중국, 인도, 일본 등
	석탄	석유에 비해 고루 분포하여 국제 이동량이 적음
식량 자원	쌀	• 아시아의 계절풍 기후 지역에서 주로 생산 • 생산지에서 소비되어 국제 이동량이 적음
	밀	• 쌀에 비해 서늘하고 건조한 지역에서 생산 가능 • 소비 지역이 널리 분포하여 국제 이동량이 많음
	옥수수	• 아메리카 대륙에서 생산 • 가축 사료나 바이오 에너지의 원료
물 자원		• 인간의 생활에 필수적인 자원 • 적도 지방은 풍부하나 사막과 주변 지역에는 부족함

(3) 자원을 둘러싼 갈등 ❷

구분		내용
석유 자원	원인	주요 산유국들이 석유 수출국 기구(OPEC)를 만들어 석유 공급량과 가격을 조정함 → 자원 민족주의
	분쟁 지역	페르시아만, 기니만, 카스피해, 북극해
	확보 노력	해외 유전 개발, 석유 수입국 다변화, 셰일 오일 개발
식량 자원	원인	• 인구 증가, 기후 변화, 사료용 곡물 수요 증가 • 국제 식량 대기업의 영향력 강화
	결과	• 식량 부족 문제 • 물가 상승 문제
물 자원 ❸	원인	인구 증가, 산업 발달 → 물 소비량 증가
	분쟁 지역	국제 하천에서 주로 발생 예 나일강, 요르단강, 유프라테스강, 메콩강

2. 자원과 주민 생활

(1) 풍부한 자원을 바탕으로 성장한 지역 ❹

특징		자원 수출로 발생한 소득을 사회 간접 자본 확충, 교육 · 의료 사업에 투자 → 주민 생활 수준 향상
사례	미국, 캐나다, 오스트레일리아	풍부한 자원과 기술력으로 선진국으로 성장
	서남 아시아 국가들	석유 자원을 통해 부국으로 성장함
	노르웨이	북해의 석유, 천연가스를 수출 → 수익을 복지 정책에 투자

(2) 자원은 풍부하지만 어려움을 겪는 지역 ❺

문제점		자원 개발로 인한 환경 문제, 자원의 소유권을 둘러싼 갈등, 계층 간 빈부 격차 심화, 산업 불균형 발전
사례	나이지리아	풍부한 석유를 보유하고 있으나 환경 오염이 심화, 빈부 격차 및 갈등 발생
	콩고 민주 공화국	콜탄의 세계적 매장지나 자원을 둘러싼 내전, 열대 우림 파괴 문제 발생
	시에라리온	다이아몬드 광산을 둘러싼 내전 발생

3. 지속 가능한 자원 개발

(1) 신 · 재생 에너지의 특징과 입지 조건 ❻

특징		• 고갈 우려가 없고 친환경적임 • 화석 연료에 비해 고르게 분포
입지 조건	수력	유량이 풍부하고 낙차가 큰 지역
	풍력	바람이 지속해서 부는 산지와 해안 지역
	태양광	사막과 같이 일사량이 많은 지역
	지열	화산 활동이 활발한 지역
	조력	조석 간만의 차가 큰 해안 지역

(2) 신 · 재생 에너지의 문제점

문제점	• 저장과 수송이 어렵고 대량 생산이 어려워 경제성이 낮음 • 개발 초기에 투자 비용이 많이 들고 상당한 기술력이 필요함
수력	댐 건설에 따른 수몰 지구 발생, 하천 생태계 파괴
조력	해안 생태계 파괴, 발전소 건설 초기 비용 증가
태양광	태양 전지판의 강한 열과 빛에 의한 피해
풍력	소음 및 전자파로 인한 피해
바이오 에너지	곡물 가격 상승 → 개발 도상국 식량 부족 문제, 토양 및 수질 오염 발생

❹ 풍부한 자원을 바탕으로 성장한 지역

• 미국, (①   ), (②   )는 풍부한 자원과 (③   )으로 선진국으로 성장한 국가이다.
• (④   )는 (⑤   )의 석유, 천연가스를 수출하여 세계적인 부국으로 성장하였다. 특히 자원 수출로 벌어들인 수익을 복지 정책에 투자하여 국민 삶의 수준이 높은 국가이다.

답 ① 캐나다 ② 오스트레일리아 ③ 기술력 ④ 노르웨이 ⑤ 북해

❺ 자원의 저주

• 콩고 민주 공화국은 핸드폰, 첨단 기기의 필수 원료인 (①   )이 풍부한 국가이다. 하지만 자원 채굴 과정에서 고릴라의 서식지인 (②   )이 파괴되며 고릴라가 멸종 위기에 처하는 문제가 발생하고 있다.

• (③   )은 (④   )가 풍부하나 광산을 둘러싼 (⑤   )으로 어려움을 겪고 있다.

답 ① 콜탄 ② 열대 우림 ③ 시에라리온 ④ 다이아몬드 ⑤ 내전

❻ 신 · 재생 에너지의 이용 현황

• 지열은 (①   ) 활동이 활발한 (②   )에 자리한 국가에서 활발히 이루어진다.
• 태양광은 (③   )이 많은 (④   ) 지역이 에너지 생산에 적합하다.

답 ① 화산 ② 조산대 ③ 일사량 ④ 사막

대단원 마무리

[01~03] 다음 자료를 보고 물음에 답하시오.

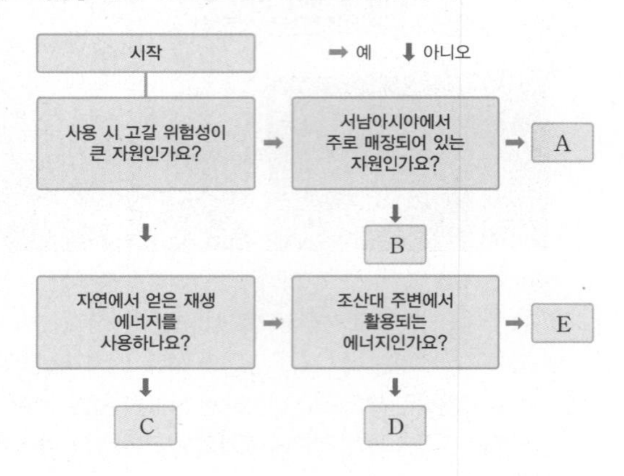

01 위 자료의 C에 해당하는 자원을 〈보기〉에서 고른 것은?

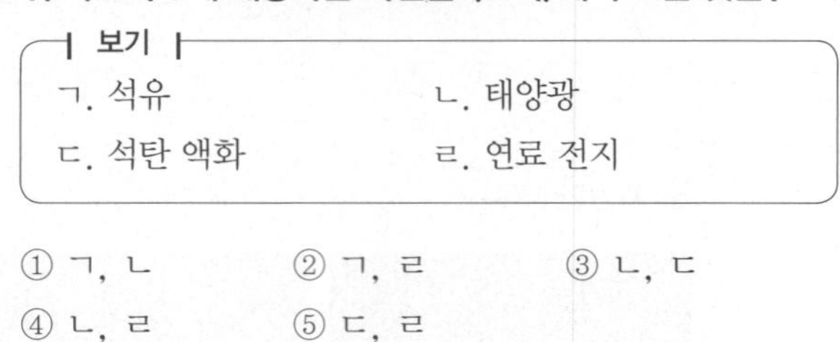
보기
ㄱ. 석유 ㄴ. 태양광
ㄷ. 석탄 액화 ㄹ. 연료 전지

① ㄱ, ㄴ ② ㄱ, ㄹ ③ ㄴ, ㄷ
④ ㄴ, ㄹ ⑤ ㄷ, ㄹ

02 다음 ㉠, ㉡에 들어갈 용어로 옳은 것은?

A 자원은 서남아시아 지역에 집중적으로 매장되어 있어 자원의 (㉠)을 보여 주는 자원이다. A 자원이 주로 매장되어 있는 국가들은 OPEC을 만들어 자국의 이익을 추구하는 등 자원 (㉡)를 보여주고 있다.

	㉠	㉡
①	가변성	민족주의
②	가변성	이기주의
③	유한성	민족주의
④	유한성	이기주의
⑤	편재성	민족주의

03 자료의 E에 해당하는 에너지 자원의 발전 모습으로 옳은 것은?

04 다음에서 설명하는 갈등이 발생하는 지역을 지도에서 바르게 고른 것은?

- 중국, 미얀마, 타이, 캄보디아, 라오스, 베트남을 흐르는 국제 하천
- 상류의 중국·라오스와 하류의 베트남이 물 자원을 둘러싸고 갈등이 발생함

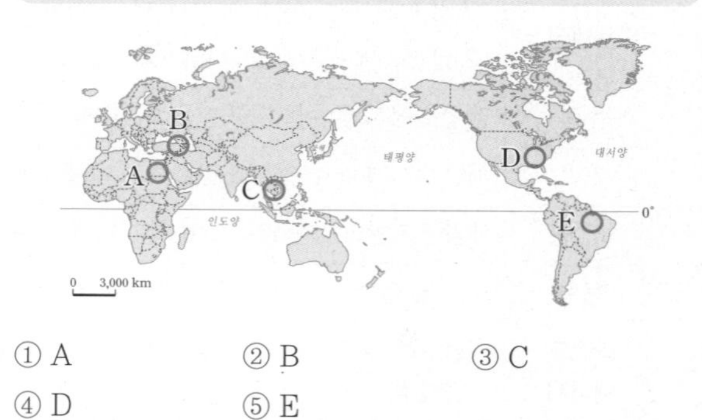

① A ② B ③ C
④ D ⑤ E

05 다음은 두 국가의 대표 음식을 소개한 것이다. (가), (나)에 들어갈 식량 자원에 대한 설명으로 옳은 것은?

〈일본의 초밥〉

(가)을/를 익힌 밥을 식초에 버무린 후 어류의 살이나 유부, 달걀 등의 재료를 올려 만든 음식

〈인도의 난〉

(나)의 가루를 발효시킨 뒤 화덕에 구운 음식. 물과 소금, 이스트, 우유만 있으면 쉽게 만들 수 있는 인도의 대표 음식

① (가): 가축 사료의 원료로 사용한다.
② (가): 아시아의 계절풍 기후 지역에서 생산된다.
③ (가): (나)에 비해 재배할 수 있는 지역이 넓게 분포한다.
④ (나): 아프리카 대륙에서 주로 생산된다.
⑤ (나): 대부분 생산지에서 소비되어 국제 이동량이 적다.

06 다음과 같은 노력을 하는 이유로 옳은 것은?

• 해외 유전 개발　　• 셰일 오일 개발

① 석유 자원을 최대한 확보하기 위해서
② 석유 자원을 무제한으로 사용하기 위해서
③ 산유국이 석유 가격을 올려 보다 많은 이익을 얻기 위해서
④ 석유 자원 사용 시 발생하는 온실가스 배출을 줄이기 위해서
⑤ 석유 자원을 정치적으로 이용하여 국제적인 영향력을 높이기 위해서

07 다음 밑줄 친 부분의 사례가 되는 것을 〈보기〉에서 고른 것은?

○○일보　2020. 01. 13.

남아메리카의 가이아나는 사탕수수와 쌀농사에 의존하는 개발 도상국이다. 하지만 2016년 말 인근 해역에서 80억 배럴에 달하는 양질의 석유 매장지가 확인되자 세계의 주목을 받고 있다. 인구가 적은 국가이다 보니 발견된 매장량은 국민 1인당 5억 3천만 원씩 나누어 줄 수 있는 양이다. 국제 통화 기금은 2020년 올해 가이아나의 경제 성장률을 무려 86%로 전망했다.

그러나 일부 국제 사회는 후진적인 가이아나의 정치 체제를 근거로 가이아나의 미래를 낙관적으로 보지 않는다. 인접한 베네수엘라와 같이 부패한 정치로 인한 '자원의 저주'를 염려하는 것이다.

| 보기 |

ㄱ. 노르웨이의 석유
ㄴ. 콩고 민주 공화국의 콜탄
ㄷ. 오스트레일리아의 철광석
ㄹ. 시에라리온의 다이아몬드

① ㄱ, ㄴ　② ㄱ, ㄹ　③ ㄴ, ㄷ
④ ㄴ, ㄹ　⑤ ㄷ, ㄹ

08 다음 국가들의 공통된 특징으로 옳은 것은?

• 쿠웨이트　• 아랍 에미리트
• 사우디아라비아

① 식량 자원을 둘러싸고 갈등을 벌이는 국가이다.
② 현재 자원을 둘러싼 내전이 일어나는 국가이다.
③ 부정부패로 인해 풍부한 자원에도 경제 성장을 하지 못한 국가이다.
④ 풍부한 자원과 함께 높은 기술력으로 세계적인 선진국이 된 국가이다.
⑤ 자원 개발로 인해 사회가 변화하며 주민들의 전통적인 사고방식이 크게 변화한 국가이다.

09 다음은 민수의 세계 여행 중 방문할 국가에 대한 설명과 일정이다. 이를 통해 알 수 있는 여행 경로로 옳은 것은?

- 첫 번째 방문 국가
  - 화산 활동이 활발한 국가
  - 일정: 지열 발전소 견학 및 온천욕
- 두 번째 방문 국가
  - 세계 석탄 생산의 절반 가까이 차지하는 국가
  - 일정: 세계 최대 규모의 수력 발전용 댐 견학
- 세 번째 방문 국가
  - 세계적인 철광석, 석탄 수출국
  - 일정: 대규모 밀밭 구경

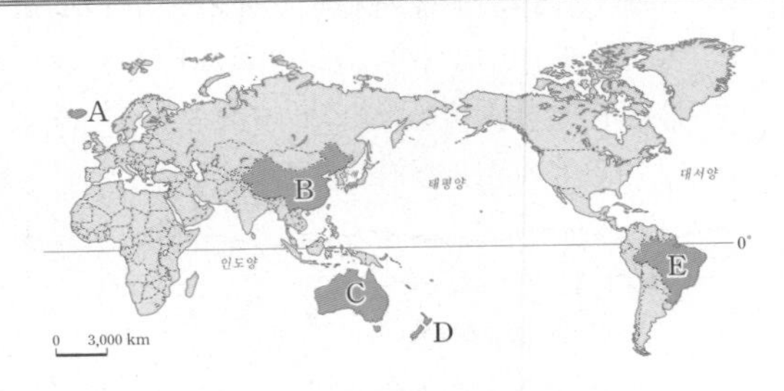

① A → B → C
② A → E → D
③ C → B → A
④ D → B → A
⑤ D → C → E

10 자원 사용 시 고갈 위험성이 큰 자원을 〈보기〉에서 고른 것은?

| 보기 |

ㄱ. 조력　　ㄴ. 석탄
ㄷ. 석유　　ㄹ. 풍력

① ㄱ, ㄴ　② ㄱ, ㄹ　③ ㄴ, ㄷ
④ ㄴ, ㄹ　⑤ ㄷ, ㄹ

11 다음 지도에 표시된 지역에 대한 설명으로 옳은 것은?

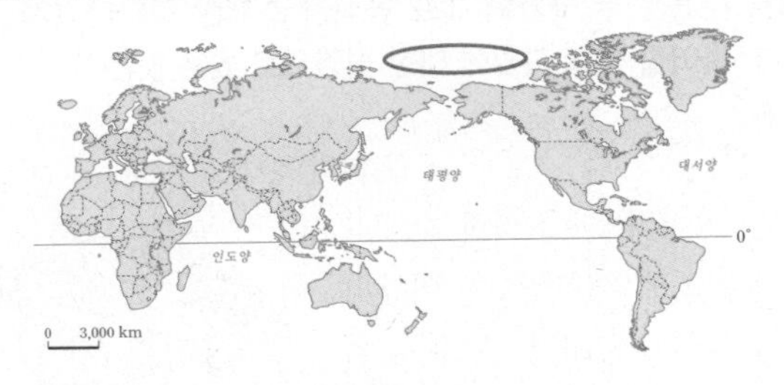

① 세계 석유의 47%가 매장되어 있다.
② 물 자원을 차지하기 위한 갈등이 발생하는 지역이다.
③ 지구 온난화로 최근 개발 가능성이 기대되는 지역이다.
④ 인접 국가 간 자원 개발을 위한 협력이 잘 되어 있는 지역이다.
⑤ 지속 가능한 자원 중 조력 발전에 유리한 환경을 가지고 있다.

12 다음과 같은 에너지 자원을 사용하기 좋은 조건을 〈보기〉에서 고른 것은?

| 보기 |

ㄱ. 물의 낙차가 큰 지역
ㄴ. 물의 양이 많은 지역
ㄷ. 조수 간만의 차가 큰 지역
ㄹ. 해안선이 복잡하고 섬이 많은 지역

① ㄱ, ㄴ　② ㄱ, ㄹ　③ ㄴ, ㄷ
④ ㄴ, ㄹ　⑤ ㄷ, ㄹ

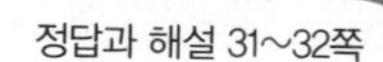

13 다음 두 에너지 자원에 대한 설명으로 옳은 것을 〈보기〉에서 고른 것은?

(가)

(나)

보기
ㄱ. (가)와 (나) 모두 고갈 위험성이 적은 자원이다.
ㄴ. (가)는 기후와 계절의 영향이 적다는 장점이 있다.
ㄷ. (나)는 강한 열과 빛으로 주변 지역에 피해를 유발한다.
ㄹ. (나)는 바람이 일정하게 부는 사막에서 주로 활용하는 에너지 자원이다.

① ㄱ, ㄴ ② ㄱ, ㄹ ③ ㄴ, ㄷ
④ ㄴ, ㄹ ⑤ ㄷ, ㄹ

14 다음에서 공통으로 볼 수 있는 소비 형태를 일컫는 용어는?

저탄소 인증 마크는 제품 생산 시 온실가스 배출을 적게 한 상품에 인증 마크를 부착해주는 제도이며, 공정무역 마크는 개발 도상국의 농가에 정당한 가격을 지급해 해당 농민들에게 실질적인 도움이 될 수 있는 상품에 인증 마크를 부착하는 제도이다.

▲ 저탄소 인증 마크

▲ 공정무역 마크

① 경험적 소비 ② 윤리적 소비
③ 친환경 소비 ④ 합리적 소비
⑤ 효율적 소비

서술형

15 다음은 아프리카 주요 국가의 1인당 GDP를 나타낸 것이다. 보츠와나의 1인당 GDP가 높은 이유를 두 가지 서술하시오. (주요 자원과 기타 이유를 구분하여 서술할 것)

(단위: 달러, 2018년 기준)

콩고 민주 공화국	418	이집트	2,709
에티오피아	570	앙골라	3,229
탄자니아	957	알제리	4,815
나이지리아	1,960	보츠와나	8,031

서술형

16 다음 에너지 자원을 활용하기 좋은 조건과 활용에 따른 문제점을 서술하시오.

쪽	사진	출처
9쪽	관광 안내도	ⓒ수원시청
14쪽, 19쪽	오스트레일리아의 크리스마스 풍경	ⓒ연합뉴스
26쪽	로마 스타디오 올림피코	ⓒAlamy Stock Photo
36쪽, 57쪽, 89쪽, 93쪽	풀잎을 이용한 전통 복장	ⓒ게티이미지코리아
37쪽, 41쪽	바나나를 포장하는 모습	ⓒ게티이미지코리아
37쪽	카사바	ⓒAlamy Stock Photo
43쪽	벽난로	ⓒAlamy Stock Photo
48쪽, 58쪽	사막 기후	ⓒpAlamy Stock Photo
52쪽	오아시스	ⓒAlamy Stock Photo
52쪽	툰드라 기후 지역 이끼	ⓒAlamy Stock Photo
53쪽	툰드라 유목	ⓒAlamy Stock Photo
63쪽	스위스의 치즈 분배 축제	ⓒAlamy Stock Photo
63쪽	양, 야크의 방목	ⓒ게티이미지코리아
63쪽	안데스 산지의 알파카와 원주민	ⓒAlamy Stock Photo
69쪽	해안 침식	ⓒ연합뉴스
69쪽, 실전 모의고사 21쪽	모래 포집기	ⓒ연합뉴스
69쪽	코파카바나 해변	ⓒ연합뉴스
69쪽	랑그도크루시용 해양 관광 단지	ⓒAlamy Stock Photo
69쪽	보령 머드 축제	ⓒ연합뉴스
74쪽, 실전 모의고사 21쪽	영산강	ⓒ게티이미지코리아
75쪽, 실전 모의고사 17쪽	한라산과 오름	ⓒ연합뉴스
79쪽	도담삼봉	ⓒ게티이미지코리아
88쪽	인도의 소 숭배	ⓒAlamy Stock Photo
89쪽, 93쪽	털옷	ⓒAlamy Stock Photo
95쪽	이슬람 건축물과 커피 전문점	ⓒAlamy Stock Photo
95쪽	주토피아	ⓒAlamy Stock Photo
100쪽	브라질의 다양한 인종	ⓒAlamy Stock Photo
100쪽	넬슨 만델라	ⓒAlamy Stock Photo
119쪽, 실전 모의고사 29쪽, 31쪽	지진	ⓒ게티이미지코리아
118쪽	필리핀 지폐	ⓒAlamy Stock Photo
119쪽, 실전 모의고사 31쪽	화산 폭발	ⓒAlamy Stock Photo
120쪽, 가뿐한 핵심 평가 25쪽	아이슬란드 지열 발전	ⓒAlamy Stock Photo
120쪽	므라피 화산	ⓒAlamy Stock Photo
120쪽, 가뿐한 핵심 평가 25쪽, 실전 모의고사 29쪽	화산 근처 벼농사	ⓒ게티이미지코리아
121쪽	아랄해의 사막화	ⓒAlamy Stock Photo
126쪽, 실전 모의고사 29쪽	지진 대비 훈련	ⓒ연합뉴스
126쪽	초원 지대의 사막화	ⓒAlamy Stock Photo
128쪽, 실전 모의고사 31쪽, 33쪽	지진 해일	ⓒ연합뉴스
129쪽	온천 관광	ⓒ게티이미지코리아
132쪽, 실전 모의고사 31쪽	빗물 저장 공원	ⓒ게티이미지코리아
132쪽, 실전 모의고사 29쪽, 31쪽	옥상에 설치된 정원	ⓒ연합뉴스
137쪽	셰일 오일층	ⓒAlamy Stock Photo
142쪽, 155쪽	오스트레일리아의 광산	ⓒAlamy Stock Photo
143쪽	나이저강 석유 생산 시설	ⓒ연합뉴스
143쪽	석유에 오염된 물고기	ⓒ게티이미지코리아
143쪽	콩고 민주 공화국의 콜탄 채굴	ⓒ게티이미지코리아
143쪽	시에라리온의 다이아몬드 채굴	ⓒAlamy Stock Photo
144쪽	1950년대 두바이	ⓒ게티이미지코리아
145쪽	블러드 다이아몬드	ⓒAlamy Stock Photo
148쪽	에너지 효율 등급 표시제	ⓒ한국에너지공단
149쪽	싼샤 댐	ⓒAlamy Stock Photo
149쪽	장비 장군의 묘	ⓒ연합뉴스
149쪽, 실전 모의고사 34쪽, 40쪽	시화호 조력 발전	ⓒ게티이미지코리아
152쪽, 155쪽, 156쪽, 실전 모의고사 34쪽, 40쪽	지열 발전소	ⓒAlamy Stock Photo
155쪽	유전 개발	ⓒ게티이미지코리아
155쪽	콜탄	ⓒ게티이미지코리아
155쪽	고릴라	ⓒAlamy Stock Photo
155쪽	다이아몬드	ⓒAlamy Stock Photo
155쪽	시에라리온 내전	ⓒ연합뉴스
156쪽, 158쪽, 실전 모의고사 34쪽, 40쪽	수력 발전소	ⓒ연합뉴스
159쪽	저탄소 인증 마크	ⓒ국립농산물품질관리원
159쪽	공정무역 마크	ⓒ국제공정무역기구 한국사무소
실전 모의고사 29쪽, 가뿐한 핵심 평가 25쪽	화산의 광업	ⓒAlamy Stock Photo
실전 모의고사 29쪽	스키 타는 사람	ⓒ게티이미지코리아
실전 모의고사 30쪽	사막 지역의 식목	ⓒ연합뉴스
실전 모의고사 32쪽	토네이도	ⓒAlamy Stock Photo
실전 모의고사 37쪽	저탄소 제품 인증 마크	ⓒ한국환경산업기술원

필독 중학 국어로 수능 잡기 시리즈

문학 — 비문학 독해 — 문법 — 교과서 시 — 교과서 소설

중학도 역시 EBS

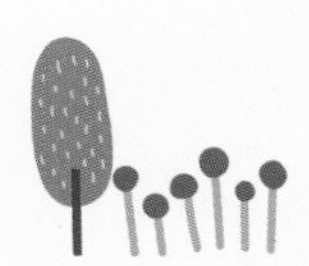

사뿐 실전모의고사

사회를 한 권으로
가뿐하게!

중학 사회 ①-1

실전모의고사

실전모의고사(1회)

01. 지도에 대한 설명으로 옳은 것을 〈보기〉에서 고른 것은?

〈 보기 〉
ㄱ. 지도에서 방위표가 없으면 위쪽을 북쪽으로 한다.
ㄴ. 등고선의 간격이 좁을수록 경사가 완만하다는 것을 나타낸다.
ㄷ. 지표면의 여러 가지 현상을 약속에 따라 표현한 것을 기호라고 한다.
ㄹ. 지도는 지표면의 여러 가지 정보를 기호나 문자를 사용하여 일정한 비율로 확대하여 나타낸 것이다.

① ㄱ, ㄴ ② ㄱ, ㄷ ③ ㄴ, ㄷ
④ ㄴ, ㄹ ⑤ ㄷ, ㄹ

02. 다음 지도에 대한 설명으로 옳은 것은?

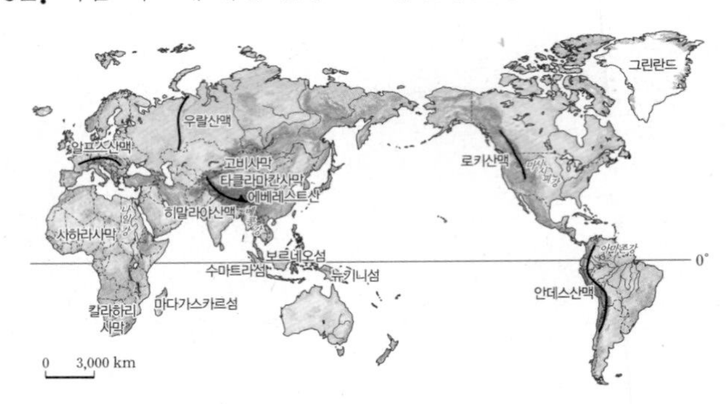

① 산맥의 대부분이 남반구에 위치한다.
② 주로 인문 환경에 관련된 정보를 담고 있다.
③ 세계 주요 도시의 위치를 알려 주는 지도이다.
④ 안데스산맥은 남아메리카 대륙을 동서로 가로지른다.
⑤ 아시아 대륙과 유럽 대륙 사이에 우랄산맥이 위치한다.

03. 다음 지도를 잘못 읽은 것은?

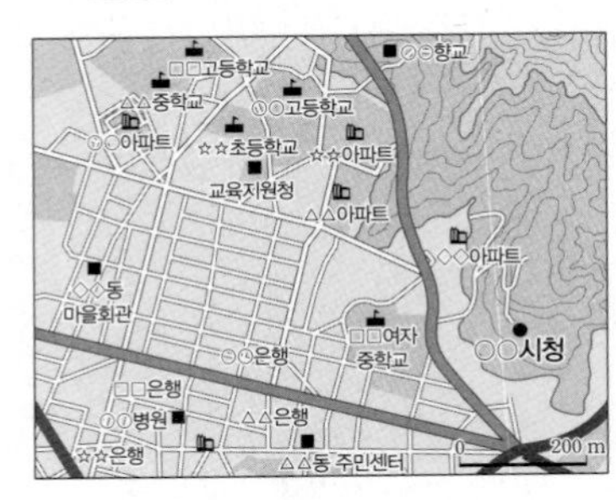

① 일반도에 해당한다.
② 지도의 축척은 약 1 : 20,000이다.
③ ☆☆초등학교는 ○○ 은행 남쪽에 위치한다.
④ 좁은 지역을 자세하게 나타낸 대축척 지도이다.
⑤ 전체적으로 북동쪽이 높고 남서쪽이 낮은 지형이다.

04. 다음은 중국의 지형을 나타낸 지도이다. 이에 관한 설명으로 옳은 것은?

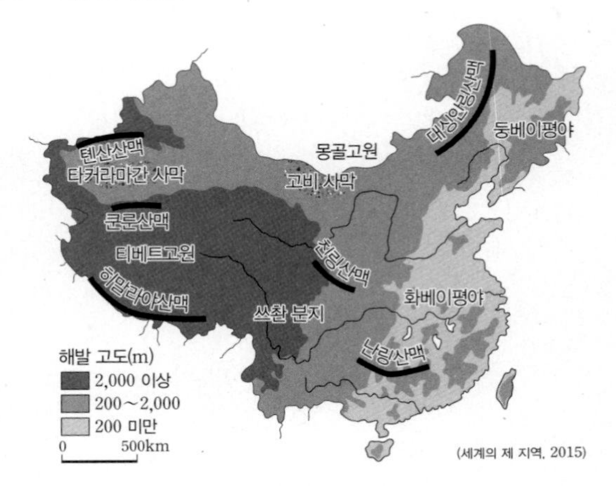

① 사막은 남부 지역에 분포한다.
② 동부 지역은 주로 고원, 산맥이 분포한다.
③ 하천은 대체로 서쪽에서 동쪽으로 흐른다.
④ 도시는 주로 서부 지역에 발달했을 것이다.
⑤ 히말라야산맥은 200m~2,000m의 고도 분포를 보인다.

05. 다음 자료의 ㉠~㉢에 들어갈 말을 옳게 연결한 것은?

> **우리나라의 위치**
>
> 116°E 120°E 124°E 128°E 132°E 136°E 140°E 50°N 46°N 42°N 38°N 34°N 30°N 러시아 베이징 중국 황해 서울 동해 독도 일본 도쿄 남해 0 200 km
>
> • 우리나라는 아시아 대륙의 동쪽에 위치하며, (㉠)에 접해 있다.
>
> • 우리나라는 (㉡) 33°~43°, (㉢) 124°~132°에 위치한다.

	㉠	㉡	㉢
①	태평양	북위	동경
②	태평양	남위	동경
③	인도양	북위	동경
④	인도양	남위	서경
⑤	대서양	북위	서경

06. 위도에 따른 인간 생활에 대한 설명으로 옳지 않은 것은?

① 적도 부근은 일 년 내내 더운 날씨가 나타난다.
② 고위도 지역의 사람들은 두꺼운 옷을 입고 생활한다.
③ 저위도 지역의 사람들은 주로 맵고 짠 음식을 먹는다.
④ 고위도 지역은 기온이 너무 높아 농업 활동에 불리하다.
⑤ 중위도 지역은 다른 지역에 비해 다양한 의식주 문화가 발달했다.

07. 위도에 따른 계절 차이가 인간 생활에 끼치는 영향으로 옳은 것만을 〈보기〉에서 있는 대로 고른 것은?

> 〈 보기 〉
>
> ㄱ. 북반구에서는 남향집을, 남반구에서는 북향집을 선호한다.
>
> ㄴ. 7~8월에 뉴질랜드에서는 스키를 타러 여행을 온 관광객을 볼 수 있다.
>
> ㄷ. 남반구와 북반구는 농작물의 수확 시기가 달라 농산물의 국제 교역이 활발하다.
>
> ㄹ. 인도와 미국에 각각 회사를 두고 시차를 활용하여 연속적으로 업무를 처리하는 기업이 있다.

① ㄱ, ㄴ ② ㄱ, ㄷ ③ ㄷ, ㄹ
④ ㄱ, ㄴ, ㄷ ⑤ ㄴ, ㄷ, ㄹ

08. 다음 ㉠, ㉡의 위치를 지도에서 골라 옳게 연결한 것은?

> • (㉠)은/는 아프리카, 아시아, 오세아니아 대륙에 둘러싸인 바다이다.
>
> • 아시아 대륙과 (㉡) 대륙은 러시아의 우랄산맥을 경계로 구분한다.

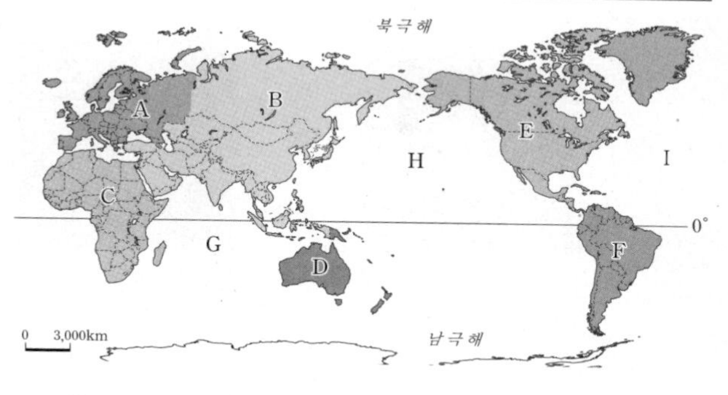

	㉠	㉡
①	H	A
②	H	B
③	G	C
④	I	E
⑤	G	A

09. 다음 A~C 국가의 시차에 관한 설명으로 옳지 않은 것은?

국가	A 국가	B 국가	C 국가
표준 경선	동경 30°	서경 30°	동경 135°

① A 국가는 그리니치 표준시보다 2시간 빠르다.
② B 국가는 그리니치 표준시보다 2시간 느리다.
③ A 국가와 C 국가 사이에는 7시간의 시차가 발생한다.
④ C 국가는 우리나라보다 3시간 느린 시간대를 사용한다.
⑤ A~C 국가 중 날짜 변경선에 가장 가까운 국가는 C 국가이다.

10. 다음 그림은 어떤 시스템의 과정을 나타낸 것이다. 이에 대한 설명으로 옳지 않은 것은?

㉠ 정보 수집

㉡ 수집된 정보를 컴퓨터에 입력·저장

㉢ 사용자의 요구에 맞게 분석·종합

㉣ 출력하여 의사 결정에 활용

① 정보 통신 기술의 발달로 더욱 발전하였다.
② 자연재해 예방, 도시 계획 수립 등에 이용된다.
③ 지리 정보 시스템(GIS)의 과정을 나타낸 것이다.
④ ㉠ 단계에서 오늘날 주로 이용하는 방법은 종이 지도의 활용이다.
⑤ 국가나 지방 자치 단체뿐만 아니라 기업과 민간 부문에서도 활용되고 있다.

서술형

11. 다음 자료를 보고 물음에 답하시오.

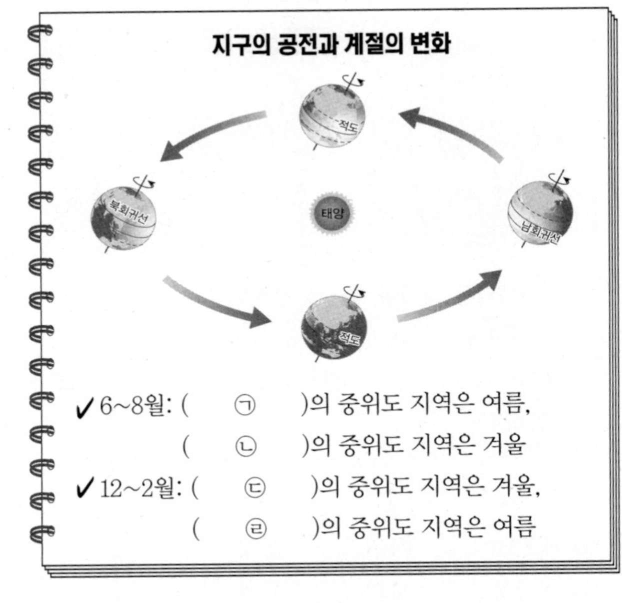

(1) 자료의 ㉠~㉣에 들어갈 말을 쓰시오.

㉠: ______ ㉡: ______ ㉢: ______ ㉣: ______

(2) 자료와 같은 계절의 차이가 발생하는 원인을 서술하시오.

서술형

12. 다음은 지리 정보 수집에 대한 설명이다. (가) 자료와 비교했을 때 (나) 자료의 장점을 서술하시오.

> 과거에는 주로 (가) 종이 지도를 활용하였지만, 오늘날은 과학 기술의 발달로 (나) 인터넷 전자 지도, 위성 사진, 항공 사진 등 다양한 방법을 활용한다.

Ⅰ. 내가 사는 세계

실전모의고사(2회)

01. 다음은 세계의 육지와 바다를 나타낸 지도이다. 이에 대한 설명으로 옳은 것은?

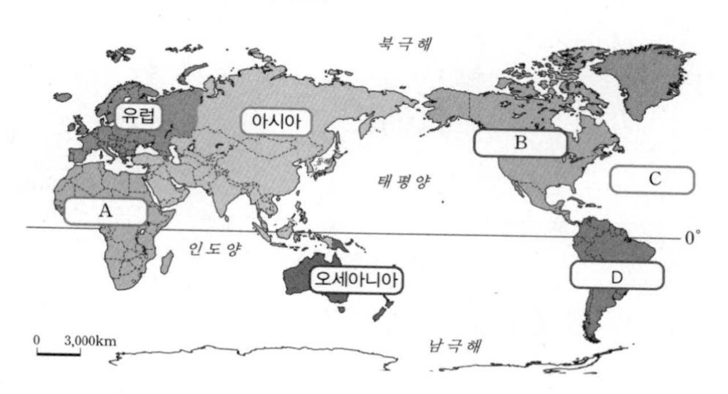

① A 대륙은 인도양에만 둘러싸여 있다.
② B 대륙은 가장 큰 바다와 접해 있다.
③ C 바다는 B, D 대륙에만 접해 있다.
④ 육지는 대부분 적도 남쪽에 분포하고 있다.
⑤ 지구 전체에서 차지하는 바다와 육지의 비율이 비슷하다.

02. 지도에 대한 설명으로 옳은 것만을 〈보기〉에서 있는 대로 고른 것은?

〈 보기 〉

ㄱ. 사용 목적에 따라 일반도와 주제도로 구분한다.
ㄴ. 지도를 읽으면 그 지역의 특성을 파악할 수 있다.
ㄷ. 점, 선, 면, 도형 등 다양한 방법으로 정보를 표현할 수 있다.
ㄹ. 지도에는 인문 환경 정보는 나타낼 수 있지만, 자연 환경 정보는 나타낼 수 없다.

① ㄱ, ㄴ　② ㄱ, ㄷ　③ ㄷ, ㄹ
④ ㄱ, ㄴ, ㄷ　⑤ ㄴ, ㄷ, ㄹ

03. 다음 지도를 분석한 내용으로 옳지 <u>않은</u> 것은?

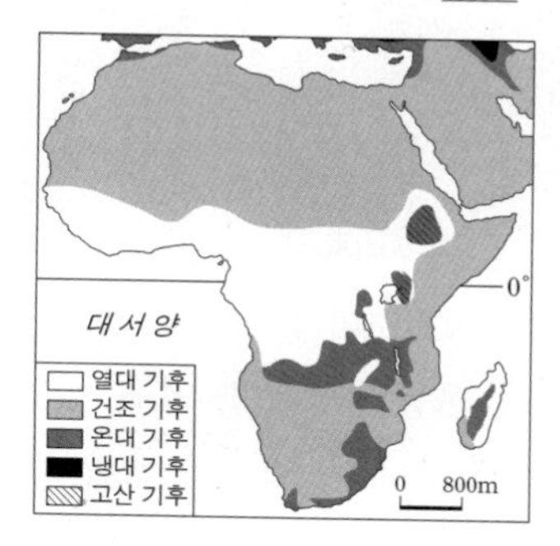

① 건조 기후가 가장 넓게 분포한다.
② 자연환경 정보를 나타낸 지도이다.
③ 북부 지역은 농업 활동이 활발할 것이다.
④ 적도 부근은 열대 기후가 주로 나타난다.
⑤ 적도를 기준으로 남부 지역이 북부 지역에 비해 다양한 기후가 나타난다.

04. 다음 (가), (나) 지도를 비교한 내용으로 옳은 것은?

(가)

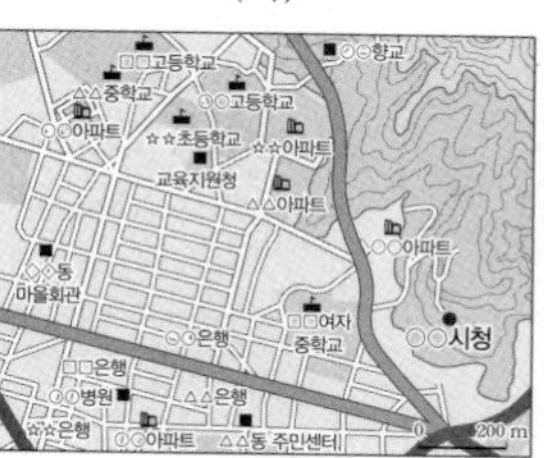

(나)

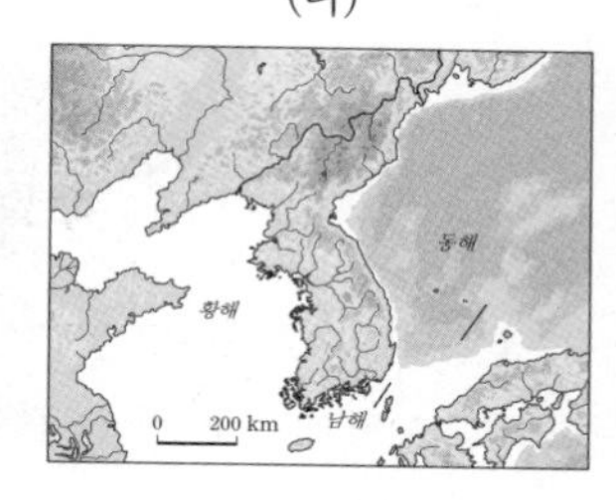

① (가)는 소축척 지도, (나)는 대축척 지도이다.
② (가)는 (나)에 비해 넓은 지역을 상세하게 표현하였다.
③ 야외 조사에서는 (나)와 같은 지도를 사용하는 것이 유리하다.
④ (가)는 같은 크기의 종이에서 더 넓은 공간 범위를 나타낼 수 있다.
⑤ 우리나라 주요 하천의 분포를 파악하기 위해서는 (나)와 같은 지도가 필요하다.

실전모의고사(2회)

05. 다음 (가), (나) 지도에 대한 설명으로 옳지 않은 것은?

(가)

(나)

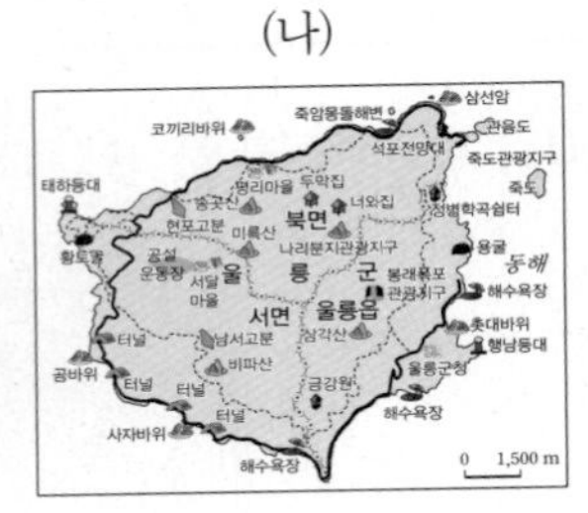

① (가) 지도는 일반도이다.
② (가) 지도는 울릉도의 지형, 인구, 산업 등을 종합적으로 담고 있다.
③ (나) 지도는 관광 안내를 목적으로 만든 지도이다.
④ (나) 지도와 같은 지도 분류의 예로 기후도, 교통도를 들 수 있다.
⑤ 지도를 (가)와 (나)로 구분하는 것은 이용 목적에 따른 것이다.

06. 다음 그림에 대한 설명으로 옳은 것만을 〈보기〉에서 있는 대로 고른 것은?

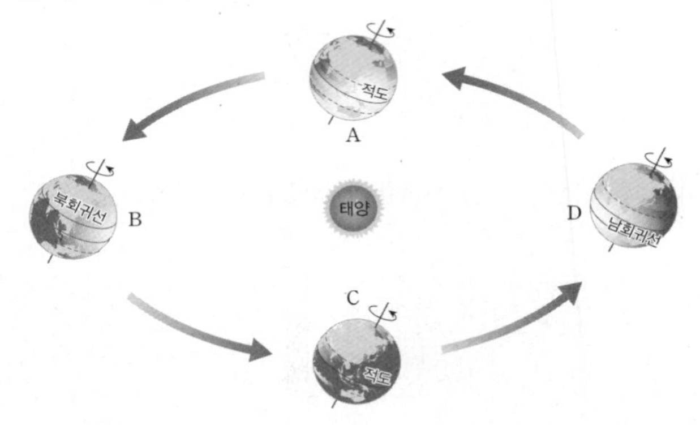

〈 보기 〉
ㄱ. A 시기에 북반구는 봄이다.
ㄴ. B 시기는 북반구가 여름, D 시기는 남반구가 여름이다.
ㄷ. C 시기에 스키를 타려고 북반구 지역에서 뉴질랜드로 여행을 가는 사람들이 있다.
ㄹ. 위와 같은 계절 변화의 원인은 지구가 23.5° 기울어진 채로 공전하기 때문이다.

① ㄱ, ㄴ ② ㄱ, ㄹ ③ ㄱ, ㄴ, ㄷ
④ ㄴ, ㄷ, ㄹ ⑤ ㄱ, ㄴ, ㄹ

7~8. 다음 지도를 보고 물음에 답하시오.

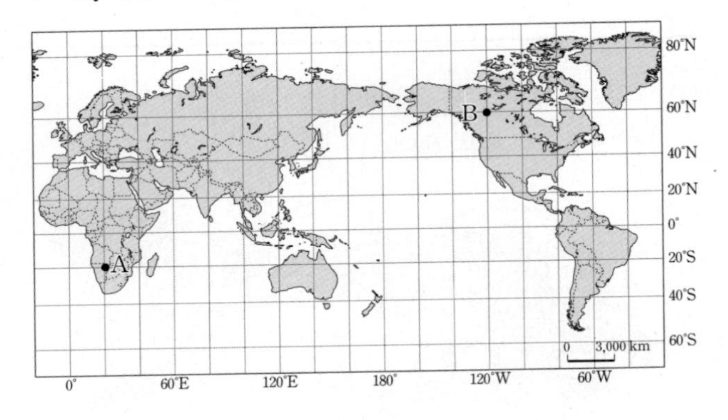

07. 지도를 통해 알 수 있는 우리나라의 위치 특색으로 옳지 않은 것은?

① 북반구에 위치한다.
② 태평양에 접해 있다.
③ 본초 자오선을 기준으로 동반구에 위치한다.
④ 비슷한 위도대에 속하는 나라로 브라질이 있다.
⑤ 비슷한 경도대에 속하는 나라로 오스트레일리아가 있다.

08. A, B의 위치를 경도와 위도를 이용하여 옳게 나타낸 것은?

	A		B	
	경도	위도	경도	위도
①	20°E	20°S	120°W	60°N
②	40°E	40°S	50°W	90°N
③	20°S	20°E	60°N	120°W
④	30°E	0°	105°W	20°N
⑤	4°E	15°S	19°W	60°N

실전모의고사(2회)

정답과 해설 33쪽

09. 다음 그림을 보고 설명한 것으로 옳은 것을 〈보기〉에서 고른 것은?

▲ A 기업 미국 서부 지점 (오후 6시)　　▲ A 기업 인도 지점 (오전 7시 30분)

〈 보기 〉

ㄱ. A 기업은 연속적인 업무 처리가 가능하다.
ㄴ. A 기업은 시차를 산업 활동에 적극 활용하고 있다.
ㄷ. 두 지점 간의 시차는 지구의 공전 때문에 발생한다.
ㄹ. 두 지역이 같은 표준 경선을 사용하기 때문에 가능한 일이다.

① ㄱ, ㄴ　② ㄱ, ㄷ　③ ㄱ, ㄹ　④ ㄴ, ㄷ　⑤ ㄴ, ㄹ

10. 날짜 변경선에 대한 설명으로 옳은 것은?

① 대서양 한가운데를 지난다.
② 본초 자오선과는 경도 90°가 차이 난다.
③ 동경 90° 선과 서경 90° 선이 만나는 선이다.
④ 날짜 변경선의 동쪽에서 서쪽으로 이동할 때는 하루를 뺀다.
⑤ 한 국가 안에서 날짜가 달라지는 것을 피하기 위해 일부 지역에서 구부러져 나타나기도 한다.

서술형

11. 다음은 주요 밀 생산국의 밀 수확 시기를 나타낸 그림이다. 오스트레일리아가 다른 국가들과 수확 시기가 다른 이유를 서술하시오.

4월	5월	6월	7월	8월	9월	10월	11월	12월	1월	2월	3월

서술형

12. 다음 지도를 보고 물음에 답하시오.

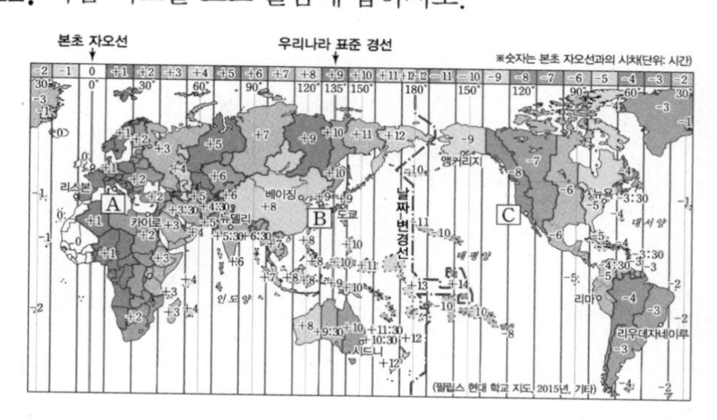

(1) 지도의 A~C 도시를 날짜와 시간대가 빠른 순서대로 나열하시오.

(2) (1)에서 날짜와 시간대가 빠른 순서대로 나열한 근거를 서술하시오.

Ⅱ. 우리와 다른 기후, 다른 생활

실전모의고사(1회)

01. 세계의 기후 지역에 관한 설명으로 옳지 않은 것은?

① 열대 기후 지역은 가장 추운 달의 평균 기온이 18℃ 이상이다.
② 온대 기후 지역은 사계절이 나타나고 기후가 비교적 온화하다.
③ 한대 기후 지역은 일 년 내내 눈과 얼음으로 덮여 있어 식생을 볼 수 없다.
④ 건조 기후 지역은 강수량보다 증발량이 많아 식생이 거의 분포하지 않는다.
⑤ 냉대 기후 지역은 기온의 연교차가 크며, 타이가라 불리는 침엽수림이 분포한다.

02. 키토와 벨렘에 대한 설명으로 옳은 것은?

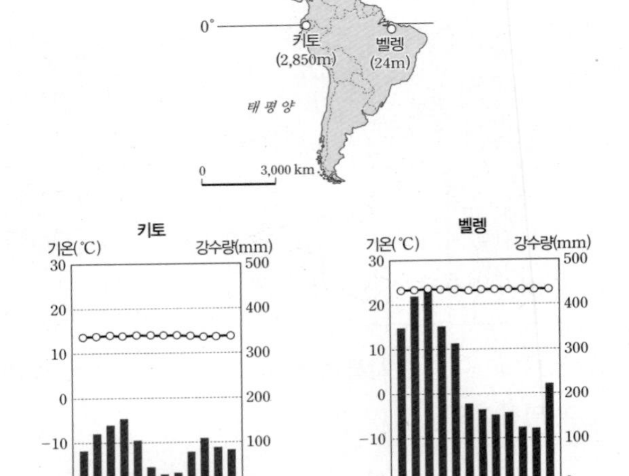

① 두 지역의 기후 차이는 편서풍과 관련 있다.
② 키토는 고산 기후, 벨렘은 열대 기후에 해당한다.
③ 키토는 인간 거주에 불리한 기후 지역에 해당한다.
④ 벨렘은 인간 거주에 유리한 기후 지역에 해당한다.
⑤ 두 지역 모두 적도에 위치하여 연중 기온이 높게 나타난다.

03. 인간의 거주와 기후에 대한 설명으로 옳은 것만을 〈보기〉에서 있는 대로 고른 것은?

〈 보기 〉
ㄱ. 과거에는 자연환경이 인간 거주에 큰 영향을 끼쳤다.
ㄴ. 과학 기술의 발달로 거주에 불리한 지역이 유리한 지역으로 변화하기도 한다.
ㄷ. 열대 우림 지역은 일찍부터 농업과 상공업이 발달하여 인구가 밀집한 지역이다.
ㄹ. 건조 기후 지역은 해수 담수화 시설을 설치하여 물 부족 문제를 극복하기도 한다.

① ㄱ, ㄴ　② ㄱ, ㄷ　③ ㄴ, ㄹ
④ ㄱ, ㄴ, ㄹ　⑤ ㄴ, ㄷ, ㄹ

04. 다음 지도에 표시된 지역의 자연환경에 관한 설명으로 옳은 것은?

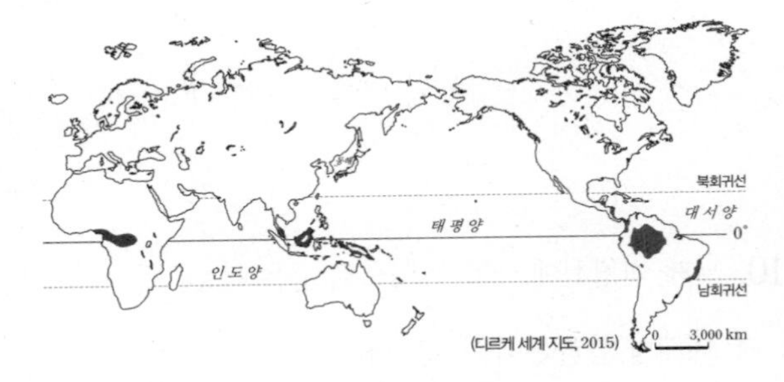

(디르케 세계 지도, 2015)

① 키가 작은 풀이 자라 초원을 이룬다.
② 사계절이 나타나며, 온화한 기후가 나타난다.
③ 열대성 소나기인 '스콜'이 거의 매일 발생한다.
④ '타이가'라고 불리는 대규모 침엽수림이 분포한다.
⑤ 겨울이 길고 추워 나무가 자라지 못하고 이끼류 정도만 자란다.

정답과 해설 35쪽

05. 다음 자료에 해당하는 지역의 기후에 대한 설명으로 옳은 것은?

> • 얇고 간편한 옷을 주로 입는다.
> • 음식을 만들 때 기름이나 향신료를 많이 사용한다.

① 강수량보다 증발량이 많다.
② 기온의 연교차가 매우 크다.
③ 여름은 서늘하고 겨울은 온난하다.
④ 일 년 내내 기온이 높고 강수량이 많다.
⑤ 짧은 여름 동안 기온이 0℃ 이상으로 오른다.

06. 열대 우림 기후 지역의 (가), (나) 농업에 대한 설명으로 옳은 것은?

(가) (나)

① (가)는 오아시스 주변에서 행해진다.
② (나)는 높은 기온과 풍부한 강수량이 필요하다.
③ 카사바, 얌 등도 (나)와 같은 방식으로 재배한다.
④ (가)는 선진국의 노동력과 원주민의 기술이 결합한 방식이다.
⑤ (나)는 지력이 약해지면 새로운 곳으로 이동하여 재배하는 방식이다.

07. 온대 기후 지역의 주민 생활 모습으로 옳지 <u>않은</u> 것은?

① 온대 계절풍 기후 지역은 쌀과 관련된 음식 문화가 발달했다.
② 지중해성 기후 지역은 건물의 외벽을 흰색으로 칠하는 경우가 많다.
③ 지중해성 기후 지역은 올리브, 포도 등을 활용한 음식 문화가 발달했다.
④ 서안 해양성 기후 지역은 곡물 재배와 가축 사육을 결합한 혼합 농업이 발달했다.
⑤ 서안 해양성 기후 지역에서는 겨울철 추위를 대비한 시설인 온돌을 많이 볼 수 있다.

08. 다음 지도에 표시된 지역의 기후에 대한 설명으로 옳은 것은?

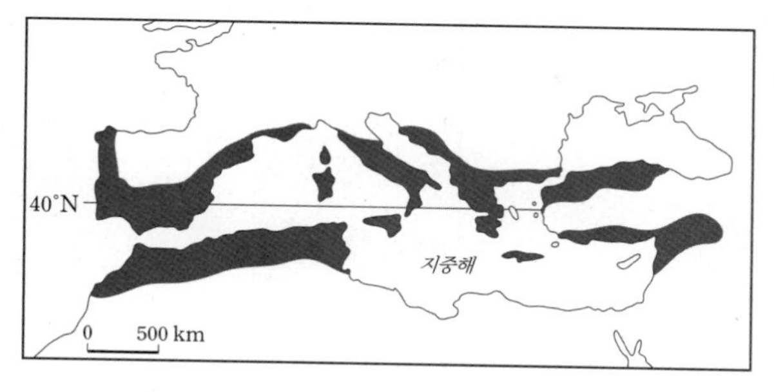

① 비가 자주 내리고 흐린 날이 많다.
② 여름철에 기온이 높고 비가 많이 내린다.
③ 여름철에 편서풍과 난류의 영향을 받는다.
④ 열대성 소나기인 스콜이 거의 매일 발생한다.
⑤ 겨울철에 온대 해양성 기단의 영향을 받아 온화하다.

09. 다음 지도의 A, B 지역에 대한 설명으로 옳지 <u>않은</u> 것은?

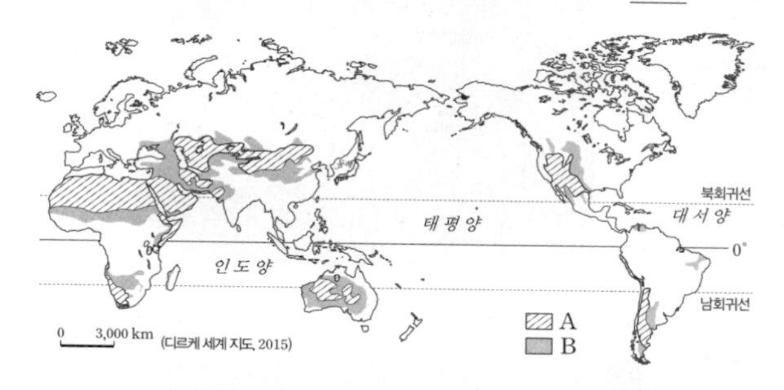

① A 지역에서는 식생을 거의 볼 수 없다.
② A 지역에서는 온몸을 감싸는 헐렁한 옷을 입는다.
③ B 지역은 짧은 여름 동안에 풀과 이끼류가 자란다.
④ B 지역에서는 조립과 분해가 쉬운 이동식 가옥에서 생활한다.
⑤ A 지역과 B 지역을 구분하는 가장 큰 기후 요소는 강수량이다.

10. 다음 그래프와 같은 기후가 나타나는 지역에 대한 설명으로 옳은 것을 〈보기〉에서 고른 것은?

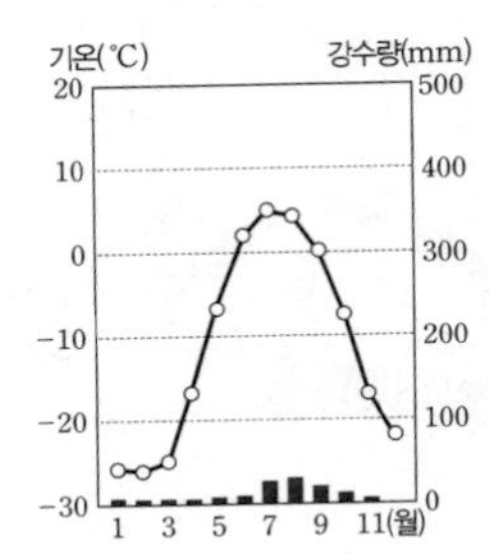

〈 보기 〉
ㄱ. 가옥 구조가 개방적이다.
ㄴ. 날고기와 날생선을 주로 먹는다.
ㄷ. 지표 아래에 영구 동토층이 분포한다.
ㄹ. 강수량이 적어 지표는 건조한 편이다.

① ㄱ, ㄴ ② ㄱ, ㄷ ③ ㄴ, ㄷ
④ ㄴ, ㄹ ⑤ ㄷ, ㄹ

11. 다음과 같은 경관이 나타나는 기후 지역을 지도의 A~E에서 고른 것은?

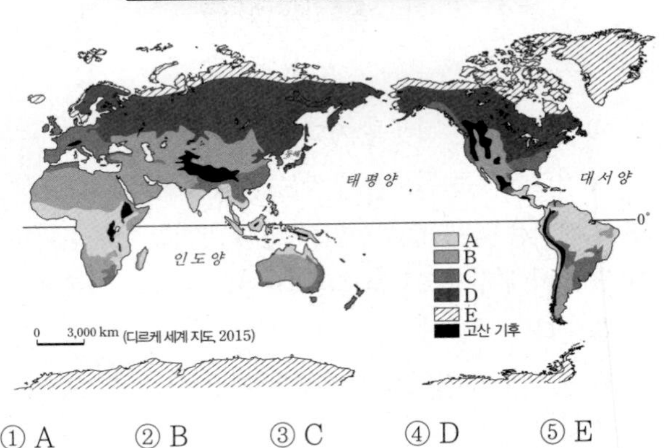

① A ② B ③ C ④ D ⑤ E

서술형

12. 다음은 어떤 지역의 경관을 찍은 사진이다. 이러한 경관을 주로 볼 수 있는 기후의 이름과 이러한 숲이 갖고 있는 가치를 쓰시오.

서술형

13. 다음 지도에 표시된 지역의 기후를 쓰고, 이 지역의 주민들이 기후 환경에 적응한 사례를 한 가지 서술하시오.

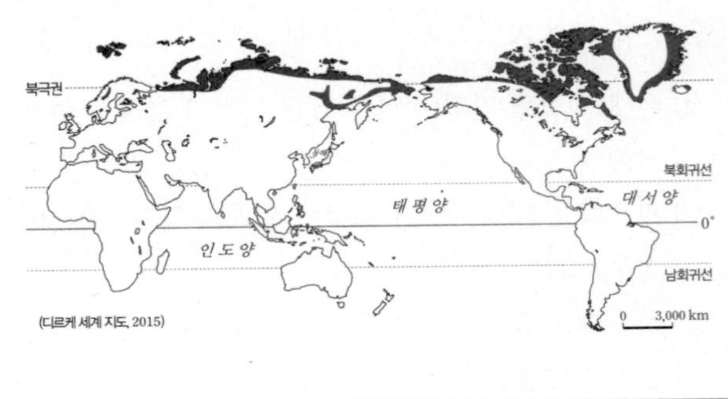

실전모의고사(2회)

01. 기후에 대한 설명으로 옳은 것을 〈보기〉에서 고른 것은?

〈 보기 〉

ㄱ. 짧은 시간 동안 나타나는 대기의 상태를 말한다.
ㄴ. 기후를 구성하는 요소에는 기온, 강수량, 바람 등이 있다.
ㄷ. 세계의 기후를 구분하는 데는 인구의 밀집 정도가 주요 기준이 된다.
ㄹ. 위도, 육지와 바다의 분포, 지형, 해류 등의 영향을 받아 다양한 기후가 나타난다.

① ㄱ, ㄴ ② ㄱ, ㄷ ③ ㄴ, ㄷ
④ ㄴ, ㄹ ⑤ ㄷ, ㄹ

02. 다음 지도는 세계의 기온 분포를 나타낸 것이다. 이에 관한 설명으로 옳은 것은?

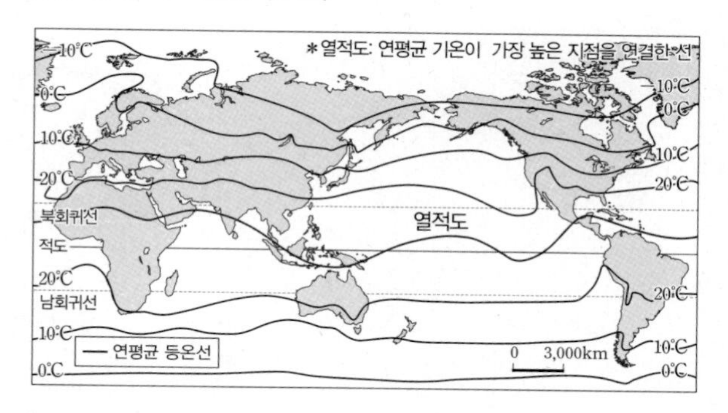

① 고위도로 갈수록 기온이 높아진다.
② 기온 분포는 강수량 분포와 일치한다.
③ 기온 분포는 바람의 영향을 크게 받는다.
④ 연평균 등온선은 대체로 위도와 평행하게 나타난다.
⑤ 위도가 같을 경우 대륙의 동안과 서안의 기온도 같다.

03. 다음 자료의 기후 특성이 나타나는 지역을 지도에서 고른 것은?

• 연 강수량 500mm 미만
• 강수량보다 증발량이 많아 식생이 거의 분포하지 않음

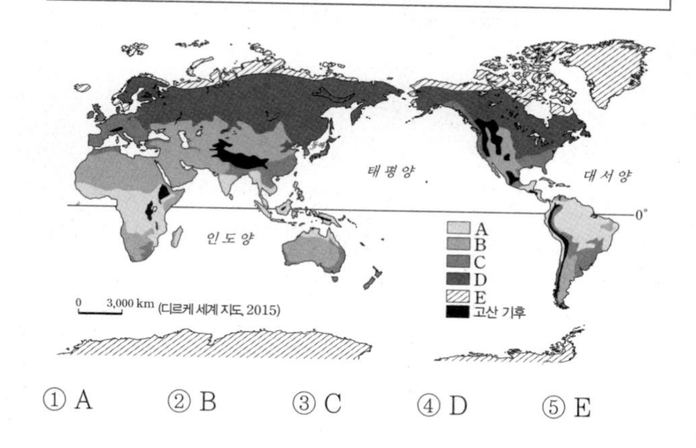

① A ② B ③ C ④ D ⑤ E

04. 다음 지도에 표시된 A~D 지역에 관한 설명으로 옳은 것은?

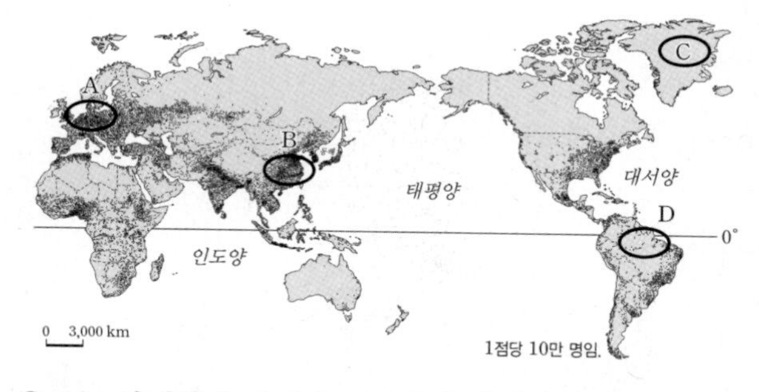

① A는 사계절이 나타나고 기후가 온화하여 인구가 밀집했다.
② B는 연중 봄과 같은 온화한 기후가 나타나 인구가 밀집했다.
③ C에 인구가 희박한 것은 연중 덥고 습한 날씨 때문이다.
④ D는 강수량이 부족해 농업 활동이 불리하여 인구가 희박하다.
⑤ C와 D는 백야 현상을 체험하려는 관광객이 늘어나고 있다.

05. 다음 사진과 관련된 기후 지역의 특징을 〈보기〉에서 있는 대로 고른 것은?

〈 보기 〉
ㄱ. 계절풍의 영향을 받는다.
ㄴ. 쌀과 관련된 음식 문화가 발달했다.
ㄷ. 추위에 대비한 시설인 온돌을 볼 수 있다.
ㄹ. 곡물 재배와 가축 사육이 결합한 농업 방식이 발달했다.

① ㄱ, ㄴ ② ㄱ, ㄹ ③ ㄱ, ㄴ, ㄷ
④ ㄱ, ㄴ, ㄹ ⑤ ㄴ, ㄷ, ㄹ

6~7. 다음 지도를 보고 물음에 답하시오.

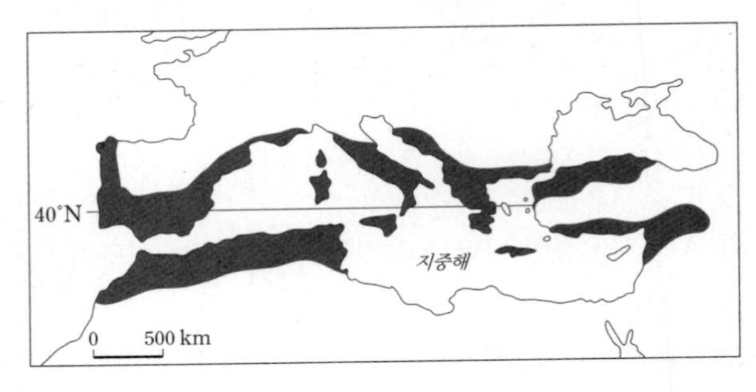

06. 지도에 표시된 지역에서 주로 생산되는 작물로 옳은 것은?

① 쌀, 밀 ② 카사바, 얌
③ 대추야자, 옥수수 ④ 천연고무, 카카오
⑤ 포도, 올리브, 오렌지

07. 지도에 표시된 지역에서 주로 볼 수 있는 경관을 〈보기〉에서 고른 것은?

〈 보기 〉
ㄱ. 올리브 축제를 즐기는 모습
ㄴ. 외벽을 흰색으로 칠한 가옥
ㄷ. 맑은 날 일광욕을 즐기는 모습
ㄹ. 그늘이 생길 수 있도록 건물과 건물 사이의 간격을 좁게 한 모습

① ㄱ, ㄴ ② ㄱ, ㄹ ③ ㄴ, ㄷ
④ ㄴ, ㄹ ⑤ ㄷ, ㄹ

08. 다음 지도의 (가)~(다) 지역을 비교한 것으로 옳지 않은 것은?

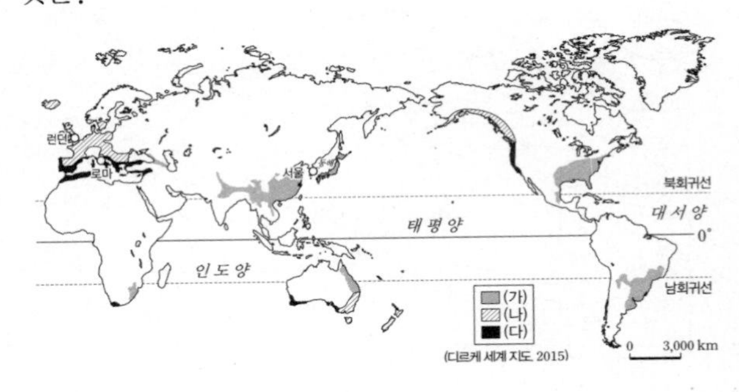

① (가)는 기온의 연교차가 작다.
② (나)는 계절별 강수량이 고르다.
③ (다)는 여름보다 겨울 강수량이 많다.
④ (가)는 (나), (다)에 비해 겨울 기온이 낮다.
⑤ (다)는 (가), (나)에 비해 여름 강수량이 적다.

실전모의고사(2회)

정답과 해설 36쪽

09. A, B 기후 그래프가 나타내는 지역에 대한 설명으로 옳은 것만을 〈보기〉에서 있는 대로 고른 것은?

A

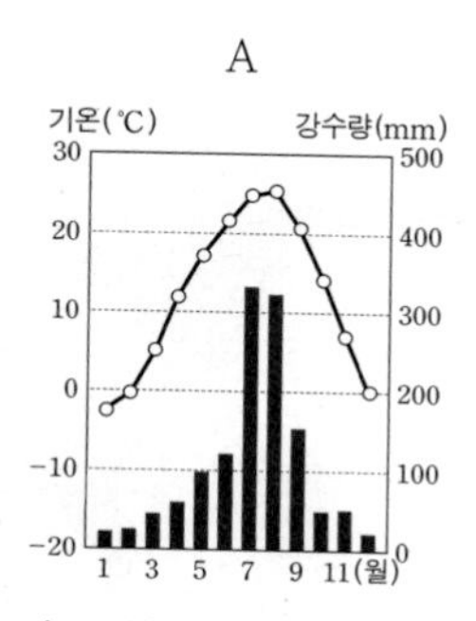

B

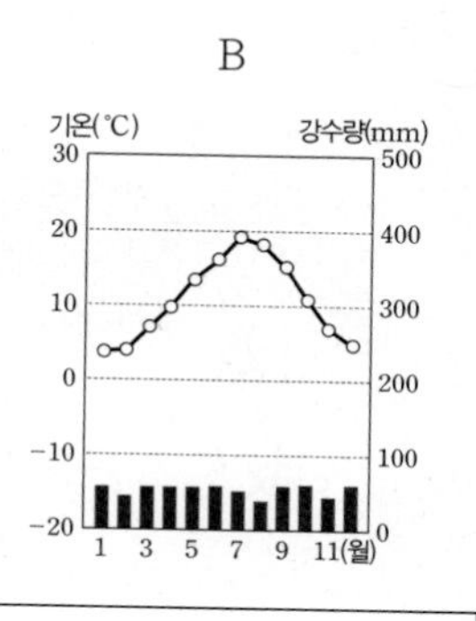

〈 보기 〉

ㄱ. A는 대륙 동안에 위치한다.
ㄴ. B는 대륙 서안에 위치한다.
ㄷ. A 지역은 무역풍의 영향을 받는다.
ㄹ. B 지역은 계절풍과 한류의 영향을 받는다.
ㅁ. 기온의 연교차는 A 지역이 B 지역보다 크다.

① ㄱ, ㄷ ② ㄱ, ㄹ ③ ㄴ, ㄹ
④ ㄱ, ㄴ, ㅁ ⑤ ㄴ, ㄷ, ㅁ

10. 서안 해양성 기후 지역에서 발달한 (가), (나) 농업 방식을 옳게 연결한 것은?

(가) 곡물 재배와 가축 사육을 결합한 농업 방식이다.
(나) 대도시 주변의 교통이 편리한 곳에서 젖소를 기르고 우유, 치즈 등을 생산한다.

	(가)	(나)
①	혼합 농업	낙농업
②	혼합 농업	수목 농업
③	수목 농업	플랜테이션
④	수목 농업	오아시스 농업
⑤	이동식 화전 농업	혼합 농업

11. 건조 기후 지역의 최근 변화에 대한 설명으로 옳은 것을 〈보기〉에서 고른 것은?

〈 보기 〉

ㄱ. 밀림 파괴로 생물 종 다양성이 감소하고 있다.
ㄴ. 가뭄과 지나친 농경지 확대로 사막화 현상이 심화하고 있다.
ㄷ. 대규모 관개 시설 건설로 유목민들의 정착 생활이 증가하고 있다.
ㄹ. 백야 현상, 오로라 현상 등의 자연 경관을 체험하려는 관광객이 늘어나고 있다.

① ㄱ, ㄴ ② ㄱ, ㄷ ③ ㄴ, ㄷ
④ ㄴ, ㄹ ⑤ ㄷ, ㄹ

12. A, B 지역의 자연환경과 주민 생활을 설명한 내용으로 옳지 <u>않은</u> 것은?

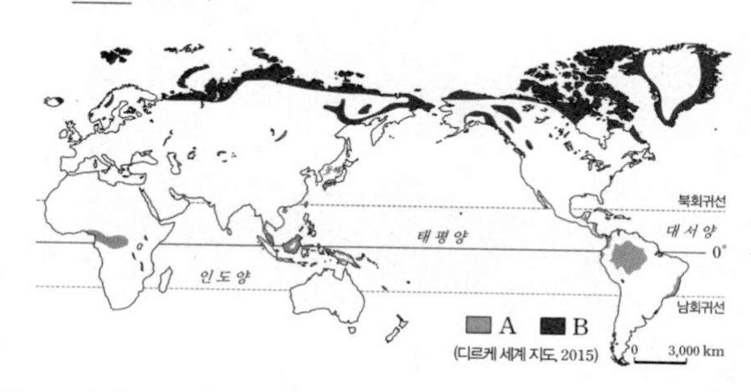

① A 지역은 B 지역보다 강수량이 많다.
② A 지역은 B 지역보다 인구가 밀집했다.
③ A, B 모두 인간 거주에 불리한 기후 지역이다.
④ B 지역은 강수량이 적어 관개 시설을 이용한 농업이 발달했다.
⑤ A 지역은 음식을 만들 때 기름에 튀기거나 향신료를 많이 사용한다.

13. 다음 지도의 A, B 지역에 대한 설명으로 옳은 것을 〈보기〉에서 고른 것은?

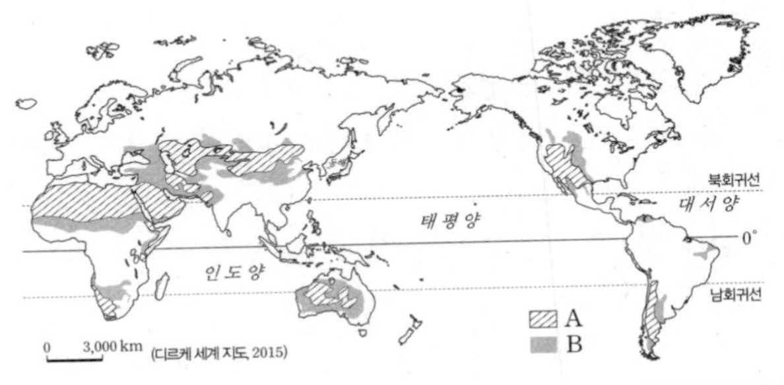

〈 보기 〉
ㄱ. B의 전통 가옥은 벽이 두껍고 창이 작다.
ㄴ. A는 연 강수량이 250mm~500mm이다.
ㄷ. A는 오아시스 주변에서 농업 활동이 행해진다.
ㄹ. B는 물과 풀을 찾아 가축을 기르는 유목이 발달했다.

① ㄱ, ㄴ ② ㄱ, ㄹ ③ ㄴ, ㄷ
④ ㄴ, ㄹ ⑤ ㄷ, ㄹ

14. 다음 사진과 같은 모습을 볼 수 있는 지역에 대한 설명으로 옳지 않은 것은?

① 여름철에 백야 현상을 볼 수 있다.
② 지표 아래에 영구 동토층이 분포한다.
③ 최근 빙하, 오로라 현상 등을 체험하려는 관광객이 증가하고 있다.
④ 짧은 여름 동안에만 기온이 0℃ 이상으로 오르고 풀과 이끼가 자란다.
⑤ 창문이 작으며, 그늘을 만들기 위해 건물과 건물 사이의 간격을 좁게 한다.

서술형
15. 다음 지도의 B 지역이 인간 거주에 불리한 이유를 서술하시오.

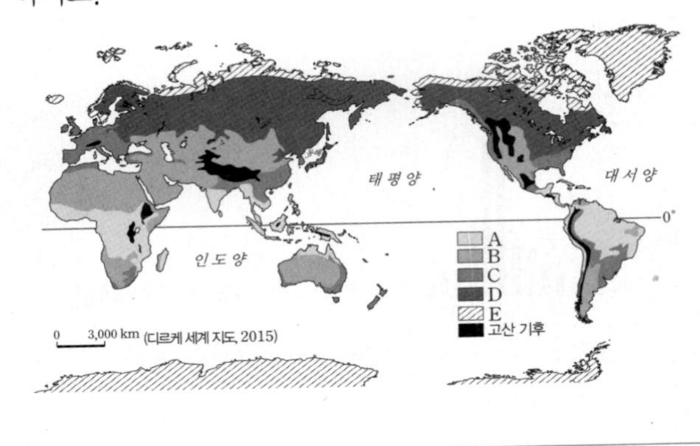

서술형
16. 다음 사진과 같은 경관이 나타나는 지역에서 즐겨 먹는 음식을 지역의 기후 및 농·목업과 관련지어 서술하시오.

Ⅲ. 자연으로 떠나는 여행

실전모의고사(1회)

01. (가), (나)에 해당하는 산지를 옳게 연결한 것은?

> (가) 유럽의 중남부에 있는 큰 산맥으로 스위스, 프랑스, 이탈리아, 오스트리아에 걸쳐 있다. 최고봉은 높이 4,807m인 몽블랑이다.
>
> (나) 에콰도르에 있는 원뿔형 화산체이며, 해발 고도 5,897m의 세계에서 가장 높은 활화산이다.

	(가)	(나)
①	안데스산맥	베수비오산
②	안데스산맥	코토팍시산
③	알프스산맥	베수비오산
④	알프스산맥	코토팍시산
⑤	알프스산맥	킬라우에아산

02. 다음 자료의 산맥에 대한 설명만을 〈보기〉에서 있는 대로 고른 것은?

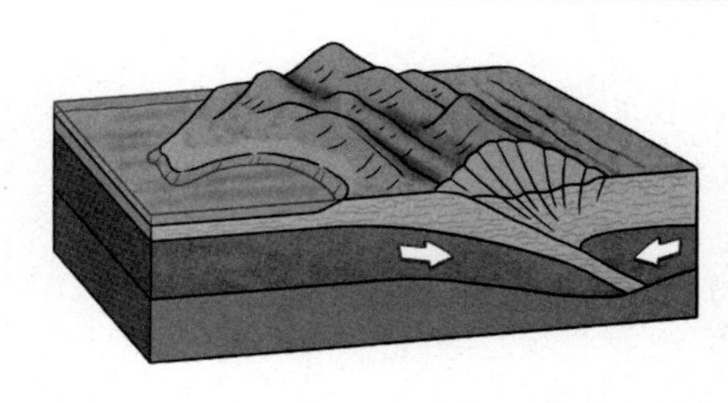

위의 산맥은 6,000만 년 전에는 바다였던 지층이 인도·오스트레일리아 대륙판과 유라시아 대륙판이 충돌하는 과정에서 바다 위로 솟아올라 만들어졌다.

〈 보기 〉

ㄱ. 해발 고도가 높고 험준한 편이다.
ㄴ. 지각 운동이 활발하여 지진이 일어난다.
ㄷ. 알프스산맥, 안데스산맥과 같이 대표적인 신기 습곡 산지에 해당한다.
ㄹ. 우랄산맥, 애팔래치아산맥 등이 비슷한 시기에 형성된 습곡 산지에 해당한다.

① ㄱ, ㄴ ② ㄱ, ㄷ ③ ㄴ, ㄷ
④ ㄱ, ㄴ, ㄷ ⑤ ㄴ, ㄷ, ㄹ

03. 자료에 해당하는 산지를 지도에서 고른 것은?

> 제목: ○○ 산맥
> • 환태평양 조산대의 일부
> • 북아메리카 서부에 있는 산맥
> • 해발 3,000m를 넘어서면 툰드라 지대가 나타남

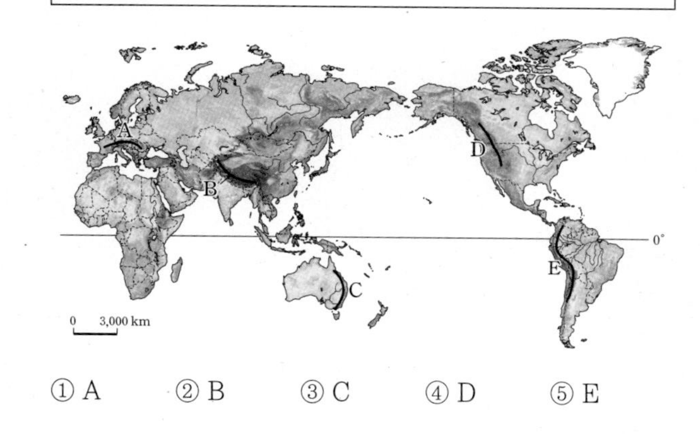

① A ② B ③ C ④ D ⑤ E

04. 다음 신문 기사의 밑줄 친 내용에 대한 대책으로 적절하지 않은 것은?

> ○○일보
>
> 긴 해안선을 따라 형성된 은빛 모래 백사장으로 널리 이름을 알렸던 태안 꽃지 해수욕장. 가득했던 고운 모래가 사라지고 해변은 시커먼 자갈밭으로 변해가고 있습니다. 곳곳엔 암반까지 드러나기 시작했습니다. 오랜 세월 형성된 모래 언덕 사구는 태고의 신비감까지 간직한 자연의 산물이었지만, 곳곳이 무너져 내려 흔적만 겨우 남았습니다. 꽃지 해변의 침식은 지구 온난화에 따른 해수면 상승과 해안 도로 개설 등 무분별한 개발로 빚어졌습니다.

① 무분별한 해안의 개발을 제한한다.
② 모래 포집기를 설치하여 해안 침식을 방지한다.
③ 해안 환경을 보전하고 후대에 물려 주고자 노력한다.
④ 해변을 따라 방파제나 콘크리트 구조물을 조성한다.
⑤ 해안 생태계를 체험하고 즐기는 생태 관광을 기획한다.

05. 알프스 산지의 주민 생활 모습에 대한 설명으로 옳지 않은 것은?

① 가을이 되면 소 떼를 몰고 마을로 돌아온다.
② 프랑스 랑그도크루시용 치즈 분배 축제가 열린다.
③ 스위스 우어내쉬의 전통적인 소몰이 축제가 열린다.
④ 여름 동안 목동들이 고지대의 산지에서 소를 키운다.
⑤ 마을 사람들은 여름 동안 고산 지대에서 생산된 치즈를 맡겼던 소의 마릿수에 따라 분배받는다.

06. (가) 지역에서 나타나는 해안 지형의 특징을 〈보기〉에서 고른 것은?

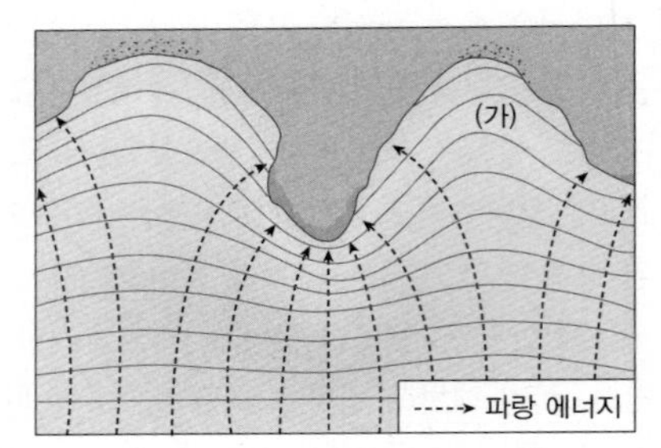

〈 보기 〉
ㄱ. 갯벌, 모래사장이 주로 형성된다.
ㄴ. 파랑의 퇴적 작용이 활발하게 일어난다.
ㄷ. 파랑의 침식 작용이 활발하게 일어난다.
ㄹ. 해안 절벽, 돌기둥, 동굴 등이 주로 형성된다.

① ㄱ, ㄴ ② ㄱ, ㄷ ③ ㄴ, ㄷ
④ ㄴ, ㄹ ⑤ ㄷ, ㄹ

07. 다음 자료를 보고 빈칸에 적절한 내용을 〈보기〉에서 고른 것은?

주제: 관광 산업이 해안 지역에 미친 영향
- 지역 주민 A: 우리 지역에 방문하는 관광객 덕분에 좋은 점이 많아진 것 같아요.
- 관광객: 갯벌 체험 등 즐길 거리가 많아서 다음에 또 방문할 거예요.
- 지역 주민 B: 저는 우리 지역이 관광지로 개발되면서 많은 문제점도 나타났다고 생각돼요.
- 지역 주민 C: 맞아요. 예를 들면 (   )와/과 같은 문제점이요.

〈 보기 〉
ㄱ. 교통량 증가에 따른 교통 체증과 주차 문제
ㄴ. 인공 구조물 조성에 따른 해안 생태계 파괴
ㄷ. 일자리 창출 및 경제 활동에 따른 수익 증가
ㄹ. 주민들의 삶의 질 향상과 지역 이미지 상승

① ㄱ, ㄴ ② ㄱ, ㄷ ③ ㄴ, ㄷ
④ ㄴ, ㄹ ⑤ ㄷ, ㄹ

08. 다음 글의 빈칸에 해당하는 내용으로 옳은 것은?

12사도 바위는 세상에서 가장 아름다운 바닷길로 알려진 그레이트오션로드의 끝자락에 있는 해안 지형이다. 석회암으로 된 바위 절벽이 (   )을 받아 해안 절벽과 돌기둥이 형성되었다. 돌기둥은 새롭게 생겨나기도 하고 무너지기도 한다.

① 바람의 퇴적 작용 ② 파랑의 퇴적 작용
③ 파랑의 침식 작용 ④ 조류의 침식 작용
⑤ 조류의 퇴적 작용

실전모의고사(1회)

정답과 해설 37쪽

9~11. 그림은 어느 해안 지형의 형성 과정을 나타낸 것이다. 물음에 답하시오.

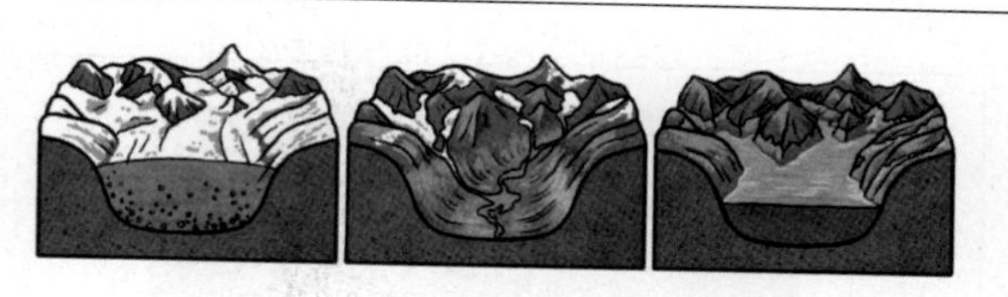

(㉠)의 (㉡)으로 생긴 골짜기에 바닷물이 들어오면서 형성된 만이다. 수심이 깊은 곳은 약 1,300m에 이른다.

09. ㉠, ㉡에 들어갈 용어가 옳게 연결된 것은?

	㉠	㉡
①	빙하	퇴적
②	빙하	침식
③	파랑	퇴적
④	파랑	침식
⑤	바람	침식

10. 위 자료의 지형이 주로 나타나는 지역의 위치를 고른 것은?

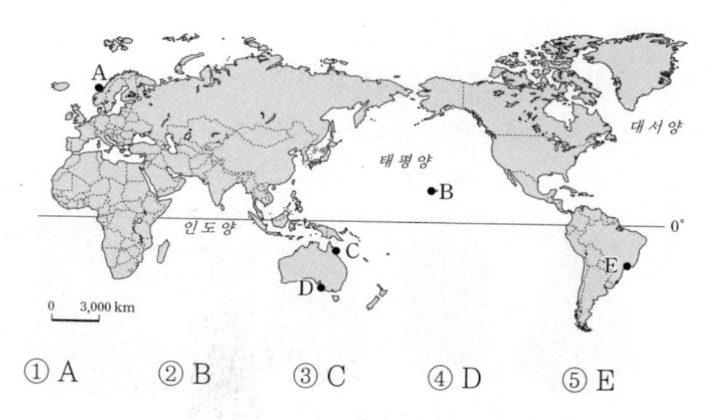

① A ② B ③ C ④ D ⑤ E

11. 위 자료의 과정을 통해 형성된 대표적인 지형으로 옳은 것은?

① 경포호
② 송네 피오르
③ 12사도 바위
④ 신두리 해안 사구
⑤ 그레이트배리어리프

12. 사진의 지형에 대한 설명으로 옳은 것을 〈보기〉에서 고른 것은?

▲ 제주특별자치도(한라산)

〈 보기 〉
ㄱ. 산의 정상에는 화구호인 천지가 있다.
ㄴ. 유네스코 세계 자연 유산에 등재되었다.
ㄷ. 전체적으로 완만한 방패 모양의 화산체이다.
ㄹ. 유동성이 작은 현무암이 분출되어 전체적으로 경사가 급하다.

① ㄱ, ㄴ ② ㄱ, ㄷ ③ ㄴ, ㄷ
④ ㄴ, ㄹ ⑤ ㄷ, ㄹ

13. 우리나라 동해안의 특징에 대한 내용 중 옳지 않은 것은?

① 서 · 남해안에 비해 적은 섬
② 깊은 수심과 단조로운 해안선
③ 밀물과 썰물의 차이가 작은 편
④ 모래사장 발달, 해수욕장으로 이용
⑤ 예로부터 간척 사업이 활발히 진행

14~15. 자료를 보고, 물음에 답하시오.

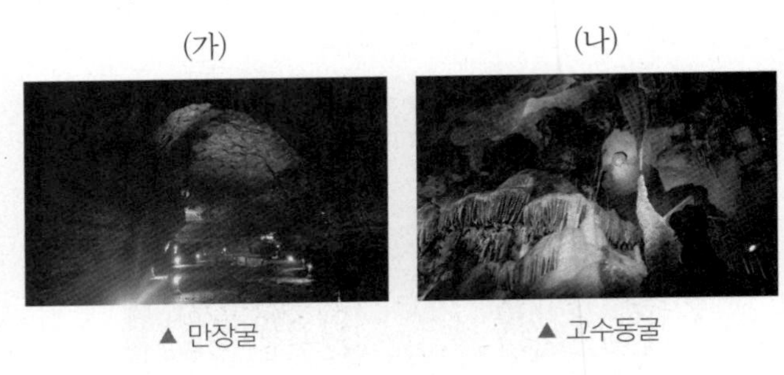

▲ 만장굴 ▲ 고수동굴

14. (가), (나) 사진의 위치를 지도에서 옳게 연결한 것은?

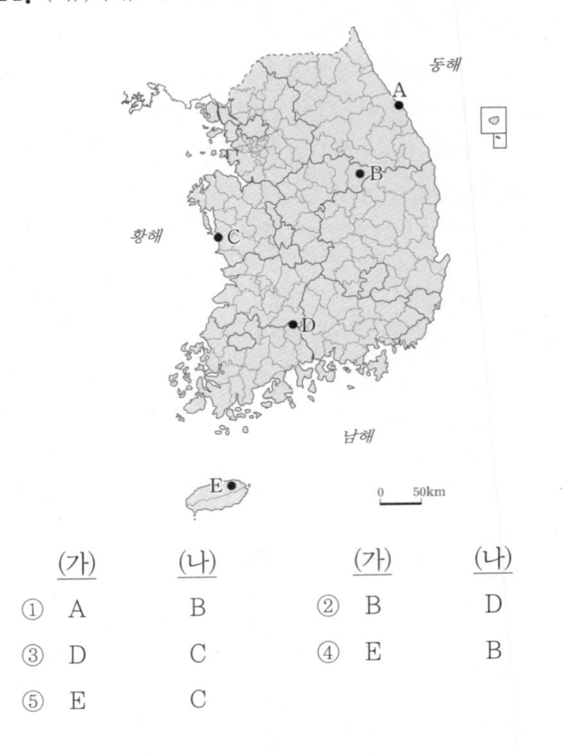

	(가)	(나)		(가)	(나)
①	A	B	②	B	D
③	D	C	④	E	B
⑤	E	C			

15. (가), (나)에 대한 설명으로 옳은 것을 〈보기〉에서 고른 것은?

〈 보기 〉
ㄱ. (가)는 용암이 흐르면서 형성된 용암동굴이다.
ㄴ. (가)는 석회암이 지하수에 녹아서 형성되었다.
ㄷ. (나)의 내부에는 종유석, 석순, 석주가 있다.
ㄹ. (나)는 주로 파랑의 침식 작용으로 형성된다.

① ㄱ, ㄴ ② ㄱ, ㄷ ③ ㄴ, ㄷ
④ ㄴ, ㄹ ⑤ ㄷ, ㄹ

서술형

16. ㉠에 들어갈 용어를 쓰고, ㉠의 형성 과정을 서술하시오.

바덴해는 세계에서 가장 넓고 훼손이 적은 (㉠)이다. 생물 종이 매우 풍부하며, 세계적으로 많은 철새들이 찾는 지역 중의 한 곳이다.

서술형

17. ㉠에 해당하는 지형 이름을 쓰고, ㉠ 지형이 형성되는 과정을 제시어를 활용하여 서술하시오.

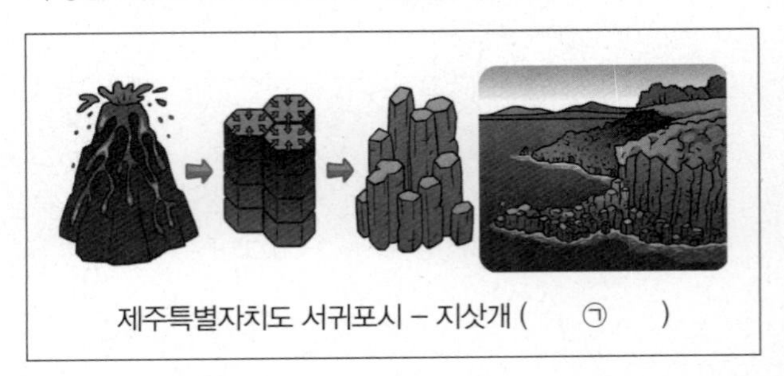

제주특별자치도 서귀포시 – 지삿개 (㉠)

제시어: 용암, 규칙, 다각형, 균열

Ⅲ. 자연으로 떠나는 여행

실전모의고사(2회)

01. 산지 지형의 형성 과정과 경관의 특징에 대한 설명으로 옳지 않은 것은?

① 산지는 하천과 빙하, 비와 바람의 작용으로 높이나 형태 등이 변한다.
② 애팔래치아, 우랄산맥 등 고기 습곡 산지는 오랫동안 풍화와 침식을 받아 비교적 고도가 낮다.
③ 알프스, 히말라야, 안데스, 로키산맥 등 신기 습곡 산지는 형성된 지 오래되지 않아 높고 험준하다.
④ 화산 활동으로 형성된 에콰도르의 킬리만자로산은 분화 활동을 하는 화산 중 세계에서 해발 고도가 가장 높다.
⑤ 산지는 지층의 습곡 작용으로 휘어지거나, 땅속 깊은 곳의 뜨거운 마그마가 땅 위로 분출하는 화산 활동 등으로 만들어진다.

02. 사진에 해당하는 산지 지역의 주민 생활 모습으로 옳은 것을 〈보기〉에서 고른 것은?

▲ 알파카와 원주민

▲ 볼리비아의 우유니 소금 사막

〈 보기 〉
ㄱ. 우어내쉬의 전통적인 소몰이 축제가 열린다.
ㄴ. 해발 고도 3,000m 부근에 고산 도시가 발달한다.
ㄷ. '차마고도'라고 불리는 동서 문명의 교역로가 있다.
ㄹ. 해발 고도 2,000m~3,000m에서는 서늘한 기후를 이용하여 감자, 밀, 보리 등을 재배한다.

① ㄱ, ㄴ　② ㄱ, ㄷ　③ ㄱ, ㄹ
④ ㄴ, ㄹ　⑤ ㄷ, ㄹ

03. 〈보기〉의 해안 지형을 형성 원인에 따라 옳게 구분한 것은?

〈 보기 〉
ㄱ. 갯벌　ㄴ. 사구　ㄷ. 돌기둥
ㄹ. 모래사장　ㅁ. 해식 동굴　ㅂ. 해안 절벽

	퇴적 작용	침식 작용
①	ㄱ, ㄴ, ㄷ	ㄹ, ㅁ, ㅂ
②	ㄱ, ㄴ, ㄹ	ㄷ, ㅁ, ㅂ
③	ㄴ, ㄷ, ㄹ	ㄱ, ㅁ, ㅂ
④	ㄴ, ㄷ, ㅁ	ㄱ, ㄹ, ㅂ
⑤	ㄷ, ㄹ, ㅁ	ㄱ, ㄴ, ㅂ

04. 사회 퀴즈에 대한 학생의 점수로 옳은 것은?

〈사회 퀴즈〉

강화도 임진강 북한강 태백산맥
황해 동해
A 한강 B

[물음] 위의 단면도를 참고하여 우리나라의 하천에 대한 설명 중 옳은 것은 O표, 틀린 것은 X표 하시오.
(※ 한 문제당 1점씩 배점하며, 틀리더라도 감점은 없음)

번호	문제	학생 답
1	우리나라의 큰 하천은 대부분 황해로 흐른다.	○
2	황해로 흘러가는 하천의 하류에는 태백산맥이 자리 잡고 있다.	×
3	태백산맥 서쪽으로 흐르는 하천은 동쪽으로 흐르는 하천보다 유량이 적다.	○
4	대체로 황해로 흘러가는 하천의 길이가 동해로 흐르는 하천보다 짧은 편이다.	○

① 0점　② 1점　③ 2점
④ 3점　⑤ 4점

실전모의고사(2회)

5~6. 자료를 보고, 물음에 답하시오.

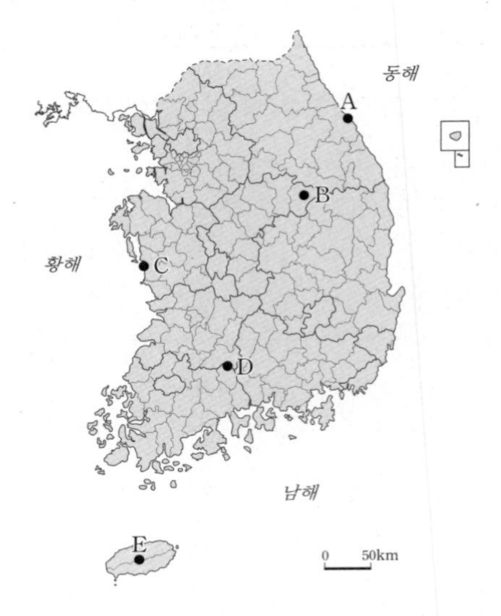

05. 다음은 어느 가족의 여행기 일부이다. 여행 일정을 순서대로 배열한 것으로 옳은 것은?

> ○○ 가족의 여름 방학 여행기
>
> 1일차 - 머드(진흙)를 주제로 하는 체험형 축제가 펼쳐지고 있다. 1998년 처음으로 개최된 이래 우리나라를 대표하는 축제로 자리잡았다고 한다.
>
> 2일차 - 남한 내륙의 최고봉인 천왕봉(1,915m)에 올랐다. 바위 위에 두꺼운 토양층이 덮여 있는 흙산으로 1967년 국립공원 제1호로 지정되었다.
>
> 3일차 - 고생대의 석회암층에서 만들어진 석회동굴에 들어오니 동굴 밖과는 다르게 시원해서 좋았다. 종유석, 석순, 석주도 직접 보니 신기했다.

	1일차	2일차	3일차
①	A	B	C
②	A	D	E
③	C	D	B
④	C	B	A
⑤	E	A	D

06. 다음 설명에 해당하는 지역은?

- 정동진의 해돋이와 기차 여행
- 모래사장(해수욕장)과 석호(경포호)

① A ② B ③ C ④ D ⑤ E

7~8. 사진을 보고, 물음에 답하시오.

(가) (나)

▲ 12사도 바위 ▲ 코파카바나 해변

07. (가), (나) 사진의 위치를 지도에서 옳게 연결한 것은?

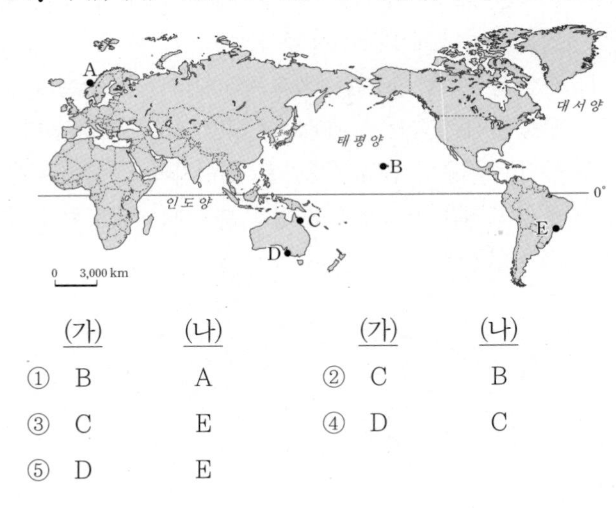

	(가)	(나)		(가)	(나)
①	B	A	②	C	B
③	C	E	④	D	C
⑤	D	E			

08. (가), (나) 지형의 특징을 〈보기〉에서 옳게 연결한 것은?

〈 보기 〉
ㄱ. 파랑의 퇴적 작용으로 형성된 모래사장은 긴 해변으로 유명하다.
ㄴ. 해안선의 드나듦이 복잡하고 조차가 커서 갯벌이 넓게 발달하였다.
ㄷ. 빙하의 침식으로 생긴 골짜기에 바닷물이 들어오면서 형성된 만이다.
ㄹ. 석회암으로 된 바위 절벽이 파랑의 침식 작용을 받아 해안 절벽과 돌기둥이 형성되었다.

	(가)	(나)		(가)	(나)
①	ㄱ	ㄴ	②	ㄱ	ㄷ
③	ㄴ	ㄷ	④	ㄴ	ㄹ
⑤	ㄹ	ㄱ			

실전모의고사(2회)

09. 사진 속 지형의 형성 과정을 순서대로 나열한 것으로 옳은 것은?

▲ 만장굴(제주특별자치도)

(가) 표면이 먼저 굳기 시작함
(나) 용암이 지표면을 덮고 흐름
(다) 안쪽으로 용암이 빠져나감

① (가) → (나) → (다)
② (나) → (가) → (다)
③ (나) → (다) → (가)
④ (다) → (가) → (나)
⑤ (다) → (나) → (가)

10. 다음 자료의 ㉠, ㉡에 들어갈 용어로 옳은 것은?

설악산, 북한산, 월출산 등은 돌산으로 (㉠) 바위가 드러나 있어 기암괴석이 절경을 이룬다. 이 절경을 만들어 내는 (㉠)은 땅속 깊은 곳에서 형성되었는데, (㉠)을 덮고 있던 암석층이 오랜 시간 침식으로 제거되면서 오늘날과 같은 모습을 갖게 되었다. 석회동굴은 (㉡)이 오랜 시간 동안 지하수에 녹아서 만들어진 지형이다. 동굴 내부에서는 종유석, 석순, 석주 등 신비로운 풍경을 경험할 수 있다. 우리나라에서는 강원도 영월과 삼척, 충청북도 단양 등 (㉡)이 분포하는 곳에서 석회동굴을 볼 수 있다.

	㉠	㉡
①	화강암	석회암
②	화강암	현무암
③	현무암	화강암
④	현무암	석회암
⑤	석회암	화강암

서술형

11. 다음 자료를 참고하여 ㉠에 들어갈 용어를 쓰고, 자료의 밑줄 친 부분과 같은 현상의 이유를 서술하시오.

영산강은 전라남도 담양군에서 발원하여 (㉠)(으)로 흘러가는 강으로, 우리나라의 큰 하천은 대부분 이와 같이 (㉠)(으)로 흐른다.

서술형

12. 다음 사진에 나타난 구조물의 명칭을 쓰고, 구조물이 필요한 지역과 구조물의 역할을 서술하시오.

▲ 대나무나 그물 따위로 만든 인위적 구조물

실전모의고사(1회)

01. 다음 국기에 해당하는 나라에서 나타나는 문화의 공통적 특징이 아닌 것은?

① 한자 문화 지역 ② 젓가락 문화 지역
③ 유교 문화 지역 ④ 벼농사 문화 지역
⑤ 유목 문화 지역

2~4. 다음 자료를 보고 물음에 답하시오.

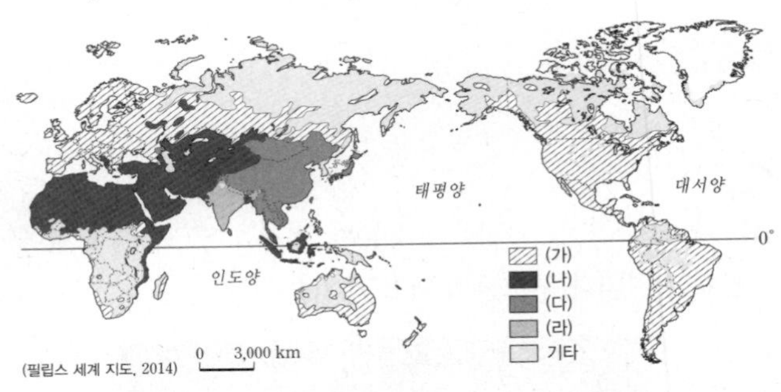

(필립스 세계 지도, 2014)

02. (가) 종교에 대한 설명으로 옳은 것을 〈보기〉에서 고른 것은?

〈 보기 〉
ㄱ. 그리스 정교, 가톨릭, 개신교를 포함한다.
ㄴ. 서남아시아, 북부 아프리카에서 주로 나타난다.
ㄷ. 십자가를 세운 성당이나 교회가 대표적 경관이다.
ㄹ. 둥근 지붕과 뾰족한 탑으로 이루어진 모스크가 나타난다.

① ㄱ, ㄴ ② ㄱ, ㄷ ③ ㄴ, ㄷ
④ ㄴ, ㄹ ⑤ ㄷ, ㄹ

03. (나), (다) 종교에 대한 설명으로 옳은 것을 〈보기〉에서 고른 것은?

〈 보기 〉
ㄱ. (나)에서는 소를 숭배하여 소고기를 먹지 않는다.
ㄴ. (나)에서는 둥근 지붕과 뾰족한 탑으로 이루어진 모스크가 나타난다.
ㄷ. (다)의 발상지는 이스라엘의 예루살렘이다.
ㄹ. (다)에서는 사찰, 불상, 탑 등의 종교 경관을 볼 수 있다.

① ㄱ, ㄴ ② ㄱ, ㄷ ③ ㄴ, ㄷ
④ ㄴ, ㄹ ⑤ ㄷ, ㄹ

04. (라) 종교와 관련된 문화로 옳은 것을 〈보기〉에서 고른 것은?

〈 보기 〉
ㄱ. 사리 ㄴ. 모스크
ㄷ. 할랄 식품 ㄹ. 갠지스강에서의 목욕

① ㄱ, ㄴ ② ㄱ, ㄹ ③ ㄴ, ㄷ
④ ㄴ, ㄹ ⑤ ㄷ, ㄹ

05. 다음 보고서의 ㉠에 해당하는 종교로 옳은 것은?

사회 보고서

◇학년 ◇반 △△ 모둠

종교	(㉠)
특징	1. 석가모니(고타마 싯다르타) 2. 사찰, 불상, 탑 등의 종교 경관 3. 미얀마, 타이, 캄보디아 등에 전파

① 유교 ② 불교 ③ 힌두교
④ 이슬람교 ⑤ 크리스트교

정답과 해설 40쪽

06. 문화 지역에 대한 ㄱ～ㅁ의 내용 중 옳지 <u>않은</u> 것은?

자연환경에 따라 달라지는 문화

ㄱ. 문화는 기후, 지형 등 자연환경에 따라 지역마다 다르게 나타난다.

ㄴ. 의복과 음식 문화를 살펴보면, 열대 기후 지역에서는 통풍이 잘되는 옷을 입고 카사바, 얌 등으로 음식을 만들어 먹는다.

ㄷ. 건조 기후 지역에서는 햇볕과 모래바람을 차단할 수 있도록 온몸을 감싸는 옷을 입고, 밀과 대추야자 등을 주로 먹는다.

ㄹ. 지중해성 기후 지역에서는 보온이 잘되는 가죽옷이나 털옷을 입으며, 비타민을 섭취하기 위해 생선과 날고기를 주로 먹는다.

ㅁ. 우리나라는 고온 다습한 여름철의 기후 조건을 바탕으로 벼농사가 발달하였으며, 계절에 따른 기온 차가 커서 의복과 음식 문화가 다양하게 나타난다.

① ㄱ ② ㄴ ③ ㄷ ④ ㄹ ⑤ ㅁ

07. (가)의 문화 지역에 해당하는 특징으로 가장 적절하지 <u>않은</u> 것은?

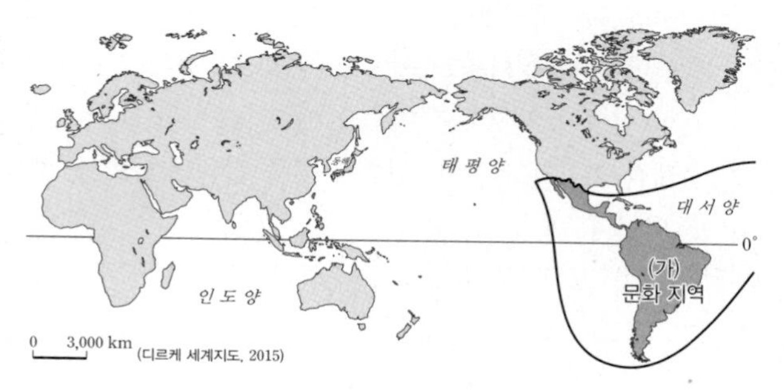

① 힌두교 ② 혼혈 인종
③ 크리스트교 ④ 포르투갈어
⑤ 에스파냐어

08. 교사의 질문에 바르게 대답한 학생을 고른 것은?

학습 주제: 경제적·사회적 환경에 따라 달라지는 문화

• 선생님: 학습 주제에 대해 조사한 내용을 한 가지씩 발표해볼까요?
• 학생 A: 이슬람교를 믿는 사람들은 돼지고기와 술을 먹고, 할랄 식품은 먹지 않습니다.
• 학생 B: 사회 제도나 규범이 변화하면서 결혼 제도나 장례 풍습 등이 달라지기도 합니다.
• 학생 C: 힌두교도는 소를 신성시하여 소고기를 즐겨 먹고, 여성들은 부르카나 히잡 등을 입습니다.
• 학생 D: 경제 발전 수준이 높을수록 인공적인 경관이 두드러지며 현대적인 생활 모습이 나타납니다.

① 학생 A, 학생 B ② 학생 A, 학생 C
③ 학생 B, 학생 C ④ 학생 B, 학생 D
⑤ 학생 C, 학생 D

09. 다음의 문화적 특징이 나타나는 기후 지역으로 옳은 것은?

• 주거 문화: 나무로 만든 고상 가옥
• 음식 문화: 카사바, 얌 등으로 요리
• 의복 문화: 통풍이 잘되는 간편한 옷

① 열대 기후 지역 ② 건조 기후 지역
③ 온대 기후 지역 ④ 냉대 기후 지역
⑤ 한대 기후 지역

10. 사회 퀴즈에 대한 학생의 점수로 옳은 것은?

〈사회 퀴즈〉

[물음] 문화 전파에 따른 문화 변용에 대한 설명 중 옳은 것은 ○표, 틀린 것은 ×표 하시오.
(※ 한 문제당 1점씩 배점하며, 틀리더라도 감점은 없음)

번호	문제	학생 답
1	불교, 유교, 크리스트교는 서로 다른 시기에 우리나라로 들어왔지만 모두 우리 문화의 일부를 이루는데, 이는 문화 융합의 사례이다.	○
2	지역 간 문화 전파로 외부에서 새로운 문화가 들어오면 문화 공존, 문화 동화, 문화 융합 등 기존의 문화가 변화하는 현상이 나타나는데, 이를 문화 변용이라고 한다.	○
3	우리나라에서는 과거 글을 쓸 때 세로쓰기를 하였으나, 가로쓰기 방식이 들어오고 확산하면서 세로쓰기는 찾아보기 어려워졌는데, 이는 문화 동화의 사례에 해당한다.	×
4	우리나라의 온돌이 서양에서 들어온 침대와 결합하여 돌침대가 만들어진 것처럼 기존의 문화가 외국에서 들어온 문화와 만나 새로운 문화를 형성하는 문화 공존이 이루어지기도 한다.	○

① 0점 ② 1점 ③ 2점 ④ 3점 ⑤ 4점

11. 다음 글의 빈칸에 해당하는 국가로 옳은 것은?

나는 (   )에 살고 있는 디아스라고 해. 우리나라에서는 영어와 함께 고유 언어인 타갈로그어를 사용하고 있어. 안녕이라고 말할 때, "헬로."라고 하거나 "까무스따."라고 해. 우리나라는 에스파냐와 미국의 영향으로 대부분 사람이 크리스트교를 믿어. 이제 전통 신앙을 믿는 사람은 거의 없어.

① 타이 ② 베트남 ③ 라오스
④ 필리핀 ⑤ 캄보디아

서술형
12. 자료와 같이 말레이시아에 다양한 종교와 관련된 축제와 기념일이 있는 이유를 지리적 관점에서 서술하시오. (단, 제시어를 모두 활용)

말레이시아의 축제와 기념일

(2016년 기준)

날짜	내용
5. 21.	부처님 오신 날 웨삭데이(불교)
7. 6.~7. 7.	라마단이 끝나는 날 하리 라야 아이딜피트리(이슬람교)
10. 29.	불의 축제 디파발리(힌두교)
12. 25.	크리스마스(크리스트교)

제시어: 중국, 인도, 침략, 서구, 문화 상대주의

서술형
13. 자료의 혼혈 인종 세가지를 쓰고, 각각을 설명하시오.

브라질은 아메리카 원주민, 유럽계 백인, 아프리카계 흑인이 함께 문화를 가꾸어 온 나라로, 전체 인구에서 혼혈 인종이 차지하는 비중도 매우 높다. 주민들 간의 경제적 격차가 크지만, 인종과 민족 간의 갈등이 큰 편은 아니다.

Ⅳ. 다양한 세계, 다양한 문화

실전모의고사(2회)

01. (가)의 문화 지역의 특징으로 옳은 것을 〈보기〉에서 고른 것은?

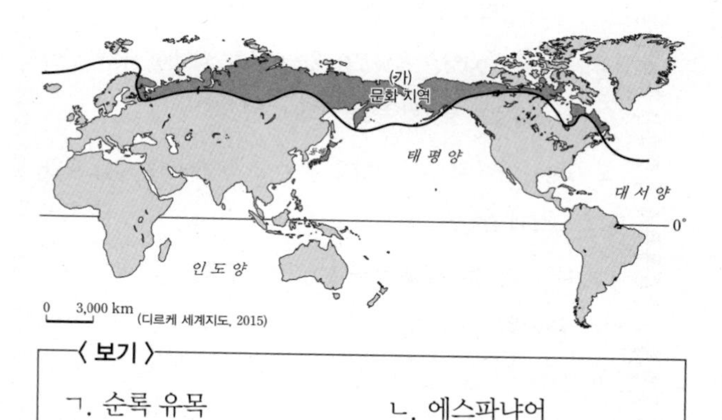

〈 보기 〉

ㄱ. 순록 유목　　ㄴ. 에스파냐어
ㄷ. 애버리지니　　ㄹ. 털옷과 날고기

① ㄱ, ㄴ　② ㄱ, ㄹ　③ ㄴ, ㄷ
④ ㄴ, ㄹ　⑤ ㄷ, ㄹ

02. 다음 자료의 빈칸에 해당하는 국가로 옳은 것은?

> 지중해는 아시아, 유럽, 아프리카로 둘러싸인 바다로, 지중해 주변에는 다양한 문화가 나타난다. 지중해의 북쪽은 크리스트교와 유럽 문화가 나타나며, 남쪽은 이슬람교와 아랍어, 그리고 유목 중심의 이슬람 문화가 나타난다. 한편 지중해의 동쪽에 있는 (　　　　)은/는 아시아계 민족이 많고, 유럽의 정치·교육 제도와 문자를 받아들였지만, 이슬람교를 주로 믿는다.

① 인도　② 터키　③ 모로코
④ 파키스탄　⑤ 이스라엘

3~4. 다음은 세계의 종교 인구를 나타낸 자료이다. 자료를 보고 물음에 답하시오.

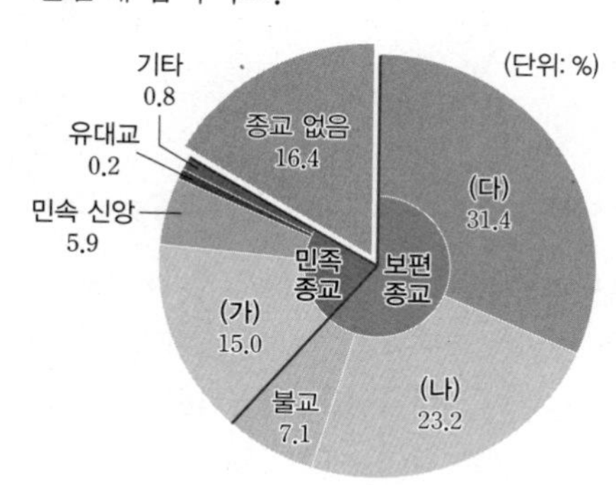

(PEW Research Center, 2015)

03. (가), (나), (다)에 해당하는 종교를 옳게 연결한 것은?

	(가)	(나)	(다)
①	이슬람교	힌두교	크리스트교
②	크리스트교	힌두교	이슬람교
③	크리스트교	이슬람교	힌두교
④	힌두교	이슬람교	크리스트교
⑤	힌두교	크리스트교	이슬람교

04. (가), (나), (다)에 대한 설명으로 옳은 것을 〈보기〉에서 고른 것은?

〈 보기 〉

ㄱ. (가)는 인도, 네팔에서 많은 사람이 믿고 있다.
ㄴ. (나)의 경전은 코란이며, 돼지고기를 금기한다.
ㄷ. (나)에서는 소를 신성시하여 소고기를 먹지 않는다.
ㄹ. (다)에서는 둥근 지붕과 뾰족한 탑으로 이루어진 모스크가 나타난다.

① ㄱ, ㄴ　② ㄱ, ㄷ　③ ㄴ, ㄷ
④ ㄴ, ㄹ　⑤ ㄷ, ㄹ

실전모의고사(2회)

05. 자료의 빈칸에 들어갈 국가로 옳은 것은?

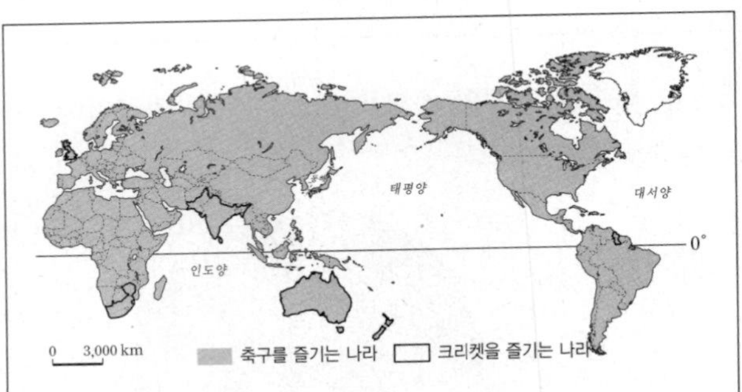

축구와 크리켓은 ( )에서 시작된 스포츠이다. 오늘날 세계에서 축구를 즐기지 않는 나라는 거의 없으며, 지구촌 인구의 절반은 월드컵 경기를 관람한다. 반면에 크리켓을 즐기는 나라는 많지 않다. ( )의 영향을 받은 인도, 오스트레일리아, 뉴질랜드 등에서만 크리켓을 즐길 뿐이다.

① 독일 ② 미국 ③ 영국
④ 프랑스 ⑤ 이탈리아

06. 사진과 관련된 지역의 문화 모습으로 옳은 것을 〈보기〉에서 고른 것은?

〈 보기 〉
ㄱ. 밀과 대추야자 등을 주로 먹는다.
ㄴ. 고상 가옥이나 수상 가옥을 주로 짓는다.
ㄷ. 카사바, 얌 등으로 음식을 만들어 먹는다.
ㄹ. 얇은 천으로 온몸을 감싸는 헐렁한 옷을 입는다.

① ㄱ, ㄷ ② ㄱ, ㄹ ③ ㄴ, ㄷ
④ ㄴ, ㄹ ⑤ ㄷ, ㄹ

07. 동아시아 문화 지역에 대한 설명으로 옳지 않은 것은?

비슷하지만 다른 세 나라

ㄱ. 동아시아에 속하는 우리나라, 중국, 일본은 지리적으로 가까워 일찍부터 활발하게 교류해 왔다.
ㄴ. 동아시아 지역은 문자로는 한자 문화 지역에 속하고, 식사 도구로는 젓가락 문화 지역에 속한다.
ㄷ. 사회 제도 형성에 영향을 준 사상 측면에서는 유교 문화 지역에 속한다.
ㄹ. 세 나라 모두 불교 신자가 많으며, 불교는 일본에서 시작되어 우리나라, 중국 순으로 전파되었다.
ㅁ. 전통 복장을 기준으로 할 때 우리나라는 한복, 중국은 치파오, 일본은 기모노로 서로 다른 문화 지역으로 구분된다.

① ㄱ ② ㄴ ③ ㄷ ④ ㄹ ⑤ ㅁ

08. 다음 자료에 해당하는 국가로 옳은 것은?

질문	답변
1. 인구가 1억 명이 넘습니까?	예
2. 하계 올림픽을 개최했습니까?	예
3. 크리스트교 문화 지역입니까?	예
4. 에스파냐어 문화 지역입니까?	아니오

① 칠레 ② 멕시코 ③ 브라질
④ 포르투갈 ⑤ 아르헨티나

09. 사회 퀴즈에 대한 학생의 점수로 옳은 것은?

〈사회 퀴즈〉

[물음] 브라질의 다양한 인종과 민족에 대한 설명 중 옳은 것은 ○표, 틀린 것은 ×표 하시오.
(※ 한 문제당 1점씩 배점하며, 틀리더라도 감점은 없음)

번호	문제	학생 답
1	주민들 간의 경제적 격차가 크지만, 인종과 민족 간의 갈등이 큰 편은 아니다.	×
2	전체 인구에서 메스티소, 삼보, 물라토 등의 혼혈 인종이 차지하는 비중이 매우 높다.	○
3	브라질은 아메리카 원주민, 유럽계 백인, 아프리카계 흑인이 함께 문화를 가꾸어 온 나라이다.	○
4	메스티소는 아메리카 원주민과 유럽계 백인 간의 혼혈 인종을 말하고, 삼보는 아메리카 원주민과 아프리카계 흑인 간의 혼혈 인종을 말한다.	×

① 0점 ② 1점 ③ 2점 ④ 3점 ⑤ 4점

10. 다음의 문화적 특징이 나타나는 문화 지역으로 옳은 것은?

- 이슬람교
- 할랄 식품
- 돼지고기, 술 금기
- 여성들은 부르카, 히잡, 차도르 등 착용

① 유럽 문화 지역 ② 인도 문화 지역
③ 아랍 문화 지역 ④ 북극 문화 지역
⑤ 동아시아 문화 지역

서술형

11. (가), (나)와 같은 주거 문화가 나타나는 지역의 문화적 차이를 제시어를 포함하여 서술하시오.

(가) (나)

제시어: 옷, 집, 음식, 기후, 재료

서술형

12. 자료에 나타난 지역의 문화적 갈등을 종교적 측면에서 서술하시오.

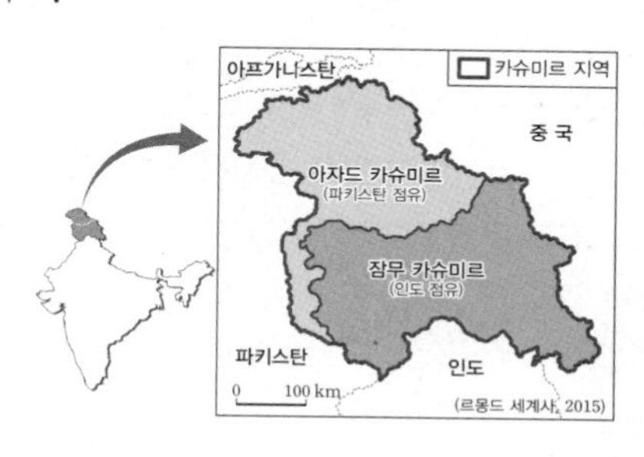

실전모의고사(1회)

01. 자연재해에 대한 설명으로 옳지 않은 것은?

① 특정 지역에서 반복적으로 나타나는 경향이 많다.
② 인간과 인간 생활에 피해를 주는 자연현상을 말한다.
③ 과거보다 자연재해의 발생 빈도와 피해가 커지고 있다.
④ 지진 해일은 열대 저기압이 바다에서 발생할 때 주로 나타난다.
⑤ '불의 고리'는 화산 활동과 지진이 자주 발생하는 환태평양 조산대를 일컫는 용어이다.

02. 보고서 작성을 위해 조사 지역을 선정하고 있다. 설정한 조건을 모두 만족하는 국가로 옳은 것은?

〈조사 주제〉 자연재해와 인간 생활
조건 1: 환태평양 조산대에 위치하여 화산과 지진이 빈번한 국가
조건 2: 평소 화산·지진의 피해를 줄이기 위한 경보 시스템이 잘 구축된 국가
조건 3: 열대 저기압이 자주 통과하여 영향을 받는 국가

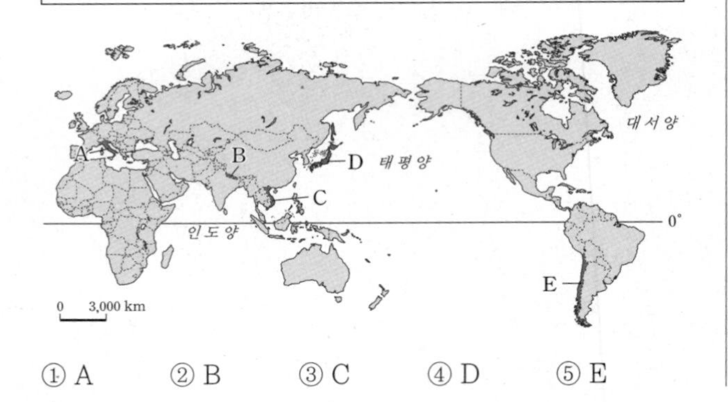

① A ② B ③ C ④ D ⑤ E

3~4. 다음 자료를 보고 물음에 답하시오.

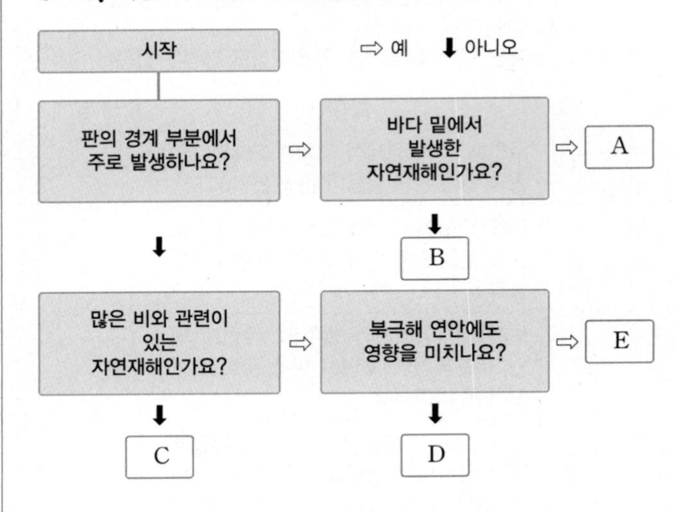

03. 다음에서 설명하는 자연재해의 기호로 옳은 것은?

- 거대한 파도가 육지로 밀려오는 현상
- 태평양과 인도양 일대에서 주로 발생
- 매우 빠른 속도로 진행되며 발생 지역으로부터 수천 km까지 영향을 미침

① A ② B ③ C ④ D ⑤ E

04. 위 자료의 D와 관련이 있는 신문 기사의 제목으로 적절한 것은?

① 천안도 100mm 폭우…침수 피해 속출
② 경북 동해안, 지진 해일 대비 실태 점검
③ 제4호 태풍 고구마, 현재 위치와 이동 경로는?
④ 대한민국도 지진 위험국, 내진 설계로 충분할까?
⑤ 104년 만의 가뭄, 바닥 드러난 산정호수의 비극

실전모의고사(1회)

정답과 해설 42쪽

05. 다음 지도에 표시된 지역을 대상으로 한 탐구 보고서 주제로 적절한 것은?

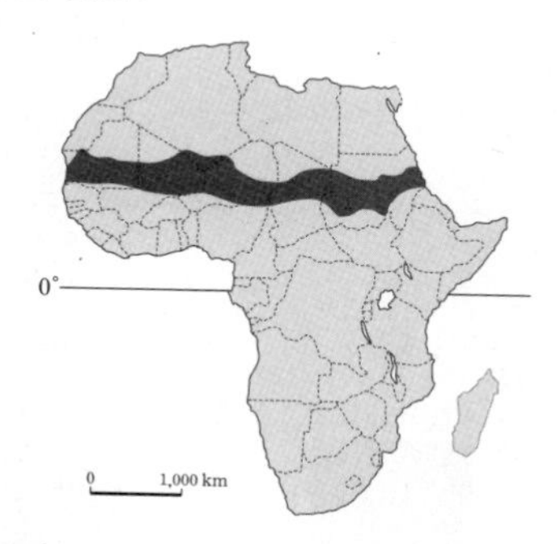

① 열대 저기압 발생 지역의 특징
② 화산 활동이 주민들에게 가져다주는 이점들
③ 도시화로 인해 발생하는 홍수 피해의 심각성
④ 지진과 그로 인한 지진 해일을 대비하는 방법
⑤ 가뭄과 사막화의 심각성과 피해를 줄이기 위한 노력

06. 다음 A, B 자연재해의 피해를 줄일 방법을 옳게 연결한 것은?

A　　　　B

	A 자연재해	B 자연재해
①	내진 설계	제방 건설
②	내진 설계	과도한 방목 금지
③	제방 건설	내진 설계
④	과도한 방목 금지	내진 설계
⑤	과도한 방목 금지	제방 건설

07. 다음 보고서에 들어갈 사진으로 적절한 것을 〈보기〉에서 옳게 고른 것은?

〈조사 주제〉 자연재해와 주민 생활
주제 1: 화산이 주민 생활에 미치는 긍정적 측면
주제 2: 지진으로 인한 피해를 줄이기 위한 노력
주제 3: 도시에서 발생하는 홍수 피해를 줄일 수 있는 대책

	주제 1	주제 2	주제 3
①	ㄱ	ㄷ	ㅁ
②	ㄱ	ㄷ	ㅂ
③	ㄱ	ㄹ	ㅁ
④	ㄴ	ㄷ	ㅁ
⑤	ㄴ	ㄹ	ㅂ

08. 다음 재난 안내 문자와 관련된 자연재해로 옳은 것은?

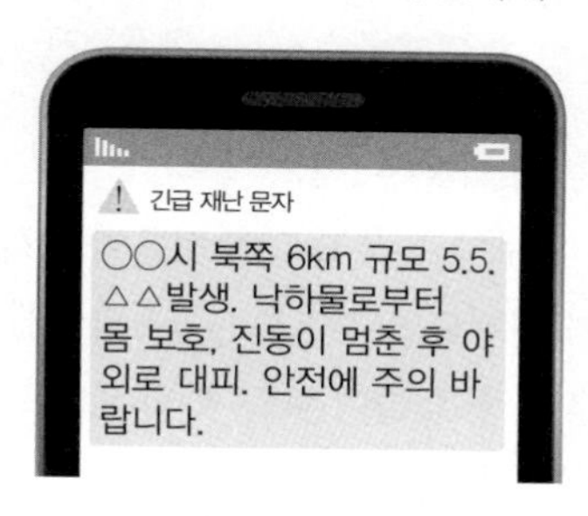

① 지진　② 홍수　③ 사막화
④ 화산 폭발　⑤ 열대 저기압

09. 다음과 같은 활동으로 기대되는 효과를 〈보기〉에서 고른 것은?

〈 보기 〉

ㄱ. 사막이 넓어지는 현상을 방지한다.
ㄴ. 홍수를 조절하여 이로 인한 피해를 줄일 수 있다.
ㄷ. 나무뿌리가 땅을 다져 지진으로 인한 피해를 줄일 수 있다.
ㄹ. 열대 저기압이 통과할 때 바람의 세기를 줄여 시설물 파괴를 줄일 수 있다.

① ㄱ, ㄴ ② ㄱ, ㄹ ③ ㄴ, ㄷ
④ ㄴ, ㄹ ⑤ ㄷ, ㄹ

10. 다음 그림의 (가)와 (나)에 대한 설명으로 옳지 않은 것은?

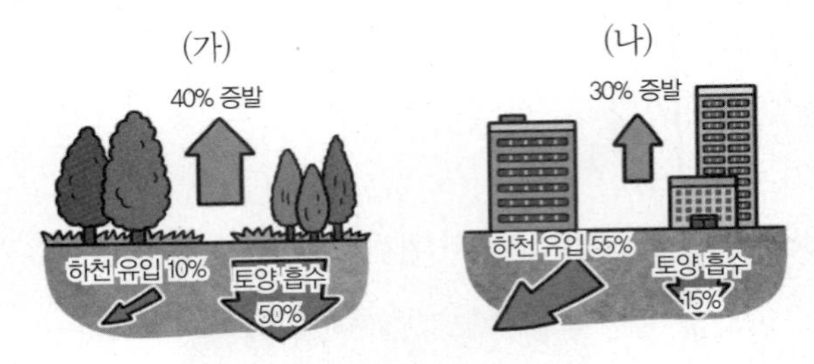

① 홍수의 발생 확률은 (나)가 높다.
② (가)는 (나)보다 포장 면적의 비율이 낮다.
③ 도시화가 진행되면 지역은 (가)에서 (나)로 변한다.
④ (가)와 (나) 중 빗물이 빠르게 하천으로 흘러 들어가는 것은 (가)이다.
⑤ 물을 투과할 수 있는 소재로 아스팔트를 교체한다면 홍수의 발생 확률을 낮출 수 있다.

서술형

11. 다음은 2011년 우리나라와 일본에서 발생한 지진을 비교한 자료이다. 우리나라보다 일본에서 더 자주, 크게 지진이 발생하는 이유를 위치와 연관 지어 서술하시오.

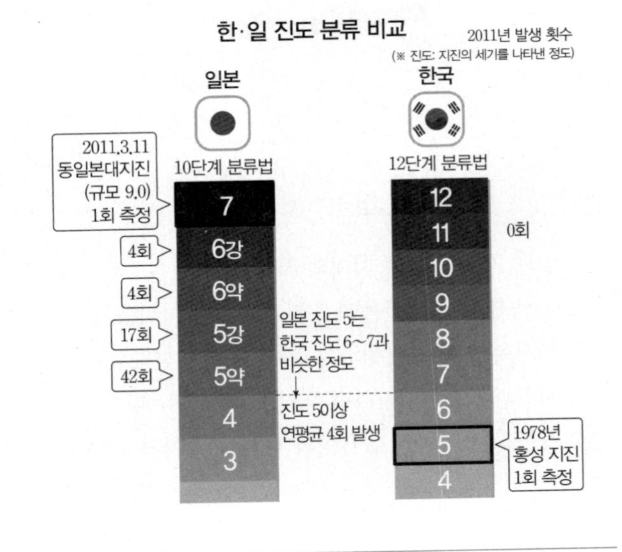

서술형

12. 다음은 한 자연재해 발생 시 행동 요령을 설명한 것이다. 이 자연재해가 인간 생활에 미치는 이점을 두 가지 서술하시오.

재난 정보를 수시로 확인하고 주변에 공유

외출이나 야외활동 자제

강풍 피해를 입지 않도록 안전한 곳으로 이동

가스를 차단하고, 전기 시설의 감전 위험 주의

집 밖, 야외 시설물 등 정비를 위한 활동 금지

침수 위험 지역에서 안전한 곳으로 대피

Ⅴ. 지구 곳곳에서 일어나는 자연재해

실전모의고사(2회)

01. 사진과 같은 자연재해가 발생하는 공통된 원인으로 옳은 것은?

① 판과 판이 서로 부딪치거나 밀어내기 때문이다.
② 짧은 시간 내 비가 집중적으로 내렸기 때문이다.
③ 지구 온난화와 사막화의 영향을 받았기 때문이다.
④ 열대 지역 바다 위에 많은 수증기와 열이 모이기 때문이다.
⑤ 강한 바람과 많은 비를 동반한 저기압이 통과했기 때문이다.

02. 지도에 표시된 지역에서 홍수가 자주 발생하는 이유로 옳은 것은?

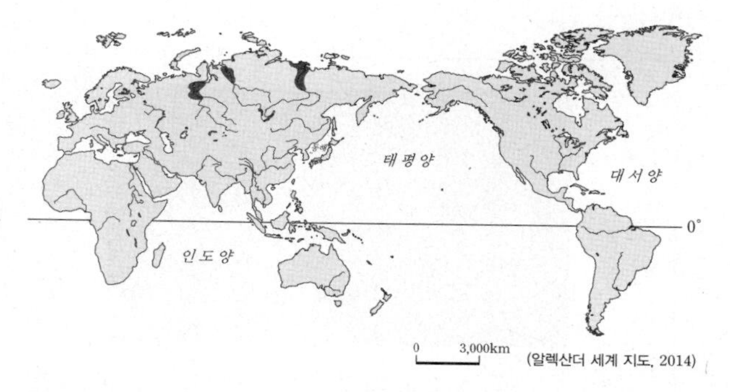

(알렉산더 세계 지도, 2014)

① 계절풍의 영향을 많이 받기 때문이다.
② 열대 저기압이 자주 통과하는 지역이기 때문이다.
③ 세계에서 가장 강수량이 많은 지역이기 때문이다.
④ 봄철에 얼음이 녹으면서 유량이 증가하기 때문이다.
⑤ 포장 면적의 비율이 높아 빗물이 빠르게 하천으로 유입되는 지역이기 때문이다.

3~4. 다음 〈보기〉를 보고 물음에 답하시오.

〈 보기 〉

03. 다음 문제 1, 2의 정답으로 옳은 것을 〈보기〉에서 고른 것은?

〈문제 1〉 기후와 관련된 자연재해는?
〈문제 2〉 ㅂ의 발생 원인이 되는 자연재해는?

	〈문제 1〉	〈문제 2〉
①	ㄱ, ㅁ, ㅂ	ㄱ, ㅁ
②	ㄱ, ㅁ, ㅂ	ㄴ, ㄹ
③	ㄴ, ㄷ, ㄹ	ㄱ, ㅁ
④	ㄴ, ㄷ, ㄹ	ㄴ, ㄹ
⑤	ㄴ, ㄷ, ㄹ	ㄱ, ㄹ

04. 다음과 같은 시설을 만들었을 때 피해를 줄일 수 있는 자연재해로 옳은 것을 〈보기〉에서 고른 것은?

▲ 빗물 저장 공원

▲ 옥상에 설치된 정원

① ㄱ ② ㄴ ③ ㄷ ④ ㅁ ⑤ ㅂ

05. 다음 뉴스를 보고 나눈 학생들의 대화 내용 중 잘못 말한 학생은?

○○일보 2015. 05. 25.

한 달 전에 발생한 대지진과 그 후 지속해서 발생하는 여진으로 인해 지금까지 네팔에서는 8천 654명이 사망하고, 약 2만 2천 명이 다쳤으며, 50여만 채의 가옥이 무너졌다. 히말라야산맥의 일부 등반 코스가 지진으로 무너지면서 트래킹이 중심이 된 네팔의 관광 산업 역시 큰 어려움을 겪고 있다.

① 가영: 지형과 관련된 자연재해 중 하나야.
② 나예: 내진 설계가 된 건물이 많았다면 피해가 적었을 거야.
③ 다솔: 이 자연재해로 인해 추가로 산사태가 발생했을 거야.
④ 라온: 네팔은 조산대에 위치하여 지진의 발생 가능성이 크지.
⑤ 마음: 녹지 면적을 늘리고 포장 면적을 줄이는 것은 피해를 줄이는 방법의 하나야.

06. 다음에서 설명하는 국가로 옳은 것은?

- 메콩강 하류에 있는 국가
- 계절풍과 사이클론의 영향을 받아 홍수가 빈번하게 발생함
- 홍수로 인해 형성된 비옥한 토양에서 벼농사가 활발하게 이루어짐

① 일본 ② 칠레 ③ 베트남
④ 뉴질랜드 ⑤ 아이슬란드

07. 다음과 같은 일본 가옥과 관련 있는 자연재해를 옳게 연결한 것은?

(가)

▲ 집 앞에 돌벽이 있는 오키나와 전통 가옥

(나)

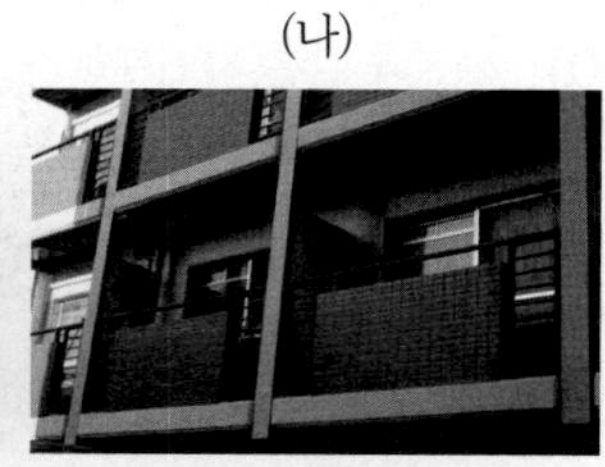

▲ 베란다에 유리창이 없는 일본 아파트

	(가)	(나)
①	지진	홍수
②	홍수	지진
③	홍수	화산 폭발
④	열대 저기압	지진
⑤	열대 저기압	화산 폭발

08. 다음 빈칸에 들어갈 자연재해로 옳은 것은?

판타지 소설 「오즈의 마법사」는 미국 중부 캔자스주의 초원에 사는 도로시의 모험을 다룬다. 어느 날 (   )에 휩쓸려 마법의 대륙 오즈에 떨어져 버린 도로시는 집으로 돌아가기 위한 모험을 떠난다.

① 태풍 ② 계절풍 ③ 토네이도
④ 사이클론 ⑤ 허리케인

09. 지도에 표시된 A, B 자연재해의 피해를 줄이기 위한 노력을 옳게 연결한 것은?

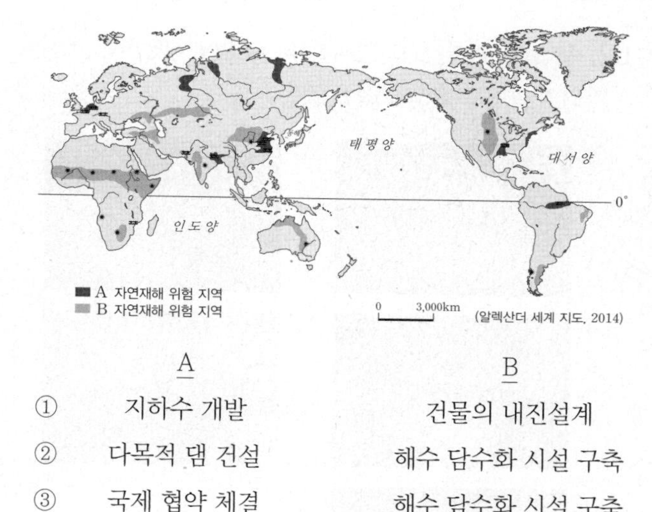

	A	B
①	지하수 개발	건물의 내진설계
②	다목적 댐 건설	해수 담수화 시설 구축
③	국제 협약 체결	해수 담수화 시설 구축
④	건물의 내진설계	국제 협약 체결
⑤	해수 담수화 시설 구축	지하수 개발

10. 사회 퀴즈에 대한 학생의 점수로 옳은 것은?

〈사회 퀴즈〉

[물음] 사진에 나타난 자연재해에 대한 설명 중 옳은 것은 ○표, 틀린 것은 ×표 하시오. (※ 한 문제당 1점씩 배점하며, 틀리더라도 감점은 없음)

번호	문제	학생 답
1	기후와 관련된 자연재해이다.	×
2	가뭄을 해소한다는 장점이 있다.	○
3	발생 지점에서 수천 km 떨어진 지역까지 영향을 준다.	○
4	화산 활동과 지진이 빈번하게 일어나는 대서양 일대에서 주로 발생한다.	○

① 0점 ② 1점 ③ 2점 ④ 3점 ⑤ 4점

서술형

11. 다음은 자연재해 발생 시 발송된 재난 문자이다. (가) 자연재해의 명칭과 (가)와 (나) 자연재해가 인간 생활에 미치는 공통된 이점에 관해 서술하시오.

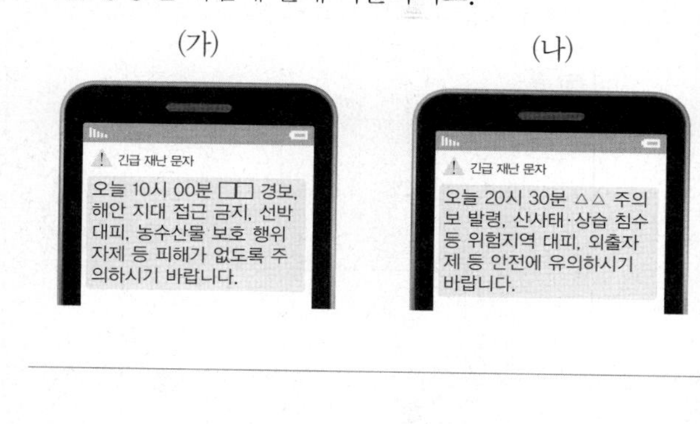

서술형

12. 다음 자료를 통해 아랄해의 면적이 축소되고 있는 이유와 이를 해결하기 위한 지역적 차원의 노력 방안을 서술하시오.

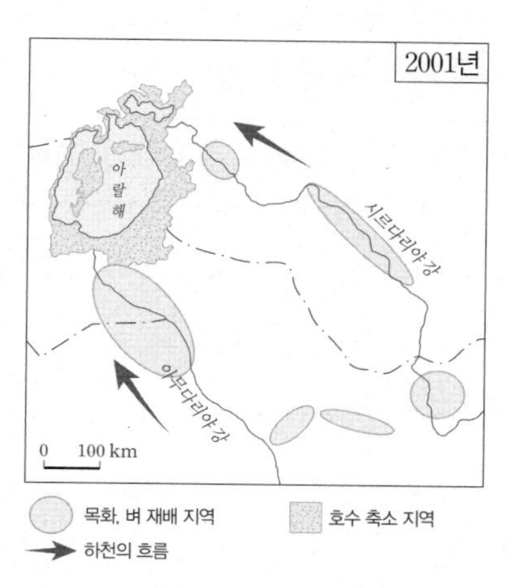

제시어: 용수, 유량, 나무, 녹지 면적

실전모의고사(1회)

1~2. 다음 낱말 퍼즐을 보고 물음에 답하시오.

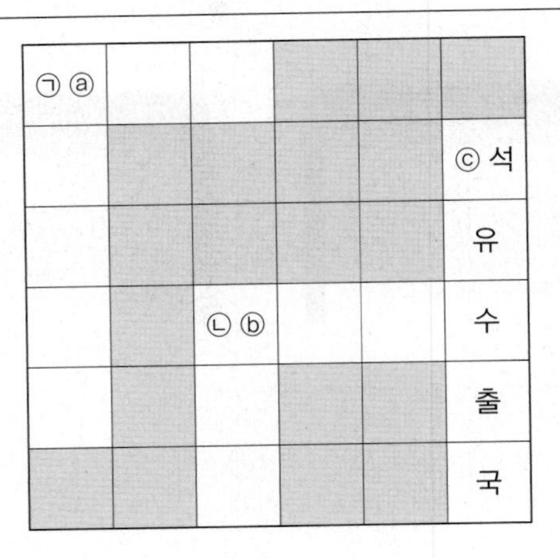

[가로 열쇠]

㉠ 세계 최대 규모의 (　　　　) 발전소가 위치한 호수

㉡ 앞으로 얼마나 오랫동안 자원을 채굴할 수 있는가를 보여 주는 지표

[세로 열쇠]

ⓐ 아프리카에 있는 국가, 다이아몬드가 풍부하게 매장되어 있으나 어려움을 겪고 있음

ⓑ 자원이 가진 특성 중 하나

ⓒ 석유 수출국들의 이익을 도모하기 위해 결성된 기구. OPEC 라고 불리는 ○○ ○○○ 기구

서술형

01. 위 낱말 퍼즐 세로 열쇠 ⓑ에 들어갈 낱말과 이에 대한 설명을 아래 제시어를 활용하여 서술하시오.

제시어: 가치, 시대, 사회 · 문화적 배경, 과학 기술

02. 위 낱말 퍼즐 가로 열쇠 ㉠의 설명에 해당하는 에너지 자원의 발전 모습으로 옳은 것은?

03. 다음은 어느 자원의 매장량과 국제 이동을 나타낸 것이다. 이 자원에 대한 설명으로 옳지 않은 것은?

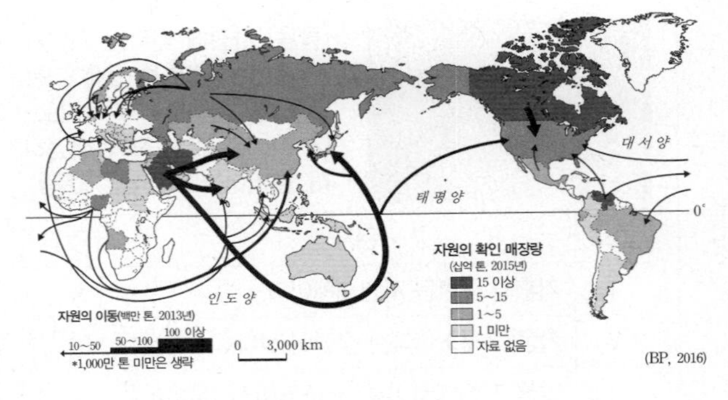

(BP, 2016)

① OPEC와 관계가 깊다.

② 국제적 이동량이 많다.

③ 매장량의 지역적 차이가 크다.

④ 공업용과 보석용으로 주로 사용된다.

⑤ 이 자원과 관련된 지역 분쟁이 발생하고 있다.

실전모의고사(1회)

정답과 해설 45쪽

04. 다음은 쌀과 밀의 특징을 비교한 표이다. 내용 중 옳은 것은?

	구분	쌀	밀
①	기후 조건	계절풍이 부는 지역	서늘, 건조해도 재배 가능
②	특징	생산지와 소비지가 일치	바이오 에너지의 원료
③	재배 면적	넓음	좁음
④	국제 이동량	많음	적음
⑤	주요 생산국	중국, 인도, 러시아	중국, 인도, 방글라데시

05. 다음 ㉠, ㉡에 들어갈 말을 옳게 연결한 것은?

> 세계 여러 국가는 물 자원의 확보를 위해 노력하고 있다. 강수량이 적은 건조 지역에서는 물 자원 확보를 놓고 국가 간 갈등이 일어나기도 한다. 특히 여러 국가를 지나는 (㉠)에 댐이 생기는 경우 발생하는데 대표적인 하천이 (㉡)이다. (㉡) 하류의 이집트는 상류의 수단, 에티오피아와 마찰을 빚고 있으며, 실제로 1950년대에는 군사적 갈등으로 발전하기도 하였다.

	㉠	㉡
①	국제 하천	나일강
②	국제 하천	유프라테스강
③	건조 하천	나일강
④	건조 하천	유프라테스강
⑤	건조 하천	인더스강

06. 다음 교사의 질문에 바르게 답을 한 학생을 고른 것은?

교사: 다음 지역에 대해 발표해 볼 학생 있나요?

가영: 물 자원을 둘러싸고 갈등이 발생합니다.
나예: 또 핸드폰 및 첨단 기기에 들어가는 콜탄이 갈등의 원인이 되지요.
다솔: 카스피해에 접한 해안선의 길이에 따라 나누자는 주장과 인접 국가가 균등하게 나누자는 주장이 대립하고 있어요.
라온: 아마 아제르바이잔은 카스피해를 균등하게 나누자고 주장할 겁니다.

① 가영, 나예 ② 가영, 다솔 ③ 나예, 다솔
④ 나예, 라온 ⑤ 다솔, 라온

07. 사회 퀴즈에 대한 학생의 점수로 옳은 것은?

〈사회 퀴즈〉

[물음] 콩고 민주 공화국에 대한 대한 설명 중 옳은 것은 ○표, 틀린 것은 ×표 하시오.
(※ 한 문제당 1점씩 배점하며, 틀리더라도 감점은 없음)

번호	문제	학생 답
1	콜탄 매장량이 많다.	○
2	쌀이 풍부하게 생산되는 나라이다.	×
3	자원 개발 후 선진국으로 도약하였다.	○
4	부패가 없고 정치적으로 안정된 국가이다.	○

① 0점 ② 1점 ③ 2점 ④ 3점 ⑤ 4점

실전모의고사(1회)

8~9. 다음 지도를 보고 물음에 답하시오.

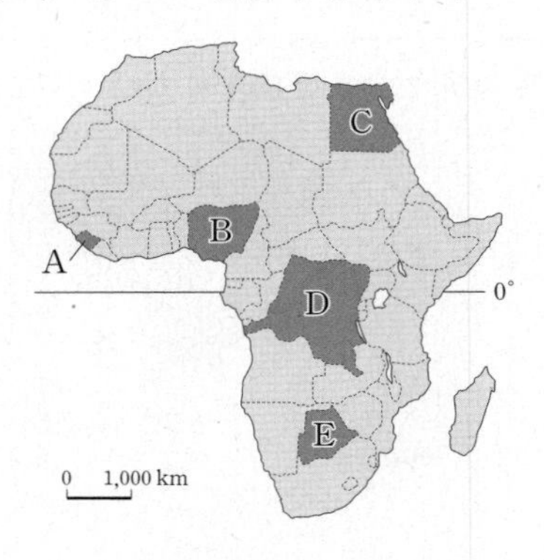

08. 다음 자료와 관련 있는 국가를 위 지도에서 고른 것으로 옳은 것은?

> 이 국가는 1966년 독립 당시 이렇다 할 광물 자원도 없고, 농업도 자급자족이 어려운 나라였다. 하지만 1969년 대규모 다이아몬드 매장지가 발견된 후 상황이 바뀌었다. 또한 다른 아프리카 국가와는 달리 단 한 번의 쿠데타나 내전, 전쟁을 겪지 않았으며, 권력자의 독재와 부정부패로 말썽을 빚은 일도 없다. 풍부한 다이아몬드와 정치적 안정은 이 국가를 아프리카 내 부국으로 성장시키는 계기가 되었다.

① A ② B ③ C ④ D ⑤ E

09. 위 지도의 B 국가에 대한 탐구 보고서의 주제로 옳은 것은?

① 다이아몬드 광산을 둘러싼 내전
② 석유 생산에 따른 환경 오염 문제
③ 철광석 · 석탄 수출에 따른 복지 정책들
④ 콜탄 광산에서 일하는 아동 노동 착취 문제
③ 천연가스 개발 이후 유목민들의 생활 양식 변화

10. 다음 (가), (나)와 같은 문제점을 가진 에너지 자원을 옳게 연결한 것은?

> (가) 옥수수, 콩 등 곡물 가격의 상승
> (나) 소음 및 전자파로 인한 피해 발생

	(가)	(나)
①	수력	바이오 에너지
②	조력	지열
③	지열	조력
④	풍력	수력
⑤	바이오 에너지	풍력

11. 다음과 같이 국가별 이용 현황을 보이는 에너지 자원의 입지 조건으로 옳은 것은?

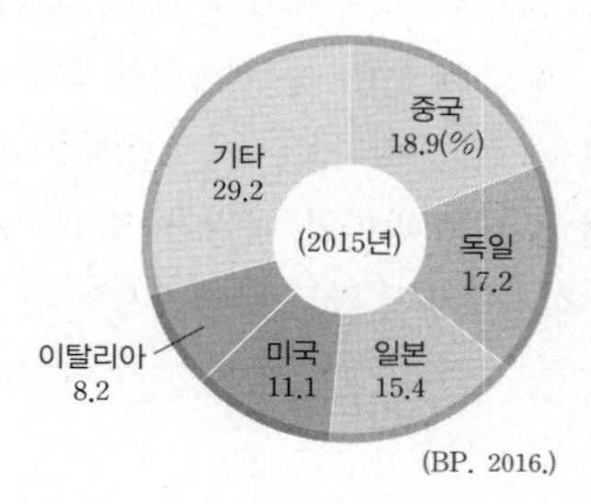

(BP, 2016.)

① 화산 활동이 활발한 지역
② 조석 간만의 차가 큰 해안 지역
③ 사막과 같이 일사량이 많은 지역
④ 유량이 풍부하고 낙차가 큰 지역
⑤ 강한 바람이 지속해서 부는 지역

12. 다음과 같은 제도를 시행하였을 경우 기대되는 직접적인 효과로 옳은 것은?

① 전력 생산량을 늘릴 수 있다.
② 화석 연료의 고갈 위험을 줄일 수 있다.
③ 이산화 탄소 등 온실가스 배출량을 줄일 수 있다.
④ 자원 생산 및 운송 과정에서의 환경 오염이 줄어든다.
⑤ 신·재생 에너지 분야에 관련된 새로운 일자리가 창출된다.

13. 다음은 전기를 생산하기 위한 한 방법이다. 이러한 전력 생산에 대한 설명으로 옳은 것은?

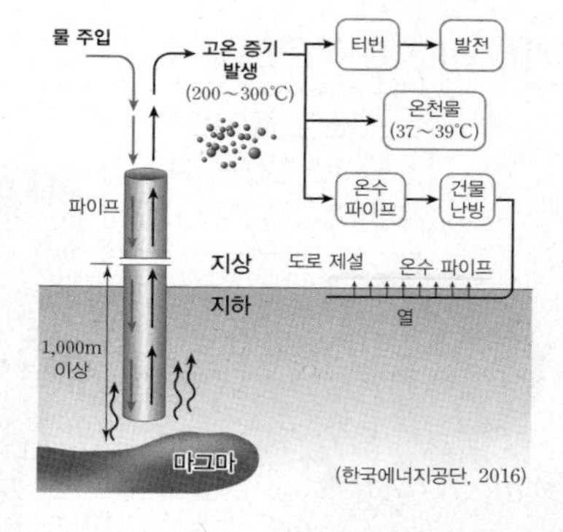

(한국에너지공단, 2016)

① 자원 고갈의 위험성이 큰 에너지 자원이다.
② 화산 활동이 활발한 곳에서 주로 이용된다.
③ 태양의 열에너지를 이용하여 전력을 생산하는 방법이다.
④ 전력 생산 과정에서 환경 오염 물질을 많이 배출하는 단점이 있다.
⑤ 우리나라의 경우 이러한 에너지를 사용하기 좋은 조건을 가지고 있어 전력 생산의 많은 비중을 의존하고 있다.

14. 다음 신문 기사 속 빈칸에 들어갈 내용으로 옳은 것은?

> ○○일보
>
> 최근 태양광 발전 사업이 허가된 ○○ 지역의 민심이 심상치 않다. 태양광 발전 사업의 허가가 이루어졌지만, 예정지 주민들의 극심한 반대 속에서 올해 안에 발전소 건립 공사가 시작되리라는 예상이 빗나가고 있기 때문이다.
>
> 발전소가 들어설 지역 인근 주민들은 발전소 건립 후 예상되는 (　　　　　)을/를 우려하며 발전소 사업 취소를 위한 행정소송을 준비 중이다.

① 주변 하천 생태계 파괴
② 발전소 주변 지역의 수몰
③ 강한 열과 빛으로 인한 피해
④ 소음 및 전자파로 인한 피해
⑤ 옥수수와 콩 등 곡물 가격 상승

서술형

15. 다음은 옥수수와 콩의 평균 가격 추이를 나타낸 그래프이다. 이와 같은 결과를 초래한 신·재생 에너지의 종류와 또 다른 문제점에 대해 서술하시오.

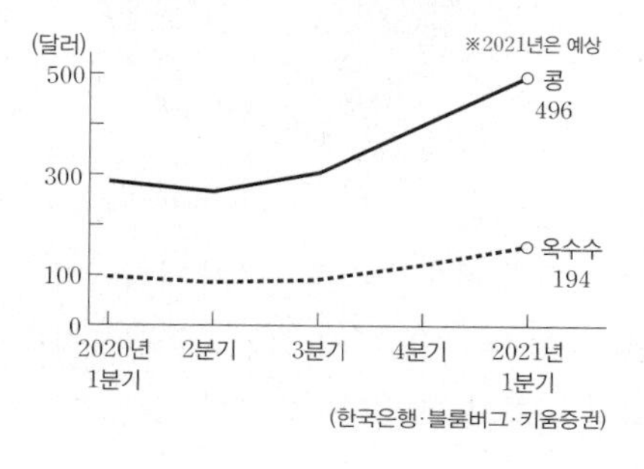

(한국은행·블룸버그·키움증권)

실전모의고사(2회)

01. 다음 빈칸에 공통으로 들어갈 용어로 옳은 것은?

> 자원의 생산이 많은 일부 국가들은 자국이 보유한 자원을 이용하여 경제적 이익을 극대화하려는 자원 (   )을/를 내세우기도 한다. 자원 (   )의 대표적인 예로는 1970년대에 있었던 석유 파동을 들 수 있다.

① 민주주의 ② 민족주의 ③ 실용주의
④ 절대주의 ⑤ 합리주의

02. 다음은 2015년 석유의 주요 생산국과 소비국을 나타낸 자료이다. 이에 대한 설명으로 옳지 않은 것은?

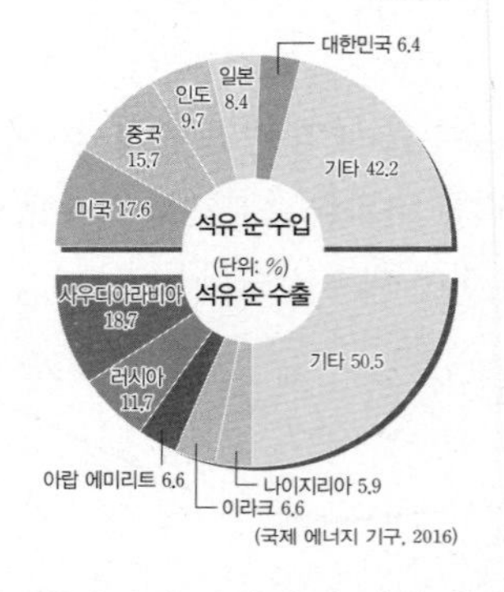

(국제 에너지 기구, 2016)

① 석유 자원은 편재성이 뚜렷하게 나타난다.
② 석유 수출국은 서남아시아에 다수 분포한다.
③ 주요 생산지와 소비지가 다르기 때문에 국제 이동이 활발하다.
④ 사우디아라비아, 이라크, 나이지리아는 석유 자원의 수출을 통해 선진국으로 성장하였다.
⑤ 석유를 많이 수입하는 일본, 우리나라의 경우 해외 유전 개발, 석유 수입국 다변화가 필요하다.

03. 다음 교사와 학생들의 대화 내용 중 잘못 말한 학생은?

> 교사: 다음 세계 주요 국가의 물 부족 지수를 나타낸 자료를 통해 무엇을 알 수 있을까요?
>
> 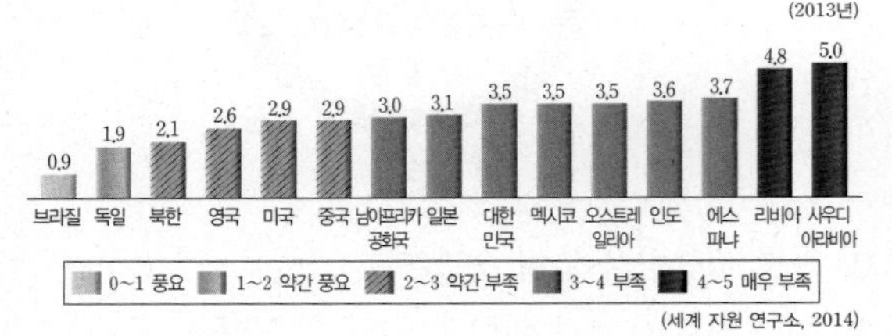
>
> (세계 자원 연구소, 2014)
>
> 가영: 세계의 물 자원은 불균등하게 분포해 있어요.
> 나예: 건조 기후 지역의 국가가 물 부족 문제가 심각해요.
> 다솔: 이를 통해 자원의 가변성을 확인할 수 있어요.
> 라온: 우리나라도 물 부족 문제에 대비해야 해요.
> 마음: 지하수를 개발하고 해수 담수화 시설 구축이 그 방법에 해당해요.

① 가영 ② 나예 ③ 다솔
④ 라온 ⑤ 마음

04. 다음 교사와 학생의 대화 중 밑줄 친 부분의 사례로 옳은 것을 〈보기〉에서 고른 것은?

〈보기〉
ㄱ. 나일강 ㄴ. 메콩강
ㄷ. 양쯔강 ㄹ. 미시시피강

① ㄱ, ㄴ ② ㄱ, ㄹ ③ ㄴ, ㄷ
④ ㄴ, ㄹ ⑤ ㄷ, ㄹ

05. 다음과 같이 세계 곡물 가격이 상승한 이유로 옳은 것을 〈보기〉에서 고른 것은?

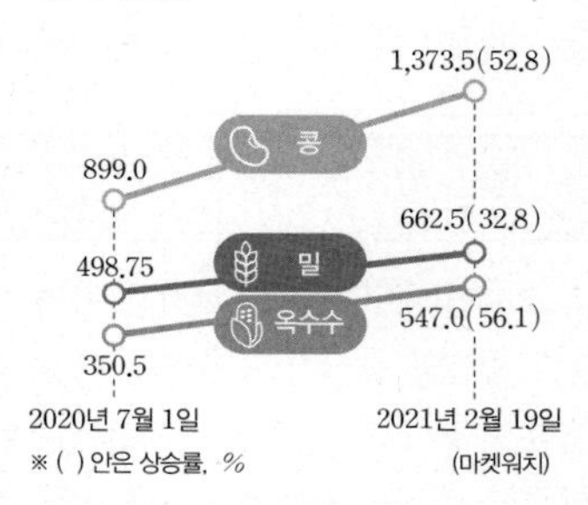

〈 보기 〉
ㄱ. 빠른 인구 증가
ㄴ. 육류 소비량 증가
ㄷ. 국제 식량 대기업 영향력 감소
ㄹ. 기술 발달에 따른 곡물의 대량 생산

① ㄱ, ㄴ ② ㄱ, ㄹ ③ ㄴ, ㄷ
④ ㄴ, ㄹ ⑤ ㄷ, ㄹ

06. 석유 자원의 주요 수출국으로 옳은 것을 〈보기〉에서 고른 것은?

〈 보기 〉
ㄱ. 인도 ㄴ. 일본
ㄷ. 러시아 ㄹ. 사우디아라비아

① ㄱ, ㄴ ② ㄱ, ㄷ ③ ㄴ, ㄷ
④ ㄴ, ㄹ ⑤ ㄷ, ㄹ

07. 다음 빈칸에 들어갈 용어에 대한 설명으로 옳은 것은?

> 북극해의 경우 (   ) 이후 개발 가능성이 커지자 인접 국가들의 영유권 분쟁이 일어나고 있다.

① 자원의 편재성에 큰 영향을 미친다.
② 석유, 석탄 등 화석 연료 사용이 원인이 된다.
③ 우리나라에서는 이 현상을 이용하여 전기를 생산하고 있다.
④ 이 현상이 지속될수록 석유, 석탄의 국제 이동량은 증가한다.
⑤ 실생활 속 자원을 적극적으로 활용하면 이 현상에 따른 문제점을 해결할 수 있다.

08. 다음 퀴즈의 정답에 해당하는 자원으로 옳은 것은?

〈 글자 카드 〉

와	보	아	시	두	만
르	바	츠	이	페	나

• 퀴즈: 다음 ㉠과 ㉡에 해당하는 국가 또는 지역을 〈글자 카드〉에서 찾아 제외하고 남은 글자로 만들 수 있는 지역과 관련 있는 자원은?

> ㉠ 다이아몬드 자원을 바탕으로 아프리카 내 부국이 된 국가
> ㉡ 석유 자원을 바탕으로 세계적인 중계 무역지로 성장한 아랍 에미리트의 도시

① 물 ② 석탄 ③ 석유
④ 콜탄 ⑤ 옥수수

09. 북해의 풍부한 석유와 천연가스를 개발하여 세계적인 부국으로 성장한 국가로 옳은 것은?

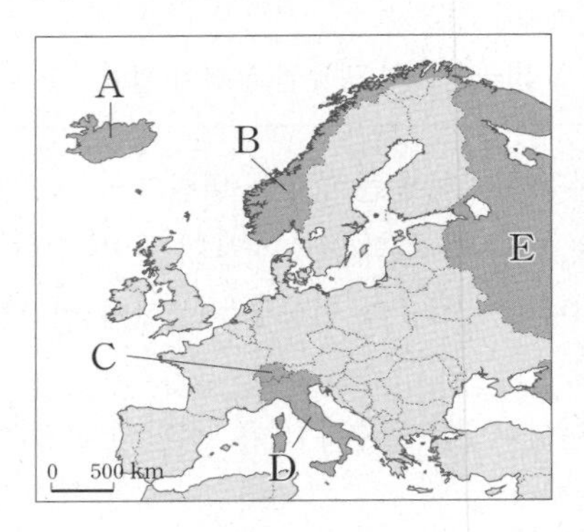

① A ② B ③ C ④ D ⑤ E

10. 다음에서 설명하는 에너지 자원에 해당하는 것은?

- 기후와 계절의 영향을 받지 않음
- 발전소 건설 시 초기 발생 비용이 큼
- 조수 간만의 차를 이용하여 전력을 생산하는 방식
- 발전소 건설에 따른 주변 자연환경 파괴 문제 발생

서술형

11. 다음 신문 기사와 같이 우리나라가 해외 석유 개발에 나서는 이유를 자원의 특성과 연관 지어 서술하시오.

○○일보 2009. 12. 30.

베트남 호찌민에서 차로 3~4시간 걸려 도착한 곳은 베트남 원유 생산의 중심지로 유명한 해안 도시 붕따우였다. 베트남 유일한 석유 생산 기지가 있는 붕따우에서는 한창 한국산 석유를 만들어내는 중이다. 우리나라 기업이 23.25% 지분을 가지고 있는 베트남 15-1광구가 그 주인공이다. 15-1광구는 붕따우에서도 헬기를 타고 45분 정도 날아간 바다 한가운데에 있다. 이곳 석유 생산정(CPP)에서 시추공이 지하 3,500m 아래 묻혀 있는 석유를 쉴 새 없이 뽑아내고 있다.

베트남 15-1광구의 해양 시설 총괄책임자 ○○○씨는 "하루 약 9만 배럴의 석유를 생산하고 있으며 최대 일일 생산량이 10만 배럴에 달할 것으로 예측된다."라고 말했다. 국내 기업은 지난 1998년부터 2023년까지 25년간 이곳에서 석유를 생산할 수 있는 계약을 맺었다.

서술형

12. 다음과 같은 에너지 자원의 입지 조건과 우리나라에서 큰 비중을 차지하고 있는 지역이 어느 곳인지 서술하시오.

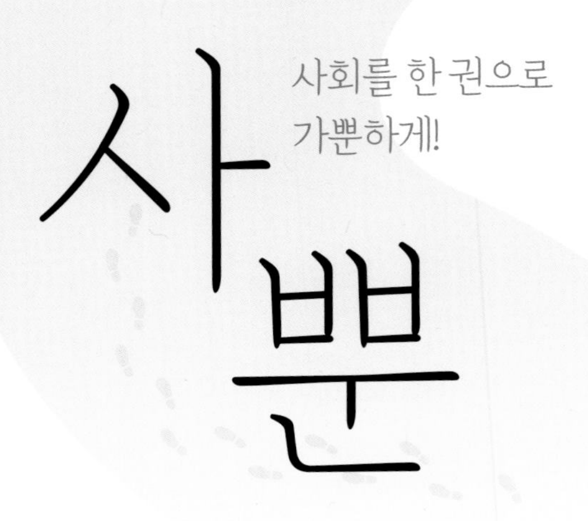

사뿐

사회를 한 권으로
가뿐하게!

실전모의고사

중학 사회 ① - 1

중학도 역시 EBS

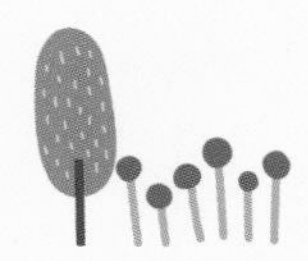

정답과 해설

사회를 한 권으로
가뿐하게!

중학 사회 ①-1

정답과 해설

I. 내가 사는 세계

01 다양한 지도 읽기

기본 문제

본문 10~11쪽

간단 체크

1 (1) ○ (2) ○ (3) × (4) ○ (5) × (6) × (7) ×
2 (1) 아시아 (2) 북 (3) 인문 환경 (4) 소축척 (5) 주제도
3 (1) ㉠, ㉣ (2) ㉡, ㉢, ㉤, ㉥

기본 문제

01 ② **02** ② **03** ② **04** ③ **05** ③ **06** ⑤
07 ③ **08** ②

01 히말라야산맥과 창장강(양쯔강)은 아시아 대륙에 위치한다. 히말라야산맥은 중국과 인도 사이에 위치하며, 창장강(양쯔강)은 중국의 중앙을 동서로 흐르는 강으로 아시아에서 가장 긴 강이다.

02 바다 중에서는 태평양이 가장 넓다.

03 적도를 중심으로 위쪽을 북반구, 아래쪽을 남반구라고 한다. 육지의 대부분은 북반구에 분포한다.

04 ①의 설명은 축척, ②의 설명은 대축척 지도, ④의 설명은 주제도, ⑤의 설명은 기호에 대한 것이다.

05 ㉠ 자연환경은 인간 생활을 둘러싸고 있는 자연의 모든 요소가 이루는 환경을 말하는 것으로 기후, 지형 등이 있다. ㉡ 인문 환경은 지표 위에서 인간의 활동으로 만들어진 환경을 말하는 것으로 인구, 도시, 교통, 산업, 문화 등이 있다.

06 지도는 중국의 인구 밀도를 다섯 단계로 구분하고 단계에 따라 색을 다르게 표현하였다.

오답 피하기
④ 단계별로 인구 밀도의 범위를 나타낸 것으로 정확한 인구 밀도를 알 수는 없다.

07 (가)는 대축척 지도, (나)는 소축척 지도이다. ② 실제 거리를 더 적게 줄인 지도는 (가) 지도이다. ⑤ (가) 지도는 좁은 지역을 자세하게, (나) 지도는 넓은 지역을 간략하게 나타낸 지도이다.

08 ㄴ. 지형과 같은 자연환경 정보가 표현되어 있다. ㄷ. 소축척 지도는 넓은 지역을 간략하게 나타낸 지도이다. 건물의 위치나 도로망 등은 대축척 지도에서 볼 수 있다.

실전 문제

본문 12~13쪽

01 ② **02** ③ **03** ④ **04** ① **05** ① **06** ④
07 ③ **08** ④ **09** 해설 참조 **10** 해설 참조

01 A(알제리)는 아프리카 대륙에 위치하지만, 지중해에 접해 있다. B(남아프리카 공화국)는 아프리카 대륙에 위치하며, 서쪽으로 대서양, 동쪽으로 인도양에 접해 있다. C(인도)는 아시아 대륙에 위치하며, 인도양에 접해 있다. D(오스트레일리아)는 오세아니아 대륙에 위치하며, 서쪽으로 인도양, 동쪽으로 태평양에 접해 있다. E(페루)는 남아메리카 대륙에 위치하며, 태평양에 접해 있다.

02 A는 유럽 대륙, B는 아프리카 대륙, C는 남아메리카 대륙, D는 대서양이다. ③ 북반구와 남반구는 적도를 중심으로 구분한다. 남아메리카는 적도가 지나므로 남반구와 북반구 모두에 걸쳐 있다. ⑤ 세계에서 가장 큰 해양은 태평양이다. 남아메리카는 서쪽으로 태평양에 접해 있다.

03 대축척 지도는 좁은 지역을 자세하게 표현한 지도이고, 소축척 지도는 넓은 지역을 간략하게 표현한 지도이다. 우리나라 전체의 형태를 확인하고 싶을 때는 소축척 지도를 보는 것이 유리하다.

04 축척(㉠)은 실제 거리를 지도상에 줄여서 나타낸 비율이다. 기호(㉡)는 지표면의 여러 가지 현상을 약속에 따라 간단히 나타낸 것을 말한다. 등고선은 해발 고도가 같은 곳을 연결한 선, 방위는 동서남북과 같은 방향의 위치를 말한다.

05 지도의 축척에서 수치의 단위는 센티미터(cm)이다. 1cm가 400m이므로 1cm = 40,000cm 즉, 축척은 1 : 40,000이다.

06 일반도는 지표면의 형태와 그 위에 분포하는 일반적인 사항들을 종합적으로 표현한 지도이며, 주제도는 특수한 목적을 위해 필요한 내용만을 나타낸 지도이다. 제시된 지도는 지하철 노선 안내라는 목적을 위해 지하철 노선과 역 등의 정보만을 표현하였으므로, 주제도에 해당한다. 또한 지하철 노선과 같은 교통 시설은 인문 환경 정보에 해당한다.

07 자연환경은 기후, 지형, 식생, 토양 등의 인간 생활을 둘러싸고 있는 환경을 말한다. 인문 환경은 인구, 도시, 산업, 환경 등 인간 활동으로 만들어진 환경을 말한다. ㄷ은 교통 시설, ㅁ은 인구와 관련된 인문 환경 정보이다. ㄱ과 ㄹ은 지형, ㄴ은 기후와 관련된 자연환경 정보이다.

08 제시된 주제도는 단계에 따라 색을 다르게 구분하여 주별 지역 내 총생산 분포를 표현하였다. ① 인구 이동은 선의 방향과 굵기로, ② 가축 사육 분포는 점으로, ③ 산업 단지 분포는

기호를 이용하여 표현하는 것이 효과적이다.

오답 피하기

②의 가축 사육 분포 지도도 단계에 따라 색을 구분하여 표현하는 것이 가능하다. 문제에서 가장 적절한 주제를 물었다는 데에 주의한다.

서술형 문제

09 [예시 답안] (가)는 일반도, (나)는 주제도이다. (가) 지도가 여러 가지 목적으로 이용하기 위해 지형, 행정 구역 경계, 도로 등 지표면의 일반적인 사항들을 표현한 데 비해, (나) 지도는 관광 안내를 목적으로 만든 지도로, 관광지의 위치를 위주로 표현하였다.

[평가 기준]

상	(가), (나) 지도의 이용 목적을 모두 설명하며 특징을 서술하였다.
중	(가), (나) 지도의 특징을 서술하였지만, 이용 목적에 대한 서술이 부족하였다.
하	(가), (나) 지도의 특징은 서술하였지만, 이용 목적은 서술하지 못하였다.

10 [예시 답안] 적도를 중심으로 열대 기후가 나타난다. 대륙의 북부 지역은 사하라 사막을 중심으로 건조 기후가 넓게 나타나며, 대륙의 남부 지역은 건조 기후와 온대 기후가 나타난다.

[평가 기준]

상	제시어를 모두 사용하여 아프리카 지역의 기후를 서술하였다.
중	아프리카 지역의 기후를 서술하였지만, 제시어 세 개 중 두 개만을 사용하였다.
하	아프리카 지역의 기후를 서술하였지만, 제시어 세 개 중 한 개만을 사용하였다.

02~03 위치와 인간 생활 ~ 지리 정보와 지리 정보 기술

기본 문제

본문 16~18쪽

간단 체크

1 (1) ○ (2) × (3) ○ (4) × (5) × (6) ○ (7) ○ (8) × (9) ○

2 (1) 경선 (2) 본초 자오선 (3) 고위도 (4) 공전 (5) 여름 (6) 동 (7) 24 (8) 공간 (9) 위성 위치 확인 시스템(GPS)

3 (1) ㉡ (2) ㉥ (3) ㉢ (4) ㉠ (5) ㉣ (6) ㉦ (7) ㉤

4 (1) ㉡, ㉣, ㉤ (2) ㉠, ㉢

기본 문제

01 ③ **02** ① **03** ④ **04** ④ **05** ⑤ **06** ②
07 ② **08** ⑤ **09** ⑤ **10** ⑤

01 단위 면적당 일사량은 적도 지방이 가장 많고 고위도 지역 즉, 극지방으로 갈수록 줄어든다. 지구가 둥글기 때문에 적도 지방은 태양 에너지를 수직에 가깝게 집중적으로 받고, 극지방으로 갈수록 넓은 면적에 분산되어 받는다.

02 A는 러시아, B는 캐나다, C는 인도, D는 오스트레일리아, E는 브라질이다. 이들 국가 중에서 유럽과 아시아에 걸쳐 분포하며, 북쪽으로 북극해에 접하는 국가는 A 러시아이다.

03 A는 북위 40° 위쪽으로 위치하여 적도와는 거리가 멀다. B는 북아메리카 대륙, C는 아시아 대륙에 위치한다. E는 동쪽으로 대서양과 접해 있다.

04 A 지역은 고위도 지역으로 단위 면적당 일사량이 다른 지역에 비해 적어 일 년 내내 추운 날씨가 계속되는 지역이다. ①, ②, ⑤는 저위도 지역과 관련된 생활 모습이다. ③은 중위도 지역과 관련된 생활 모습이다.

05 표준시는 국가나 일정 지역에서 기준이 되는 시각을 말하며, 표준 경선을 기준으로 지정한다. ㄱ. 본초 자오선은 영국의 런던(구 그리니치 천문대)을 지난다. ㄴ. 각 나라의 표준 경선은 정치적, 경제적 상황에 따라 정하는 경우가 많다.

06 두 지역 간에는 13시간 30분의 시차가 발생한다. 미국에서 업무가 끝나는 시간이 인도에서는 업무를 시작하는 시간이 된다. 여기에 정보 통신 기술의 발달이 더해져 연속적인 업무 처리가 가능하다.

07 공간 정보는 '어디에 있는가', 속성 정보는 '어떤 특성이 있는가', 관계 정보는 '다른 장소와 어떤 관계가 있는가'에 해당한다. ㉠은 무등산의 위치이므로 공간 정보, ㉡은 무등산이 국립공원에 지정되었다는 특성이므로 속성 정보에 해당한다.

08 인공위성을 사용하여 사용자의 위치를 알려주는 시스템을 위성 위치 확인 시스템(GPS)이라고 한다.

오답 피하기

④ 지리 정보 시스템(GIS)은 지리 정보를 컴퓨터에 입력·저장하고 다양한 방법으로 분석·종합하여 사용자에게 제공하는 종합 정보 시스템이다.

09 인터넷 전자 지도는 종이 지도보다 축소와 확대가 자유롭고, 검색과 저장을 할 수 있다는 장점이 있다.

10 지리 정보 시스템(GIS)은 지리 정보를 컴퓨터에 입력·저장하고 다양한 방법으로 분석·종합하여 사용자에게 제공하는 종합 정보 시스템을 말한다. ㄱ. 위성 위치 확인 시스템(GPS)에 대한 설명이다. ㄴ. 지리 정보 수집 시 원격 탐사 방법을 활용하면 사람이 직접 가지 않고도 자료를 얻을 수 있다.

실전 문제

본문 19~21쪽

01 ① **02** ③ **03** ② **04** ③ **05** ④ **06** ⑤
07 ⑤ **08** ④ **09** ③ **10** ④ **11** 해설 참조
12 해설 참조

01 ② 몽골은 내륙에 위치한다. ③ 위도 0°선은 적도이다. 영국은 경도 0°선이 지난다. ④ 멕시코는 서쪽으로 태평양, 동쪽으로 대서양에 접해 있다. ⑤ 마다가스카르는 아프리카 대륙의 동쪽에 자리한 섬나라이다.

02 위도는 적도와 평행한 가로선, 경도는 북극과 남극을 연결한 세로선이다. ㄴ. 본초 자오선은 경도 0°인 선으로 경도의 기준이 된다. ㄷ. 영국 런던은 경도 0°인 본초 자오선이 지난다. 위도 0°는 적도이다.

03 ㉠은 위선, ㉡은 적도이며, 위선과 위도의 기준은 적도이다. 본초 자오선은 경도 0°인 선이며, 경도 180°인 날짜 변경선을 기준으로 날짜가 바뀐다.

04 북반구의 중위도 지역과 남반구의 중위도 지역은 계절이 반대로 나타난다. 사진과 같이 여름에 크리스마스를 맞이하는 지역은 남반구에 위치하는 지역이다. 남반구와 북반구는 적도를 기준으로 구분한다.

05 북반구의 중위도 지역과 남반구의 중위도 지역은 계절이 반대로 나타난다. 따라서 북반구가 겨울인 11~1월에도 남반구에서는 밀 수확이 가능하다. 오스트레일리아는 남반구에 위치하고, 나머지 국가들은 북반구에 위치한다.

06 A는 춘분, B는 하지, C는 추분, D는 동지 시기이다. 네 시기 모두 북반구의 중위도 지역과 남반구의 중위도 지역은 계절이 반대로 나타난다.

07 영국 런던의 본초 자오선에서 동쪽으로 갈수록 시간이 빨라지고, 서쪽으로 갈수록 시간이 늦어진다. 본초 자오선을 기준으로 동쪽은 동경, 서쪽은 서경이라 한다. 중국은 본초 자오선을 기준으로 동쪽에 위치하므로 표준 경선은 동경 120°이다.

08 세계 시간대의 기준은 영국 런던을 지나는 본초 자오선이다. 뉴욕은 영국 런던보다 5시간이 늦은 시간대를 사용한다. 따라서 우리나라와는 9시간+5시간=14시간의 시차가 발생한다.

09 A는 해발 고도 200m 이상으로 (가) 조건에 맞지 않는다. B와 E는 공장과의 거리가 500m 이하로 (다) 조건에 맞지 않는다. D는 도로와의 거리가 100m 이상으로 (나) 조건에 맞지 않는다.

10 (나)는 공공 부문에서의 지리 정보 기술 활용 사례이다. 커뮤니티 매핑은 여러 명의 사용자가 직접 지도에 다양한 정보를 표시하고 공유하면서 의미 있는 정보를 지도에 만드는 것을 말한다.

서술형 문제

11 (1) C>B>A
(2) **[예시 답안]** 지구는 둥글기 때문에 위도에 따라 태양 에너지를 받는 양이 다르다. C 지역(저위도)은 태양이 수직에 가깝게 비추어 열이 좁은 지역에 집중한다. A 지역(고위도)은 태양이 비스듬히 비추어 열이 넓은 지역에 분산된다. 따라서 C 지역이 가장 많은 태양 에너지를 받고, A 지역이 가장 적은 에너지를 받는다.

[평가 기준]

상	태양 에너지를 많이 받는 순서와 이유를 모두 서술하였다.
중	태양 에너지를 많이 받는 순서를 맞게 썼지만, 이유에 대한 서술이 부족했다.
하	태양 에너지를 많이 받는 순서를 맞게 썼지만, 이유를 서술하지 못했다.

12 국토가 동서로 넓은 국가에서는 대개 여러 개의 표준시를 사용한다. 하지만 중국은 동서로 넓은 국토를 갖고 있지만 하나의 표준시만을 사용한다.
(1) 유리한 점: **[예시 답안]** 교통, 통신, 기상 등의 분야에서 지역별로 시간을 변환할 필요가 없어 경제적인 효과가 있으며, 다민족으로 이루어진 국가를 통합하는 데에도 긍정적인 면이 있다.
(2) 불리한 점: **[예시 답안]** 중국 동부 지역 중심의 표준시 사용으로 인해 중국 서부에서는 실제 생활과 시간의 차이가 크게 나타나 일상생활에서 불편을 겪기도 한다.

[평가 기준]

상	유리한 점과 불리한 점을 모두 맞게 서술하였다.
중	유리한 점과 불리한 점을 모두 서술하였지만 두 가지 중 한 가지의 서술이 부족했다.
하	유리한 점과 불리한 점 중 한 가지만 서술하였다.

대단원 마무리

본문 24~27쪽

01 ④ **02** ⑤ **03** ② **04** ⑤ **05** ② **06** ③
07 ⑤ **08** ② **09** ② **10** ⑤ **11** ⑤ **12** ③
13 ④ **14** ① **15** 해설 참조 **16** 해설 참조
17 해설 참조

01 남위 20°선이 지나는 국가는 C(마다가스카르), D(오스트레일리아), E(브라질)이다. 이들 국가 중에서 태평양과 인도양에 접하는 국가는 D(오스트레일리아)이다.

02 ㉠은 동서남북과 같은 방위를 나타내는 방위표이다. 방위표가 없을 때는 위쪽이 북쪽이다. ㉡은 축척으로 실제 거리를 지도상에 줄여 나타낸 비율이다.

03 (나) 지도에는 주요 도시의 인구수만 나타나 있어, 국가별 인구수는 알 수 없다.

오답 피하기

④ (가) 지도에는 기후가, (나) 지도에는 국가 경계가 나타나 있으므로 각 국가의 기후를 파악할 수 있다.
⑤ (가), (나) 지도에 축척이 나타나 있으므로, 이를 이용해 대략적인 크기를 알 수 있다.

04 지도는 벚꽃 개화 일자가 같은 날을 선으로 연결하여 표현하였다. 선에 표시된 날짜를 보면 북쪽으로 올라갈수록 늦어짐을 알 수 있다.

05 ㄴ. (나) 지도는 쌀 생산량을 나타낸 것이다. 생산량 자료만으로 지역별 소비량을 예상할 수는 없다. ㄷ. (가), (나) 모두 넓은 지역을 간략하게 나타낸 소축척 지도에 해당한다.

06 ㄹ. 우리나라는 유라시아 대륙의 동쪽에 위치한다.

07 자료는 위도에 따라 일사량이 달라짐을 나타낸 것이다. 지구가 둥글기 때문에 태양 에너지를 수직으로 받는 저위도 지역이 태양이 비스듬하게 비추는 고위도 지역보다 일사량이 많다.

08 (가) 지역은 9월에 가을로 접어들고 있으므로 북반구의 중위도 지역에 해당한다. (나) 지역은 일 년 내내 춥고 9월 이전 몇 달 동안 해가 뜨지 않았으므로 남반구의 극지방에 해당한다. ㄷ. 북반구 지역은 남향집, 남반구 지역은 북향집을 선호한다. ㄹ. 백야 현상과 극야 현상은 극지방에서 볼 수 있는 현상으로 해가 지지 않아 환한 밤이 계속되거나 해가 뜨지 않아 낮에도 밤이 계속되는 현상이다.

09 ㄴ. 날짜 변경선은 동경 180°와 서경 180°가 만나는 선이다. ㄹ. 한 국가나 지역 내에서 같은 시간대를 사용하기 위해 날짜 변경선이 꺾여 나타난다.

10 A는 북반구의 중위도 지역과 계절이 반대인 남반구의 중위도 지역에 해당하는 국가(오스트레일리아, 아르헨티나 등)들이다. 북반구가 겨울일 때 밀을 수확하여 북반구 지역 국가들로 수출한다. ① 중국과 터키는 북반구에 위치한다.

11 본초 자오선에서 동쪽으로 갈수록 시간이 빨라지고, 서쪽으로 갈수록 시간이 늦어진다. 따라서 B는 그리니치 표준시보다 빠른 지역, C는 그리니치 표준시보다 늦은 지역이다. ② 리마와 뉴욕 모두 그리니치 표준시와 5시간의 시차가 발생하므로 같은 시간대를 사용한다. ③ 그리니치 표준시를 기준으로 뉴욕은 5시간, 서울은 9시간의 시차가 발생하므로 서울과 뉴욕은 14시간의 시차가 발생한다.

12 우리나라와 이탈리아는 8시간의 시차가 발생하며, 우리나라 시간이 더 빠르다. 따라서 5월 3일 오후 6시(18시)에 8시간을 더하면 5월 4일 오전 2시이다.

13 1~3의 조건에 맞는 입지를 각각 표시한 후 중첩해 보면, 세 가지 조건을 모두 만족하는 입지는 J, O, T이다.

14 (가)는 버스 도착 안내 시스템, (나)는 내비게이션 사진이다. ① 커뮤니티 매핑은 여러 명의 사용자가 직접 지도에 다양한 정보를 표시하고 공유해서 생활에 필요한 지도를 만드는 것이다. ② 전자 지도는 종이 지도와 달리 축소, 확대가 자유롭다. ⑤ 위성 위치 확인 시스템은 인공위성을 통해 사용자의 위치를 확인하는 기술로 버스 도착 안내 시스템이나 내비게이션 기술에 모두 활용된다.

서술형 문제

15 **[예시 답안]** (가) 지도는 좁은 지역을 상세하게 표현한 대축척 지도이며, (나) 지도는 넓은 지역을 간략하게 표현한 소축척 지도이다.

[평가 기준]

등급	내용
상	(가), (나)를 대축척 지도와 소축척 지도로 구분하고, 각각의 특징을 모두 서술하였다.
중	(가), (나)를 대축척 지도와 소축척 지도로 구분하였지만, 각각의 특징에 대한 서술이 부족하였다.
하	(가), (나)를 대축척 지도와 소축척 지도로 구분하였지만, 각각의 특징을 서술하지 못하였다.

16 **[예시 답안]** 미국 서부와 인도는 약 13시간의 시차가 발생한다. 미국 서부에서의 퇴근 시간이 인도에서는 출근 시간이 되는 것이다. 여기에 정보 통신 기술의 발달이 더해져 A 기업은 연속적인 업무 처리가 가능해진다.

[평가 기준]

등급	내용
상	연속적인 업무 처리가 가능한 이유를 시차와 정보 통신 기술의 발달이 조건을 모두 포함하여 서술하였다.
중	연속적인 업무 처리가 가능하다는 내용을 시차 한 가지만 가지고 서술하였다.
하	연속적인 업무 처리가 가능하다는 내용을 정보 통신 기술의 발달이 한 가지만 가지고 서술하였다.

17 (1) **[예시 답안]** 지구의 자전축이 23.5° 기울어져 공전하기 때문에 북반구와 남반구는 태양 에너지를 집중적으로 받는 시기가 다르다.

(2) **[예시 답안]** 남반구에 위치한 국가들은 북반구가 겨울인 11~2월에 농작물을 수확하여 북반구 지역으로 수출한다. 북반구 사람들은 겨울에 계절이 반대인 남반구의 국가들로 여행을 간다.

[평가 기준]

상	계절 차이의 원인과 그에 따른 생활 모습을 모두 서술하였다.
중	계절 차이의 원인과 그에 따른 생활 모습을 서술하였지만, 두 가지 중 한 가지의 내용이 부족하였다.
하	계절 차이의 원인과 그에 따른 생활 모습 중 한 가지만 서술하였다.

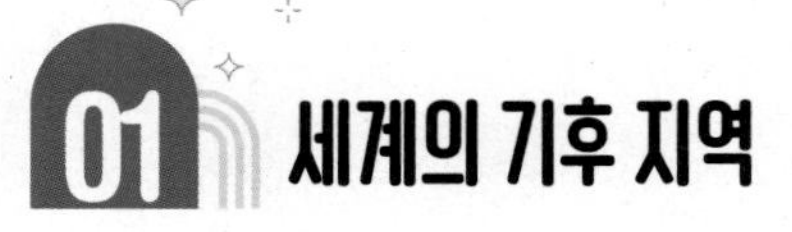

Ⅱ. 우리와 다른 기후, 다른 생활

01 세계의 기후 지역

기본 문제

본문 32~33쪽

간단 체크

1 (1) × (2) × (3) ○ (4) ○ (5) ○ (6) × (7) × (8) ○

2 (1) 기후 요소 (2) 위도 (3) 강수량, 증발량 (4) 열대 (5) 10 (6) 계절풍 (7) 자연환경, 인문 환경

3 (1) 유 (2) 불 (3) 불 (4) 불 (5) 유 (6) 유 (7) 유

기본 문제

01 ⑤ **02** ③ **03** ① **04** ④ **05** ④ **06** ② **07** ① **08** ④

01 ①, ④ 기후는 여러 해 동안 반복적으로 나타나는 평균적인 대기의 상태를 말하며, 날씨는 짧은 시간 동안의 대기의 상태를 말한다.

오답 피하기

② 기후는 위도의 영향을 받는다. 경도는 시차와 관련 있다.

③ 지형의 특성도 기후 차이에 영향을 주지만, 기후를 구분하는 기본 요소는 기온과 강수량이다.

02 기온은 위도에 따라 다른데, 적도에서 고위도 지역으로 갈수록 낮아진다. 이에 따라 연평균 등온선은 위도와 대체로 평행한 모습을 보인다.

03 적도를 중심으로 열대 기후가 나타나고, 적도를 지나면 대체로 건조 기후, 온대 기후, 냉대 기후, 한대 기후의 순으로 나타난다.

04 스텝 기후와 사막 기후는 건조 기후를 구분한 것이다. 냉대 기후는 가장 추운 달의 평균 기온이 -3℃ 미만, 가장 따뜻한 달의 평균 기온이 10℃ 이상인 기후로, 타이가라 불리는 대규모의 침엽수림이 분포한다.

05 그래프는 연중 기온이 높고 강수량이 많은 열대 기후를 나타낸 것이다. ①, ②는 냉대 기후, ③은 한대 기후, ⑤는 온대 기후의 특징이다.

06 제시된 글은 건조 기후 지역에 대한 설명이다. 지도에서 A는 열대 기후, B는 건조 기후, C는 온대 기후, D는 냉대 기후, E는 한대 기후 지역이다.

07 노트의 내용은 인간 거주에 불리한 지역 중에서도 한대 기후 지역인 남극에 관한 설명이다. ②, ③ 서부 유럽과 동남아시아는 인간 거주에 유리한 지역에 속한다. ④ 아마존 밀림은 일

년 내내 기온이 높고 습해 인간 거주에 불리하며, ⑤ 사하라 사막은 강수량이 적어 식물이 잘 자라지 못하고 인간 거주에도 불리한 지역이다.

08 ㉢의 열대 계절풍 기후가 나타나는 동남아시아 지역은 벼농사에 유리한 기후 조건 때문에 인구가 밀집한 지역이다.

오답 피하기

㉤ 적도 부근은 열대 기후가 나타나 일반적으로 인간 거주에 불리하지만, 해발 고도가 높은 산지의 고산 기후 지역은 연중 온화한 날씨가 나타나 인간 거주에 유리하다.

실전 문제

본문 34~35쪽

01 ⑤	**02** ③	**03** ③	**04** ②	**05** ④	**06** ④
07 ②	**08** ③	**09** 해설 참조		**10** 해설 참조	

01 ㄱ. 기온, ㄴ. 바람, ㄹ. 강수량은 기후를 구성하는 기후 요소이며, ㄷ. 위도, ㅁ. 해발 고도, ㅂ. 수륙 분포는 기후 요소의 지역적 차이를 가져오는 기후 요인이다.

02 ㄴ. 적도 부근은 태양 에너지를 수직으로 받아 기온이 높고, 고위도 지역은 태양 에너지를 비스듬히 받아 기온이 낮다. 이에 따라 기온은 적도에서 고위도로 갈수록 낮게 나타나며, 연평균 등온선은 대체로 위도와 평행하게 나타난다. 경도는 시차와 관련 있다. ㄷ. 연평균 기온은 저위도에서 고위도로 갈수록 낮아진다.

03 그래프를 보면 위도 20° 부근 지역은 강수량보다 증발량이 많아 물 부족 현상이 나타나고 있다. ① 강수량이 가장 많은 곳은 적도 부근이다. ② 중위도 지역(위도 30°~60°)은 강수량이 증발량보다 많다. ④ 시간의 흐름에 따른 자료가 아니기 때문에 확대 여부는 알 수 없다. ⑤ 위도가 높아질수록 강수량이 줄어들고 있다.

04 **오답 피하기**

ㄴ. 적도 부근은 열대 기후 지역으로 기온이 높고 강수량이 많은 지역이다.

ㄹ. 위도 40°~60°의 중위도 지역은 성질이 다른 공기가 만나 강수량이 많은 지역이다.

05 **오답 피하기**

① (가) 지역에는 사하라 사막이 분포한다.

② 난류의 영향을 받는 지역은 강수량이 많은 편이다. (가) 지역이 강수량이 적은 것은 북회귀선 부근이기 때문이다.

③ (나) 지역은 강수량은 적지만 증발량도 적어 물 부족 현상이 나타나지는 않는다.

⑤ (가) 지역은 건조 기후, (나) 지역은 냉대 기후 및 한대 기후가 나타난다.

06 A는 열대 기후, B는 건조 기후, C는 온대 기후, D는 냉대 기후, E는 한대 기후이다. D 냉대 기후는 기온의 연교차가 크고 타이가라 불리는 대규모의 침엽수림이 분포한다.

오답 피하기

E. 한대 기후 지역은 기온이 낮아 식물이 잘 자라지 못하지만, 짧은 여름 동안은 풀이나 이끼류가 자란다.

07 자료에서 설명하는 기후는 건조 기후이다. ①은 열대 기후, ③은 온대 기후, ④는 냉대 기후, ⑤는 한대 기후의 그래프이다.

08 과거에는 자연환경이 인간 거주에 큰 영향을 끼쳤지만, 오늘날에는 과학 기술의 발달로 인문 환경이 인간 거주에 더 큰 영향을 끼치고 있다.

서술형 문제

09 (1) 열대 기후

(2) **[예시 답안]** 열대 기후는 가장 추운 달의 평균 기온이 18℃ 이상으로 일 년 내내 기온이 높고 강수량이 많아 식물이 잘 자란다.

[평가 기준]

상	세 개의 제시어를 모두 사용하여 열대 기후의 특징을 서술하였다.
중	세 개의 제시어 중 두 개만 사용하여 열대 기후의 특징을 서술하였다.
하	세 개의 제시어 중 한 개만 사용하여 열대 기후의 특징을 서술하였다.

10 (1) 온대 기후 지역, 냉대 기후 지역 중 남부 지역, 적도 부근의 고산 기후 지역

(2) **[예시 답안]** 온대 기후 지역과 냉대 기후 지역 중 남부 지역은 사계절이 나타나고 기온과 강수량이 농업 활동에 유리하다. 적도 부근의 고산 기후 지역은 연중 기온이 온화하여 인간 거주에 유리하다.

[평가 기준]

상	인간 거주에 유리한 지역과 그 이유를 모두 맞게 서술하였다.
중	인간 거주에 유리한 지역을 모두 썼지만, 그 이유에 대한 서술이 일부 부족하였다.
하	인간 거주에 유리한 지역을 모두 썼지만, 그 이유를 서술하지 못하였다.

02 열대 우림 기후 지역의 주민 생활

기본 문제

본문 38~39쪽

간단 체크

1 (1) ○ (2) × (3) ○ (4) × (5) × (6) ○ (7) ×

2 (1) 스콜 (2) 고상 가옥 (3) 기온, 강수량

3 (1) ㄹ (2) ㄱ (3) ㄴ (4) ㄷ

기본 문제

01 ④ **02** ③ **03** ② **04** ③ **05** ④ **06** ⑤
07 ② **08** ⑤

01 그래프는 열대 우림 기후 지역의 기온과 강수량을 나타낸 것이다. 열대 우림 기후 지역은 일 년 내내 기온이 높고 강수량이 많다.

02 그림은 오전에 강한 햇빛 때문에 상승했던 공기가 오후에 비로 내리는 현상을 보여 주고 있다. 열대 우림 기후 지역의 스콜 현상을 나타낸 것이다.

03 ㄴ. 열대 우림 기후 지역은 일 년 내내 강수량이 많다. ㄹ. 열대 우림 기후 지역은 동남아시아의 벼농사 지역 등을 제외하고는 농업 활동이 불리한 편이다.

04 열대 우림 기후 지역의 전통 가옥은 통풍을 위해 개방적인 구조로 지으며, 바닥을 지면에서 띄워 열기와 습기, 짐승 등의 침입을 막는다. ③은 건조 기후 중 사막 기후 지역 가옥의 특징이다.

05 지도에 표시된 지역은 열대 우림 기후 지역이다. 열대 우림 기후 지역은 덥고 습한 기후의 영향으로 통풍이 잘되는 얇고 간편한 옷을 주로 입는다. ④는 건조 기후 지역의 의생활을 설명한 것이다.

06 플랜테이션의 대표적인 작물로 카카오, 천연고무, 바나나 등이 있다. ① 벼는 토양이 비옥한 동남아시아나 동부 아시아 등에서 재배하는 작물이다. ② 밀은 서늘하고 건조한 기후 지역에서 주로 재배한다. ③, ④ 카사바와 얌은 이동식 화전 농업의 주요 작물이다.

07 ①의 천연고무, 바나나는 플랜테이션의 주요 작물이다. ③ 이동식 화전 농업은 지력이 약한 열대 우림 지역에서 숲을 태워 지력을 높인 후 작물을 재배하는 방식이다. ④는 벼농사에 관한 설명이다. ⑤는 온대 기후 지역의 혼합 농업에 관한 설명이다.

08 ⑤ 생물 종 다양성의 증가는 열대 우림의 면적이 늘어났을 때 나타날 수 있는 현상이다.

실전 문제

본문 40~41쪽

01 ⑤ **02** ③ **03** ② **04** ① **05** ⑤ **06** ④
07 ⑤ **08** 해설 참조 **09** 해설 참조

01 지도에 표시된 지역은 열대 우림 기후 지역이다. ①은 스텝 기후 지역, ②는 냉대 기후 지역, ③은 툰드라 기후 지역, ④는 사막 기후 지역의 식생 경관이다.

02 자료에서 설명하는 현상은 열대 우림 기후 지역에서 볼 수 있는 스콜이다. ㄴ. 열대 우림 기후는 일 년 내내 기온이 높아 연교차가 비교적 작다. 연교차가 큰 지역은 온대 및 냉대 기후 지역이다. ㄷ. 열대 우림 기후는 강수량의 계절의 차이가 없고, 일 년 내내 비가 많이 내린다.

03 자료의 나시고렝은 열대 우림 기후 지역인 인도네시아의 전통 음식이다. ①은 건조 기후 지역, ③은 온대 계절풍 기후 지역, ④는 지중해성 기후 지역, ⑤는 서안 해양성 기후 지역의 주민 생활 모습이다.

04 벼는 재배 과정에서 높은 기온과 풍부한 강수량이 요구되는 작물이다. 벼농사는 이러한 조건을 갖춘 동남아시아, 동부 아시아 등의 평야 지역에서 주로 발달하였다. 카사바는 이동식 화전 농업, 카카오·바나나·천연고무는 플랜테이션의 주요 작물이다.

05 ①은 열대 우림 기후 지역 원주민의 의생활 모습, ②는 열대 우림 기후 지역의 전통 가옥인 고상 가옥, ③은 열대 우림 기후 지역의 관광 산업, ④는 이동식 화전 농업의 모습이다. ⑤ 초원에서의 가축 사육은 건조 기후 중 스텝 기후 지역에서 주로 볼 수 있는 모습이다.

06 그림은 열대 우림 기후 지역의 이동식 화전 농업을 나타낸 것이다. ①은 서안 해양성 기후 지역의 혼합 농업, ②와 ③은 플랜테이션, ⑤는 벼농사에 대한 설명이다.

07 ㄱ. 열대 우림 면적이 줄어들면서 생물 종 다양성이 감소하고 있다.

서술형 문제

08 (1) 열대 우림 기후

(2) [예시 답안] 열대 우림 기후는 일 년 내내 기온이 높고 비가 많이 내리는 특징이 있다.

[평가 기준]

상	기후의 명칭과 특징을 모두 서술하였다.
중	기후의 특징을 서술하였지만, 기온과 강수량 중 한 가지만 서술하였다.
하	기후의 명칭만 맞게 서술하였다.

09 (1) 플랜테이션

(2) **[예시 답안]** 선진국의 자본과 기술, 원주민의 노동력이 결합한 농업 방식이며, 주로 바나나, 카카오, 천연고무 등의 상품 작물을 대규모로 재배한다.

[평가 기준]

상	농업 방식의 명칭과 특징을 모두 서술하였다.
중	농업 방식의 명칭을 맞게 서술하였지만, 특징에 대한 서술이 부족하였다.
하	농업 방식의 명칭만 서술하였다.

03 온대 기후 지역의 주민 생활

기본 문제

본문 44~45쪽

간단 체크

1 (1) ○ (2) × (3) ○ (4) ○ (5) × (6) × (7) × (8) × (9) ○

2 (1) 서안, 동안 (2) 강수량, 기온 (3) 높고 (4) 낙농업 (5) 수목 농업 (6) 더위

기본 문제

01 ④ **02** ③ **03** ① **04** ⑤ **05** ③ **06** ① **07** ② **08** ③

01 ④의 울창한 밀림, 생태계의 보고 등은 열대 우림에 관한 내용이다.

02 제시된 설명은 온대 기후 지역에 대한 설명이다. 지도에서 A는 열대 기후, B는 건조 기후, C는 온대 기후, D는 냉대 기후, E는 한대 기후이다.

03 지도는 계절에 따라 주기적으로 바람의 방향의 바뀌는 계절풍을 나타낸 것이다. 여름에는 해양에서 대륙으로 고온 다습한 바람이, 겨울에는 대륙에서 해양으로 한랭 건조한 바람이 분다.

04 (가)는 온대 계절풍 기후, (나)는 서안 해양성 기후, (다)는 지중해성 기후이다. ㄱ. 온대 계절풍 기후는 지중해성 기후에 비해 여름철 강수량이 많다. ㄴ. 서안 해양성 기후의 특징이다.

05 아열대 고압대는 적도에서 상승한 기류가 이동하다가 열대와 온대의 중간 지역에서 하강하여 생성되는 것으로 맑은 날씨가 나타난다. 온대 해양성 기단은 겨울철 지중해성 기후 지역에 영향을 주는 것으로 따뜻하고 습기를 많이 포함하고 있다는 특징이 있다.

06 그리스의 산토리니섬은 지중해성 기후 지역에 해당한다. 지중해성 기후 지역은 강한 햇빛을 막기 위해 가옥의 외벽을 흰색으로 칠하는 경우가 많다.

07 서안 해양성 기후 지역은 편서풍과 난류의 영향으로 계절별 강수가 고르게 나타나며, 여름에 서늘하고 겨울에 온난하다.

08 온대 계절풍 기후 지역은 여름이 덥고 겨울이 춥다. 이러한 기후의 영향으로 더위와 추위에 대비한 시설이 모두 발달하였다. 우리나라의 대청마루와 온돌이 대표적이다.

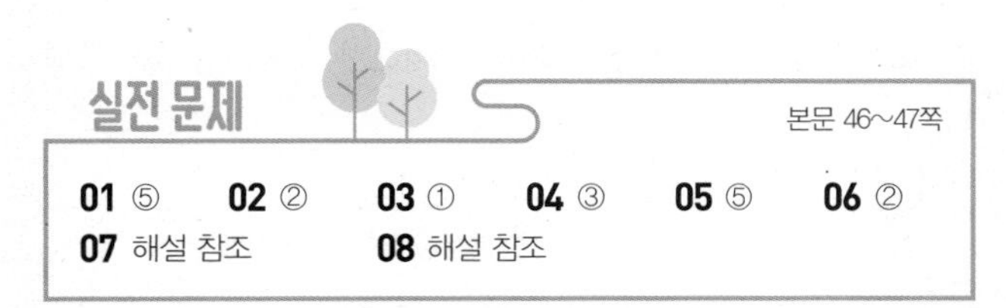
실전 문제

본문 46~47쪽

01 ⑤ **02** ② **03** ① **04** ③ **05** ⑤ **06** ② **07** 해설 참조 **08** 해설 참조

01 온대 계절풍 기후는 계절풍의 영향으로 여름에는 고온 다습하고 겨울에는 한랭 건조하다. 이에 따라 기온의 연교차 및 강수량의 계절 차가 크다.

02 제시된 자료는 지중해성 기후를 설명한 것이다. ①은 열대 우림 기후, ③은 서안 해양성 기후, ④는 온대 계절풍 기후, ⑤는 냉대 기후의 그래프이다.

03 (가)는 유라시아 대륙 동안, 북아메리카 대륙 동안 등에서 나타나는 온대 계절풍 기후이다. (나)는 서부 유럽, 북아메리카의 북서 해안 등에서 나타나는 서안 해양성 기후이다. (다)는 지중해 연안, 오스트레일리아의 남서 해안 등에서 나타나는 지중해성 기후이다.

04 ㄱ. (가) 온대 계절풍 기후는 여름에 고온 다습한 계절풍의 영향으로 기온이 높고, 비가 많이 내린다. ㄹ. 계절풍의 영향을 강하게 받는 기후는 온대 계절풍 기후이다.

05 지도에 표시된 지역은 지중해성 기후가 나타나는 지역이다. ①은 건조 기후, ②는 온대 계절풍 기후, ③은 열대 우림 기후, ④는 서안 해양성 기후 지역에서 볼 수 있는 농업 방식이다.

06 사진 속 공간은 우리나라의 전통 가옥에서 볼 수 있는 대청마루이다. 대청마루는 더운 여름을 시원하게 나기 위한 시설이다.

서술형 문제

07 **[예시 답안]** 서울은 계절풍의 영향을 받고, 런던은 편서풍과 난류의 영향을 받는다. 서울은 여름철에 북태평양에서 고온 다

습한 바람이 불어오고 겨울철에 시베리아에서 한랭 건조한 바람이 불어온다. 반면 런던은 일 년 내내 서쪽에서 동쪽으로 부는 편서풍과 난류인 북대서양 해류의 영향을 받는다.

[평가 기준]

상	서울은 계절풍, 런던은 편서풍과 난류의 영향을 받는다는 점을 모두 서술하면서 기후 차이의 원인을 설명하였다.
중	서울과 런던의 기후 설명 중 한 지역의 설명이 일부 부족하였다.
하	기후 차이의 원인을 서울과 런던 중 한 지역만 서술하였다.

08 [예시 답안] 지도에 표시된 곳은 온대 계절풍 기후가 나타나는 지역이다. 온대 계절풍 기후는 여름철에 해양에서 불어오는 고온 다습한 바람의 영향으로 기온이 높고 강수량이 많다. 이들 지역에서는 고온 다습한 기후를 이용한 벼농사가 발달하였다.

[평가 기준]

상	주로 행해지는 농업과 기후 특성을 모두 서술하였다.
중	기후 특성에 대한 설명이 일부 부족하였다.
하	농업과 기후 특성 중 한 가지만 서술하였다.

04 건조 기후 지역과 툰드라 기후 지역의 주민 생활

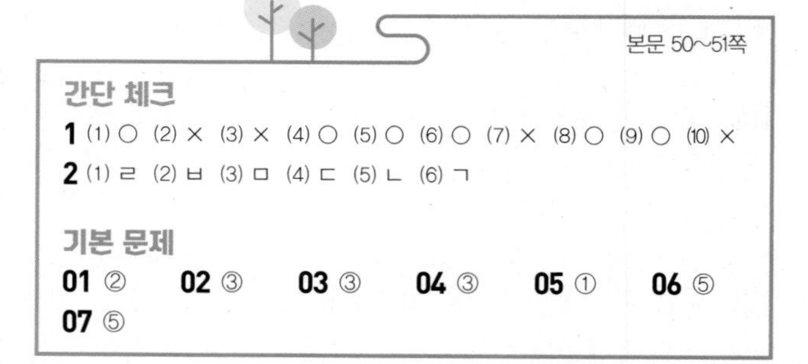
본문 50~51쪽

간단 체크

1 (1) ○ (2) × (3) × (4) ○ (5) ○ (6) ○ (7) × (8) ○ (9) ○ (10) ×

2 (1) ㄹ (2) ㅂ (3) ㅁ (4) ㄷ (5) ㄴ (6) ㄱ

기본 문제

01 ② 02 ③ 03 ③ 04 ③ 05 ① 06 ⑤

07 ⑤

01 제시된 내용은 건조 기후 지역의 특징을 나타낸 것이다. 지도에서 A는 열대 기후, B는 건조 기후, C는 온대 기후, D는 냉대 기후, E는 한대 기후이다.

02 지도는 건조 기후 지역을 나타낸 것으로 A는 사막 기후(연 강수량 250mm 미만), B는 스텝 기후(연 강수량 250~500mm)이다. ㄴ. 건조 기후 지역은 강수량이 부족해 인간 거주에 불리하다. ㄷ. B 스텝 기후 지역은 강수량이 부족해 농업 활동은 활발하지 않으며, 가축을 데리고 물과 풀을 찾아 기르는 유목이 주로 행해진다.

03 사막 지역은 강수량이 적어 농업 활동이 불리하지만, 오아시스 주변에서 밀, 대추야자 등을 재배한다. 또한 관개 시설을 이용해 목화, 밀 등을 재배하기도 한다.

오답 피하기

② 건조 기후 지역은 기온의 일교차가 매우 크다. 이를 극복하기 위해 건물의 벽을 두껍게 하며, 낮의 뜨거운 바람을 피하기 위해 창문의 크기를 작게 한다.

04 사진은 스텝 기후 지역의 이동식 가옥이다. 스텝 기후 지역 주민들은 유목 생활을 하며, 조립과 분해가 편리한 이동식 가옥을 짓고 생활한다. ①은 툰드라 기후 지역, ②는 열대 우림 기후 지역, ④는 사막 기후 지역, ⑤는 서안 해양성 기후 지역의 주민 생활 모습이다.

05 도시화가 진행되고 원주민의 생활 터전이 파괴되면서 전통 생활 방식을 지키려는 사람들은 줄고 있다.

오답 피하기

④ 지구 온난화로 기온이 높아지면서 여름철에 지표면이 녹아 원주민의 삶의 터전이 파괴되고 있다.

06 지도에 표시된 지역은 툰드라 기후 지역이다. ① 일 년 내내 강수량이 적은 편이며, 겨울보다 여름이 많다. ② 백야 현상은 여름철에 나타난다. ③ 스텝 기후 지역에 대한 설명이다. ④ 냉대 기후 지역에 대한 설명이다.

오답 피하기

② 백야 현상은 해가 지지 않아 환한 밤이 계속되는 현상이며, 극야 현상은 해가 뜨지 않아 어두운 낮이 계속되는 현상이다. 백야 현상은 여름철, 극야 현상은 겨울철의 현상이다.

07 툰드라 기후 지역은 여름철에 기온이 오르면서 얼었던 지표면이 녹는다. 이때 건물이 무너지거나 송유관이 기울어지는 것을 막기 위해 고상 가옥을 짓고, 송유관은 지면에서 띄워 설치한다.

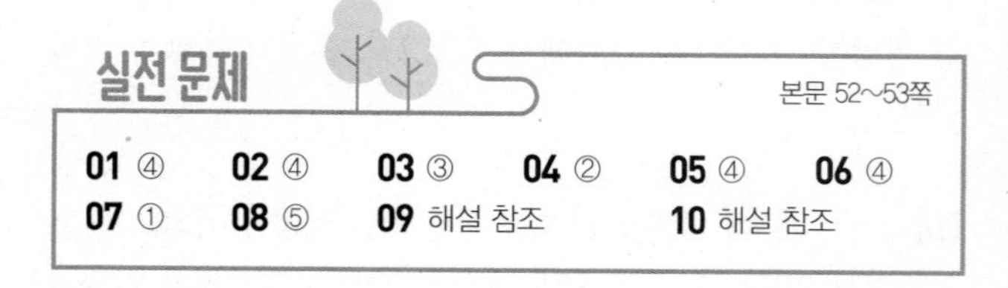
실전 문제 본문 52~53쪽

01 ④ 02 ④ 03 ③ 04 ② 05 ④ 06 ④

07 ① 08 ⑤ 09 해설 참조 10 해설 참조

01 (가)는 사막 기후 지역, (나)는 스텝 기후 지역의 경관이다. 건조 기후는 강수량 250mm를 경계로 250mm 미만의 사막 기후와 250~500mm의 스텝 기후로 구분한다.

02 사진은 사막 기후 지역의 오아시스 모습이다. ①은 서안 해양성 기후, ②는 지중해성 기후, ③은 스텝 기후나 툰드라 기후, ⑤는 툰드라 기후 지역의 생활 모습이다.

03 백야 현상은 여름철에 해가 지지 않아 환한 밤이 계속되는 현상으로 극지방에서 볼 수 있는 모습이다.

오답 피하기

② 관개 시설 설치, 국경선 설정 등의 이유로 유목 생활을 그만두고 정착 생활을 하는 사람들이 늘어나고 있다.

04 지도는 건조 기후의 분포를 나타낸 것으로, A는 사막 기후, B는 스텝 기후이다. ① 건조 기후 지역은 강수량보다 증발량이 많아 물 부족 현상을 겪고 있다. ② 스콜은 열대성 소나기로 열대 우림 기후 지역에서 발생한다.

05 사진 속 식생 경관은 툰드라 기후 지역의 모습이다. 툰드라 기후 지역은 짧은 여름 동안 풀이나 이끼류가 자란다. ① 한류가 흐르는 해안과 ⑤ 바다로부터 멀리 떨어진 대륙 내부에는 건조 기후가 나타난다.

06 툰드라 기후 지역에서는 건물 붕괴를 막기 위해 고상 가옥을 짓는다.

오답 피하기

① 열대 우림 기후 지역의 고상 가옥에 대한 설명이다.
② 건조 기후 지역에서는 건물을 지을 때 그늘을 만들기 위해 건물 사이의 간격을 좁게 한다.
⑤ 게르와 같은 이동식 천막을 말하는 것으로, 스텝 기후 지역의 유목민들은 이동의 편리를 위해 조립과 분해가 쉬운 이동식 천막을 짓고 생활한다.

07 그래프는 툰드라 기후 지역을 나타낸 것이다.

오답 피하기

ㄴ. 온돌은 겨울철의 추위를 대비한 시설로 온대 계절풍 기후 지역에서 볼 수 있다.
ㄹ. 카나트는 사막 기후 지역의 관개 시설이다.

08 사진은 툰드라 기후 지역의 오로라 현상이다. 툰드라 기후 지역은 가장 따뜻한 달의 평균 기온이 10℃ 미만으로, 짧은 여름 동안에만 기온이 0℃ 이상으로 오른다.

오답 피하기

ㄱ. 툰드라 기후 지역은 강수량이 적지만, 증발량도 적어 지표는 습한 편이다.
ㄴ. 빙설 기후 지역에 대한 설명이다. 한대 기후 지역은 빙설 기후와 툰드라 기후로 구분할 수 있다. 빙설 기후는 연중 기온이 0℃ 이하로 일 년 내내 눈과 얼음으로 덮여 있다.

서술형 문제

09 [예시 답안] 툰드라 기후 지역은 기온이 낮으며, 겨울이 길고 춥다. 추위를 견디기 위해 동물의 털과 가죽으로 만든 두꺼운 옷을 입는다. 또한 기온이 매우 낮아 농사를 지을 수 없기 때문에 순록 유목, 사냥, 어업, 채집 등이 행해진다.

[평가 기준]

상	자료에 나타난 의생활과 유목 생활의 원인을 모두 맞게 서술하였다.
중	자료에 나타난 의생활과 유목 생활의 원인에 대한 설명 중 한 가지 서술이 부족하였다.
하	자료에 나타난 의생활과 유목 생활의 원인 중 한 가지만 서술하였다.

10 [예시 답안] 몽골은 스텝 기후 지역이다. 스텝 기후 지역은 강수량이 부족해 가축을 데리고 물과 풀을 찾아 이동하는 유목이 발달했다. 이동이 잦은 유목 생활에서의 편리를 위해 조립과 분해가 쉬운 게르와 같은 이동식 가옥에서 생활하게 되었다.

[평가 기준]

상	스텝 기후의 특징과 유목 생활을 모두 제시하여 이유를 서술하였다.
중	스텝 기후의 특징과 유목 생활을 모두 제시하며 서술하였지만, 이 중 한 가지에 대한 서술이 부족하였다.
하	스텝 기후의 특징과 유목 생활 중 한 가지만 제시하여 서술하였다.

대단원 마무리

본문 56~59쪽

01 ③	02 ①	03 ①	04 ③	05 ⑤	06 ④
07 ③	08 ②	09 ④	10 ⑤	11 ③	12 ④
13 ②	14 ④	15 ④	16 ②	17 해설 참조	
18 해설 참조					

01 강수량보다 증발량이 많은 곳은 위도 20° 부근 지역이다. 극지방은 강수량이 적지만 증발량도 적어 물 부족 현상이 나타나지는 않는다.

02 A는 열대 기후, B는 건조 기후, C는 온대 기후, D는 냉대 기후, E는 한대 기후이다. A 열대 기후 지역은 일 년 내내 기온이 높다. ①은 열대 기후 지역 중 해발 고도가 높은 곳에 나타나는 고산 기후 지역에 대한 설명이다.

03 열대 기후, 건조 기후, 한대 기후는 인간 거주에 불리한 기후이며, 냉대 기후, 온대 기후, 고산 기후는 인간 거주에 유리한 기후이다.

04 A는 사하라 사막으로 건조 기후 지역이다. B는 중국 동부 해안 지역으로 온대 기후 지역이며, 인구 밀집 지역이다. C는 그린란드로 한대 기후가 나타난다. D는 아마존 분지로 열대 기후가 나타난다. ③ 오아시스 주변에서의 작물 재배는 사막 기

후 지역에 대한 설명이다.

오답 피하기

⑤ A, C, D는 인간 거주에 불리한 기후 지역, B는 인간 거주에 유리한 기후 지역에 해당한다.

05 그래프는 일 년 내내 기온이 높고 강수량이 많은 열대 우림 지역의 기후를 나타낸 것이다. 열대 우림 기후 지역에서는 이동식 화전 농업, 플랜테이션, 벼농사 등의 농업 활동이 행해진다. ①은 사막 기후, ②는 스텝 기후, ③은 서안 해양성 기후, ④는 지중해성 기후 지역의 농업 활동 모습이다.

06 지도에 표시된 지역은 아프리카 콩고 분지, 동남아시아 보르네오섬과 주변 지역, 남아메리카의 아마존 분지 등으로 열대 우림 기후 지역이다. ㄱ. 여름철의 백야 현상은 극지방에서 볼 수 있는 현상이다. ㅁ. 관개 시설을 이용한 농업은 강수량이 부족한 건조 기후 지역에서 행해진다.

오답 피하기

ㄴ. 열대 우림 지역의 열대림은 최근 가구용, 산업용 목재 수요가 증가하면서 임업이 발달하고 있다.

07 그림은 열대 우림 기후 지역에서 발생하는 스콜 현상을 나타낸 것이다. 열대 우림 기후 지역은 일 년 내내 기온이 높기 때문에 계속해서 상승 기류가 발생하고, 구름이 형성되어 비가 내리는 스콜 현상이 거의 매일 반복된다.

08 지도는 온대 기후 지역을 나타낸 것이다. A는 온대 계절풍 기후, B는 서안 해양성 기후, C는 지중해성 기후이다. ㄴ. 서안 해양성 기후는 비가 자주 내리고 흐린 날이 많아 일조량이 적다. ㄷ. 지중해성 기후는 여름보다 겨울 강수량이 많다.

오답 피하기

ㄹ. 온대 계절풍 기후 지역은 계절풍의 영향으로 여름은 고온 다습하고 겨울은 한랭 건조하여 연교차가 크다.

09 그래프는 여름철에 기온이 높고 강수량이 많은 온대 계절풍 기후 지역을 나타낸 것이다. 온대 계절풍 기후 지역에서는 높은 기온과 풍부한 강수량을 이용한 벼농사가 활발하다. ①은 열대 우림 기후, ②는 스텝 기후, ③은 지중해성 기후, ⑤는 툰드라 기후 지역에서 볼 수 있는 경관이다.

10 서울은 온대 계절풍 기후로 계절풍의 영향을 받아 여름철에 강수가 집중한다. 런던은 편서풍과 난류의 영향을 받아 여름에 서늘하고 겨울에 온난하며, 연중 강수가 고르다.

오답 피하기

① 서안 해양성 기후 지역인 런던은 날씨가 흐리고 비가 오는 날이 많아 일조량이 적다.

11 ①의 쌀, ②의 온돌은 온대 계절풍 기후 지역과 관련 있다. ④의 올리브와 포도, ⑤의 강한 햇빛을 막기 위한 흰색 외벽은 지중해성 기후 지역과 관련 있다.

12 (가)는 사막 기후, (나)는 스텝 기후의 경관이다. ㄱ. 이동식 가옥은 유목 활동을 하는 (나) 지역에서 볼 수 있다. 이동의 편리를 위해 조립과 분해가 쉬운 이동식 가옥에서 생활한다. ㄷ. 스텝 기후는 사막 주변에 주로 분포한다.

13 그래프는 툰드라 기후 지역을 나타낸 것이다. ② 툰드라 기후는 북극해를 중심으로 한 고위도 지역에 분포한다.

오답 피하기

① 툰드라 기후 지역은 강수량이 적지만, 증발량도 적어 지표는 습한 편이다.

14 스텝 기후 지역은 가축을 데리고 물과 풀을 찾아 이동하는 유목 생활을 하기 때문에 이동에 편리한 이동식 가옥이 발달하였다. ①은 서안 해양성 기후 지역, ②는 온대 계절풍 기후 지역, ③은 지중해성 기후 지역, ⑤는 열대 우림 기후 지역의 주생활 모습이다.

15 자료에서 설명하는 지역은 툰드라 기후 지역이다. ㄱ. 열대 우림 기후 지역의 식생활 모습이다. ㄷ. 관개 시설을 이용하여 밀, 목화 등을 재배하는 지역은 사막 기후 지역이다. 툰드라 기후 지역은 짧은 여름 동안 이끼류 정도만 자라고 농업 활동은 행해지지 않는다.

16 건조 기후 지역은 강수량이 적어 물이 부족하다. 물의 증발을 막기 위해 지하에 수로를 건설한다.

서술형 문제

17 **[예시 답안]** 사진 속의 가옥은 일 년 내내 기온이 높고 강수량이 많은 열대 우림 기후 지역의 전통 가옥이다. 이 지역의 전통 가옥은 빗물이 잘 흘러내리도록 지붕의 경사를 급하게 하며, 통풍이 잘되는 개방적인 구조이다. 바닥을 지면에서 띄워 짓는 것은 지면의 열기와 습기, 해충의 피해를 막기 위해서이다.

[평가 기준]

상	전통 가옥의 특징을 기후와 관련지어 서술하였다.
중	전통 가옥의 특징을 서술하였지만, 기후와의 관련성이 일부 부족하였다.
하	전통 가옥의 특징만을 서술하였다.

18 **[예시 답안]** 사진은 지중해성 기후 지역의 모습이다. 지중해성 기후 지역에서는 기온이 높고 강수량이 적은 여름에 포도, 올리브, 오렌지 등을 재배하는 수목 농업이, 온난하고 강수량이 풍부한 겨울에는 곡물 농업이 발달하였다.

[평가 기준]

상	농업 활동의 특징을 기후와 관련지어 서술하였다.
중	농업 활동의 특징을 서술하였지만, 기후와의 관련성이 일부 부족하였다.
하	농업 활동의 특징만을 서술하였다.

Ⅲ. 자연으로 떠나는 여행

산지 지형으로 떠나는 여행

기본 문제

본문 64~65쪽

간단 체크

1 (1) × (2) × (3) ○ (4) ○ (5) × **2** (1) ㉡, ㉢, ㉣ (2) ㉠, ㉤
3 (1) 불리 (2) 플랜테이션 (3) 여름철

기본 문제

01 ②	**02** ③	**03** ④	**04** ④	**05** ④	**06** ③
07 ①	**08** ④	**09** ③			

01 산지는 지층이 습곡을 받아 휘어지거나, 땅속 깊은 곳의 뜨거운 마그마가 땅 위로 분출하는 화산 활동 등으로 만들어진다.

오답 피하기
침식·퇴적 작용은 지구 외부의 태양 에너지에 의한 물과 공기의 순환(비, 하천, 빙하, 바람)으로 인해 지표가 변형되는 작용이다.

02 양쪽에서 가해진 압력으로 지층이 휘어지면서 형성된 습곡 산지는 사진에서처럼 퇴적암에서 쉽게 관찰할 수 있다.

오답 피하기
ㄴ. 해저에서 화산이 폭발하여 형성된 산지는 화산 활동과 관련이 있다.
ㄷ. 지구 내부의 힘에 의한 작용으로 형성되었다.

03 에베레스트산은 8,848m로 세계에서 해발 고도가 가장 높은 산이다.

오답 피하기
① 몽블랑산은 4,808m ② 칸첸중가산은 8,586m ③ 코토팍시산은 5,897m ⑤ 킬리만자로산은 5,895m이다.

04 칸첸중가산은 인도와 네팔 경계에 자리한 세계에서 세 번째로 높은 산으로 히말라야산맥의 일부이다.

05 히말라야산맥은 6,000만 년 전에는 바다 아래의 지층이었지만, 인도·오스트레일리아 대륙판과 유라시아 대륙판이 충돌하는 과정에서 바다 위로 솟아올라 만들어졌다.

06 알프스산맥, 안데스산맥, 히말라야산맥은 형성된 지 오래되지 않은 신기 습곡 산지로, 지각 운동이 활발하여 지진이나 화산 활동이 일어나기도 한다.

오답 피하기
ㄱ. 해저에서 화산이 폭발하여 형성된 곳으로는 하와이 제도나 산토리니섬 등이 있다.
ㄹ. 오랜 시간 동안 풍화와 침식을 받아 비교적 고도가 낮고 경사가 완만한 산지는 고기 습곡 산지이다.

07 에콰도르의 코토팍시산은 화산 활동으로 형성되었다.

오답 피하기
② 조륙 운동에 대한 설명이다.
③ 파랑의 침식 작용, ④ 조류의 퇴적 작용, ⑤ 빙하의 이동은 태양 에너지에 의한 지형 형성 작용이다.

08 안데스 산지는 남아메리카 서쪽에 자리한 산맥으로 보고타, 키토 등의 고산 도시가 분포한다.

09 스위스는 알프스 산지에 자리하며 유명한 관광지인 마터호른이 있다. 소몰이 축제와 치즈 분배 축제 등이 열린다.

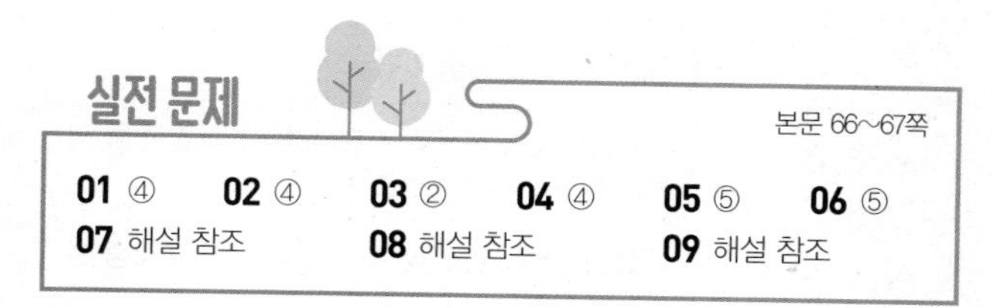

실전 문제

본문 66~67쪽

01 ④	**02** ④	**03** ②	**04** ④	**05** ⑤	**06** ⑤
07 해설 참조		**08** 해설 참조		**09** 해설 참조	

01 (가)는 히말라야산맥, (나)는 안데스산맥, (다)는 알프스산맥에 대한 설명이다.

02 애팔래치아, 우랄산맥은 고기 습곡 산지에 속한다. 신기 습곡 산지는 형성된 지 오래되지 않아 높고 험준하다. 알프스, 히말라야, 안데스, 로키산맥은 신기 습곡 산지에 속한다. 고기 습곡 산지는 오랜 시간 동안 풍화와 침식을 받아 비교적 고도가 낮고 경사가 완만하다. 모든 설명이 옳은 설명으로 모두 ○가 맞다.

03 산지 지역은 지형과 기후 환경의 제약이 많아 평지보다 농업 활동에 불리하다.

04 해발 고도가 높아질수록 기온이 낮아지기 때문에 안데스 산지에서는 해발 고도에 따라 서로 다른 작물을 재배한다.

05 총길이 2,400km의 히말라야 산지에는 세계에서 해발 고도가 가장 높은 에베레스트산이 있다.

06 자료는 안데스산맥에 해당한다.

오답 피하기
A는 알프스산맥, B는 히말라야산맥, C는 그레이트디바이딩산맥, D는 로키산맥이다.

서술형 문제

07 고산 도시

08 **[예시 답안]** 안데스 산지에서는 해발 고도가 높아질수록 기온이 낮아지기 때문에 열대 기후가 나타나는 저지대에서부터 해발 고도가 높아짐에 따라 서로 다른 작물을 재배한다.

[평가 기준]

상	해발 고도, 기온, 열대 기후 세 가지를 활용하여 해발 고도에 따른 작물을 달리 재배하는 이유를 정확히 서술한 경우
중	해발 고도, 기온, 열대 기후 두 가지를 활용하여 해발 고도에 따른 작물을 달리 재배하는 이유를 정확히 서술한 경우
하	해발 고도, 기온, 열대 기후 한 가지를 활용하여 해발 고도에 따른 작물을 달리 재배하는 이유를 정확히 서술한 경우

09 [예시 답안] 열대 우림 기후 지역은 유럽인들의 식민 지배 이후 선진국의 자본과 기술에 원주민의 노동력이 결합한 대규모의 상업적 농업 형태인 플랜테이션이 발달하였다.

[평가 기준]

상	플랜테이션의 특징을 기후, 선진국, 자본, 노동력, 상업적 중 다섯 가지를 활용하여 정확히 서술한 경우
중	플랜테이션의 특징을 기후, 선진국, 자본, 노동력, 상업적 중 세네 가지를 활용하여 정확히 서술한 경우
하	플랜테이션의 특징을 기후, 선진국, 자본, 노동력, 상업적 중 한두 가지를 활용하여 정확히 서술한 경우

02 해안 지형으로 떠나는 여행

기본 문제 본문 70~71쪽

간단 체크
1 (1) ○ (2) × (3) × (4) ○ (5) ○ **2** (1) ㉠, ㉢, ㉣ (2) ㉡
3 (1) 조류 (2) 파랑 (3) 바람 (4) 침식

기본 문제
01 ① **02** ⑤ **03** ② **04** ① **05** ⑤ **06** ②
07 ④ **08** ⑤ **09** ②

01 바닷물이 바람의 영향을 받아 일렁이는 물결을 파랑이라고 한다.

오답 피하기
③ 조류는 밀물·썰물에 의해 주기적으로 일어나는 해수의 흐름을 말한다.

02 해식 동굴과 해안 절벽은 파랑의 침식 작용과 관련된 지형이다.

오답 피하기
ㄱ. 갯벌은 밀물과 썰물의 차이가 큰 해안에 오랫동안 퇴적물이 쌓여 만들어진다.
ㄴ. 모래사장은 파랑의 퇴적 작용으로 형성된다.

03 조차는 만조와 간조 때의 해수면 높이의 차를 만든다. 조차가 큰 해안에는 썰물 때 육지와 연결된 지역이 밀물 때 섬이 되기도 한다.

오답 피하기
③ 조류는 밀물과 썰물 때문에 나타나는 바닷물의 흐름이다.

04 석호는 해안의 만이 사주, 사취 등의 성장으로 인해 바다로부터 분리되어 형성되며, 민물과 바닷물이 섞여 있는 호수이다.

오답 피하기
⑤ 우각호는 하천 일부가 막혀서 된 호수로 소의 뿔과 같이 생겨서 우각호라는 이름이 붙었다.

05 (가)는 곶이다. 곶에서는 침식 작용이 활발하여 해안 절벽, 해식 동굴, 돌기둥을 볼 수 있다.

오답 피하기
ㄱ. 석호, ㄴ. 갯벌, ㄹ. 모래사장은 주로 만에서 볼 수 있다.

06 ㉠은 파랑, ㉡은 조류에 대한 설명이다.

오답 피하기
해류는 일정한 방향과 속도로 이동하는 바닷물의 흐름을 말한다.

07 바다가 육지쪽으로 들어와 있는 만에서는 항만이 발달하기 쉽다.

08 사진은 노르웨이의 송네 피오르이다. 피오르는 빙하의 침식으로 생긴 골짜기에 바닷물이 들어오면서 형성된 만이다.

09 관광 산업이 해안 지역에 미친 긍정적인 영향에는 관광 수익 증대, 일자리 창출로 인한 주민들의 삶의 질 향상 등이 있으며, 부정적인 영향에는 인공 구조물에 의한 해안 생태계 파괴, 관광객 증가에 따른 교통 체증, 주민들과의 갈등 등이 있다.

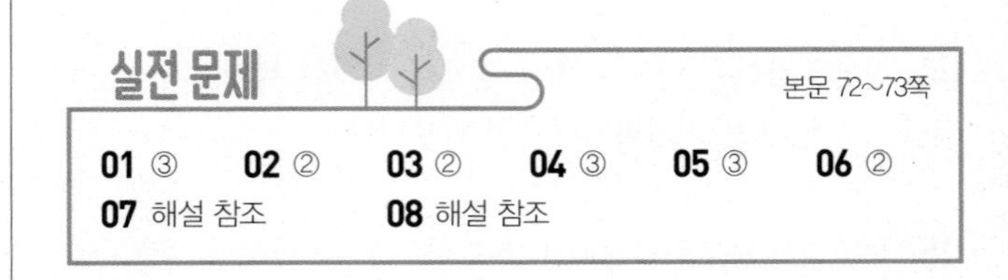
실전 문제 본문 72~73쪽

01 ③ **02** ② **03** ② **04** ③ **05** ③ **06** ②
07 해설 참조 **08** 해설 참조

01 **오답 피하기**
ㄴ. 용암이 식는 속도의 차이로 형성된 동굴인 용암동굴은 화산 지형에서 볼 수 있다.
ㄷ. 조류의 퇴적 작용으로 미세한 토사가 쌓여 형성된 퇴적 지형은 갯벌에 대한 설명이다.

02 **오답 피하기**
① 송네 피오르는 노르웨이 해안의 빙하 지형이다.
③ 밀퍼드 사운드는 뉴질랜드 남섬에 있고 빙하 지형을 볼 수 있다.
④ 태즈메이니안 야생지대는 오스트레일리아 태즈메이니아섬 남서부에 있는 자연문화유적이다.

⑤ 그레이트배리어리프는 오스트레일리아 북동부 해안을 따라 발달한 세계 최대의 산호초 군락지이다.

03 해안에는 파랑과 조류 등에 의해 침식, 운반, 퇴적 작용이 지속해서 나타나며, 조차가 큰 해안에는 갯벌이 형성된다.

오답 피하기

파랑의 침식 작용이 활발하게 일어나는 곳에서는 해안 절벽이 형성된다. 파랑의 퇴적 작용이 활발하게 일어나는 만에서는 모래사장이 형성된다.

04 오세아니아의 폴리네시아 하와이 제도에 있는 와이키키는 하와이 관광 산업의 중심지로 긴 모래사장으로 유명한 휴양지이다.

오답 피하기

A는 아이슬란드, B는 대한민국, D는 뉴질랜드, E는 브라질의 아마존이다.

05 해수욕장을 따라 방파제나 콘크리트 구조물을 조성하면 해안 생태계가 파괴된다. 1, 2, 4번 설명은 옳은 설명이다.

06 프랑스 랑그도크루시용 해양 관광 단지는 지중해성 기후가 나타나며, 조차가 작은 해안 지역이다.

서술형 문제

07 **[예시 답안]** 밀물과 썰물 때문에 나타나는 바닷물의 흐름인 조류의 작용으로 미세한 흙이 퇴적되어 형성된다.

[평가 기준]

상	조류, 밀물, 썰물, 퇴적 중 네 가지를 활용하여 갯벌의 형성 과정을 정확히 서술한 경우
중	조류, 밀물, 썰물, 퇴적 중 세 가지를 활용하여 갯벌의 형성 과정을 정확히 서술한 경우
하	조류, 밀물, 썰물, 퇴적 중 두 가지를 활용하여 갯벌의 형성 과정을 정확히 서술한 경우

08 **[예시 답안]** 긍정적 영향: 지역 주민의 자발적 참여를 유도하여 지역에 대한 관심을 높이고, 일자리 창출 및 수익 증대, 주민들의 삶의 질 향상 등을 통해 지역의 균형 발전을 도모할 수 있다.
부정적 영향: 교통량 증가에 따른 교통 체증 및 주차 문제, 인공 구조물 조성에 따른 해안 생태계 파괴, 관광객 유입에 따른 문화적 갈등, 시설 노후화에 따른 유지 · 보수 문제 등이 발생할 수 있다.

[평가 기준]

상	관광 산업 발달이 주민 생활에 미친 긍정적 영향과 부정적 영향을 각각 정확히 서술한 경우
중	관광 산업 발달이 주민 생활에 미친 긍정적 영향과 부정적 영향 중 한 가지를 정확히 서술한 경우
하	관광 산업 발달이 주민 생활에 미친 긍정적 영향과 부정적 영향 중 일자리, 교통량 등 단어만 서술한 경우

03 우리나라의 자연 경관

기본 문제

본문 76~77쪽

간단 체크

1 (1) 석회암 (2) 서쪽 (3) 서해안 **2** (1) ㉢, ㉣, ㉤ (2) ㉠, ㉡
3 (1) ○ (2) × (3) ○ (4) ○ (5) ×

기본 문제

01 ② **02** ① **03** ② **04** ③ **05** ⑤ **06** ③
07 ③ **08** ①

01 우리나라는 국토의 70% 정도가 산지로 이루어져 있으며, 지리산, 덕유산 등은 바위 위에 두꺼운 토양층이 덮여 있는 대표적인 흙산이다.

오답 피하기

ㄴ. 우리나라의 산지는 보전을 위해 지리산, 설악산, 북한산, 덕유산, 속리산 등 국립공원으로 지정된 곳이 많다.
ㄹ. 금강산, 설악산, 월출산 등은 돌산으로 화강암 바위가 드러나 있어 절경을 이룬다.

02 우리나라는 북동쪽에 높은 산지가 많아 큰 하천은 대부분 서해안이나 남해안으로 흐른다. 또한, 계절별 강수량의 차이가 크고 산지가 많기 때문에 하류로 흘러 버리는 유량이 많아 하천의 계절별 유량의 변동이 큰 편이다.

오답 피하기

ㄷ. 황해로 흘러가는 하천의 하류에는 대부분 평야, 갯벌이 자리잡고 있다.
ㄹ. 황해로 흘러가는 하천의 길이가 동해로 흐르는 하천보다 긴 편이다.

03 제주도는 생물권 보전 지역(2002년), 세계 자연 유산(2007년), 세계 지질 공원(2010년)으로 등재되었다.

04 용암동굴은 용암이 흘러가면서 형성된 동굴, 오름은 한라산의 사면에서 분출하여 형성된 측화산이다.

오답 피하기

석회동굴은 석회암이 오랜 시간 동안 지하수에 녹아서 만들어진 지형이다. 석회동굴 내부의 천장에서 아래로 자라는 것이 종유석이다.

05 주상절리는 용암이 흘러내리면서 식는 과정에서 규칙적인 균열이 생겨 다각형의 기둥 모양으로 형성된다.

06 성산 일출봉은 한라산, 거문오름 용암동굴계와 함께 세계 자연 유산에 등재되었다.

07 을과 병의 설명은 제주도의 특징에 대한 옳은 설명이다. 올레는 집에서 거리까지 나가는 작은 길을 의미하는 제주어로 작은 길을 여유롭게 걷는 도보 여행 코스로 개발되어 있다.

오답 피하기

"매년 머드를 주제로 하는 체험형 축제를 개최하고 있어요."는 보령 머드 축제에 대한 설명이다. "과거 해안 습지대였던 곳을 관광지로 개발하여 세계에서 가장 잘 개발된 해안 관광 단지로 평가받고 있어요."는 프랑스 랑그도크루시용 해양 관광 단지에 대한 설명이다.

08 자료는 주상절리의 형성 과정을 나타낸 사진이다. ㄱ과 ㄴ은 옳은 설명이다.

오답 피하기

ㄷ. 터널처럼 만들어진 동굴로 바닥의 경사는 완만하며, 대체로 천장이 둥근 모양이다.와 ㄹ. 용암이 지표면을 덮고 흐를 때 표면이 먼저 굳고 안쪽으로 용암이 흘러내려 형성되었다.는 용암동굴에 관한 설명이다.

실전 문제

본문 78~79쪽

01 ② **02** ② **03** ③ **04** ⑤ **05** ② **06** ④
07 해설 참조 **08** 해설 참조

01 자료는 국립공원을 나타낸 지도이다. 우리나라에는 22개의 국립공원이 있으며, 유형에 따라 산악형(18개), 해상·해안형(3개), 사적형(1개)가 관리·운영되고 있다. 경주는 신라 문화의 유적을 중심으로 한 경상북도에 있는 사적형 국립공원이다.

오답 피하기

ㄴ. 우리나라의 국립공원은 해상보다 산지 관련 국립공원이 많다.
ㄹ. 평상시에는 관광객에게 개방한다. 단, 자연보호의 필요성이 있을 때는 운영이 중단되기도 한다.

02 동해안은 모래사장과 해안 절벽이 푸른 바다와 어우러진 모습이 일품이다. 서해안의 해안선은 드나듦이 복잡하고 조차가 크다.

오답 피하기

서해안은 드넓은 갯벌과 낙조가 아름답다. 다도해 해상 국립공원(1981년)과 한려 해상 국립공원(1968년)은 이미 국립공원으로 지정되었다.

03 (가)는 한라산, (나)는 성산 일출봉, (다)는 만장굴, (라)는 지삿개 주상절리이다.

04 사진은 성산 일출봉이다. 원래는 섬이었으나, 육지와 연결되어 있다. 산의 정상부에는 거대한 사발 모양의 분화구가 있다.

오답 피하기

ㄱ. 산의 정상에는 화구호인 백록담이 있다.는 한라산에 대한 설명이다.
ㄴ. 다각형의 기둥 모양으로 절벽을 이룬다.는 지삿개 주상절리에 대한 설명이다.

05 (가)는 오름이다. 오름은 한라산의 사면에서 분출하여 형성되며, 제주도 방언으로 오름이라고 불린다.

오답 피하기

ㄴ. 다각형의 기둥 모양으로 절벽을 이룬다.는 주상절리에 관한 설명이다.

ㄹ. 양쪽에서 가해진 압력으로 지층이 휘어지면서 형성되었다.는 습곡 산지에 관한 설명이다.

06 ㉠은 용암동굴이다. 용암동굴은 제주도의 화산 지형 중 하나이며, 대표적인 용암동굴로는 만장굴, 김녕굴, 용천동굴 등이 있다.

서술형 문제

07 **[예시 답안]** 땅속 깊은 곳에서 마그마가 화강암으로 굳어진 뒤 땅 위에 드러나면서 형성되었다.

[평가 기준]

상	땅속, 땅 위, 마그마, 화강암 중 네 가지를 활용하여 지형의 형성 과정을 정확히 서술한 경우
중	땅속, 땅 위, 마그마, 화강암 중 세 가지를 활용하여 지형의 형성 과정을 정확히 서술한 경우
하	땅속, 땅 위, 마그마, 화강암 중 두 가지를 활용하여 지형의 형성 과정을 정확히 서술한 경우

08 ㉠은 석회암, ㉡은 석회동굴이다.

[예시 답안] 석회동굴은 석회암이 오랜 시간 동안 지하수에 녹아서 만들어진 지형이다. 동굴 내부에서는 종유석, 석순, 석주 등 신비로운 풍경을 경험할 수 있다.

[평가 기준]

상	석회동굴의 형성 과정과 특징을 정확히 서술한 경우
중	석회동굴의 형성 과정과 특징 중 한 가지만 정확히 서술한 경우
하	석회동굴의 형성 과정과 특징 중 단어만 서술한 경우

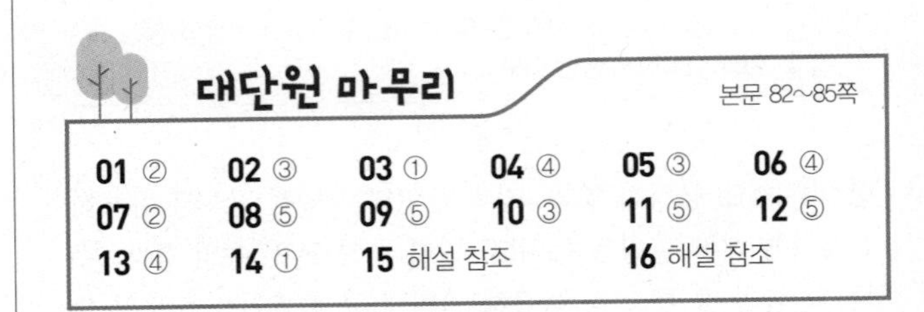

대단원 마무리

본문 82~85쪽

01 ② **02** ③ **03** ① **04** ④ **05** ③ **06** ④
07 ② **08** ⑤ **09** ⑤ **10** ③ **11** ⑤ **12** ⑤
13 ④ **14** ① **15** 해설 참조 **16** 해설 참조

01 자료의 글은 네팔에 관한 설명이다. 네팔은 히말라야산맥에 위치한 국가이다. A는 알프스산맥, B는 히말라야산맥, C는 그레이트디바이딩산맥, D는 로키산맥, E는 안데스산맥이다.

02 알프스 산지의 일부 지역에서는 여름 동안 소를 방목하고 치즈를 생산하며, 소몰이 축제가 열리기도 한다.

03 (가)는 애팔래치아산맥, (나)는 우랄산맥으로 고기 습곡 산지이며 오랜 시간 동안 풍화와 침식을 받아 비교적 고도가 낮고 경사가 완만하다.

오답 피하기

ㄷ. 하와이 제도나 산토리니섬이 해당한다.

ㄹ. 형성 시기가 오래되지 않아 높고 험준하다.는 신기 습곡 산지에 관한 설명이다.

04 그림은 화산 활동으로 형성된 산지를 나타낸 자료이다. 대표적인 화산 활동 산지로는 코토팍시산, 킬리만자로산이 있다.

오답 피하기

몽블랑산은 알프스산맥, 에베레스트산은 히말라야산맥에 위치하며 둘 다 신기 습곡 산지에 해당한다.

05 자료는 에콰도르에 관한 설명이다.

오답 피하기

멕시코, 콜롬비아, 볼리비아는 에스파냐어를 사용하며, 브라질은 포르투갈어를 사용한다.

06 안데스 산지에서는 해발 고도가 높아질수록 기온이 낮아지기 때문에 열대 기후가 나타나는 저지대에서부터 해발 고도가 높아짐에 따라 서로 다른 작물을 재배한다.

07 모래사장(사빈)에 관한 글이다. 파랑의 퇴적 작용이 활발하게 일어나는 만에서 주로 형성된다.

오답 피하기

A는 해안 절벽(해식애), C는 해식 동굴, D는 돌기둥(시 스택), E는 석호이다.

08 (가)는 곶이다. 곶에서는 파랑의 침식 작용이 활발하게 일어나며, 해안 절벽, 돌기둥, 동굴 등이 주로 형성된다.

오답 피하기

갯벌, 모래사장은 파랑의 퇴적 작용이 활발하게 일어나는 만에서 주로 형성된다.

09 사진은 송네 피오르이다. 피오르는 빙하의 침식으로 생긴 골짜기에 바닷물이 들어오면서 형성된 만으로 송네 피오르의 수심이 깊은 곳은 약 1,300m에 이른다.

오답 피하기

ㄱ은 그레이트배리어리프, ㄴ은 12사도 바위에 관한 설명이다.

10 관광 산업이 해안 지역에 미친 부정적 영향으로는 교통량 증가에 따른 교통 체증, 주차 문제, 인공 구조물 조성에 따른 생태계 파괴 등이 있다.

오답 피하기

ㄱ, ㄹ은 긍정적 영향에 대한 설명이다.

11 자료에 대한 옳은 설명은 1, 4번이다. 2, 3번은 틀린 설명이다. 따라서 학생의 답은 모두 정답이므로 4점에 해당한다.

12 해안 사구는 모래사장의 모래가 바람에 날려 언덕 모양으로 쌓인 지형이다. 우리나라에서는 충청남도 태안군의 해안 사구가 대표적이다.

13 (가)는 제주도 방언으로 오름이라고 불리며, 지형학적 용어로 기생 화산이라고 한다.

14 제주도의 한라산은 남한에서 가장 높은 산이며, 현무암으로 이루어져 있다.

서술형 문제

15 **[예시 답안]** 만장굴은 용암동굴로써 용암이 지표면을 덮고 흐를 때 표면이 먼저 굳고 안쪽으로 용암이 흘러내려 형성된 동굴이다. 고수동굴은 석회동굴로써 석회암이 지하수에 녹아 만들어진 동굴이다. 석회동굴 내부에는 종유석, 석순, 석주 등이 형성된다.

[평가 기준]

상	용암동굴과 석회동굴의 형성 과정을 비교하여 정확히 서술한 경우
중	용암동굴과 석회동굴의 형성 과정 중 한 가지만 정확히 서술한 경우
하	용암동굴과 석회동굴의 형성 과정 중 한 가지를 단어로만 서술한 경우

16 **[예시 답안]** 우리나라의 서해안은 해안선의 드나듦이 복잡하고 조차가 커서 갯벌이 넓게 발달하였다. 반면에 동해안은 해안선이 단조로운 편이다. 또한 조차가 작고 파랑의 작용이 활발하여 해안 침식 지형 및 해안 퇴적 지형이 분포한다.

[평가 기준]

상	서해안과 동해안의 특징을 조차, 갯벌, 해안선, 파랑 중 네 가지를 활용하여 정확히 서술한 경우
중	서해안과 동해안의 특징을 조차, 갯벌, 해안선, 파랑 중 세 가지를 활용하여 정확히 서술한 경우
하	서해안과 동해안의 특징을 조차, 갯벌, 해안선, 파랑 중 두 가지를 활용하여 정확히 서술한 경우

Ⅳ. 다양한 세계, 다양한 문화

01 세계의 다양한 문화 지역

기본 문제

본문 90~91쪽

간단 체크

1 (1) ○ (2) ○ (3) × (4) ○ (5) ×　**2** (1) ㉡ (2) ㉠ (3) ㉢ (4) ㉣
3 (1) 문화 접촉 (2) 열대 기후 (3) 크리스트교

기본 문제

01 ⑤　**02** ⑤　**03** ④　**04** ④　**05** ②　**06** ③
07 ④

01 인간이 자연환경을 극복하고 자연과 상호 작용하는 과정에서 만들어 낸 사고방식이나 생활 양식을 문화라고 한다.

오답 피하기
정치란 국가의 권력을 획득하고 유지하며 행사하는 활동으로, 국민들이 인간다운 삶을 영위하게 하고 상호 간의 이해를 조정하며, 사회 질서를 바로잡는 따위의 역할을 한다.

02 벼농사, 한자, 유교, 불교, 젓가락 문화는 동아시아 문화 지역의 공통적인 특징이다.

03 문화 지역이란 비슷한 문화 경관이 나타나는 지역이다. 문화 지역은 언어, 종교, 음식 등으로 구분할 수 있다.

오답 피하기
ㄱ. 문화 지역은 고정된 것이 아니라 그 기준에 따라 달라질 수 있다.
ㄷ. 문화 지역을 구분하는 기준에 따라 두 지역이 하나의 문화 지역으로 묶이기도 하고, 서로 다른 문화 지역으로 나뉘기도 한다.

04 이스라엘의 종교 성지인 예루살렘에는 유대교, 크리스트교, 이슬람교와 관련된 종교 경관이 곳곳에 나타난다.

오답 피하기
불교의 종교 경관은 동아시아, 동남아시아에서, 힌두교의 종교 경관은 인도에서 주로 나타난다.

05 문화는 종교 경관, 언어 경관, 건축 경관 등 눈으로 볼 수 있는 형태로 나타나기도 하는데, 이를 문화 경관이라고 한다. 비슷한 문화가 나타나는 지역을 하나의 문화권으로 묶을 수 있는데, 이를 문화 지역이라고 한다.

06 (가)는 크리스트교, (나)는 이슬람교이다. ㄴ. 크리스트교 문화 지역에서는 십자가를 세운 성당이나 교회가 대표적 경관이다. ㄷ. 이슬람교 문화 지역에서는 둥근 지붕과 뾰족한 탑으로 이루어진 모스크가 나타난다.

오답 피하기
ㄱ. (가)는 유럽과 아메리카 문화 지역에서 주로 나타난다.
ㄹ. 힌두교에서는 소를 숭배하여 소고기를 먹지 않는다.

07 둥근 지붕과 뾰족한 탑의 모스크, 돼지고기 금기, 건조한 서남아시아 지역과 관련 있는 종교는 이슬람교이다.

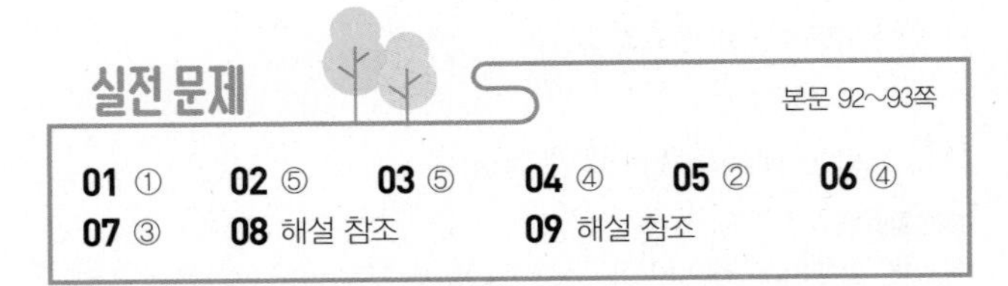

실전 문제

본문 92~93쪽

01 ①　**02** ⑤　**03** ⑤　**04** ④　**05** ②　**06** ④
07 ③　**08** 해설 참조　**09** 해설 참조

01 문화 지역은 고정된 것이 아니라 그 기준에 따라 달라질 수 있다.

02 특정 지역의 특정 민족이 믿는 민족 종교 중 가장 많은 인구가 믿는 종교는 힌두교이며, 세계 전 지역으로 전파된 보편 종교에는 크리스트교, 이슬람교, 불교가 있다.

03 한자 문화, 젓가락 문화, 유교 문화 지역과 관련된 국가는 한국, 중국, 일본에 해당한다.

오답 피하기
인도는 힌두교, 터키는 이슬람교, 러시아는 크리스트교(러시아 정교) 문화 지역이다.

04 **오답 피하기**
① 불교와 힌두교의 발상지는 인도 문화 지역과 관계가 있다.
② 애버리지니, 유럽 문화 전파와 관련 있는 지역은 오스트레일리아 문화 지역이다.
③ 영어, 개신교, 다양한 인종과 문화와 관련된 지역은 앵글로아메리카 문화 지역이다.
⑤ 에스파냐어 · 포르투갈어, 가톨릭교와 관련 있는 지역은 라틴 아메리카 문화 지역이다.

05 (가)는 동아시아 문화 지역으로 벼농사 지역, 한자 문화 지역에 해당한다.

오답 피하기
ㄴ. 이슬람교 지역은 아랍 문화 지역, ㄹ. 고상 가옥은 동남아시아 문화 지역에 해당한다.

06 (가)는 영어, (나)는 에스파냐어, (다)는 포르투갈어이다.

07 사진은 열대 기후 지역의 가옥, 의복 문화와 관련된 사진이다. 사진과 관련된 특징으로는 ㄴ. 카사바, 얌 등으로 음식을 만들어 먹는다. ㄷ. 무더위를 피하려고 통풍이 잘되는 간편한 옷을 입는다.에 해당한다.

오답 피하기
밀과 대추야자 등을 주로 먹고, 햇볕과 모래바람을 차단할 수 있도록 온몸을 감싸는 옷을 입는 것은 건조 기후 지역의 문화 특징에 해당한다.

서술형 문제

08 [예시 답안] 한대 기후 지역에서는 추위를 피하기 위해 보온이 잘되는 가죽옷이나 털옷을 입고, 난방 열기에 의해 영구 동토층이 녹아 가옥이 붕괴하는 것을 막기 위해 바닥을 지면에서 띄운 고상 가옥을 짓는다.

[평가 기준]

상	한대 기후, 보온, 영구 동토층, 붕괴 등 제시어 4개를 모두 활용하여 한대 기후 지역의 의복과 주거 문화가 나타나는 이유를 정확히 서술한 경우
중	한대 기후, 보온, 영구 동토층, 붕괴 중 제시어 3개를 활용하여 한대 기후 지역의 의복과 주거 문화가 나타나는 이유를 서술한 경우
하	한대 기후, 보온, 영구 동토층, 붕괴 중 제시어 2개를 활용하여 한대 기후 지역의 의복과 주거 문화가 나타나는 이유를 서술한 경우

09 [예시 답안] (가)는 힌두교이다. 힌두교도는 소를 신성시하여 소고기를 먹지 않고, 여성들은 사리를 입는다. (나)는 이슬람교이다. 이슬람교를 믿는 사람들은 돼지고기나 술을 먹지 않고 할랄 식품만 먹으며, 여성들은 부르카나 히잡 등을 입는다.

[평가 기준]

상	돼지고기, 술, 부르카, 소, 사리 등 제시어 5개를 모두 활용하여 힌두교와 이슬람교의 종교적 특징을 정확히 서술한 경우
중	돼지고기, 술, 부르카, 소, 사리 중 제시어 4개를 활용하여 힌두교와 이슬람교의 종교적 특징을 서술한 경우
하	돼지고기, 술, 부르카, 소, 사리 중 제시어 3개를 활용하여 힌두교와 이슬람교의 종교적 특징을 서술한 경우

02 세계화에 따른 문화 변화

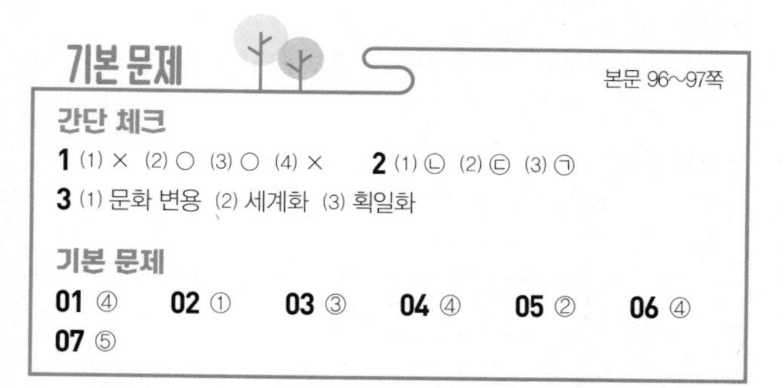
기본 문제 본문 96~97쪽

간단 체크

1 (1) × (2) ○ (3) ○ (4) × 2 (1) ㉡ (2) ㉢ (3) ㉠

3 (1) 문화 변용 (2) 세계화 (3) 획일화

기본 문제

01 ④ 02 ① 03 ③ 04 ④ 05 ② 06 ④ 07 ⑤

01 문화 접촉이란 서로 다른 문화적 배경을 지닌 개인이나 집단이 문화적인 면에서 지속적으로 접촉하는 것으로 오늘날 문화 변화의 커다란 요인으로 작용한다.

오답 피하기

① 문화 전파는 문화 접촉이 반복적으로 이루어지고 시간이 흐르면 한 사회의 문화 요소가 다른 사회로 전해져 정착하게 되는 것이다.

02 ㄱ. 세계인들이 청바지를 입게 된 것은 지역 간 문화 전파의 사례에 해당한다. ㄴ. 서로 다른 문화적 배경을 지닌 개인이나 집단이 만나는 것을 문화 접촉이라고 한다.는 옳은 설명이다.

오답 피하기

ㄷ. 문화 접촉이 반복적으로 이루어지고 시간이 흐르면 한 사회의 문화 요소가 다른 사회로 전해져 정착하게 되는 것을 문화 전파라고 한다.

ㄹ. 과학 기술의 발달로 교통과 통신이 편리해지면서 지역 간 교류가 확대되었으며, 그로 인해 접촉과 전파에 따른 문화 변화가 증가하였다.

03 글의 내용은 영국에서 시작된 축구가 전 세계로 전파되어 세계인의 스포츠가 된 문화 전파에 대한 글이다.

04 문화는 문화 접촉 이외에 발견과 발명에 의해서도 바뀔 수 있다.는 옳은 설명이다.

05 ㄱ. 크리켓보다 축구를 즐기는 국가가 더 많다. ㄷ. 축구는 크리켓보다 더 넓은 지역에 전파되었다.는 옳은 설명이다.

오답 피하기

ㄴ. 문화의 전파 범위는 문화별로 동일하게 나타난다.는 오답이다. 축구와 크리켓을 비교해보면 문화 전파 범위가 확연히 다르다는 것을 파악할 수 있다.

ㄹ. 축구를 즐기는 국가에서는 크리켓을 하지 않는다.는 오답이다. 지도에 나타나듯이 영국, 인도, 오스트레일리아는 축구를 즐기는 국가이면서 크리켓도 즐긴다.

06 (가)는 서로 다른 문화가 함께 존재하므로 문화 공존, (나)는 하나의 문화는 남고 다른 문화는 사라지므로 문화 동화, (다)는 두 문화가 만나 새로운 문화가 만들어진 것으로 문화 융합이다.

07 우리나라의 온돌이 서양에서 들어온 침대와 결합하여 만들어진 돌침대는 두 문화가 만나 새로운 문화가 형성된 것으로 문화 융합의 사례에 해당한다.

오답 피하기

① 필리핀은 에스파냐와 미국의 영향으로 크리스트교를 믿는다. ② 우리나라는 과거 세로쓰기를 하였으나, 가로쓰기 방식이 들어오면서 점차 사라졌다.는 문화 동화의 사례이다.

③ 우리나라의 떡볶이와 유럽의 치즈가 만나 치즈떡볶이가 만들어졌다.는 문화 융합의 사례이다.

④ 불교, 유교, 크리스트교는 서로 다른 시기에 우리나라로 들어왔지만 모두 우리 문화의 일부다.는 문화 공존의 사례이다.

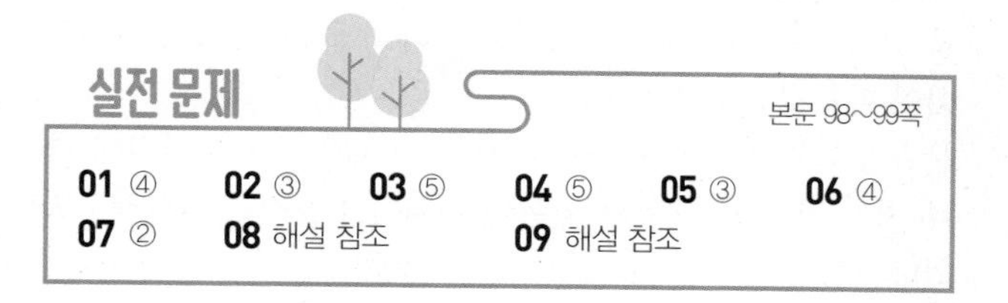
실전 문제 본문 98~99쪽

01 ④ 02 ③ 03 ⑤ 04 ⑤ 05 ③ 06 ④

07 ② 08 해설 참조 09 해설 참조

01 라틴 아메리카 문화 지역의 특징은 에스파냐어 · 포르투갈어 사용, 가톨릭교, 혼혈족 등이다.

02 사진의 지프니 자동차는 "서양에서 들어온 자동차에 독특한 색과 문양으로 장식한 것이 특징이야."로 보아, 문화 융합에 해당한다.

03 교통과 통신의 발달로 국가 간 상호 의존성이 증가하면서 세계화에 따른 문화 변화가 이뤄지고 있다.

04 청바지와 티셔츠, 양복 차림이 보편화되면서 전통 복장인 한복은 명절이나 특별한 행사 때에만 입는 옷으로 바뀌고 있다. 세계화에 따라 강력한 영향력을 가진 외래문화가 유입되면 전통문화가 사라지면서 문화가 획일화된다.

05 커피는 카페인을 함유하고 있으며, 독특한 향기가 있어 차의 원료로 널리 애용되고, 과자나 음료수의 복합 원료로도 많이 쓴다. 원산지 에티오피아에서는 농부들이 자생하는 커피 열매를 끓여서 죽이나 약으로 먹기도 했다.

오답 피하기
② 콜라는 콜라나무의 종자와 코카의 잎을 주원료로 사용하여 만드는 청량음료. 카페인 성분을 많이 지니고 있으며 독특한 맛을 낸다.
④ 카카오는 카카오나무의 열매로, 오이 모양이고 두꺼운 껍질 속에 많은 씨가 들어 있다. 씨를 말려 가루로 만든 것이 코코아이며, 초콜릿의 원료나 약재로 쓴다. 원산지는 아메리카 열대 지방이다.

06 교통과 통신이 발달하면서 국경을 초월하여 지역 간 상호작용이 활발해지고 있다.(○) 전 세계의 상호 의존성이 작아지면서 세계가 하나의 체계로 통합되는 현상이 세계화이다.(×) – 전 세계의 상호 의존성은 더욱 커지고 있다. 세계화에 따라 각 지역의 문화가 점차 유사해지는 현상인 문화의 세계화가 나타나고 있다.(○) 문화의 세계화란 국제 사회가 국경을 초월하여 하나의 지구촌으로 통합되어 가는 현상을 의미한다.(○)

07 ㄱ. 세계 각국에서 들어온 다양한 음식을 맛볼 수 있다. ㄷ. 문화의 다양화에 따라 우리의 삶도 풍요로워지고 있다.는 옳은 설명이다.

오답 피하기
ㄴ. 세계화에 따라 지역 간 문화 교류가 늘어나고 있다.
ㄹ. 강력한 영향력을 가진 외래문화가 유입되면 전통문화가 사라지는 것은 문화의 획일화에 대한 설명이다.

서술형 문제

08 [예시 답안] 긍정적 영향: 세계 각국에서 들어온 다양한 음식을 맛볼 수 있고, 더불어 다양한 문화를 즐길 수 있어 우리의 삶이 더욱 풍요로워진다.
문화의 다양화가 나타나게 된 배경: 교통과 통신의 발달에 따라 지역 간 문화 교류가 늘어나게 되면서 문화가 다양해지고 있다.

[평가 기준]

상	세계화가 문화 변용에 끼친 긍정적 영향과 문화의 다양화가 나타나게 된 배경을 핵심어를 포함하여 각각 정확하게 서술한 경우
중	세계화가 문화 변용에 끼친 긍정적 영향과 문화의 다양화가 나타나게 된 배경을 각각 정확하게 서술한 경우
하	세계화가 문화 변용에 끼친 긍정적 영향과 문화의 다양화가 나타나게 된 배경을 단어로만 서술한 경우

09 [예시 답안] 교통과 통신의 발달로 문화 교류가 증가하고 있으며, 국경을 초월한 지역 간 상호 작용이 활발해지는 가운데 국제적으로 통용되는 영어 사용의 증가와 함께 세계화에 따른 강력한 외래문화의 영향력으로 인해 소수 민족 구성원의 언어가 사라지기도 한다.

[평가 기준]

상	언어가 사라지는 현상을 교통, 통신의 발달 및 국가 간 상호 작용 활발, 강력한 외래문화의 유입 등의 원인을 예로 들어 정확히 서술한 경우
중	언어가 사라지는 현상을 교통, 통신의 발달 및 국가 간 상호 작용 활발 등의 원인을 예로 들어 서술한 경우
하	언어가 사라지는 현상을 교통, 통신의 발달 및 국가 간 상호 작용 활발 등의 원인을 단어로만 작성한 경우

03 문화의 공존과 갈등

기본 문제

본문 102~103쪽

간단 체크
1 (1) × (2) × (3) ○ (4) ○ (5) × **2** (1) ㉡, ㉣, ㉤ (2) ㉠, ㉢
3 (1) 삼보 (2) 물라토 (3) 문화 상대주의

기본 문제
01 ③ **02** ③ **03** ⑤ **04** ① **05** ② **06** ②
07 ③

01 싱가포르는 원래 말레이인이 살던 곳이었으나, 영국의 식민 지배 과정에서 영국인과 인도인, 중국인 등이 유입되었다. 이에 따라 영어, 말레이어, 타밀어, 중국어가 싱가포르의 공용어로 사용되고 있다.

02 ㄱ. (가)는 가장 많은 사용 비중을 차지하는 독일어이다. ㄹ. 스위스는 사방이 다른 나라로 둘러싸여서 바다와 접하지 않은 국가이다.는 옳은 설명이다.

오답 피하기

ㄴ. (나)는 이탈리아어, (다)는 프랑스어이다.

ㄷ. 스위스는 다언어 국가이지만, 이로 인한 갈등이 적은 편이다.

03 메스티소는 아메리카 원주민과 유럽계 백인 간의 혼혈 인종을 말한다. 물라토는 유럽계 백인과 아프리카계 흑인 간의 혼혈 인종을 삼보는 아메리카 원주민과 아프리카계 흑인 간의 혼혈 인종을 말한다.

04 불아사는 불교 사원, 모스크는 이슬람교 사원이다. 지도를 통해 싱가포르에 다양한 종교가 전파되어 공존하고 있음을 알 수 있다.

오답 피하기

ㄷ. 싱가포르에는 크리스트교가 전파되었다. 현재 싱가포르 전체 인구 중에 약 18%의 크리스트교인이 분포한다.

ㄹ. 싱가포르는 서로 다른 민족, 언어 종교가 공존하는 대표적인 국가로 꼽히고 있다. 싱가포르는 실력주의와 실용주의를 바탕으로 여러 민족과 문화가 서로 어우러져 살아간다.

05 영국 북아일랜드의 가톨릭과 개신교 간의 갈등, 이스라엘(유대교)과 팔레스타인(이슬람교) 분쟁, 인도 북서부의 카슈미르 지역의 인도(힌두교)와 파키스탄(이슬람교) 분쟁, 스리랑카의 싱할라족(불교)과 타밀족(힌두교) 간의 분쟁 등 종교 갈등의 공통점이 있다.

06 플랑드르 지역과 왈롱 지역 간의 경제적 격차 문제 발생, 프랑스어권과 네덜란드어권 간의 갈등, 일부 지역은 독일어 사용과 관련된 국가는 벨기에이다.

오답 피하기

① 스위스는 독일어, 프랑스어, 이탈리아어, 레토로망스어를 공용어로 사용하는 다언어 국가이지만, 이로 인한 갈등이 적은 편이다.

07 문화 상대주의란 다른 문화의 고유한 가치를 내 입장이 아닌 상대의 처지에서 이해하고 존중하는 태도이다.

오답 피하기

② 문화 사대주의는 다른 사회의 문화를 우수한 것으로 여겨 더 좋은 것으로 생각하고 자신이 속한 문화를 열등하게 생각하는 문화 이해 태도이다.

④ 문화 제국주의는 다른 문화에 자신의 문화를 강요하는 문화 이해 태도이다.

⑤ 자문화 중심주의는 자신이 속한 사회의 문화가 우수하다고 보고 다른 사회의 문화가 열등하다고 여기는 문화 이해 태도이다.

실전 문제

본문 104~105쪽

01 ② **02** ① **03** ② **04** ④ **05** ④ **06** ④
07 해설 참조 **08** 해설 참조

01 스위스는 독일어, 프랑스어, 이탈리아어, 레토로망스어를 공용어로 사용하는 다언어 국가이지만, 이로 인한 갈등이 적은 편입니다. 싱가포르와 말레이시아도 서로 다른 민족, 언어, 종교가 공존하는 대표적인 국가로 꼽히고 있습니다.는 옳은 설명이다.

오답 피하기

스위스는 정부가 균형적이고 다양한 언어 정책을 펼치며 서로 다른 문화가 공존할 수 있도록 하였다. 예를 들어 정부의 공식 문서를 4개 언어로 작성하고 있으며, 학교에서는 주로 사용하는 언어 이외에 다른 언어를 하나 이상 의무적으로 배우도록 하고 있다.

02 넬슨 만델라는 남아프리카 공화국의 흑인 인권 운동가이다. 그는 남아프리카 공화국의 백인 정부에 대항하다가 종신형을 선고받고 27년여 동안을 감옥에서 지냈다. 넬슨 만델라는 흑인들의 지속적인 저항 운동 덕분에 석방되었으며, 그 이후 대화와 타협을 통해 남아프리카 공화국에 새로운 정권을 만들어 냈다. 그는 대통령이 된 후 자신의 조국을 흑인, 백인, 아시아계 등이 무지개처럼 공존하는 나라로 만들기 위해 최선을 다하였다.

03 ㄱ. 인도 북서부의 카슈미르 지역은 과거 영국의 지배를 받았다. ㄷ. 국제 연합의 중재로 전쟁이 중단되고 카슈미르 지역이 분할되었으나, 두 진영 간의 갈등은 지속되고 있다.는 옳은 설명이다.

오답 피하기

ㄴ. 싱할라족과 타밀족 간의 종교 갈등이 발생하여 전쟁이 발생하였다.는 스리랑카 종교 갈등에 대한 설명이다.

ㄹ. 영국으로부터 독립할 때 파키스탄의 땅이 될 예정이었으나, 카슈미르의 지배층이 인도에 통치권을 넘기면서 이 지역을 놓고 갈등이 시작되었다.

04 인도 북서부의 카슈미르 지역은 이슬람교도와 힌두교도 간의 종교 문제로 인한 갈등이 지속되고 있다.

05 (가)는 네덜란드어, (나)는 프랑스어, (다)는 독일어이다.

오답 피하기

룩셈부르크어는 룩셈부르크의 공용어이다. 문자는 라틴 문자를 쓴다. 룩셈부르크의 공용어가 된 것은 1984년부터이다. 서중부 독일어가 변형된 모젤 프랭키쉬 방언에 속한다. 룩셈부르크어는 지리적으로는 서게르만어의 방언 변형이며, 언어학적으로는 고지 게르만어에서 파생되어 나온 방언이다. 유럽 연합에서 룩셈부르크어는 소수 언어에 속하지만, 유럽 연합의 공용어로는 지정되지 않았다.

06 **오답 피하기**

ㄱ. 나이지리아는 북부의 이슬람교와 남부의 크리스트교 사이의 갈등이 발생하였다.

ㄷ. 수단은 북부의 아랍계 이슬람교도와 남부의 크리스트교도 간의 갈등이 발생하여, 2011년에 남수단이 독립하였다.

서술형 문제

07 [예시 답안] 유대교를 믿는 유대인들이 이스라엘을 세운 뒤 땅을 점차 넓혀 가자, 이슬람교를 믿는 팔레스타인 사람들은

자신이 살던 땅을 빼앗겼다.

[평가 기준]

상	유대교, 이슬람교, 이스라엘, 팔레스타인 중 네 가지를 활용하여 이스라엘-팔레스타인의 갈등 원인을 정확히 서술한 경우
중	유대교, 이슬람교, 이스라엘, 팔레스타인 중 세 가지를 활용하여 이스라엘-팔레스타인의 갈등 원인을 서술한 경우
하	유대교, 이슬람교, 이스라엘, 팔레스타인 중 두 가지를 활용하여 이스라엘-팔레스타인의 갈등 원인을 단어로만 작성한 경우

08 [예시 답안] 문화 상대주의 관점에서 상대방 문화를 이해하고 존중하는 자세를 갖는다.

[평가 기준]

상	문화 상대주의 관점에서 상대방 문화를 이해하고 존중하는 자세를 갖는다.와 같이 핵심어(문화 상대주의, 이해, 존중 등)를 포함하여 정확히 서술한 경우
중	상대방 문화를 이해하는 자세를 갖는다.와 같이 핵심어를 포함하지 않고 서술한 경우
하	문화가 공존하기 위한 태도를 단어로만 작성한 경우

대단원 마무리

본문 108~111쪽

01 ④	02 ①	03 ⑤	04 ⑤	05 ⑤	06 ①
07 ③	08 ②	09 ⑤	10 ①	11 ③	12 ②
13 ⑤	14 ③	15 ④	16 해설 참조		
17 해설 참조					

01 동아시아 문화 지역에서는 벼농사, 한자, 유교, 불교 문화가 나타난다.

02 ㄱ. 문화 지역은 고정된 것이 아니라 그 기준에 따라 달라질 수 있다.

03 인간이 자연환경을 극복하고 자연과 상호 작용하는 과정에서 만들어 낸 사고방식이나 생활 양식을 문화라고 한다.

오답 피하기

① 정치는 나라를 다스리는 일. 국가의 권력을 획득하고 유지하며 행사하는 활동으로, 국민들이 인간다운 삶을 영위하게 하고 상호 간의 이해를 조정하며, 사회 질서를 바로잡는 따위의 역할을 한다.
② 경제란 인간의 생활에 필요한 재화나 서비스를 만들고, 나누고, 쓰는 모든 활동과 그 활동을 둘러싼 질서나 제도를 말한다.
③ 사회는 일정한 경계가 설정된 영토에서 종교·가치관·규범·언어·문화 등을 상호 공유하고 특정한 제도와 조직을 형성하여 질서를 유지하고 성원을 재생산하면서 존속하는 인간 집단을 의미한다.
④ 자원이란 인간에게 유용하게 쓰이는 각종 재화와 용역을 가리키는 경제 용어를 말한다.

04 크리스트교는 유럽과 아메리카 문화 지역, 이슬람교는 건조 문화 지역, 불교는 동아시아 문화 지역, 힌두교는 인도 문화 지역에 주로 분포하는 종교이다.

05 크리스트교는 예수 그리스도의 인격과 교훈을 중심으로 하는 종교로, 예수 그리스도를 구세주로 믿는다. 높고 뾰족한 십자가를 세운 성당이나 교회가 나타난다.

06 (가)는 영어, (나)는 에스파냐어, (다)는 포르투갈어이다. ㄱ. (가)는 신대륙의 이주를 통해 사용자 수가 획기적으로 증가하였다. ㄴ. (가)의 사용 국가에는 미국, 캐나다, 오스트레일리아, 뉴질랜드 등이 있다.는 옳은 설명이다.

오답 피하기

ㄷ. (나)는 에스파냐어로서 주로 라틴 아메리카의 대부분 지역에서 사용되고 있다.
ㄹ. (다)는 포르투갈어로서 브라질에서 사용되고 있다.

07 에스파냐어 사용, 크리스트교 문화, 인구 1억 명 이상, 북반구에 위치하는 국가는 멕시코이다.

오답 피하기

④ 브라질은 포르투갈어를 사용한다.

08 (가)는 오세아니아 문화 지역이다. 이 지역은 유럽인이 개척하여 영어, 유럽 문화가 나타나며, 애버리지니, 마오리족 등과 같은 원주민의 문화가 남아 있다.

오답 피하기

ㄷ. 이슬람교는 건조 문화 지역, ㄴ. 벼농사와 ㅁ. 고상 가옥은 동남아시아 문화 지역의 특징에 해당한다.

09 사진은 한대 기후 지역의 의복과 주거 문화를 나타낸다. ㄷ. 보온이 잘되는 가죽옷이나 털옷을 입는다. ㄹ. 비타민을 섭취하기 위해 생선과 날고기 등을 먹는다.가 옳은 설명에 해당한다.

오답 피하기

ㄱ. 고상 가옥이나 수상 가옥은 열대 기후 지역의 가옥이다.
ㄴ. 카사바, 얌은 열대 기후 지역의 주요 식재료이다.

10 서로 다른 문화적 배경을 지닌 개인이나 집단이 만나는 것을 문화 접촉이라고 하는데, 지역 간 문화 접촉은 오늘날 문화 변화의 커다란 요인으로 작용하고 있다. 문화 접촉이 반복적으로 이루어지고 시간이 흐르면 한 사회의 문화 요소가 다른 사회로 전해져 정착하게 되는데, 이를 문화 전파라고 한다. 세계인들이 청바지를 입게 된 것은 지역 간 문화 전파의 사례에 해당한다.

11 축구와 크리켓은 영국에서 시작된 스포츠이다. 오늘날 세계에서 축구를 즐기지 않는 나라는 거의 없으며, 지구촌 인구의 절반은 월드컵 경기를 관람한다. 반면에 크리켓을 즐기는 나라는 많지 않다. 영국의 영향을 받은 인도, 오스트레일리아, 뉴질랜드 등에서만 크리켓을 즐길 뿐이다.

12 ㄱ. 전통문화가 사라지면서 문화가 획일화된다. ㄹ. 세계화로 영향력이 큰 외래문화의 유입으로 인해 발생한다.가 세계화에 따른 문화의 획일화에 대한 설명이다.

오답 피하기

ㄴ. 각 지역의 문화가 점차 유사해지는 현상을 말한다.는 문화의 세계화, ㄷ. 문화가 다양해지면서 우리의 삶도 풍요로워지고 있다.는 문화의 다양화에 대한 설명이다.

13 (가)는 독일어, (나)는 이탈리아어, (다)는 프랑스어에 해당한다.

14 갑: 브라질은 아메리카 원주민, 유럽계 백인, 아프리카계 흑인이 함께 문화를 가꾸어 온 나라이다. 을: 전체 인구에서 메스티소, 삼보, 물라토 등의 혼혈 인종이 차지하는 비중도 매우 높다. 병: 메스티소란 아메리카 원주민과 유럽계 백인 간의 혼혈 인종을 말한다.

오답 피하기

정: 물라토란 유럽계 백인과 아프리카계 흑인 간의 혼혈 인종을 말한다.

15 ㉠ 인도, ㉡ 영국, ㉢ 파키스탄이다.

서술형 문제

16 **[예시 답안]** (가)는 크리스트교이다. 크리스트교도는 예수 그리스도의 인격과 교훈을 중심으로 하는 종교이며, 뾰족한 십자가를 세운 성당이나 교회를 볼 수 있다.
(나)는 이슬람교이다. 이슬람교를 믿는 사람들은 돼지고기나 술을 먹지 않고 할랄 식품만 먹으며, 여성들은 부르카나 히잡 등을 입는다.

[평가 기준]

상	돼지고기, 술, 부르카, 예수, 교회 등 제시어를 모두 활용하여 (가), (나)의 종교적 특징을 비교하여 정확히 서술한 경우
중	돼지고기, 술, 부르카, 예수, 교회 중 제시어 4개를 활용하여 (가), (나)의 종교적 특징을 비교하여 서술한 경우
하	돼지고기, 술, 부르카, 예수, 교회 중 제시어 3개를 활용하여 (가), (나)의 종교적 특징을 비교하여 단어로만 작성한 경우

17 **[예시 답안]** (가)는 문화 공존이다. 불교, 유교, 크리스트교는 서로 다른 시기에 우리나라로 들어왔지만 모두 우리 문화의 일부를 이루고 있다.
(나)는 문화 동화이다. 우리나라에서는 과거 글을 쓸 때 세로쓰기를 하였으나, 가로쓰기 방식이 들어오고 확산하면서 세로쓰기는 찾아보기 어려워졌다.
(다)는 문화 융합이다. 우리나라의 온돌이 서양에서 들어온 침대와 결합하여 돌침대가 만들어졌다.

[평가 기준]

상	(가), (나), (다)의 용어를 모두 쓰고, 사례를 한 가지씩 정확히 서술한 경우
중	(가), (나), (다) 중 두 가지의 용어를 쓰고, 사례를 정확히 서술한 경우
하	(가), (나), (다) 중 한 가지의 용어를 쓰고, 사례를 정확히 서술한 경우

V. 지구 곳곳에서 일어나는 자연재해

01 자연재해 발생 지역

기본 문제

본문 116~117쪽

간단 체크

1 (1) × (2) × (3) ○ (4) ○ (5) × **2** (1) ㉡, ㉣ (2) ㉠, ㉢, ㉤

3 (1) 지각 (2) 건조 (3) 태풍

기본 문제

01 ⑤ **02** ④ **03** ② **04** ① **05** ③ **06** ③
07 ① **08** ②

01 유럽 남부 – 인도 – 인도네시아로 이어지는 조산대는 알프스·히말라야 조산대이며, 태평양을 둘러싼 형태의 조산대는 환태평양 조산대이다.

02 판과 판이 만나는 조산대에서는 지형과 관련된 자연재해가 주로 발생한다.

03 지진·화산 활동·지진 해일은 지형과 관련된 자연재해, 홍수·가뭄·열대 저기압은 기후와 관련된 자연재해에 해당한다.

오답 피하기

④ 최근 발생하는 지구 온난화 등의 기상 이변에 영향을 받는 자연재해는 홍수·가뭄·열대 저기압 등 기후와 관련된 자연재해이다.

04 가뭄은 강수량이 적은 건조 기후 지역과 그 주변 지역에서 발생하며 물이 부족한 현상을 말한다.

05 지진 해일은 바다 밑에서 일어나는 화산 폭발 및 지진과 같은 충격 때문에 발생한다.

06 홍수는 큰 강의 하류와 저지대, 계절풍과 열대 저기압의 영향을 받는 지역, 봄철 북극해 주변 지역에서 주로 발생한다.

오답 피하기

ㄹ. 홍수는 동남아시아 지역에서 자주 발생하는 자연재해이나 편서풍이 아닌 계절풍의 영향을 받아 발생한다.

07 지도에 표시된 지역은 사하라 사막 이남에 자리한 사헬 지대로 이 지역은 가뭄과 사막화를 심하게 겪는다.

08 지도에 표시된 자연재해는 열대 저기압이다. 열대 저기압은 열기와 수증기를 공급받지 못하면 위력이 급감하기 때문에 장기간에 걸쳐 피해를 주지 못한다. 해당 설명은 가뭄의 특징이다.

실전 문제

본문118~119쪽

01 ④ **02** ② **03** ⑤ **04** ④ **05** ② **06** ⑤
07 해설 참조 **08** 해설 참조

01 지구 온난화는 기후와 관련된 자연재해의 발생 빈도를 증가시킨다.

오답 피하기

⑤ 지구가 더워지면 폭설과 한파 발생이 적을 것으로 생각할 수 있지만 실제로 폭설과 한파의 수도 증가한다.

02 열대 저기압은 영향을 미치는 지역에 따라 다양한 이름으로 불린다. 우리나라, 일본, 필리핀 등에 영향을 미치는 열대 저기압을 태풍이라고 하며 우리나라에는 주로 여름과 초가을(7~9월)에 주로 통과한다.

오답 피하기

사이클론은 인도양 일대에, 허리케인은 북아메리카 일대에 영향을 미치는 열대 저기압이다.

03 북극해 주변 하천 유역에서 발생하는 홍수는 봄철 주로 발생한다. 얼음이 녹아 갑작스럽게 유량이 증가하나 북극과 가까운 하류 지역의 얼음은 여전히 얼어있어 하천의 물이 바다로 빠져나가지 못하고 주변에 넘치게 되며 홍수가 발생한다.

오답 피하기

열대 저기압은 저위도 지역에서 형성되어 중위도 지역에 영향을 미치는 자연재해로 북극해 근처의 고위도 지역에 영향을 미치지 못한다.

04 필리핀의 100페소 지폐에는 마요 화산이 그려져 있다. 필리핀은 환태평양 조산대에 위치하여 화산 활동이 빈번한 국가이다.

05 지도의 A 자연재해는 홍수, B 자연재해는 가뭄이다.

오답 피하기

① 지진, ④ 열대 저기압, ⑤ 화산 활동을 나타낸 사진이다.

06 가뭄은 지구 온난화와 사막화로 인해 최근 발생 지역이 확대되고 있다.

서술형 문제

07 [예시 답안] A는 알프스·히말라야 조산대, B는 환태평양 조산대로 이 지역에서는 주로 지진, 화산 활동, 지진 해일이 발생한다.

[평가 기준]

상	A와 B 조산대의 명칭과 조산대에서 발생하는 자연재해의 종류를 정확히 서술한 경우
중	A와 B 조산대의 명칭 중 한 가지만 서술하거나, 발생하는 자연재해 중 두 가지만 정확히 서술한 경우
하	조산대의 명칭과 발생하는 자연재해를 각각 한 가지만 정확히 서술한 경우

08 [예시 답안] 방글라데시는 열대 저기압(사이클론)의 영향을 받아 강수량이 많으며, 갠지스강·브라마푸트라강 등 큰 강을 끼고 있다. 또한 해발 고도가 낮은 저지대가 있어 물이 범람하기 좋은 조건을 가지고 있다.

[평가 기준]

상	열대 저기압의 영향, 갠지스강·브라마푸트라강 등 큰 강의 존재, 해발 고도가 낮은 저지대라는 내용 중 두 가지를 정확하게 서술한 경우
중	열대 저기압의 영향, 갠지스강·브라마푸트라강 등 큰 강의 존재, 해발 고도가 낮은 저지대라는 내용 중 한 가지를 정확하게 서술한 경우
하	방글라데시에 홍수 피해가 잦은 이유를 명확한 근거를 들어 서술하지 못한 경우

02~03 자연재해와 주민 생활 ~ 자연재해 대응 방안

기본 문제

본문 122~124쪽

간단 체크

1 (1) × (2) × (3) ○ (4) ○ (5) ○ (6) ○ (7) × (8) × (9) ○ (10) ×
2 (1) ㉣ (2) ㉡ (3) ㉢ (4) ㉠
3 (1) 지진 해일 (2) 지열 (3) 가뭄 (4) 포장 (5) 지진 (6) 지역적
4 (1) 구리 (2) 지열 (3) 사헬 (4) 유엔 사막화 방지 협약 (5) 열대 저기압 (6) 아랄해

기본 문제

01 ③ **02** ④ **03** ④ **04** ③ **05** ④ **06** ②
07 ③ **08** ① **09** ① **10** ⑤

01 알프스·히말라야 조산대에 위치하며 2015년 큰 지진으로 인해 피해를 본 국가는 네팔이다. 네팔의 경우 개발 도상국으로 지진에 대한 대비가 부족하여 지진 발생 후 인명, 재산 피해가 컸다.

오답 피하기
A: 아이슬란드, B: 이탈리아, D: 뉴질랜드, E: 칠레로 모두 조산대에 위치하여 화산 활동·지진이 잦은 국가들이다.

02 문제에서 제시된 시설은 인도네시아 자와섬의 므라피 화산에 있는 주민 대피용 벙커이다. 므라피 화산은 활발히 활동하는 활화산으로, 갑작스러운 화산 폭발로 인해 대피를 가지 못한 주민들을 위해 만든 시설이다.

03 알프스·히말라야 조산대에 자리한 국가인 이탈리아의 경우 화산 폭발로 인해 형성된 비옥한 토양에서 포도와 오렌지 등을 재배한다. 또한 이탈리아는 지중해성 기후에 해당하는 대표적인 국가로 포도와 오렌지를 재배하기 알맞은 기후 조건을 가지고 있다.

04 화산 활동이 활발한 아이슬란드의 경우 지열 발전이 발달하였으며, 화산 폭발로 인해 형성된 비옥한 토양에서 벼와 커피를 재배하는 국가는 인도네시아이다.

05 화산 폭발 시 마그마, 화산재 등이 분출되는데 이 중 입자의 크기가 작고 가벼운 화산재는 공중으로 뜨게 된다. 이 화산재에 의해 지구로 들어오는 태양 에너지의 양이 줄어들어 화산 폭발은 지구의 기온을 낮추는 역할을 한다.

오답 피하기
④ 화산 폭발과 사막화 현상은 큰 연관이 없다.

06 베트남의 메콩강 하류 지역은 세계적인 벼농사 지대로 유명하다. 벼농사를 위해서는 비옥한 토양이 필수적인데, 메콩강의 경우 잦은 홍수로 인해 범람하는 흙으로 인해 이런 조건을 만족할 수 있다.

오답 피하기
⑤ 메콩강 하류 지역은 열대 저기압이 자주 통과하는 지역이긴 하나 자료에서 설명하는 농업과의 관련성은 낮다.

07 사진은 수상 가옥이다. 수상 가옥은 홍수 시의 수위에 맞추어 집을 높게 짓는 홍수에 대비하는 대표적인 가옥 형태이다. 홍수는 가뭄을 해소하고 토양에 영양분을 공급하는 이점도 있다.

오답 피하기
①, ②, ⑤는 화산 활동의 이점, ④은 열대 저기압의 이점에 해당한다.

08 도시 지역에서 홍수가 발생하는 이유는 산업화·도시화에 의해 녹지 면적은 감소하고 포장 면적은 증가하여 토양에 흡수되는 빗물의 양이 줄어들기 때문이다.

09 홍수와 열대 저기압 모두 많은 비가 내리기 때문에 가뭄 피해를 겪고 있는 지역에서는 용수를 공급하고 산불의 발생을 억제하는 긍정적인 면도 있다.

10 사막화는 크게 과도한 방목과 농경지 개척으로 인한 삼림·초원의 파괴, 지구 온난화로 인한 가뭄으로 인해 발생한다.

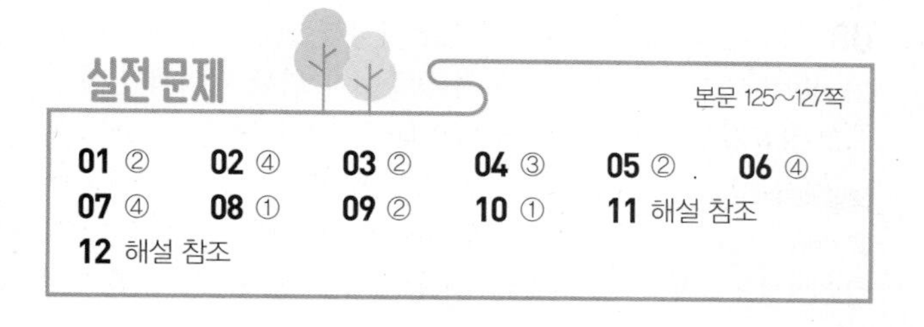

실전 문제

본문 125~127쪽

01 ② **02** ④ **03** ② **04** ③ **05** ② **06** ④
07 ④ **08** ① **09** ② **10** ① **11** 해설 참조
12 해설 참조

01 화산과 산업화·도시화는 관련이 없다. 화산 폭발 문제를 해결하기 위한 국제 협약은 없으며, 건조 기후 지역은 가뭄과 사막화를 심하게 겪는 지역이다.

02 중국 내몽골 지역의 초원 지대는 가뭄과 사막화를 심하게 겪는 지역으로 사막화에 대한 탐구 활동의 대상으로 적절하다.

03 글에서 설명하는 자연재해는 열대 저기압이다. 열대 저기압의 경우 양식업에 큰 피해를 주고 해안 저지대가 침수되며 항만 시설과 선박에 피해를 준다.

04 엽서에 등장하는 아이슬란드는 화산 활동이 빈번한 나라로 전기 생산, 관광 산업, 농업 활동 등 다양한 측면에서 화산을 이용한다. 하지만 2010년과 2014년 있었던 화산 폭발로 인해 화산재가 대거 분출하면서 유럽 전역의 공항이 폐쇄되는 일이 있었다.

05 오키나와는 태평양에 자리한 섬으로 열대 저기압의 이동 경로에 위치하여 매년 큰 피해를 보고 있는 지역이다. 오키나와에서는 예로부터 열대 저기압의 피해를 줄이기 위한 독특한 형태의 가옥이 발달하였다. 열대 저기압은 다양한 피해를 주기도 하지만 적조 현상을 완화하고 무더위를 해소하며 가뭄을 해결하는 이점도 있다.

오답 피하기

ㄴ은 홍수, ㄹ은 화산 활동의 이점에 해당한다.

06 사진은 지진 대비 훈련을 진행하는 학생들의 모습이다. 지진의 피해를 줄이기 위해서는 이 밖에도 건물을 지을 때 내진 설계를 의무화하는 방법이 있다. 또한 해안 지역에서는 지진 해일의 관측과 경보 전파 체계를 구축함으로써 피해를 줄일 수 있다.

오답 피하기

②는 홍수와 가뭄, ③은 열대 저기압, ⑤는 홍수 피해를 줄이는 방법이다.

07 도시화에 따라 지역 내 포장 면적이 증가하면 비가 내렸을 경우 땅으로 스며드는 물의 양이 감소해 홍수 발생 위험이 커진다. 건물 옥상 정원의 경우 이러한 문제의 해결 방안 중 하나이다.

08 사진은 과거 초원 지대였으나 사막화 현상이 진행되고 있는 곳이다. 사막화 현상의 피해를 줄이기 위한 지역적인 노력으로는 무분별한 방목을 금지하고 나무를 심는 활동이 있다.

오답 피하기

②, ④는 지진의 피해를 줄이기 위한 노력이다.
⑤ 사막화를 줄이기 위한 국제 협약 체결은 국제적인 노력에 해당한다.

09 칠레와 아이티의 경우 비슷한 시기에 지진이 발생하였으며, 특히 칠레가 아이티보다 지진의 규모가 컸지만 지진에 대한 대비(내진 설계 의무화, 지진 대비 교육)가 잘 되어있기 때문에 오히려 인명 피해가 적었다.

10 중국 내몽골 지역은 사막화가 심하게 발생하는 지역으로 나무를 심는 봉사 활동의 대상으로 알맞다.

오답 피하기

③은 열대 저기압 또는 홍수, ④는 지진, ⑤는 홍수 피해를 겪는 지역에서 할 수 있는 봉사 활동이다.

서술형 문제

11 **[예시 답안]** 화산은 위험하지만 농업에 유리하고, 화산 자원을 이용하여 관광 산업이 발달하기 좋은 조건을 형성한다. 또한 지열을 이용해 전력을 생산할 수 있고 구리·유황 등 인간 생활에 필요한 광물을 만들어 광업 발달을 촉진하기 때문에 많은 사람이 화산 활동이 활발한 자와섬에 거주한다.

[평가 기준]

구분	내용
상	화산이 가진 이점(농업 발달, 관광업 발달, 광업 발달, 지열을 활용한 전기 생산) 중 세 가지 들어 정확하게 서술한 경우
중	화산이 가진 이점(농업 발달, 관광업 발달, 광업 발달, 지열을 활용한 전기 생산) 중 두 가지 들어 정확하게 서술한 경우
하	화산이 가진 이점(농업 발달, 관광업 발달, 광업 발달, 지열을 활용한 전기 생산) 중 한 가지만 정확하게 서술한 경우

12 **[예시 답안]** 신문 머리기사에서 언급하는 자연재해는 가뭄으로 피해를 줄이기 위해서는 지하수를 개발하고 해수 담수화 시설 및 빗물 저장 시설을 구축해야 한다.

[평가 기준]

구분	내용
상	자연재해의 명칭(가뭄)과 피해를 줄이는 방법(지하수 개발, 해수 담수화 시설 및 빗물 저장 시설의 구축) 두 가지를 정확하게 서술한 경우
중	자연재해의 명칭(가뭄)은 기입 했으나 피해를 줄이는 방법 중 한 가지만 정확하게 서술한 경우
하	자연재해의 명칭(가뭄)은 기입하였으나 피해를 줄이는 방법(지하수 개발, 해수 담수화 시설 및 빗물 저장 시설의 구축)을 정확하게 서술하지 못한 경우

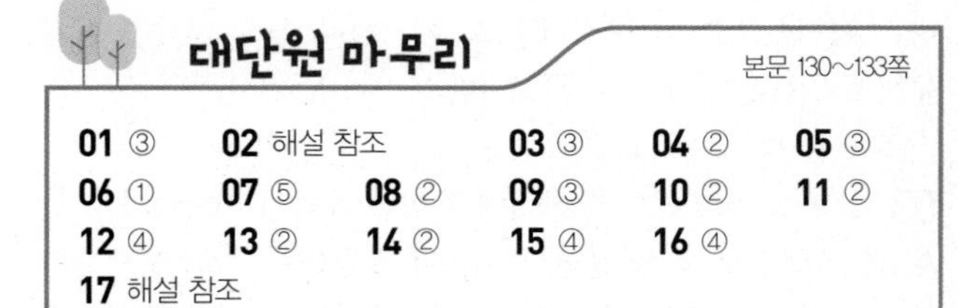

대단원 마무리

본문 130~133쪽

01 ③	02 해설 참조	03 ③	04 ②	05 ③
06 ①	07 ⑤	08 ②	09 ③	10 ②
11 ②	12 ④	13 ②	14 ②	15 ④
16 ④	17 해설 참조			

01 낱말 퍼즐 가로 열쇠 ㉠에서 설명하는 용어는 적조 현상이다.

오답 피하기

①은 토네이도, ②는 화산회토, ④는 지진 해일, ⑤는 이탈리아이다.

서술형 문제

02 [예시 답안] 세로 열쇠 ⓐ에 들어갈 용어는 사이클론으로 인도양 지역에 영향을 끼치는 열대 저기압을 말한다.

[평가 기준]

상	사이클론이라는 명칭과 인도양 지역이라는 피해 지역을 정확하게 서술한 경우
중	사이클론이라는 명칭과 인도양 지역이라는 피해 지역 중 한 가지만 정확하게 서술한 경우
하	사이클론이라는 명칭과 인도양 지역이라는 피해 지역 모두 정확하게 서술하지 못한 경우

03 첫 번째 방문 국가는 네팔, 두 번째 방문 국가는 베트남, 세 번째 방문 국가는 칠레이다. 칠레 아타카마 사막은 세계 최대 규모의 구리 광산이 있다. 해당 국가를 순서대로 연결하면 B → C → E이다. A는 이탈리아, D는 일본이다.

04 ㉠은 사헬, ㉡은 쓰나미로 이 단어를 제외하고 만들 수 있는 용어는 환태평양 조산대이다. 환태평양 조산대에 해당하지 않는 국가는 네팔로 네팔은 알프스·히말라야 조산대에 자리한 국가이다.

05 ㄱ – 가뭄, ㄴ – 지진 해일, ㄷ – 지진, ㄹ – 홍수이다. 이 중 지형과 관련된 자연재해는 지진 해일과 지진이며 기후와 관련된 자연재해는 가뭄과 홍수이다.

06 지도에 표시된 지역은 북극해 유역이다. 해당 지역은 봄철에 홍수 피해가 자주 발생하는 곳이다.

07 열대 해상에서 발생하여 중위도 지역으로 이동하는 자연재해는 열대 저기압이다.

08 스트롬볼리 화산이 유명 애니메이션의 악당 이름으로 쓰이는 것은 그만큼 사람들에게 큰 피해를 주었기 때문이다. 화산은 많은 인명, 재산 피해를 일으키며 항공기 운항을 방해한다.

오답 피하기

ㄷ은 열대 저기압으로 인한 피해이다.

09 화산 활동은 농업, 광업, 관광 산업에 이용되며 지열을 통한 전기 생산이라는 이점을 가지고 있다. 무더위를 식혀주고 가뭄을 해소하는 것은 열대 저기압의 이점이다.

10 알프스·히말라야 조산대에 위치하며 포도와 오렌지가 특산품인 국가는 이탈리아이다. A는 아이슬란드, C는 이집트, D는 필리핀, E는 칠레이다.

오답 피하기

아이슬란드는 섬나라이며, 이집트는 알프스·히말라야 조산대에 위치하지 않는다. 칠레의 경우 환태평양 조산대에 위치한다. 이 중 칠레는 이탈리아와 비슷한 환경(활발한 화산 활동, 지중해성 기후)을 가지고 있어 포도와 오렌지를 많이 재배한다.

11 빗물 저장 공원과 옥상에 설치된 정원은 도시에서 발생하는 홍수 피해를 줄이기 위한 시설이다.

12 열대 저기압은 강한 바람과 폭우를 동반하기 때문에 바다 위 이동 시 바닷물을 순환시켜 적조 현상을 완화한다.

13 한때 세계에서 네 번째로 큰 호수였던 아랄해는 사막화 현상을 겪으며 크기가 급감하였다. 아랄해의 경우 인근 지역에서 목화를 재배하며 많은 농업용수를 사용한 것이 사막화의 주된 이유이다. 또한 지구 온난화로 인한 가뭄 역시 영향을 미쳤다.

14 도시 내 녹지 면적이 넓을수록, 포장 면적은 적을수록 비가 왔을 때 강으로 물이 유입되는 속도를 늦춰 홍수로 인한 피해를 줄일 수 있다.

오답 피하기

지하수를 개발하고 해수 담수화 시설을 만들면 가뭄 피해를 줄일 수 있다.

15 바다에서 지진이 발생한 경우 지진 해일의 가능성을 염두에 둬야 한다. 지진 해일의 경우 발생 지역에서 멀리 떨어진 지역에도 영향을 미칠 수 있어 주의가 필요한 자연재해이다.

오답 피하기

⑤ 가뭄의 피해를 줄이는 방법이다.

16 홍수의 경우 가뭄은 해소하나 광업 발달을 촉진하지는 않는다. 광업의 발달에 영향을 미치는 자연재해는 화산 활동이다.

서술형 문제

17 [예시 답안] 유엔 사막화 방지 협약으로 사막화로 인해 어려움을 겪는 개발 도상국에게 기술적·경제적인 지원을 제공하기 위해 맺어졌다.

[평가 기준]

상	국제 협약의 명칭(유엔 사막화 방지 협약)과 주요 내용(사막화를 겪고 있는 개발 도상국에게 기술적·경제적인 지원을 제공하기 위함)을 모두 정확하게 서술한 경우
중	국제 협약의 명칭(유엔 사막화 방지 협약)과 주요 내용(사막화를 겪고 있는 개발 도상국에게 기술적·경제적인 지원을 제공하기 위함) 중 한 가지만 정확하게 서술한 경우
하	국제 협약의 명칭(유엔 사막화 방지 협약)과 주요 내용(사막화를 겪고 있는 개발 도상국에게 기술적·경제적인 지원을 제공하기 위함)을 모두 정확하게 서술하지 못한 경우

Ⅵ. 자원을 둘러싼 경쟁과 갈등

01 자원의 특성과 자원 갈등

기본 문제

본문 138~139쪽

간단 체크

1 (1) × (2) ○ (3) × (4) × (5) × **2** (1) ㉣, ㉤ (2) ㉠, ㉡, ㉢
3 (1) 편재성 (2) 계절풍 (3) 북극해

기본 문제

01 ④ **02** ① **03** ⑤ **04** ① **05** ③ **06** ⑤
07 ⑤ **08** ①

01 자원은 자연의 물질 중 현재 기술로 개발할 수 있으며 경제적으로 이용할 가치가 있는 것을 일컫는다. 기술이 발달하면 자원의 범주는 늘어난다.

오답 피하기
현재 기술로 개발 가능하더라도 경제적인 가치가 없다면 자원이라 할 수 없다.

02 석유는 자원의 편재성을 보여 주는 대표적인 사례이다. 미국의 경우 석유의 확인 매장량이 많은 국가이나 소비량이 많아 해외로부터 석유를 수입하는 대표적인 석유 수입국 중 하나이다.

03 옥수수는 가축 사료와 바이오 에너지의 원료로 주목받는 자원으로 미국과 브라질 등 아메리카 대륙에서 주로 생산한다.

04 미래 석유 자원의 고갈과 관련 있는 특성은 유한성이며, 자원의 가치가 장소에 따라 달라지는 특성은 가변성이다.

05 식량 자원을 둘러싼 갈등이 발생하는 이유로는 급격한 인구 증가로 인한 수요 증가와 더불어 육류 소비량 증가, 기후 변화로 인한 공급 감소, 국제 식량 대기업의 영향력 향상 등이 있다.

06 북극해의 경우 자연환경적 영향으로 인해 과거에는 주목받지 못하였으나 석유와 천연가스의 매장이 보고되고 지구 온난화로 인해 개발 가능성이 커지자 인근 국가 간 자원 확보를 위한 갈등이 발생하고 있다.

07 기계화에 따른 농업 방식의 변화는 식량 자원을 둘러싼 갈등의 원인에 해당하지 않는다.

오답 피하기
①, ②, ③, ④는 식량 자원을 둘러싼 갈등의 대표적인 원인이다.

08 지도에 표시된 지역은 티그리스·유프라테스강, 나일강, 메콩강으로 물 자원을 둘러싼 갈등이 발생하는 지역이다.

실전 문제

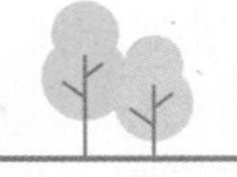

본문 140~141쪽

01 ① **02** ④ **03** ③ **04** ③ **05** ② **06** ①
07 해설 참조 **08** 해설 참조

01 (가)는 석탄, (나)는 석유의 생산량을 나타낸 것이다. 석탄의 경우 세계 생산량의 절반 가까이 중국이 생산하며, 석유의 경우 사우디아라비아, 이라크, 아랍 에미리트 등 서남아시아 국가의 생산량이 많다.

02 물 자원은 강수량이 많은 적도 부근 지역의 경우 풍부하며 반대로 강수량이 적은 사막과 그 주변 지역에서 부족한 특징을 보인다. 물 자원이 부족한 지역에서는 물 자원의 확보를 위해 댐과 저수지를 건설하고 해수 담수화 시설을 구축하는 노력을 한다.

03 지도의 (가)는 쌀, (나)는 밀이다. 국제 이동량의 경우 쌀보다 밀이 많다.

04 가축 사료와 바이오 에너지의 원료로 이용되는 자원은 옥수수이다. 쌀은 생산지에서 주로 소비되어 국제 이동량이 적으며 주로 아시아 계절풍 기후 지역에서 재배된다. 반면 밀의 경우 쌀보다 재배 조건이 까다롭지 않으며 주로 신대륙(아메리카, 오세아니아)에서 아시아 대륙으로의 국제 이동량이 많은 편이다.

05 국제 곡물 가격이 점차 상승하는 경우 물가 상승을 유발하며 개발 도상국의 식량 부족 문제를 일으킨다. 기후 변화가 지속되면 식량 생산이 줄어들게 되어 곡물 가격은 오히려 더 상승하게 된다.

오답 피하기
⑤ 국제 식량 대기업은 많은 양의 곡물을 유통하는 과정에서 돈을 버는 기업으로 기업의 영향력이 커지게 되면 곡물 가격은 상승하고 식량 부족 문제가 더욱 심각하게 발생한다.

06 나일강을 둘러싼 갈등을 나타낸 자료로 나일강의 위치는 A이다.

오답 피하기
B는 카스피해(석유, 천연가스 분쟁 지역), C는 페르시아만(석유의 주요 매장지), D는 메콩강(물 자원 분쟁 지역), E는 북극해(석유, 천연가스 분쟁 지역)이다.

서술형 문제

07 [예시 답안] 물 자원을 놓고 국제 분쟁이 발생하는 지역으로 물 자원을 더 많이 확보하기 위해서는 댐과 저수지를 건설하고, 해수 담수화 시설을 구축하며, 지하수를 개발하는 방법이 있다.

[평가 기준]

상	물 자원의 명칭과 물 자원 확보를 위한 방법(댐과 저수지 건설, 해수 담수화 시설 구축, 지하수 개발) 중 두 가지 이상 정확히 서술한 경우
중	물 자원의 명칭과 물 자원 확보를 위한 방법(댐과 저수지 건설, 해수 담수화 시설 구축, 지하수 개발) 중 한 가지만 정확히 서술한 경우
하	물 자원의 명칭만 서술하였으며 물 자원 확보를 위한 방법에 대해 정확하게 서술하지 못한 경우

08 **[예시 답안]** (가)와 (나) 중 재배 면적이 넓은 것은 (나) 밀이다. (가) 쌀에 비해 서늘하거나 건조한 지역에서도 잘 재배가 되기 때문에 재배 면적이 넓다.

[평가 기준]

상	재배 면적이 넓은 자원으로 (나)를 들었으며 (가)에 비해 서늘하고 건조한 지역에서도 잘 재배된다는 점을 정확하게 서술한 경우
중	재배 면적이 넓은 자원으로 (나)를 기입하였으나 (가)에 비해 재배 조건이 까다롭지 않다고 서술한 경우
하	재배 면적이 넓은 자원으로 (나)를 기입하였으나 그 이유에 대해 설명하지 못한 경우

02 자원과 주민 생활

기본 문제

본문 144~145쪽

간단 체크

1 (1) ○ (2) × (3) ○ (4) × (5) ○ **2** (1) ㉠, ㉡, ㉤ (2) ㉢, ㉣, ㉥
3 (1) 석유 (2) 다이아몬드 (3) 윤리적

기본 문제

01 ② **02** ② **03** ② **04** ⑤ **05** ③ **06** ⑤
07 ③

01 자원이 풍부한 국가의 경우 자원 개발을 통해 얻는 긍정적 측면이 많다. 하지만 자원을 개발하더라도 정치가 불안정하고 부정부패가 많다면 부정적인 영향을 주기도 한다.

02 두바이는 석유가 풍부한 페르시아만에 자리한 곳으로 석유 자원의 개발과 함께 성장하였다.

03 노르웨이와 아랍 에미리트는 석유 자원을 통해 경제 성장을 이룬 국가이다.

오답 피하기

ㄴ. 보츠와나는 다이아몬드의 생산을 통해 성장한 국가이며, ㄷ. 나이지리아는 석유 자원이 풍부하나 정치적 불안정과 환경 파괴의 어려움을 겪고 있다.

04 자원이 풍부한 국가의 경우에는 1인당 GDP의 차이가 크게 나타난다. 오스트레일리아와 캐나다와는 달리 콩고 민주 공화국과 나이지리아의 경우 자본과 기술 수준이 낮고 정치가 불안정하여 경제 발전 정도가 상대적으로 낮다.

05 사우디아라비아의 경우 석유 수출을 통해 성장한 국가로 석유의 생산량과 1인당 GDP는 밀접한 관계를 가진다.

오답 피하기

자료를 통해서는 석유의 가격, 정치적 안정 정도, 사회 간접 시설의 확충과 1인당 GDP와의 관계를 알 수 없다.

06 자료에서 설명하고 있는 국가는 오스트레일리아로 풍부한 자원과 함께 발달한 기술력을 통해 선진국이 되었다.

07 영화 「블러드 다이아몬드」의 배경이 되는 국가는 시에라리온이다. 영화에서는 다이아몬드 광산을 둘러싸고 나타나는 시에라리온의 전쟁, 난민, 정치적 갈등을 다루었다.

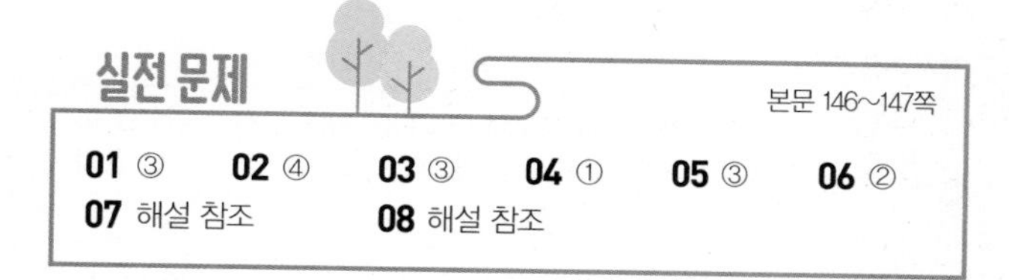
실전 문제

본문 146~147쪽

01 ③ **02** ④ **03** ③ **04** ① **05** ③ **06** ②
07 해설 참조 **08** 해설 참조

01 영토가 넓고 자원이 풍부하며 높은 기술력으로 인해 선진국이 된 대표적인 국가는 미국, 캐나다, 오스트레일리아가 있다.

오답 피하기

A는 나이지리아, B는 사우디아라비아, E는 브라질이다.

02 자원의 개발이 자원의 비윤리적 소비를 일으키는 것은 아니다. 나머지 문항의 경우 자원 개발이 갖는 부정적 측면에 해당된다.

03 나이지리아의 경우 석유 자원 개발이 집중된 나이저강 삼각주 지역에서 기름 유출로 인한 환경 문제를 심각하게 겪고 있다. 콩고 민주 공화국의 경우 콜탄이 풍부하게 매장되어 있으나 내전과 열대 우림 파괴 문제를 겪고 있다. 지도에서 A는 시에라리온, B는 나이지리아, C는 이집트, D는 콩고 민주 공화국, E는 보츠와나이다.

04 빈칸에 들어갈 자원은 다이아몬드이다. 보츠와나와 시에라리온은 풍부한 다이아몬드 자원을 보유하고 있다. 다이아몬드는 주로 보석용이나 공업용으로 이용된다.

오답 피하기

②는 옥수수, ③은 석유, ④는 콜탄, ⑤는 셰일 가스이다.

05 자원이 풍부한 보츠와나와 콩고 민주 공화국의 1인당 GDP가 차이 나는 이유로 정치적 안정을 들 수 있다.

06 청바지를 만들기 위해 다양한 재료와 공정이 세계 각 지역에서 이루어지고 있다. 이를 통해 우리의 삶이 다른 국가 또는 지역과 밀접한 관계가 있다는 사실을 알 수 있다.

서술형 문제

07 **[예시 답안]** 미국, 캐나다, 오스트레일리아는 풍부한 자원과 함께 뛰어난 기술력으로 경제가 성장한 국가가 될 수 있었다.

[평가 기준]

상	풍부한 자원과 뛰어난 기술력을 가졌다는 점을 정확하게 서술한 경우
중	풍부한 자원과 뛰어난 기술력을 가졌다는 점 중 한 가지만 정확하게 서술한 경우
하	풍부한 자원과 뛰어난 기술력을 가졌다는 점 모두 정확하게 서술하지 못한 경우

08 **[예시 답안]** 노르웨이는 북해에서 생산되는 석유와 천연가스를 수출하여 많은 이익을 얻고 있다. 또한 이러한 수익을 국가가 직접 관리하며 국민의 복지를 위해 투명하게 사용하여 가장 살기 좋은 나라로 선정되었다.

[평가 기준]

상	석유와 천연가스가 풍부하게 매장되어 있다는 점과 수익을 국가가 투명하게 관리하고 국민들의 복지를 위해 사용한다는 점을 정확하게 서술한 경우
중	석유와 천연가스가 풍부하게 매장되어 있다는 점을 서술하였으나 그 수익을 국가가 국민들의 복지를 위해 투명하게 사용한다는 점을 정확하게 서술하지 못한 경우
하	풍부한 자원의 종류와 복지 정책에 사용한다는 점을 정확하게 서술하지 못한 경우

03 지속 가능한 자원 개발

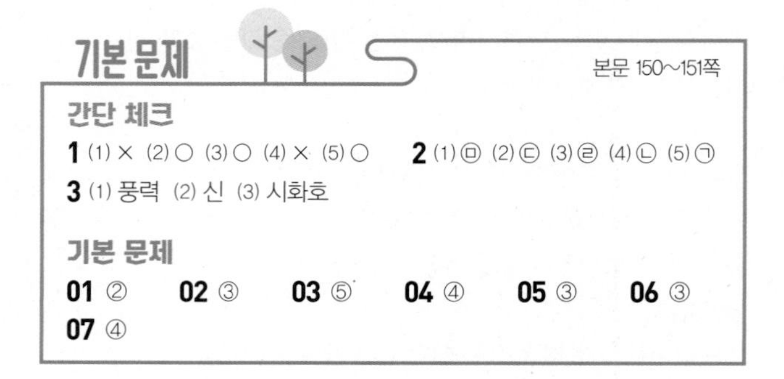
기본 문제 본문 150~151쪽

간단 체크

1 (1) × (2) ○ (3) ○ (4) × (5) ○ **2** (1) ㉤ (2) ㉢ (3) ㉣ (4) ㉡ (5) ㉠

3 (1) 풍력 (2) 신 (3) 시화호

기본 문제

01 ② **02** ③ **03** ⑤ **04** ④ **05** ③ **06** ③

07 ④

01 에너지 소비 효율 등급 표시제는 탄소 성적 표지제, 탄소 포인트제와 함께 자원의 지속 가능한 활용을 위한 방법이다.

02 지속 가능한 자원이 최근 강조되고 있는 이유는 화석 연료가 가진 고갈 위험과 환경 오염 문제를 막기 위해서이다. 화석 연료는 신·재생 에너지보다 개발 시 비용이 적게 든다.

03 그래프에 나타난 에너지 자원 국가별 이용 현황은 바이오 에너지이다. 미국과 브라질은 바이오 에너지의 원료가 되는 옥수수와 콩 등을 많이 재배하는 국가이다.

04 바이오 에너지의 경우 옥수수, 콩 등 곡물 가격 상승을 유발하여 식량 문제를 일으킨다.

05 (가)는 풍력, (나)는 조력 발전이다.

06 지속 가능한 자원의 경우 화석 연료보다 개발 당시 비용이 많이 들어가고 상대적으로 비싼 단점을 가지고 있다.

07 전력 생산 시 소음과 전자파로 인해 주변 지역에 피해를 유발하는 신·재생 에너지는 풍력이다. 그렇기 때문에 거주지에서 멀리 떨어진 곳에 풍력 발전기가 위치하는 경우가 많다.

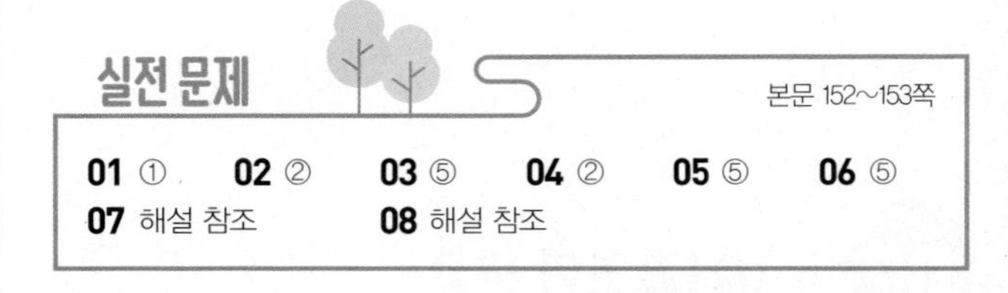
실전 문제 본문 152~153쪽

01 ① **02** ② **03** ⑤ **04** ② **05** ⑤ **06** ⑤

07 해설 참조 **08** 해설 참조

01 신·재생 에너지 소비량이 급격하게 늘고 있는 가운데 OECD 가입국의 비중이 높다. 신·재생 에너지의 경우 개발 초기 들어가는 투자 비용이 많이 들고 많은 기술과 공정이 필요해서 상대적으로 선진국에서 많이 사용되고 있다.

02 아이슬란드는 판과 판의 경계에 위치하여 화산 활동이 활발하게 일어나는 국가로 지열 발전에 사용한 온수를 이용하여 온천을 즐긴다.

오답 피하기

①은 조력, ③은 수력이다. 지열 발전의 경우 고갈 위험이 없으나 화산 활동이 활발하게 이루어지는 국가에서만 사용할 수 있다.

03 사진은 지열 발전소로 화산 활동이 활발한 지역에서 이용된다. A(아이슬란드), B(이탈리아), C(필리핀), D(뉴질랜드)는 모두 조산대에 자리하나 E(브라질)은 해당하지 않는다.

04 화석 연료 사용은 지구 온난화를 일으킨다. 지속 가능한 자원의 활용을 위해서는 대중교통을 이용하고 냉난방을 줄이며 일회용품 사용을 자제해야 한다.

05 호남 지방과 경상북도 지방에 비중이 높은 (가)는 태양열, 강원도, 경상북도, 제주도의 비중이 높은 (나)는 풍력 에너지이다.

06 (다)는 조력 발전으로 시화호에 세계 최대 규모의 발전소를 건설하였다. 조력 발전의 경우 고갈되지 않는 장점이 있으나 발전소 주변 생태계 파괴를 유발한다.

서술형 문제

07 [예시 답안] 지열 발전으로 화산 활동이 활발한 지역에서 주로 사용한다.

[평가 기준]

상	지열 발전의 명칭과 지열 발전을 효과적으로 사용하고 있는 국가의 특징(화산 활동이 활발한 지역, 조산대, 판의 경계에 자리한 지역)을 모두 정확하게 서술한 경우
중	지열 발전의 명칭과 지열 발전을 효과적으로 사용하고 있는 국가의 특징(화산 활동이 활발한 지역, 조산대, 판의 경계에 자리한 지역)중 한 가지만 정확하게 서술한 경우
하	지열 발전의 명칭과 지열 발전을 효과적으로 사용하고 있는 국가의 특징을 정확하게 서술하지 못한 경우

08 [예시 답안] 수력 발전의 경우 댐 건설로 인해 수몰 지구가 형성되면서 주민들의 삶의 터전이 사라지게 된다.

[평가 기준]

상	댐 건설로 인해 수몰 지구가 형성된다는 점을 논리적으로 서술한 경우
중	수몰 지구가 형성되어 주민들의 삶이 터전이 사라진다고 서술하였으나 댐 건설과 수몰 지구 형성과의 관계에 대해 서술하지 못한 경우
하	수력 발전이 가져오는 수몰 지구 형성 자체를 서술하지 못한 경우

대단원 마무리

본문 156~159쪽

01 ⑤ **02** ⑤ **03** ④ **04** ③ **05** ② **06** ①
07 ④ **08** ⑤ **09** ① **10** ③ **11** ③ **12** ①
13 ① **14** ② **15** 해설 참조 **16** 해설 참조

01 자료의 C는 신에너지에 해당한다. 신에너지에는 석탄 액화, 연료 전지, 수소 에너지 등이 있다.

02 A 자원은 석유로 서남아시아에 집중되는 것은 자원의 편재성을 보여 주는 증거이다. 산유국들이 OPEC를 만드는 이유는 자원 민족주의의 대표적인 사례에 해당한다.

03 자료의 E는 지열 발전으로 지열 발전에 해당하는 사진은 ④이다.

04 중국과 동남아시아 지역을 흐르는 국제 하천이자 관련국 간 물 분쟁이 일어나는 지역은 메콩강 지역이다.

오답 피하기

A는 나일강, B는 티그리스·유프라테스강, D는 미시시피강, E는 아마존강이다. 이중 A와 B의 경우도 메콩강과 같이 국제 하천으로 물 분쟁이 발생한다.

05 초밥의 재료인 (가)는 쌀, 난의 재료인 (나)는 밀이다. 쌀은 아시아의 계절풍 기후 지역에서 생산된다.

오답 피하기

① 가축 사료의 원료로 사용되는 것은 옥수수이다.

06 해외 유전과 셰일 오일을 개발하는 이유는 편재성이 강한 석유 자원을 최대한 많이 확보하기 위해서이다.

07 자원의 저주는 풍부한 자원에도 불구하고 경제 성장이 둔화하는 현상을 말한다. 이에 해당하는 사례는 시에라리온의 다이아몬드와 콩고 민주 공화국의 콜탄을 들 수 있다.

08 사우디아라비아, 아랍 에미리트, 쿠웨이트는 서남아시아에 위치하며 풍부한 석유 자원을 개발하였다는 공통점을 가지고 있다. 특히 석유 자원 개발을 통해 부족 중심의 사회 구조와 사고방식이 크게 변화하였다.

09 민수의 세계 여행 첫 방문 국가는 화산 활동이 활발하고 지열 발전을 많이 하는 아이슬란드, 뉴질랜드가 해당하며, 두 번째 방문 국가는 중국, 세 번째 방문 국가는 오스트레일리아이다. A는 아이슬란드, B는 중국, C는 오스트레일리아, D는 뉴질랜드, E는 브라질이다.

10 보기 중 자원의 유한성이 큰 자원은 석탄과 석유다.

11 지도에 표시된 지역은 북극해로 석유와 천연가스가 풍부한 지역이다. 지구 온난화로 인해 개발 가능성이 커진 후 북극해 확보를 위한 인접 국가 간 갈등이 발생하고 있다.

12 사진에서 설명하는 것은 수력 발전이다. 수력 발전의 경우 낙차가 크고 물의 양이 많은 지역에서 사용하기 좋은 발전 형태이다.

오답 피하기

ㄷ은 조력 발전에 유리한 지역이다.

13 (가)는 조력, (나)는 풍력이다. 두 자원 모두 고갈 위험이 적은 신·재생 에너지에 속한다. 특히 조력의 경우 기후와 계절의 영향이 적다는 장점이 있다.

14 소비할 때 환경 오염 정도를 줄이고 개발 도상국 주민들에게 도움이 될 수 있는 소비 형태는 윤리적 소비에 속한다.

서술형 문제

15 **[예시 답안]** 보츠와나는 다이아몬드 자원이 풍부하며 정치가 안정되어 있고 부정부패가 적어 아프리카 내에서 부국으로 성장하였다.

[평가 기준]

상	풍부한 다이아몬드 자원과 안정된 정치(또는 부정부패가 없는 점)을 모두 정확하게 서술한 경우
중	풍부한 다이아몬드 자원과 안정된 정치(또는 부정부패가 없는 점) 중 한 가지만 정확하게 서술한 경우
하	풍부한 다이아몬드 자원과 안정된 정치(또는 부정부패가 없는 점)을 모두 정확하게 서술하지 못한 경우

16 **[예시 답안]** 풍력 발전은 바람이 지속해서 부는 산지와 해안 지역에서 활용하기 좋으나 주변 지역에 소음과 전자파로 인한 피해가 발생한다는 문제가 있다.

[평가 기준]

상	풍력 발전의 조건(바람이 지속해서 부는 산지와 해안 지역)과 문제점(소음과 전자파로 인한 피해)를 정확하게 서술한 경우
중	풍력 발전의 조건(바람이 지속해서 부는 산지와 해안 지역)과 문제점(소음과 전자파로 인한 피해) 중 한 가지만 정확하게 서술한 경우
하	풍력 발전의 조건(바람이 지속해서 부는 산지와 해안 지역)과 문제점(소음과 전자파로 인한 피해) 중 모두 정확하게 서술하지 못한 경우

I. 내가 사는 세계

실전모의고사(1회)

본문 2~4쪽

01 ② **02** ⑤ **03** ③ **04** ③ **05** ① **06** ④
07 ④ **08** ⑤ **09** ④ **10** ④ **11** 해설 참조
12 해설 참조

01 ㄴ. 등고선의 간격이 좁을수록 경사가 급하고, 넓을수록 경사가 완만하다. ㄹ. 지도는 지표면의 여러 가지 정보를 기호나 문자를 사용하여 일정한 비율로 축소하여 나타낸 것이다.

02 ① 육지의 대부분은 북반구에 위치하며, 산맥 또한 대부분이 북반구에 위치한다. ② 지형, 하천, 사막 등은 자연환경 정보이다. 인문 환경은 인구, 도시, 산업, 교통 등이다. ③ 지도에 도시는 나타나 있지 않다. ④ 안데스산맥은 남아메리카 대륙의 서부에 남북 방향으로 뻗어 있다.

03 ① 지형과 지표면의 일반적인 사항들을 종합적으로 나타낸 일반도이다. ② 축척을 보면, 1cm가 200m(20,000cm) 이므로 축척은 약 1:20,000이다. ③ 방위표가 없으므로 위쪽이 북쪽이다. ☆☆초등학교는 ○○은행의 북쪽에 위치한다. ④ 도로망과 건물의 위치 등이 상세하게 나타나 있으므로, 대축척 지도에 해당한다. ⑤ 등고선을 보면, 북동쪽에 산이 있고 남서쪽은 평지임을 알 수 있다.

04 ① 사막은 북부 지역에 분포한다. ② 고원, 산맥은 주로 서부 지역에 분포한다. ③ 대체로 서쪽이 높고, 동쪽이 낮으므로 하천은 서쪽에서 동쪽으로 흐른다. ④ 도시는 평원이 분포하는 동부 지역에 주로 발달했다. ⑤ 해발 고도 범례를 보면 히말라야산맥은 해발 고도 2,000m 이상의 분포를 보인다.

05 우리나라는 동쪽으로 태평양에 접해 있다. 우리나라의 위치를 경도와 위도로 나타낼 경우, 위도는 북위(적도의 북쪽) 33°~ 43°, 경도는 동경(본초 자오선의 동쪽) 124°~ 132°의 범위에 해당한다.

06 고위도 지역에서 농업 활동이 불리한 것은 일 년 내내 기온이 낮기 때문이다.

07 ㄹ. 시차는 지구가 하루에 한 바퀴 자전하기 때문에 발생한다. 시차를 이용한 연속적인 업무 처리는 경도의 차이와 관련된 생활 모습이다.

08 ㉠은 인도양, ㉡은 유럽이다. A는 유럽, B는 아시아, C는 아프리카, D는 오세아니아, E는 북아메리카, F는 남아메리카, G는 인도양, H는 태평양, I는 대서양이다.

09 영국 런던(그리니치 표준시)을 지나는 본초 자오선의 동쪽은 동경, 서쪽은 서경으로 나타내며, 동쪽으로 갈수록 시간이 빨라지고, 서쪽으로 갈수록 늦어진다. 또한 경도 15°마다 1시간의 시차가 발생한다. 따라서 ① A 국가는 그리니치 표준시보다 2시간 빠르며, ② B 국가는 2시간 느리다. ③ A 국가와 C 국가는 경도가 105° 차이나므로 7시간의 시차가 발생한다. ④ 우리나라의 표준 경선은 C 국가와 같은 동경 135°이다. ⑤ 날짜 변경선은 경도 180°이므로 C 국가가 가장 가깝다.

10 지리 정보 시스템(GIS)의 과정을 나타내 그림이다. ④ 오늘날 지리 정보 수집은 인터넷, 전자 지도, 위성 사진, 항공 사진 등 다양한 방법을 활용한다. 종이 지도는 과거에 주로 활용하였다.

서술형 문제

11 (1) ㉠ 북반구, ㉡ 남반구, ㉢ 북반구, ㉣ 남반구
(2) **[예시 답안]** 지구는 자전축이 23.5° 기울어진 채 태양의 둘레를 공전한다. 이 때문에 북반구는 6~8월에 태양 에너지를 집중적으로 받고, 남반구는 12~2월에 태양 에너지를 집중적으로 받는다.

[평가 기준]

상	㉠~㉣에 들어갈 말을 모두 쓰고, 계절의 차이가 발생하는 원인을 맞게 서술하였다.
중	㉠~㉣에 들어갈 말을 모두 맞게 썼지만, 계절의 차이가 발생하는 원인에 대한 서술이 부족하였다.
하	(1)과 (2) 중 하나만 서술하였다.

12 **[예시 답안]** 인터넷 전자 지도는 종이 지도에 비해 축소와 확대가 자유롭고, 검색과 저장이 가능하다.

[평가 기준]

상	장점을 모두 맞게 서술하였다.
중	장점을 모두 서술하였지만, 일부 부족한 부분이 있다.
하	장점을 한 가지만 서술하였다.

실전모의고사(2회)

본문 5~7쪽

01 ② **02** ④ **03** ③ **04** ⑤ **05** ② **06** ⑤
07 ④ **08** ① **09** ① **10** ⑤ **11** 해설 참조
12 해설 참조

01 ① A(아프리카) 대륙은 대서양, 인도양에 둘러싸여 있다. ② B(북아메리카) 대륙은 서쪽으로 가장 큰 바다인 태평양에

접해 있다. ③ C(대서양)는 B(북아메리카), D(남아메리카), 유럽, A(아프리카) 대륙에 접해 있다. ④ 육지의 대부분은 적도 북쪽인 북반구에 분포한다. ⑤ 육지가 약 30%, 바다가 약 70%를 차지한다.

02 ㄹ. 지도에는 인구, 도시, 산업, 교통 등 인문 환경 정보뿐만 아니라, 지형, 기후, 식생 등 자연환경 정보도 나타낼 수 있다.

03 북부 지역(사하라 사막)은 건조 기후가 넓게 나타나므로 강수량이 적다. 따라서 농업 활동은 불리할 것이다.

04 (가)는 좁은 지역을 상세하게 나타낸 대축척 지도, (나)는 넓은 지역을 간략하게 나타낸 소축척 지도이다. ③ 야외 조사에서는 도로와 건물 위치 등이 잘 나타나 있는 (가)와 같은 대축척 지도를 사용하는 것이 유리하다.

오답 피하기

④ (가), (나) 지도를 보면, 크기는 같지만 (가)는 도시의 일부분에 해당하는 공간 범위를 나타내었고, (나)는 우리나라 전체와 주변의 공간 범위를 나타내었다. 따라서 같은 크기의 종이라면 (나)와 같은 소축척 지도가 더 넓은 공간 범위를 나타낼 수 있다.

05 지도는 이용 목적에 따라 일반도와 주제도로 나눌 수 있다. (가) 지도는 지형과 지표 위에 분포하는 일반적인 사항들을 종합적으로 나타낸 일반도이지만, 인구나 산업 등에 관한 내용은 나타나 있지 않다.

06 A 시기는 북반구가 봄, 남반구가 가을이다. B 시기는 북반구가 여름, 남반구가 겨울이다. C 시기는 북반구가 가을, 남반구가 봄이다. D 시기는 북반구가 겨울, 남반구가 여름이다. 북반구 지역의 사람들이 남반구인 뉴질랜드로 스키 여행을 가는 시기는 B이다.

07 우리나라는 북위 33°~ 43°에 위치하며, 일본, 미국, 터키 등이 비슷한 위도대에 해당한다. 브라질은 남위 약 35°~ 북위 약 5°의 범위에 해당하며, 남아메리카에 위치한다.

08 경도는 영국 런던을 지나는 본초 자오선을 기준으로 동쪽은 동경(E), 서쪽은 서경(W)으로 나타낸다. 위도는 적도를 기준으로 북쪽은 북위(N), 남쪽은 남위(S)로 나타낸다.

09 ㄷ. 시차는 지구가 하루에 한 바퀴 자전하기 때문에 발생한다. ㄹ. 표준 경선은 표준시를 정하는 기준이 되는 것으로, 표준 경선이 같으면 시차가 발생하지 않는다.

10 ① 날짜 변경선은 경도 180°로 본초 자오선의 반대쪽인 태평양 한가운데를 지난다. ② 본초 자오선은 경도 0°, 날짜 변경선은 경도 180°이다. ③ 동경 180° 선과 서경 180° 선이 만나는 선이다. ④ 날짜 변경선의 동쪽에서 서쪽으로 이동할 때는 하루를 더한다.

서술형 문제

11 **[예시 답안]** 지구의 자전축이 23.5° 기울어진 채로 공전하기 때문에 북반구의 중위도 지역과 남반구의 중위도 지역은 태양 에너지를 집중적으로 받는 시기가 다르며, 이 때문에 계절이 반대로 나타난다. 오스트레일리아는 남반구에 위치하며, 다른 국가들은 북반구에 위치한다. 이 때문에 밀 수확 시기에 차이가 발생한다.

[평가 기준]

등급	기준
상	북반구와 남반구의 계절이 반대로 나타난다는 것을 자전축이 기울어졌다는 점, 지구가 공전한다는 점을 모두 제시하여 서술하였다.
중	북반구와 남반구의 계절이 반대로 나타난다는 것을 자전축이 기울어졌다는 점, 지구가 공전한다는 점 중에서 한 가지만 제시하여 서술하였다.
하	북반구와 남반구의 계절이 반대로 나타난다는 것을 서술하였지만, 그 원인을 서술하지 못하였다.

12 (1) B(서울), A(로마), C(로스앤젤레스)

(2) **[예시 답안]** 본초 자오선을 기준으로 동쪽으로 갈수록 시간이 빨라지고, 서쪽으로 갈수록 늦어진다. 본초 자오선이 지나는 영국 런던을 기준으로 세 도시의 시간대를 보면, A(로마)는 1시간 빠르고, B(서울)는 9시간 빠르며, C(로스앤젤레스)는 8시간 느리다. 따라서 날짜와 시간대가 빠른 순서대로 나열하면 B, A, C이다.

[평가 기준]

등급	기준
상	(1)과 (2)를 모두 맞게 서술하였다.
중	(1)은 맞게 썼지만, (2)에 대한 서술이 부족하였다.
하	(1)은 맞게 썼지만, (2)를 서술하지 못하였다.

Ⅱ. 우리와 다른 기후, 다른 생활

실전모의고사(1회)

본문 8~10쪽

01 ③ **02** ② **03** ④ **04** ③ **05** ④ **06** ②
07 ⑤ **08** ⑤ **09** ③ **10** ③ **11** ⑤
12 해설 참조 **13** 해설 참조

01 한대 기후 지역 중 툰드라 기후 지역은 짧은 여름 동안 기온이 0℃ 이상으로 오르고, 이 시기에 풀과 이끼가 자란다.

02 열대 기후 지역 중 해발 고도가 높은 지역은 고산 기후에 해당하며, 연중 온화한 날씨가 나타난다. ① 두 지역의 기후 차이는 해발 고도와 관련 있다. ③, ④ 키토는 인간 거주에 유리한 지역, 벨렝은 인간 거주에 불리한 지역에 해당한다. ⑤ 키토는 적도에 위치하지만 해발 고도가 높아 연중 기온이 온화하다.

03 ㄷ. 열대 우림 지역은 일 년 내내 덥고 습한 기후 때문에 인간 거주에 불리한 기후 지역에 해당한다.

오답 피하기
일찍부터 농업과 상공업이 발달하여 인구가 밀집한 지역으로는 서부 유럽이 있다.

04 지도에 표시된 지역은 열대 우림 기후 지역이다. ①은 스텝 기후 지역, ②는 온대 기후 지역, ④는 냉대 기후 지역, ⑤는 한대 기후 지역에 대한 설명이다.

05 자료는 열대 우림 기후 지역의 주민 생활 모습이다. ①은 건조 기후 지역, ②는 냉대 기후 지역, ③은 서안 해양성 기후 지역, ⑤는 한대 기후 중 툰드라 기후 지역에 대한 설명이다.

06 (가)는 플랜테이션 방식으로 생산하는 천연고무 채취 모습, (나)는 동남아시아의 벼농사 모습이다. ① 오아시스는 건조 기후 지역에서 샘이 솟는 곳이다. ③ 카사바, 얌은 주로 이동식 화전 농업 방식으로 재배한다. ⑤ 이동식 화전 농업에 대한 설명이다.

오답 피하기
④ 플랜테이션은 선진국의 자본과 기술, 원주민의 노동력이 결합한 농업 방식이다. 천연고무 외에 카카오, 바나나 등을 플랜테이션 방식을 통해 생산하고 수출한다.

07 ⑤ 온돌은 기온의 연교차가 큰 온대 계절풍 기후 지역에서 볼 수 있는 시설이다. 온대 계절풍 기후 지역에서는 추위에 대비한 시설인 온돌, 더위에 대비한 시설인 대청마루를 볼 수 있다.

08 지도에 표시된 지역은 지중해성 기후 지역이다. 지중해성 기후 지역은 여름에 아열대 고압대의 영향을 받아 기온이 높고 강수량이 적으며, 겨울에 온대 해양성 기단의 영향을 받아 온화하고 강수량이 많다. ①과 ③은 서안 해양성 기후, ②는 온대 계절풍 기후, ④는 열대 우림 기후에 대한 설명이다.

09 A는 사막 기후, B는 스텝 기후이다. 사막 기후와 스텝 기후를 구분하는 가장 큰 기후 요소는 강수량이다. 사막 기후는 연 강수량 250mm 미만, 스텝 기후는 연 강수량 250~500mm이다. ③은 툰드라 기후에 대한 설명이다.

10 그래프는 가장 따뜻한 달의 평균 기온이 10℃ 미만이며, 짧은 여름 동안에만 기온이 0℃ 이상으로 올라가는 툰드라 기후 지역을 나타낸 것이다. ㄱ. 툰드라 기후 지역은 기온이 낮아 춥기 때문에 폐쇄적 가옥 구조가 나타난다. ㄹ. 툰드라 기후 지역은 강수량이 적지만, 증발량도 적어 지표는 습한 편이다.

11 사진은 툰드라 기후 지역에서 볼 수 있는 송유관의 모습이다. 툰드라 기후 지역에서는 기온이 0℃ 이상으로 올라가는 여름 동안 땅이 녹아 송유관이 기울어지는 것을 막기 위해 지면에서 띄워 설치한다. 지도에서 A는 열대 기후, B는 건조 기후, C는 온대 기후, D는 냉대 기후, E는 한대 기후이다. 툰드라 기후는 한대 기후에 속한다.

서술형 문제

12 **[예시 답안]** 열대 우림 기후 지역의 열대림 모습이다. 열대림은 지구 전체 동식물의 절반 이상이 분포하는 생태계의 보고이며, 이산화 탄소를 흡수하고 산소를 공급하여 온실 효과를 억제하는 역할을 한다. 또한 식량 자원 및 의약품의 원료 공급지 역할도 한다.

[평가 기준]

등급	기준
상	기후의 명칭과 숲의 가치를 모두 맞게 서술하였다.
중	기후의 명칭과 숲의 가치를 모두 서술하였지만, 숲의 가치에 대한 서술이 일부 부족하였다.
하	기후의 명칭만 서술하였다.

13 **[예시 답안]** 툰드라 기후 지역을 나타낸 것이다. 툰드라 기후 지역에서는 얼어 있던 지표면이 짧은 여름 동안 녹을 때 건물이 붕괴하는 것을 막기 위해 바닥을 지면에서 띄운 고상 가옥을 짓는다.

[평가 기준]

등급	기준
상	기후의 명칭과 기후 환경 적응 사례를 모두 맞게 서술하였다.
중	기후의 명칭과 기후 환경 적응 사례를 모두 서술하였지만, 기후 환경 적응 사례에 대한 서술이 일부 부족하였다.
하	기후의 명칭만 서술하였다.

실전모의고사(2회)

본문 11~14쪽

01 ④	02 ④	03 ②	04 ①	05 ③	06 ⑤
07 ①	08 ①	09 ④	10 ①	11 ③	12 ④
13 ⑤	14 ⑤	15 해설 참조		16 해설 참조	

01 ㄱ. 짧은 시간 동안 나타나는 대기의 상태는 날씨이다. 기후는 오랫동안 나타나는 종합적이고 평균적인 대기의 상태를 말한다. ㄷ. 세계의 기후를 구분하는 주요 기준은 기온과 강수량이다.

02 ① 고위도로 갈수록 기온은 낮아진다. ② 기온 분포와 강수량 분포는 큰 관련이 없다. ③ 기온 분포는 위도, 대륙과 해양의 분포, 해류 등의 영향을 받는다. ⑤ 위도가 같아도 대륙 동안과 서안은 기온이 다를 수 있으며, 기온의 연교차에서 차이를 보인다.

03 자료는 건조 기후의 특징을 설명한 것이다. A는 열대 기후, B는 건조 기후, C는 온대 기후, D는 냉대 기후, E는 한대 기후이다.

04 A는 서부 유럽, B는 중국 동부 해안, C는 그린란드, D는 아마존 분지이다. ②는 고산 기후, ③은 열대 기후, ④는 건조 기후, ⑤는 툰드라 기후 지역에 대한 설명이다.

오답 피하기

② 중국 동부 해안은 온대 기후에 속하여 기후가 온화한 편이지만, 겨울철에는 기온이 낮게 나타난다. 연중 봄과 같은 온화한 기후가 나타나는 곳은 적도 주변의 고산 기후 지역이다.

05 사진은 대청마루로 온대 계절풍 기후 지역에서 겨울철 추위에 대비해 만든 시설이다. ㄹ. 혼합 농업은 곡물 재배와 가축 사육을 결합한 농업 방식으로 서안 해양성 기후 지역에서 발달하였다.

06 지도에 표시된 지역은 지중해성 기후 지역이다. 지중해성 기후 지역에서는 여름철에 고온 건조한 날씨에 잘 견디는 포도, 올리브, 오렌지 등을 재배하는 수목 농업이 발달했다. ① 쌀은 온대 계절풍 기후가 나타나는 동부 아시아와 열대 우림 기후 지역의 동남아시아 지역에서 주로 재배한다. ② 카사바와 얌, ④ 천연고무와 카카오는 열대 우림 기후 지역의 주요 작물이다. ③ 대추야자는 건조 기후 지역의 오아시스 주변에서 재배한다.

07 ㄷ. 서안 해양성 기후 지역의 경관이다. 서안 해양성 기후 지역은 흐리고 비가 오는 날이 많아 일조량이 부족하기 때문에 맑은 날에는 일광욕을 즐긴다. ㄹ. 사막 기후 지역의 경관이다. 사막 기후 지역은 낮에 햇빛이 강하기 때문에 건물과 건물 사이 간격을 좁게 하여 그늘을 만든다.

오답 피하기

ㄱ. 올리브는 지중해성 기후 지역의 대표 작물로, 올리브와 관련된 축제가 매년 열린다.

08 (가)는 온대 계절풍 기후 지역, (나)는 서안 해양성 기후 지역, (다)는 지중해성 기후 지역이다. ① (가) 온대 계절풍 기후 지역은 계절풍의 영향을 받아 여름과 겨울의 기온 차가 크다.

오답 피하기

③ (다) 지중해성 기후 지역은 여름은 아열대 고압대의 영향으로 고온 건조하고, 겨울은 온대 해양성 기단의 영향으로 온난 습윤하다. 따라서 여름보다 겨울 강수량이 많다.

09 A는 온대 계절풍 기후, B는 서안 해양성 기후 지역의 그래프이다. ㄷ. A 지역은 계절풍의 영향을 받는다. ㄹ. B 지역은 편서풍과 난류의 영향을 받는다.

10 (가)는 혼합 농업, (나)는 낙농업에 대한 설명이다.

11 ㄱ. 열대 우림 기후 지역의 열대림 파괴로 인한 영향이다. ㄹ. 백야 현상은 여름철에 밤에도 해가 지지 않아 환한 밤이 지속되는 현상이며, 오로라 현상은 태양에서 방출된 전기를 띤 입자가 공기와 반응하여 빛을 내는 현상이다. 두 현상 모두 툰드라 기후 지역인 극지방에서 볼 수 있는 모습이다.

12 A는 열대 우림 기후 지역, B는 툰드라 기후 지역이다. 툰드라 기후 지역은 농업 활동이 어려워 순록 유목, 어업, 사냥 등이 행해진다. 관개 시설을 이용한 농업은 건조 기후 지역에서 발달했다.

오답 피하기

② 두 지역 모두 인간 거주에 불리한 기후 지역이라는 공통점이 있지만, 기온이 낮은 툰드라 기후 지역보다는 열대 우림 기후 지역에 좀 더 인구가 밀집했다.

13 A는 사막 기후, B는 스텝 기후이다. ㄱ. 스텝 기후는 전통적으로 유목이 발달하였으며, 가옥도 유목 생활에 편리하도록 게르와 같은 이동식 가옥이 발달했다. ㄴ. 사막 기후 지역의 연 강수량은 250mm 미만이다.

14 사진은 툰드라 기후 지역의 고상 가옥 모습이다. 툰드라 기후 지역에서는 여름에 지면이 녹아 건물이 붕괴하는 것을 막기 위해 고상 가옥을 짓는다. ⑤ 창문이 작다는 점은 툰드라 기후 지역의 가옥에도 해당하지만, 그늘을 만들기 위해 건물과 건물 사이의 간격을 좁게 하는 것은 사막 기후 지역 가옥의 특징이다.

서술형 문제

15 **[예시 답안]** B 지역은 건조 기후 지역이다. 건조 기후 지역은

연 강수량이 250~500mm로 적으며, 강수량보다 증발량이 많다. 따라서 농업 활동이나 인간이 살아가는 데 필요한 물이 부족하여 인간 거주에 불리하다.

[평가 기준]

상	건조 기후 지역이 인간 거주에 불리한 이유를 기후 조건과 연관 지어 맞게 서술하였다.
중	인간 거주에 불리한 이유를 서술하였지만, 기후 조건에 대한 내용이 일부 부족하였다.
하	인간 거주에 불리한 이유를 서술하였지만, 기후 조건에 대한 내용을 서술하지 못하였다.

16 [예시 답안] 사진은 스텝 기후 지역의 전통 가옥인 게르이다. 스텝 기후 지역은 연 강수량 250~500mm로 키가 작은 풀들이 자라 초원을 이루며, 물과 풀을 찾아 가축을 기르는 유목이 발달했다. 이러한 이유로 가축의 고기와 가축의 젖을 가공한 유제품을 주로 먹는다.

[평가 기준]

상	기후의 명칭과 농·목업의 특징을 함께 설명하며 즐겨 먹는 음식을 서술하였다.
중	기후의 명칭과 농·목업의 특징을 함께 설명하며 즐겨 먹는 음식을 서술하였지만, 농·목업의 특징에 대한 서술이 부족하였다.
하	즐겨 먹는 음식만을 서술하고 기후의 명칭과 농·목업의 특징은 서술하지 못하였다.

Ⅲ. 자연으로 떠나는 여행

실전모의고사(1회)

본문 15~18쪽

01 ④ **02** ④ **03** ④ **04** ④ **05** ② **06** ①
07 ① **08** ③ **09** ② **10** ① **11** ② **12** ③
13 ⑤ **14** ④ **15** ② **16** 해설 참조
17 해설 참조

01 (가)는 알프스산맥, (나)는 코토팍시산이다.

오답 피하기

안데스산맥은 남아메리카 서쪽에 있는 산맥이다. 베수비오산은 이탈리아 나폴리만 연안에 있는 화산이다. 킬라우에아산은 미국 하와이에 있는 화산이다.

02 그림은 히말라야산맥을 나타낸 자료이다. 히말라야산맥은 신기 습곡 산지로 해발 고도가 높고 험준한 편이며, 지각 운동이 활발하여 지진이 자주 발생한다.

03 자료는 로키산맥에 대한 설명이다.

오답 피하기

A는 알프스산맥, B는 히말라야산맥, C는 그레이트디바이딩산맥, E는 안데스산맥이다.

04 해변을 따라 방파제나 콘크리트 구조물을 조성하는 것은 해변의 침식을 가속화시킬 수 있다.

05 알프스 산지 지역의 주민 생활 모습에 대한 설명으로 치즈 분배 축제가 열리는 곳은 스위스 지그리스빌 지역이다. 프랑스 랑그도크루시용은 해양 관광 단지이다.

06 (가)는 만으로 파랑의 퇴적 작용이 활발하게 일어나 갯벌, 모래사장이 주로 형성된다.

오답 피하기

곶에는 파랑의 침식 작용이 활발해서 해안 절벽, 돌기둥, 동굴 등이 주로 형성된다.

07 (가)는 관광 산업이 해안 지역에 미친 부정적 영향에 대해 묻고 있다. 교통량 증가에 따른 교통 체증 및 주차 문제, 인공 구조물 조성에 따른 해안 생태계 파괴 등이 있다.

오답 피하기

ㄷ. 일자리 창출 및 경제 활동에 따른 수익 증가, ㄹ. 주민들의 삶의 질 향상과 지역 이미지 상승은 긍정적 영향에 대한 설명이다.

08 오스트레일리아의 12사도 바위는 석회암으로 된 바위 절벽이 파랑의 침식 작용을 받아 해안 절벽과 돌기둥이 형성되었다.

09 피오르는 빙하의 침식으로 생긴 골짜기에 바닷물이 들어오면서 형성된 만이다. 과거 빙하의 활동이 활발했던 지역에서 볼 수 있다.

10 피오르는 노르웨이 서부 해안, 칠레 남서부 해안, 뉴질랜드 남섬 서안, 캐나다 태평양 연안, 알래스카 태평양 연안 등 과거 빙하로 덮여 있었던 일부 지역에서 볼 수 있다.

오답 피하기
B는 하와이, C는 오스트레일리아 북동부 해안, D는 오스트레일리아 남부 해안, E는 브라질 동부 해안이다.

11 노르웨이의 송네 피오르는 빙하의 침식 작용으로 형성된 대표적인 지형이다. 경포호는 강원도 강릉의 호수로 우리나라의 대표적인 석호이다. 12사도 바위는 해안 절벽과 돌기둥이 대표적인 해안 침식 지형, 신두리 해안 사구는 우리나라 최대의 해안 사구, 그레이트배리어리프는 세계 최대의 산호초 지대이다.

12 한라산은 전체적으로 완만한 방패 모양의 화산체로 유네스코 세계 자연 유산에 등재되었다.

오답 피하기
산의 정상에는 화구호인 백록담이 있다. 유동성이 큰 현무암이 분출되어 전체적으로 경사가 완만하다.

13 조수 간만의 차가 커 갯벌이 발달하고 해안의 낮은 수심을 이용한 간척 사업이 활발히 진행된 지역은 서해안이다.

14 (가)는 제주특별자치도의 만장굴, (나)는 충청북도 단양군의 고수동굴이다.

오답 피하기
A는 강원도 강릉시, B는 충청북도 단양군, C는 충청남도 보령시, D는 경상남도 함양군의 지리산, E는 제주특별자치도의 한라산이다.

15 용암동굴은 용암이 지표면을 덮고 흐를 때 표면이 먼저 굳고 안쪽으로 용암이 흘러내려 형성된다. 석회동굴은 석회암이 지하수에 녹아서 형성되며, 내부에서는 종유석, 석순, 석주를 볼 수 있다.

오답 피하기
파랑의 침식 작용으로 형성된 지형에는 해안 절벽, 돌기둥, 해식 동굴 등이 있다.

서술형 문제

16 ㉠은 갯벌이다.
[예시 답안] 갯벌은 조수 간만의 차가 큰 해안 지역에서 조류를 통해 운반되는 모래나 점토의 미세입자가 파도가 잔잔한 곳에 오랫동안 쌓여 형성된다.

[평가 기준]

상	㉠에 갯벌을 쓰고, '조수 간만의 차', '조류' 등의 핵심 단어를 포함하여 갯벌의 형성 과정을 정확하게 서술한 경우
중	㉠에 갯벌을 쓰고, 갯벌의 형성 과정을 정확하게 서술한 경우
하	㉠에 갯벌을 쓰고, 갯벌의 형성 과정을 단어로만 표현한 경우

17 ㉠은 주상절리이다.
[예시 답안] 주상절리는 용암이 흘러내리면서 식는 과정에서 규칙적인 균열이 생겨 다각형 기둥 모양의 주상절 리가 형성되었다.

[평가 기준]

상	주상절리를 쓰고, '용암', '규칙', '다각형', '균열' 의 제시어 네 가지를 포함하여 주상절리의 형성 과정을 정확하게 서술한 경우
중	주상절리를 쓰고, '용암', '규칙', '다각형', '균열' 중의 제시어 세 가지를 포함하여 주상절리의 형성 과정을 정확하게 서술한 경우
하	주상절리를 쓰고, '용암', '규칙', '다각형', '균열' 중의 제시어 두 가지를 포함하여 주상절리의 형성 과정을 서술한 경우

실전모의고사(2회)

본문 19~21쪽

01 ④	02 ④	03 ②	04 ③	05 ③	06 ①
07 ⑤	08 ⑤	09 ②	10 ①	11 해설 참조	
12 해설 참조					

01 산지 지형의 형성 과정과 경관의 특징에 대한 설명이다. 화산 활동으로 형성된 에콰도르의 코토팍시산은 분화 활동을 하는 화산 중 세계에서 해발 고도가 가장 높다. 원뿔 모양의 화산체로 해발 고도는 5,897m이다.

오답 피하기
킬리만자로산은 탄자니아 북동부 케냐와의 국경지대에 있는 아프리카 대륙의 최고봉이며, 세계 최대·최고의 휴화산이다. 세계 자연 유산에 등재되어 있으며, 적도 부근에 위치하면서도 정상부는 만년설에 덮여 있다. 해발 고도는 5,895m이다.

02 알파카와 원주민, 볼리비아의 우유니 소금 사막은 안데스 산지 지역에서 볼 수 있는 모습이다. 안데스 산지의 해발 고도 3,000m 부근에는 우리나라의 봄과 같은 날씨가 일 년 내내 나타나 볼리비아의 라파스(3,640m), 포토시(4,090m), 콜롬비아의 보고타(2,640m), 에콰도르의 키토(2,850m) 등과 같은 고산도시가 발달하였다.
저지대는 열대 기후가 나타나 바나나, 카카오, 목화 등을 재배하는 플랜테이션이 발달하였고, 해발 고도 2,000m~3,000m에서는 서늘한 기후를 이용하여 감자, 밀, 보리 등을 재배한다.

오답 피하기

'차마고도'는 차와 말을 교역하던 중국의 높고 험준한 옛길로, 인류 역사상 가장 오래된 교역로이며 이 길을 따라 중국의 차와 티베트의 말이 오갔다. 중국, 네팔, 인도까지 이어지는 차마고도는 히말라야산맥에 자리한 교역로이다.

03 해안 지형 중 퇴적 작용으로 형성된 지형에는 갯벌, 사구, 모래사장 등이 있으며, 침식 작용으로 형성된 지형에는 해안 절벽, 해식 동굴, 돌기둥 등이 있다.

04 2번(×) 황해로 흘러가는 하천의 하류에는 갯벌, 평야가 자리 잡고 있다. 3번(×) 태백산맥 서쪽으로 흐르는 하천은 동해로 흐르는 하천에 비해 완만하고 하천의 길이가 더 길어서 유량이 더 많다. 4번(×) 대체로 황해로 흘러가는 하천의 길이가 동해로 흐르는 하천보다 긴 편이다.

05 여행 일정의 순서는 충청남도 보령시의 머드 축제 → 경상남도 함양군의 지리산 → 충청북도 단양군의 고수동굴 순이다.

오답 피하기

A는 강원도 강릉시, B는 충청북도 단양군, C는 충청남도 보령시, D는 경상남도 함양군의 지리산, E는 제주특별자치도의 한라산이다.

06 경포 해변과 경포호, 정동진의 해돋이와 관련 있는 지역은 강원도 강릉시이다.

07 (가)는 오스트레일리아의 12사도 바위, (나)는 브라질의 코파카바나 해변이다.

오답 피하기

A는 노르웨이 서안, B는 하와이, C는 오스트레일리아 북동부 해안, D는 오스트레일리아 남부 해안, E는 브라질 동부 해안이다.

08 오스트레일리아의 12사도 바위는 석회암으로 된 바위 절벽이 파랑의 침식 작용을 받아 해안 절벽과 돌기둥이 형성되었다. 브라질의 코파카바나 해변은 파랑의 퇴적 작용으로 형성된 모래사장이며, 긴 해변으로 유명하다.

오답 피하기

ㄴ. 해안선의 드나듦이 복잡하고 조차가 커서 갯벌이 넓게 발달하였다.는 우리나라 서해안에 대한 설명이다.

ㄷ. 빙하의 침식으로 생긴 골짜기에 바닷물이 들어오면서 형성된 만이다.는 피오르의 형성 과정에 대한 설명이다.

09 용암동굴은 용암이 지표면을 덮고 흐를 때 표면이 먼저 굳고 안쪽으로 용암이 빠져나가면서 형성된다. 대표적인 용암동굴에는 제주도의 만장굴이 있다.

10 설악산, 북한산, 월출산 등은 돌산으로 화강암 바위가 드러나 있어 기암괴석이 절경을 이룬다. 석회동굴은 석회암이 오랜 시간 동안 지하수에 녹아서 만들어진 지형이다.

서술형 문제

11 ㉠은 황해(서해)이다.

[예시 답안] 우리나라의 큰 하천이 대부분 황해로 흐르는 이유는 우리나라는 태백산맥이 동쪽으로 치우쳐 솟아있어 서쪽으로는 경사가 완만하고, 동쪽으로는 경사가 급하다. 따라서 동쪽에서 서쪽으로 대부분의 큰 하천이 흐른다.

[평가 기준]

상	㉠에 황해(서해)를 쓰고, '태백산맥', '경사', '동쪽에서 서쪽' 등의 핵심 단어를 포함하여 황해로 흐르는 이유를 정확하게 서술한 경우
중	㉠에 황해(서해)를 쓰고, '태백산맥', '경사', '동쪽에서 서쪽' 등의 핵심 단어를 포함하여 황해로 흐르는 이유를 서술한 경우
하	㉠에 황해(서해)를 쓰고, '태백산맥', '경사', '동쪽에서 서쪽' 등의 핵심 단어를 포함하지 않고 황해로 흐르는 이유를 서술한 경우

12 모래 포집기

[예시답안] 모래의 이동이 활발한 지역을 대상으로 바람에 의한 모래 이동이 주로 일어나는 지표면에 대나무나 그물 따위로 인위적 구조물을 설치하여 모래를 집적하는 장치이다. 사구의 표면을 안정화하고 사구 성장을 돕는 역할을 한다.

[평가 기준]

상	모래 포집기를 쓰고, 모래 포집기가 필요한 지역과 역할을 '모래', '바람' 등의 핵심 용어를 포함하여 정확하게 서술한 경우
중	모래 포집기를 쓰고, 모래 포집기가 필요한 지역과 역할을 서술한 경우
하	모래 포집기를 쓰고, 모래 포집기가 필요한 지역과 역할을 단어로만 표현한 경우

Ⅳ. 다양한 세계, 다양한 문화

실전모의고사(1회)

본문 22~24쪽

01 ⑤	02 ②	03 ④	04 ②	05 ②	06 ④
07 ①	08 ④	09 ①	10 ②	11 ④	
12 해설 참조		13 해설 참조			

01 자료의 국기는 대한민국, 중국, 일본이다. ⑤ 유목 문화 지역은 아랍 문화 지역에 주로 나타난다.

02 유럽, 아메리카 지역에 주로 분포하는 종교는 크리스트교이다. ㄱ. 그리스 정교, 가톨릭, 개신교를 포함한다. ㄷ. 십자가를 세운 성당이나 교회가 대표적 경관이다.는 크리스트교에 대한 설명이다.

오답 피하기

ㄴ. 서남아시아, 북부 아프리카에서 주로 나타난다.

ㄹ. 둥근 지붕과 뾰족한 탑으로 이루어진 모스크가 나타난다.는 이슬람교에 해당하는 설명이다.

03 (나)는 이슬람교, (다)는 불교이다. 둥근 지붕과 뾰족한 탑으로 이루어진 모스크는 이슬람교의 대표 경관이며, 사찰, 불상, 탑 등은 불교 문화의 대표 경관이다.

오답 피하기

ㄱ. 힌두교에서는 소를 숭배하여 소고기를 먹지 않는다.

ㄷ. 불교의 발상지는 인도이다.

04 (라)는 힌두교이다. 힌두교 문화 지역에서는 지역마다 다른 신을 모시는 사원, 소를 숭배하는 모습, 사리를 입은 여성, 갠지스강에서 목욕하는 모습을 볼 수 있다.

05 석가모니(고타마 싯다르타)를 불교의 창시자이자 인도의 성자로 여기며, 사찰, 불상, 탑 등의 종교 경관이 나타나고 미얀마, 타이, 캄보디아 등에 전파된 종교는 불교이다.

06 한대 기후 지역에서는 보온이 잘되는 가죽옷이나 털옷을 입으며, 비타민을 섭취하기 위해 생선과 날고기를 주로 먹는다.

07 (가)는 라틴 아메리카 문화 지역이다. 힌두교는 인도 문화 지역에서 많이 볼 수 있는 종교이다.

오답 피하기

혼혈 인종, 크리스트교, 포르투갈어, 에스파냐어는 라틴 아메리카 문화 지역의 특징이다.

08 경제적·사회적 환경에 따라 달라지는 문화와 관련된 옳은 설명은 '학생 B: 사회 제도나 규범이 변화하면서 결혼 제도나 장례 풍습 등이 달라지기도 합니다.', '학생 D: 경제 발전 수준이 높을수록 인공적인 경관이 두드러지며 현대적인 생활 모습이 나타납니다.'이다.

오답 피하기

이슬람교를 믿는 사람들은 돼지고기와 술을 먹지 않고, 할랄 식품만 먹는다. 힌두교도는 소를 신성시하여 소고기를 먹지 않고, 여성들은 사리를 입는다.

09 카사바, 얌 등으로 요리, 통풍이 잘되는 간편한 옷, 나무로 만든 고상 가옥의 특징이 나타나는 문화 지역은 열대 기후 지역이다.

10 지역 간 문화 전파로 외부에서 새로운 문화가 들어오면 문화 공존, 문화 동화, 문화 융합 등 기존의 문화가 변화하는 현상이 나타나는데, 이를 문화 변용이라고 한다.(○) – 한 문제가 맞기 때문에 1점에 해당한다.

오답 피하기

불교, 유교, 크리스트교는 서로 다른 시기에 우리나라로 들어왔지만 모두 우리 문화의 일부를 이루는데, 이는 문화 공존의 사례가 된다.(×)

우리나라에서는 과거 글을 쓸 때 세로쓰기를 하였으나, 가로쓰기 방식이 들어오고 확산하면서 세로쓰기는 찾아보기 어려워졌는데, 이는 문화 동화의 사례에 해당한다.(○)

우리나라의 온돌이 서양에서 들어온 침대와 결합하여 돌침대가 만들어진 것처럼 기존의 문화가 외국에서 들어온 문화와 만나 새로운 문화를 형성하는 문화 융합이 이루어지기도 한다.(×)

11 필리핀에서는 영어와 함께 고유 언어인 타갈로그어를 사용하고 있다. 안녕이라고 말할 때, "헬로."라고 하거나 "까무스따."라고 한다. 또한 에스파냐와 미국의 영향으로 대부분 사람이 크리스트교를 믿고 있어, 전통 신앙을 믿는 사람은 거의 없다.

서술형 문제

12 [예시 답안] 동남아시아에 자리한 말레이시아는 문화적 다양성이 매우 높은 나라이다. 이는 중국과 인도의 사이라는 지리적 위치와 과거 서구 열강의 침략으로 인한 서구 문화의 유입 때문이다. 말레이시아의 축제와 기념일은 이러한 문화적 다양성이 나타나며, 말레이시아 정부의 다양한 종교를 포용하고 인정하려는 문화 상대주의 관점이 잘 반영된 사례이다.

[평가 기준]

상	문화 상대주의, 중국, 인도, 침략, 서구 등의 제시어를 모두 포함하여 말레이시아의 종교별 축제와 기념일이 다양한 이유를 지리적 관점에서 정확하게 서술한 경우
중	문화 상대주의, 중국, 인도, 침략, 서구 등의 제시어 중 4개를 포함하여 말레이시아의 종교별 축제와 기념일이 다양한 이유를 지리적 관점에서 서술한 경우
하	문화 상대주의, 중국, 인도, 침략, 서구 등의 제시어 중 3개를 포함하여 말레이시아의 종교별 축제와 기념일이 다양한 이유를 단어로만 작성한 경우 경우

13 메스티소, 삼보, 물라토

[예시 답안] 메스티소는 아메리카 원주민과 유럽계 백인 간의 혼혈

인종을 말한다. 삼보는 아메리카 원주민과 아프리카계 흑인 간의 혼혈 인종을 말한다. 물라토는 유럽계 백인과 아프리카계 흑인 간의 혼혈 인종을 말한다.

[평가 기준]

상	메스티소, 삼보, 물라토를 모두 정확하게 쓰고, 그 의미를 자세하게 서술한 경우
중	메스티소, 삼보, 물라토 중 2개를 정확하게 쓰고, 그 중 2개의 의미를 자세하게 서술한 경우
하	메스티소, 삼보, 물라토 중 1개를 정확하게 쓰고, 그 중 1개의 의미를 자세하게 서술한 경우

실전모의고사(2회)

본문 25~27쪽

01 ② **02** ② **03** ④ **04** ① **05** ③ **06** ②
07 ④ **08** ③ **09** ③ **10** ③ **11** 해설 참조
12 해설 참조

01 (가)는 북극 문화 지역이다. 북극 문화 지역에 해당하는 특징은 ㄱ. 순록 유목, ㄹ. 털옷과 날고기이다.

오답 피하기

ㄴ. 에스파냐어는 라틴 아메리카 문화 지역, ㄷ. 애버리지니는 오스트레일리아 문화 지역에 해당한다.

02 터키는 아시아와 유럽에 걸쳐 있다. 국토 대부분은 아시아에 속하지만, 유럽의 정치 · 교육 제도를 받아들였고, 국민의 대부분은 이슬람교를 믿는다.

03 (가)는 힌두교, (나)는 이슬람교, (다)는 크리스트교에 해당된다.

04 ㄱ. 힌두교는 인도, 네팔에서 많은 사람들이 믿고 있다. ㄴ. 이슬람교의 경전은 코란이며, 돼지고기를 금기한다.는 옳은 설명이다.

오답 피하기

ㄷ. 힌두교에서는 소를 신성시하여 소고기를 먹지 않는다.
ㄹ. 이슬람교에서는 둥근 지붕과 뾰족한 탑으로 이루어진 모스크가 나타난다.

05 오늘날 세계에서 축구를 즐기지 않는 나라는 거의 없으며, 지구촌 인구의 절반은 월드컵 경기를 관람한다. 반면에 크리켓을 즐기는 나라는 많지 않다. 문화의 전파 범위는 문화별로 다르게 나타난다.

06 건조 기후 지역의 생활 모습을 나타낸 사진이다. ㄱ. 밀과 대추야자 등을 주로 먹는다. ㄹ. 얇은 천으로 온몸을 감싸는 헐렁한 옷을 입는다.는 건조 기후 지역에 대한 특징이다.

오답 피하기

ㄴ. 고상 가옥이나 수상 가옥을 주로 짓는다. ㄷ. 카사바, 얌 등으로 음식을 만들어 먹는다.는 열대 기후 지역의 문화적 특징이다.

07 세 나라 모두 불교 신자가 많으며, 불교는 인도에서 시작되어 중국, 우리나라, 일본 순으로 전파되었다.

08 포르투갈어 문화 지역, 크리스트교 문화 지역, 인구가 1억 명 이상, 2016 리우 올림픽(브라질 리우데자네이루)을 개최한 국가는 브라질이다.

09 브라질은 아메리카 원주민, 유럽계 백인, 아프리카계 흑인이 함께 문화를 가꾸어 온 나라이다.(○), 전체 인구에서 메스티소, 삼보, 물라토 등의 혼혈 인종이 차지하는 비중이 매우 높다.(○) – 2문제가 맞으므로 2점이다.

오답 피하기

주민들 간의 경제적 격차가 크지만, 인종과 민족 간의 갈등이 큰 편은 아니다.(○)
메스티소는 아메리카 원주민과 유럽계 백인 간의 혼혈 인종을 말하고, 삼보는 아메리카 원주민과 아프리카계 흑인 간의 혼혈 인종을 말한다.(○)

10 이슬람교, 할랄 식품, 돼지고기와 술 금기, 여성들은 부르카, 히잡, 차도르 등 착용과 관련된 문화 지역은 아랍 문화 지역이다.

서술형 문제

11 [예시 답안] (가)는 열대 기후 지역으로 통풍이 되는 옷을 입고 카사바, 얌 등으로 음식을 만들어 먹는다. (나)는 건조 기후 지역으로 햇볕과 모래바람을 차단할 수 있도록 온몸을 감싸는 옷을 입고, 밀과 대추야자 등을 주로 먹는다. 집을 짓는 재료 또한 차이가 나는데, 열대 기후 지역에서는 나무, 건조 기후 지역에서는 흙을 주된 재료로 사용한다.

[평가 기준]

상	기후, 옷, 음식, 집, 재료 등의 제시어를 모두 포함하여 열대 기후 지역과 건조 기후 지역의 문화적 차이를 비교하여 구체적으로 서술한 경우
중	기후, 옷, 음식, 집, 재료 등의 제시어 중 4개를 포함하여 열대 기후 지역과 건조 기후 지역의 문화적 차이를 비교하여 서술한 경우
하	기후, 옷, 음식, 집, 재료 등의 제시어 중 3개를 포함하여 열대 기후 지역과 건조 기후 지역의 문화적 차이를 비교하여 서술한 경우

12 [예시 답안] 인도 북서부의 카슈미르 지역은 힌두교와 이슬람교를 믿는 주민 간에 갈등이 지속되고 있다.

[평가 기준]

상	인도 북서부의 카슈미르 지역은 힌두교와 이슬람교를 믿는 주민 간에 갈등이 지속되고 있다.와 같이 '이슬람교', '힌두교'의 핵심어를 모두 포함하여 서술한 경우
중	인도 북서부의 카슈미르 지역은 힌두교와 이슬람교를 믿는 주민 간에 갈등이 지속되고 있다.와 같이 '이슬람교', '힌두교' 중 1개의 핵심어를 포함하여 서술한 경우
하	'이슬람교', '힌두교' 중 1개의 핵심어를 포함하여 단어로만 작성한 경우

V. 지구 곳곳에서 일어나는 자연재해

실전모의고사(1회)

본문 28~30쪽

01 ④ **02** ④ **03** ① **04** ③ **05** ⑤ **06** ④
07 ② **08** ① **09** ① **10** ④ **11** 해설 참조
12 해설 참조

01 지진 해일은 지형과 관련된 자연재해 중 하나로 바다 내부에서 발생한 충격(지진, 화산 활동)에 의해 형성된다.

02 일본의 경우 환태평양 조산대에 자리하여 화산과 지진이 빈번하며, 선진국으로 평소 화산과 지진에 대한 대비가 잘 구축된 국가이다. 또한 열대 저기압(태풍)이 통과하는 길목에 위치하기 때문에 우리나라와 마찬가지로 태풍의 직·간접적 영향을 받는다.

오답 피하기
A는 이탈리아, B는 네팔, C는 베트남, E는 칠레이다. 이탈리아와 네팔은 알프스·히말라야 조산대에 자리한 국가이며 특히 네팔은 2015년 대지진에서 볼 수 있듯이 지진 피해를 줄이기 위한 노력이 많이 부족하다. 칠레의 경우 열대 저기압의 영향을 받지 않는 국가이다. 베트남의 경우 열대 저기압의 영향을 받으나 조산대에 위치하지 않아 지진과 화산의 피해가 적다.

03 지문에서 설명하는 자연재해는 지진 해일이다. 지진 해일의 경우 판의 경계 부분에서 발생하고 바다 밑에서 발생하는 자연재해이므로 A이다.

오답 피하기
C는 가뭄, D는 열대 저기압, E는 홍수이다.

04 D는 열대 저기압으로 열대 저기압과 관련된 신문 기사의 제목은 ③이다.

오답 피하기
①은 홍수, ②는 지진 해일, ④는 지진, ⑤는 가뭄에 해당하는 신문 기사의 제목으로 적절하다.

05 지도에 표시된 지역은 사헬 지대로 사헬 지대의 경우 사막화 또는 가뭄이 발생하는 지역으로 관련된 탐구 보고서 작성의 조사 대상이 된다.

06 사진의 A는 사막화, B는 지진이다. 사막화의 피해를 줄이려는 방법으로는 과도한 방목 금지, 지진의 피해를 줄이려는 방법으로는 건물의 내진 설계 도입 및 의무화가 있다.

오답 피하기
제방 건설은 홍수의 피해를 줄이기 위한 대책에 해당한다.

07 ㄱ은 유황 광산의 모습, ㄴ은 동계 스포츠, ㄷ은 지진 대비 훈련 모습, ㄹ은 벼농사, ㅁ은 수상 가옥, ㅂ은 옥상 정원이다. 화산이 미치는 긍정적 측면의 사례로는 유황 광산이, 지진의 피해를 줄이기 위한 노력은 지진 대비 훈련, 도시 홍수 피해를 줄일 수 있는 대책으로는 옥상 정원이 해당된다.

오답 피하기

ㄹ. 벼농사에 영향을 미치는 것은 홍수이다.
ㅁ. 수상 가옥의 경우 홍수 피해를 막기 위한 대책이지만 도시에서 발생하는 홍수에 대한 대책으로는 적절하지 않다.

08 문제에서 제시된 내용은 지진 발생 후 안내하는 재난 문자이다. 지진 발생 시 건물 또는 시설의 붕괴로 인해 발생하는 낙하물로부터 몸을 보호하고, 진동이 멈춘 후 야외로 대피해야 인명 피해를 줄일 수 있다.

09 사진은 사막화가 진행되고 있는 지역에 나무를 심는 모습이다. 나무를 심게 되면 사막화를 방지할 수 있다. 또한 나무를 심어 녹지 면적을 늘리게 되면 홍수를 조절하는 효과도 얻을 수 있다.

10 녹지 면적의 비율이 상대적으로 높은 (가)에서 비가 내렸을 시 빗물은 빠르게 토양으로 흡수된다. 상대적으로 하천으로 흘러가는 물의 양은 줄어들게 되어 홍수 피해를 줄일 수 있다.

오답 피하기

① 홍수 발생 확률은 하천 유입률이 높은 (나)가 더 높다.
② (나)는 (가)보다 콘크리트 아스팔트로 덮인 포장 면적이 더 높다.
③ (가)는 도시화 이전, (나)는 도시화 이후의 모습이다.
⑤ 빗물 저장 공원, 빌딩 옥상 정원, 빗물을 통과하는 아스팔트 등을 통해 도시의 홍수 발생 위험을 줄일 수 있다.

서술형 문제

11 [예시 답안] 일본은 환태평양 조산대에서 위치하고 우리나라는 환태평양 조산대에서 비교적 멀기 때문에 일본에서 지진이 자주 발생하고 규모 또한 크다.

[평가 기준]

상	환태평양 조산대라는 용어를 포함하여 서술하였으며 일본은 조산대에, 우리나라는 조산대에서 비교적 멀다는 내용을 서술한 경우
중	환태평양 조산대라는 용어를 포함하지는 않았지만 일본은 조산대(판의 경계)에 자리하는 반면 우리나라는 비교적 멀다는 사실을 정확하게 서술한 경우
하	조산대(판의 경계)에 일본은 위치하고 우리나라는 비교적 멀다는 사실을 정확하게 서술하지 못한 경우

12 [예시 답안] 태풍은 인간 생활에 큰 피해를 주기도 하지만 무더위를 해소하고 용수를 공급하여 가뭄의 피해를 줄이고 바닷물을 순환시켜 적조 현상을 완화하는 이점도 있다.

[평가 기준]

상	태풍의 이점(더위를 해소하고, 용수를 공급하여 가뭄의 피해를 줄이고 적조 현상을 완화한다.) 중 두 가지를 정확하게 서술한 경우
중	태풍의 이점(더위를 해소하고, 용수를 공급하여 가뭄의 피해를 줄이고 적조 현상을 완화한다.) 중 한 가지를 정확하게 서술한 경우
하	태풍의 이점(더위를 해소하고, 용수를 공급하여 가뭄의 피해를 줄이고 적조 현상을 완화한다.)이 대해 명확히 서술하지 못한 경우

실전모의고사(2회)

본문 31~33쪽

01 ① **02** ④ **03** ③ **04** ② **05** ⑤ **06** ③
07 ④ **08** ③ **09** ② **10** ③ **11** 해설 참조
12 해설 참조

01 순서대로 지진 해일과 지진이다. 지진 해일과 지진은 대표적인 지형과 관련된 자연재해로 판과 판의 경계에서 발생하는 자연재해이다.

오답 피하기

②는 홍수, ④는 열대 저기압의 발생 원인에 해당한다.

02 지도에 표시된 지역에는 예니세이강, 레나강, 오브강이 있으며 모두 북극해로 흐르는 하천이다. 이들 하천의 경우 봄철 홍수가 자주 발생하는데 그 이유는 봄철에 얼음이 갑작스럽게 녹아 하천으로 유입되는 물의 양은 증가하나 북극해 근처는 아직 얼음으로 덮여있어 바다로 물이 빠지지 못해 범람하기 때문이다.

03 ㄱ은 지진, ㄴ은 홍수, ㄷ은 가뭄, ㄹ은 열대 저기압, ㅁ은 화산 활동, ㅂ은 지진 해일이다. 이 중 기후와 관련된 자연재해는 ㄴ, ㄷ, ㄹ이며, 지진 해일을 유발하는 것은 ㄱ, ㅁ이다.

오답 피하기

ㄱ, ㅁ, ㅂ은 지형과 관련된 자연재해이다.

04 빗물 저장 공원과 옥상에 설치된 정원은 도시에서 발생하는 홍수의 피해를 줄이기 위함이다.

05 녹지 면적을 늘리고 포장 면적을 줄이는 것은 도시에서의 홍수 피해를 줄이는 방법이다.

06 베트남은 메콩강 하류에 위치하며 홍수와 열대 저기압에 의한 피해가 자주 발생하는 국가이지만 한편으로는 홍수로 인해 형성된 비옥한 토양을 토대로 벼농사가 발달하였다.

오답 피하기

① 일본, ② 칠레, ④ 뉴질랜드, ⑤ 아이슬란드는 조산대에 자리한 국가

로 화산 활동과 지진과 관련이 있는 국가이다. 일본의 경우 열대 저기압과 홍수의 영향 또한 많이 받는 국가이지만 북태평양에 위치하여 사이클론이 아닌 태풍의 영향을 받는다.

07 오키나와는 태풍이 이동하는 경로에 자리한 섬으로 강풍으로부터 가옥을 보호하기 위한 시설이 발달하였다. 그중 하나가 작은 돌벽으로, 크고 집 전체를 돌벽으로 연결하는 경우 강한 바람에 오히려 가옥이 무너질 수 있어 작은 돌벽을 통해 바람의 흐름을 분산하려는 삶의 지혜가 눈에 띄는 시설이다. 현대 일본의 아파트는 지진의 피해를 줄이기 위해 아파트 베란다에 유리가 없고 아파트 층별로 베란다가 합쳐져 있어 지진 발생 시 신속하게 옆집으로 대피할 수 있게 되어 있다.

오답 피하기
홍수에 대비한 가옥으로는 수상 가옥이 대표적이다.

08 미국 캔자스주는 토네이도가 자주 발생하는 곳이다. 토네이도는 열대의 해상에서 형성되는 열대 저기압과는 달리 육상 위에서 형성된 저기압을 말한다.

오답 피하기
①, ④, ⑤는 열대 저기압에 해당한다.

09 A는 홍수, B는 가뭄이다. 홍수 피해를 줄이는 방법으로는 다목적 댐 건설이, 가뭄 피해를 줄이기 위해서는 해수 담수화 시설 구축, 지하수 개발 등이 대표적이다.

오답 피하기
유엔 사막화 방지 협약과 같은 국제 협약 체결은 사막화, 건물의 내진 설계는 지진의 피해를 줄이기 위한 노력에 해당한다.

10 지진 해일의 경우 지형과 관련된 자연재해이며, 화산 활동과 지진이 빈번하게 발생하는 인도양, 태평양 일대에서 주로 발생한다. 또한 발생 지점부터 수천 km 떨어진 지역까지 영향을 미친다는 특징을 가지고 있다. 지진 해일의 경우 인간 생활에 미치는 이점은 없다.

서술형 문제

11 (가)는 태풍(열대 저기압)
[예시 답안] (가)와 (나)는 홍수로 많은 비가 내려 용수를 공급하여 가뭄을 해소한다는 이점을 가지고 있다.

[평가 기준]

상	(가), (나) 자연재해의 명칭(태풍, 홍수)과 (가), (나) 자연재해의 공통된 이점(용수를 공급하여 가뭄을 해소한다)을 모두 정확하게 서술한 경우
중	(가), (나) 자연재해의 명칭(태풍, 홍수)은 정확하게 서술하였으나 (가), (나) 자연재해의 공통된 이점(용수를 공급하여 가뭄을 해소한다)을 정확하게 서술하지 못한 경우
하	(가), (나) 자연재해의 명칭(태풍, 홍수) 중 일부를 서술하였으며 (가), (나) 자연재해의 공통된 이점(용수를 공급하여 가뭄을 해소한다)을 정확하게 서술하지 못한 경우

12 **[예시 답안]** 아랄해 주변은 목화와 벼 재배로 인해 농업용수를 과도하게 사용하면서 아랄해로 들어오는 유량이 줄어들며 호수의 면적이 줄어들었다. 이러한 문제를 해결하기 위해서는 나무를 심어 녹지 면적을 넓혀야 한다.

[평가 기준]

상	제시된 단어인 '용수', '유량', '나무', '녹지 면적'을 모두 사용하였으며 아랄해의 면적이 축소되고 있는 이유(농업 용수 사용에 따른 유량 감소)와 지역적 노력(나무를 심어 녹지 면적을 늘린다.)을 모두 정확하게 서술한 경우
중	아랄해의 면적이 축소되고 있는 이유(농업 용수 사용에 따른 유량 감소)와 지역적 노력(나무를 심어 녹지 면적을 늘린다.)을 모두 정확하게 서술하였으나 제시된 단어 중 2~3개만 사용한 경우
하	제시된 단어 중 일부만 사용하였으며 아랄해의 면적이 축소되고 있는 이유(농업 용수 사용에 따른 유량 감소)와 지역적 노력(나무를 심어 녹지 면적을 늘린다.) 중 일부 내용만 정확하게 서술한 경우

Ⅵ. 자원을 둘러싼 경쟁과 갈등

실전모의고사(1회)

본문 34~37쪽

01 해설 참조		02 ④	03 ④	04 ①	05 ①
06 ⑤	07 ③	08 ⑤	09 ②	10 ⑤	11 ③
12 ③	13 ②	14 ③	15 해설 참조		

서술형 문제

01 가변성

[예시 답안] 자원의 가변성은 자원의 가치가 시대와 장소, 사회·문화적 배경, 과학 기술에 의해 변화하는 특성을 말한다.

[평가 기준]

상	가변성을 서술하였고, 제시된 단어인 '가치', '시대', '사회·문화적 배경', '과학 기술'을 모두 사용하여 가변성의 정의를 정확하게 서술한 경우
중	가변성을 서술하였고, 제시된 단어인 '가치', '시대', '사회·문화적 배경', '과학 기술' 중 2~3 단어를 이용하여 가변성의 정의를 서술한 경우
하	가변성을 서술하였으나 제시된 단어인 '가치', '시대', '사회·문화적 배경', '과학 기술'을 활용하여 가변성의 정의를 서술하지 못한 경우

02 ㉠에 들어갈 용어는 시화호로 세계 최대 규모의 조력 발전소가 위치한 곳이다. 조력 발전소에 해당하는 사진은 ④이다.

03 지도에서 설명하는 자원은 석유이다. 석유의 경우 OPEC과 관련이 깊으며 매장량의 지역 차가 커 국제 이동량이 많다.

오답 피하기

④ 공업용과 보석용으로 사용하는 자원은 다이아몬드이다.

04 쌀은 계절풍이 부는 지역에, 밀은 쌀에 비해 서늘하고 건조한 지역에서도 재배 가능하다.

05 세계 물 자원을 둘러싼 갈등은 국제 하천에서 주로 발생한다. 대표적인 곳이 나일강으로 이집트와 수단·에티오피아 간에 첨예하게 대립하고 있다.

06 카스피해는 석유와 천연가스가 풍부하게 매장된 지역이다. 카스피해 인근 5개국은 카스피해를 접한 면적에 따라 다양한 주장을 하여 더 많은 자원을 확보하고자 한다. 이중 카스피해를 접하는 면적이 적은 아제르바이잔은 카스피해를 균등하게 나누자고 주장한다.

07 콩고 민주 공화국은 콜탄의 매장량이 많은 국가이다. 하지만 정치적으로 불안정하여 자원의 저주에 빠진 국가이다.

오답 피하기

쌀은 아시아의 계절풍 기후 지역에서 주로 생산되는 식량 자원이다. 부패가 없고 정치적으로 안정되어 아프리카 내 부국으로 성장한 국가는 보츠와나가 해당한다.

08 보츠와나는 다이아몬드를 통해 성장한 국가이다. 아프리카에서는 보기 드물게 정치적으로 안정되어 있고 부정부패가 적어 부국으로 성장하게 되었다.

오답 피하기

A는 시에라리온, B는 나이지리아, C는 이집트, D는 콩고 민주 공화국이다.

09 B의 나이지리아는 석유 생산에 따른 환경 오염 문제가 심각하다. 특히 석유 생산 시설이 집중된 나이저강에서는 석유 유출로 인해 토양과 해안 오염 문제를 겪고 있다.

오답 피하기

①은 시에라리온, ④는 콩고 민주 공화국, ⑤는 서남아시아의 석유가 풍부한 국가들에 해당한다.

10 (가)는 바이오 에너지, (나)는 풍력의 단점에 해당한다.

11 그래프는 태양광 발전의 국가별 이용 현황이다. 태양광 발전은 사막과 같이 일사량이 많은 지역에서 주로 이용된다.

오답 피하기

①은 지열, ②는 조력, ④는 수력, ⑤는 풍력에 대한 설명이다.

12 그림은 저탄소 제품 인증 마크이다. 저탄소 제품 인증 제도는 탄소 배출량이 기준치 이하이거나 기준 이하로 탄소를 감축한 제품에 표시하여 온실가스 배출을 줄일 수 있도록 유도하는 제도이다.

오답 피하기

저탄소 제품 인증을 통해 온실가스를 유발하는 화석 연료 사용을 줄일 수 있으며, 신·재생 에너지 사용을 유도하여 관련 일자리를 창출할 수 있으나 직접적인 기대 효과로 볼 수 없다.

13 그림에서 설명하는 전기 생산 방식은 지열 발전이다. 땅속 마그마에서 형성된 열을 이용하여 전기를 생산하고 난방, 온천 등 다양하게 이용할 수 있다.

오답 피하기

①과 ④는 석탄·석유·천연가스와 같은 화석 연료, ③은 태양열, ⑤는 조력에 해당한다.

14 태양광 발전의 경우 무한히 사용할 수 있어 고갈 우려가 없는 에너지 자원이지만 강한 열과 빛으로 인해 주변 지역에 피해를 유발한다는 단점이 있다.

오답 피하기

①과 ②는 수력, ④는 풍력, ⑤는 바이오 에너지에 대한 설명이다.

서술형 문제

15 **[예시 답안]** 바이오 에너지로 토양과 수질 오염을 야기한다.

[평가 기준]

상	바이오 에너지와 토양과 수질 오염 모두 정확하게 서술한 경우
중	바이오 에너지를 기입 하였으나 토양과 수질 오염에 대해 정확하게 서술하지 못한 경우
하	바이오 에너지라는 명칭과 토양과 수질 오염을 유발한다는 내용 모두를 정확하게 서술하지 못한 경우

실전모의고사(2회)

본문 38~40쪽

01 ② **02** ④ **03** ③ **04** ① **05** ① **06** ⑤
07 ② **08** ③ **09** ② **10** ① **11** 해설 참조
12 해설 참조

01 빈칸에 들어갈 용어는 자원 민족주의이다. 자원 민족주의는 자원을 풍부하게 보유한 국가가 자국의 이익을 위해 자원을 정치적으로 이용하여 영향력을 행사하려는 현상을 말한다.

02 석유의 주요 생산국과 소비국을 나타낸 그래프를 통해 석유를 주로 생산하는 국가와 소비하는 국가가 극명하게 나뉜다는 사실을 알 수 있다. 석유를 주로 수출하는 국가 중 나이지리아는 선진국의 반열에 도달했다고 보기 어렵다.

03 물 부족 지수를 통해 세계 여러 나라의 물 자원 보유 정도와 물 부족 심각성이 국가마다 차이가 있음을 알 수 있다. 이를 통해서는 자원의 편재성을 알 수 있다. 우리나라도 물 부족 지수가 높아 물 자원의 세심한 관리가 필요한 실정이다.

04 국제 하천은 여러 국가를 흐르는 하천을 말하며 특히 물 자원이 부족한 사막과 주변 기후 지역을 지나는 국제 하천에서 물 자원을 둘러싼 갈등이 심각하게 이루어진다. 나일강(하류의 이집트 vs 상류의 수단), 메콩강(하류의 베트남 vs 상류의 중국)이 이에 해당한다.

오답 피하기

양쯔강과 미시시피강은 국제 하천에 해당하지 않는다.

05 해당 기간 곡물 가격이 급상승하였는데 이는 빠른 인구 증가로 인한 식량 소비 증가와 육류 소비량 증가를 들 수 있다. 육류 소비량이 증가하면 그만큼 동물 사료 작물의 소비량도 같이 늘게 되어 곡물 가격 상승을 유발한다.

오답 피하기

국제 식량 대기업의 영향력이 커질수록 곡물 가격은 상승한다.

06 세계 석유 수출량이 가장 많은 국가는 사우디아라비아이며 2위가 러시아이다. 인도와 일본은 석유 자원의 매장량이 극히 적은 국가로 석유 사용량 대부분을 수입에 의존하고 있다.

07 빈칸에 들어갈 용어는 지구 온난화이다. 북극해의 경우 과거에는 자원 개발이 어려웠으나 지구 온난화로 인해 개발 가능성이 커지자 인접 국가들의 분쟁이 발생하고 있다. 지구 온난화는 석유, 석탄 등 화석 연료 사용에 따른 온실가스 배출과 큰 관련이 있다.

오답 피하기

실생활 속 자원 사용을 줄이기 위한 노력을 할 때 지구 온난화에 따른 문제를 해결할 수 있다.

08 ㉠은 보츠와나, ㉡은 두바이이다. ㉠과 ㉡을 제외하고 남은 글자로 만들 수 있는 지역은 페르시아만으로 페르시아만은 세계 석유 자원의 절반가량이 매장되어 있는 지역이다.

09 북해의 풍부한 석유와 천연가스를 통해 세계적인 부국으로 성장한 국가는 노르웨이이다. 특히 노르웨이의 경우 자원 수출을 통해 얻은 자본을 국민의 복지 증진을 위해 사용하면서 세계적인 복지 국가이기도 하다.

오답 피하기

A는 아이슬란드, C는 스위스, D는 이탈리아, E는 러시아이다. 이 중 러시아의 경우 석유와 천연가스가 많이 매장되어 있고 이를 수출하여 많은 이익을 얻고 있는 국가이지만 세계적인 부국이라 하기가 어렵다.

10 다음에서 설명하는 에너지 자원은 조력이다. 조력 발전은 조수 간만의 차를 이용하여 전기를 생산하는 것으로 기후와 계절의 영향을 받지 않는 장점이 있다.

서술형 문제

11 **[예시 답안]** 석유는 자원의 편재성이 뚜렷한 자원으로 우리나라의 경우 석유 자원의 안정적인 확보를 위해 해외 석유 개발에 나서고 있다.

[평가 기준]

상	자원의 편재성이 뚜렷한 자원이라는 사실과 해외 석유 개발을 하는 이유(석유 자원의 안정적인 확보)를 모두 정확하게 서술한 경우
중	자원의 편재성이 뚜렷한 자원이라는 사실과 해외 석유 개발을 하는 이유(석유 자원의 안정적인 확보) 중 한 가지만 정확하게 서술한 경우
하	자원의 편재성이 뚜렷한 자원이라는 사실과 해외 석유 개발을 하는 이유(석유 자원의 안정적인 확보) 모두 정확하게 서술하지 못한 경우

12 **[예시 답안]** 일사량이 많은 지역에서 유리한 에너지로 우리나라에서는 호남 지방과 영남 북부 지방에서 많이 이용되고 있다.

[평가 기준]

상	태양광 발전의 입지 조건(일사량이 많은 지역)과 우리나라에서 태양광 발전이 발달한 지역(호남 지방과 영남 북부 지방) 두 곳을 모두 서술한 경우
중	태양광 발전의 입지 조건(일사량이 많은 지역)은 서술하였으나 우리나라에서 태양광 발전이 발달한 지역(호남 지방과 영남 북부 지방) 중 한 곳만을 서술한 경우
하	태양광 발전의 입지 조건(일사량이 많은 지역)만 서술한 경우

MEMO

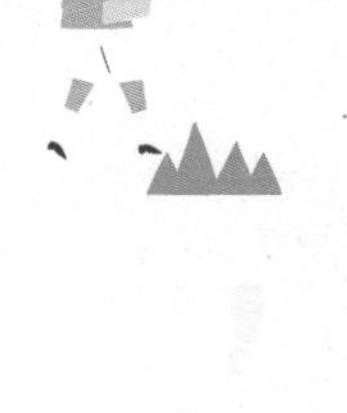

가뿐한 핵심 평가

다양한 지도 읽기(1)

1 세계의 대륙과 해양

대륙	아시아, 유럽, 아프리카, 북아메리카, 남아메리카, 오세아니아 → 아시아와 유럽을 하나의 대륙으로 구분하여 ❶ ( ) 대륙이라고도 함
해양	태평양, 대서양, 인도양, 북극해, 남극해 → ❷ ( )이 가장 넓음

2 지도의 구성 요소

❸ ( )	실제 거리를 지도상에 줄여서 나타낸 비율
방위표	동서남북 등의 방향 표시, 방위표가 없는 경우 위쪽이 ❹ ( ) 쪽
기호	지표면의 여러 가지 현상을 약속에 따라 간단히 표현한 것
등고선	해발 고도가 같은 곳을 연결한 선 → 등고선의 간격이 넓으면 경사가 완만하고, 등고선의 간격이 좁으면 경사가 급함

답 ❶ 유라시아 ❷ 태평양 ❸ 축척 ❹ 북

1 다음에서 설명하는 것을 〈보기〉에서 골라 기호를 쓰시오.

보기
ㄱ. 아시아　　ㄴ. 북극해　　ㄷ. 태평양　　ㄹ. 아프리카

① 아시아, 유럽, 북아메리카 대륙에 둘러싸인 바다이다.
② 세계에서 가장 넓은 해양으로 우리나라는 동쪽으로 이 바다와 접해 있다.
③ 유럽 대륙 남쪽에 위치하며, 서쪽으로 대서양, 동쪽으로 인도양에 접해 있다.
④ 우리나라가 속해 있는 대륙으로, 유럽 대륙과 합쳐 유라시아 대륙이라고도 한다.

2 지도의 구성 요소를 설명하고 있는 자료의 빈칸에 들어갈 말을 쓰시오.

① (㉠)	동서남북 등의 방향 표시, (㉠)이/가 없는 경우 위쪽이 북쪽
② 등고선	해발 (㉡)이/가 같은 곳을 연결한 선
③ 축척	실제 (㉢)을/를 지도상에 줄여서 나타낸 비율
④ (㉣)	지표면의 여러 가지 현상을 약속에 따라 간단히 표현한 것

답 1 ① ㄴ ② ㄷ ③ ㄹ ④ ㄱ 2 ㉠ 방위표 ㉡ 고도 ㉢ 거리 ㉣ 기호

다양한 지도 읽기(2)

1 지도에 담긴 정보

❶ ______ 환경 정보	지형, 기후, 식생, 토양 등의 특징과 분포 정보
인문 환경 정보	인구, 도시, 산업, 교통, 문화 등 인간 활동으로 만들어진 환경에 대한 정보

2 지도의 분류

축척	대축척 지도	❷ ______ 지역을 상세하게 표현 → 건물 위치, 도로 등이 잘 나타남
	❸ ______ 지도	넓은 지역을 간략하게 표현 → 우리나라 전도, 세계 전도 등
이용 목적	일반도	지표면의 형태와 그 위에 분포하는 일반적인 사항을 종합적으로 표현한 지도
	❹ ______	특수한 목적에 따라 필요한 내용만을 나타낸 지도

답 ❶ 자연 ❷ 좁은 ❸ 소축척 ❹ 주제도

1 다음 〈보기〉의 지도를 자연환경 정보를 담은 지도와 인문 환경 정보를 담은 지도로 구분하시오.

보기
ㄱ. 유럽의 기후도　ㄴ. 아프리카 지형도　ㄷ. 중국의 인구 밀도
ㄹ. 우리나라의 철도 노선도　ㅁ. 우리나라의 토양 분포도　ㅂ. 우리나라의 시도별 쌀 생산량

(가) 자연환경 정보를 담은 지도 ______________________
(나) 인문 환경 정보를 담은 정보 ______________________

2 다음 설명의 빈칸에 들어갈 말을 순서대로 쓰시오.

지도는 축소의 비율에 따라 대축척 지도와 소축척 지도로 분류할 수 있다. (㉠)는 좁은 지역을 상세하게 나타낸 지도로 건물, 도로 등의 지형지물이 잘 나타나 있다. (㉡)는 넓은 지역을 간략하게 나타낸 지도로, 우리나라 전도나 세계 전도와 같이 국가 또는 대륙의 전체 형태, 주변에 위치한 국가 등의 정보를 알고자 할 때 유용하다.

3 주제도에 해당하는 것을 〈보기〉에서 골라 기호를 쓰시오.

보기
ㄱ. 우리나라 전도　ㄴ. 세계 인구 분포도
ㄷ. 강원도 관광 안내도　ㄹ. 우리나라 고속 국도 노선도

답 1 (가) ㄱ, ㄴ, ㅁ (나) ㄷ, ㄹ, ㅂ 2 ㉠ 대축척 지도, ㉡ 소축척 지도 3 ㄴ, ㄷ, ㄹ

위치와 인간 생활(1)

1 공간 규모에 따른 위치 표현

작은 규모		행정 구역(주소), 랜드마크, 지형지물 등을 활용
큰 규모	대륙과 해양의 활용	국가 규모의 위치를 대략 표현할 때
	❶ ( ) 의 활용	정확한 위치 표현이 필요한 경우

2 위도와 인간 생활

① 위도에 따른 기온 차이: 지구가 둥글기 때문에 위도에 따라 ❷ ( ) 이 달라짐

저위도 지역	일 년 내내 더운 날씨 → 간편한 옷차림, 맵고 짠 음식, 개방적인 가옥 구조
❸ ( ) 지역	비교적 온화한 날씨 → 다양한 농작물 재배, 다양한 의식주 문화 발달
고위도 지역	일 년 내내 추운 날씨 → 두꺼운 옷차림, 농업 활동 불리

② 위도에 따른 계절 차이: 지구의 자전축이 23.5° 기울어져 ❹ ( ) 하기 때문에 계절에 따라 태양의 고도와 낮의 길이가 달라짐

적도 및 극지방	계절 변화 거의 없음. 극지방은 백야 현상 및 극야 현상 나타남
중위도 지방	남반구와 북반구는 계절이 반대로 나타나며, 농작물 수확 시기가 다름

답 ❶ 위도와 경도 ❷ 일사량 ❸ 중위도 ❹ 공전

1 다음 설명에 해당하는 용어를 쓰시오.

① 경도의 기준이 되는 것으로 경도 0°인 선이다.
② 계절의 변화가 거의 없으며, 백야 현상이나 극야 현상을 볼 수 있다.
③ 북반구의 중위도 지역과 남반구의 중위도 지역은 이것이 반대로 나타난다.
④ 적도와 평행하게 그은 가로선으로 적도의 북쪽은 북위로, 남쪽은 남위로 나타낸다.
⑤ 위치를 표현할 때 사용하는 것으로 지역을 대표하는 상징물이나 역사적 장소를 말한다.

2 시기에 따른 북반구와 남반구의 계절 변화를 설명하는 다음 자료의 ㉠~㉤에 들어갈 계절을 쓰시오.

시기	계절
3~5월	북반구는 (㉠), 남반구는 가을
6~8월	북반구 지역이 태양의 고도가 높음 → 북반구는 (㉡), 남반구는 (㉢)
9~11월	북반구는 가을, 남반구는 봄
12~2월	남반구 지역이 태양의 고도가 높음 → 북반구는 (㉣), 남반구는 (㉤)

답 1 ① 본초 자오선 ② 극지방 ③ 계절 ④ 위선 ⑤ 랜드마크 2 ㉠ 봄 ㉡ 여름 ㉢ 겨울 ㉣ 겨울 ㉤ 여름

위치와 인간 생활(2)

1 경도와 인간 생활

시차	지구가 하루에 한 바퀴 자전하기 때문 → 경도 ❶ ( ) 에 1시간 시차 발생
본초 자오선	경도 0°인 선, 영국 런던의 옛 그리니치 천문대를 지남
❷ ( )	• 국가나 일정 지역에서 기준이 되는 시각 → 표준 경선을 기준으로 정함 • 우리나라의 표준 경선은 동경 135° → 본초 자오선이 지나는 영국 런던보다 9시간 빠름
날짜 변경선	• 동경 180° 선과 서경 180° 선이 만나는 곳으로 ❸ ( ) 의 반대쪽 • 날짜 변경선을 기준으로 날짜가 바뀜 → 날짜 변경선의 동쪽에서 서쪽으로 갈 때는 하루를 더하고, 서쪽에서 동쪽으로 갈 때는 하루를 뺌

답 ❶ 15° ❷ 표준시 ❸ 본초 자오선

1 다음 설명의 빈칸에 들어갈 말을 순서대로 쓰시오.

> 날짜 변경선은 동경 180°선과 서경 180°선이 만나는 선으로, 본초 자오선의 반대쪽에 해당한다. 이 선을 기준으로 날짜가 바뀌는데, 이 선의 (　　　)쪽에서 (　　　)쪽을 갈 때는 하루를 더하고, (　　　)쪽에서 (　　　)쪽으로 갈 때는 하루를 뺀다.

2 다음에서 설명하는 것을 〈보기〉에서 골라 기호를 쓰시오.

> 보기
> ㄱ. 해돋이　　　ㄴ. 표준시　　　ㄷ. 동경 120°

① 국가나 일정 지역에서 기준이 되는 시각이다.

② 날짜 변경선 부근의 국가 중에는 이것을 관광 상품으로 활용하기도 한다.

③ 오스트레일리아 서부 지역의 표준 경선으로 우리나라보다 1시간 느리다.

3 오른쪽 그림은 시차의 발생에 관한 지도이다. 빈칸 ㉠~㉢에 들어갈 말을 쓰시오.

㉠ ______________________

㉡ ______________________

㉢ ______________________

답 1 동, 서, 서, 동 2 ① ㄴ ② ㄱ ③ ㄷ 3 ㉠ 자전 ㉡ 날짜 변경선 ㉢ 본초 자오선

지리 정보와 지리 정보 기술

1 지리 정보의 의미와 종류: 우리가 살아가는 공간과 관련된 지식과 정보

❶ ( ) 정보	어디에 있는가(위치에 관한 정보)
❷ ( ) 정보	어떤 특성을 지니고 있는가(가지고 있는 특성에 관한 정보)
관계 정보	다른 장소와 어떤 관계인가

2 지리 정보 기술

원격 탐사	인공위성, 항공기 등을 이용하여 지리 정보 수집
위성 위치 확인 시스템 (GPS)	인공위성을 활용하여 경위도 좌표로 사용자의 ❸ ( ) 를 알려주는 시스템
❹ ( ) (GIS)	지리 정보를 컴퓨터에 입력 · 저장하고 다양한 방법으로 분석 · 종합하여 사용자에게 제공하는 종합 정보 시스템

3 지리 정보 기술의 활용

일상생활	장소 검색, 경로 검색(내비게이션), 증강 현실(AR) 등
공공 부문	공간적 의사 결정, 국토 및 환경 관리, 도시 계획 수립 등

답 ❶ 공간 ❷ 속성 ❸ 위치 ❹ 지리 정보 시스템

1 다음에서 설명하는 것을 〈보기〉에서 골라 기호를 쓰시오.

보기
ㄱ. 속성 정보　　ㄴ. 전자 지도　　ㄷ. 원격 탐사　　ㄹ. 공간 정보

① 종이 지도에 비해 확대와 축소가 자유롭고, 검색이나 저장이 가능하다.
② '하회 마을은 경상북도 안동시에 있다.'와 같이 위치를 나타내는 지리 정보이다.
③ 인공위성, 항공기 등을 이용하여 사람이 직접 가지 않고 지리 정보를 수집하는 방법이다.
④ '우리나라는 2020년 272,400명이 태어났다.'와 같이 가지고 있는 특성에 관한 지리 정보이다.

2 다음은 지리 정보 시스템(GIS)의 과정을 나타낸 것이다. 순서대로 기호를 쓰시오.

ㄱ. 정보 수집　　ㄴ. 분석 · 종합　　ㄷ. 입력 · 저장　　ㄹ. 출력하여 의사 결정에 활용

3 공공 부문에서의 지리 정보 기술 활용 사례를 〈보기〉에서 모두 골라 기호를 쓰시오.

보기
ㄱ. 도시 계획 수립　　ㄴ. 산사태 위험 지도 제공
ㄷ. 내비게이션에서 목적지 검색　　ㄹ. 스마트폰에서 답사 장소 검색

답 1 ① ㄴ ② ㄹ ③ ㄷ ④ ㄱ 2 ㄱ, ㄷ, ㄴ, ㄹ 3 ㄱ, ㄴ

세계의 기후 지역

1 기후

기후 요소	기후를 구성하는 요소 예 기온, 강수량, 바람 등
기후 요인	기후 요소의 지역 차에 영향을 주는 요인 예 위도, 육지와 바다의 분포, 지형, 해류 등
기온 분포	• 위도가 ❶ ______ 질수록 연평균 기온이 낮아짐 • 기온의 연교차: 대륙>해양, 대륙 동안>대륙 서안
강수 분포	• 강수량이 많은 지역: 적도 부근, 중위도 지역, 바다의 영향을 많이 받는 해안 지역 등 • 강수량이 적은 지역: 극지방, 남 · 북회귀선 부근, 바다로부터 멀리 떨어진 ❷ ______, 한류가 흐르는 연안 지역 등

2 세계의 다양한 기후

열대 기후	가장 추운 달의 평균 기온 18℃ 이상, 일 년 내내 기온이 높고 강수량이 많음
건조 기후	연 강수량 500mm 미만, 식생이 거의 분포하지 않음
❸ ______ 기후	중위도 지역에 분포, 사계절이 나타나고 기후가 온화
냉대 기후	기온의 연교차가 큼, 타이가(대규모 침엽수림) 분포
한대 기후	가장 따뜻한 달의 평균 기온 ❹ ______ ℃ 미만, 기온이 낮아 나무가 자라기 어려움
고산 기후	열대 기후 지역의 해발 고도가 높은 지역에 분포, 연중 봄과 같은 온화한 날씨

답 ❶ 높아 ❷ 내륙 ❸ 온대 ❹ 10

1 〈보기〉의 용어를 기후 요소와 기후 요인으로 구분하여 기호를 쓰시오.

보기
ㄱ. 지형 ㄴ. 위도 ㄷ. 해류 ㄹ. 기온 ㅁ. 강수량 ㅂ. 육지와 바다의 분포

(가) 기후 요소 ______________ (나) 기후 요인 ______________

2 다음에서 설명하는 것을 〈보기〉에서 골라 기호를 쓰시오.

보기
ㄱ. 한류 ㄴ. 연교차 ㄷ. 한대 기후 ㄹ. 건조 기후

① 이것이 흐르는 연안 지역은 강수량이 적어 건조 기후가 나타난다.
② 기온의 이것은 해양보다 대륙이, 대륙 서안보다 대륙 동안이 더 크다.
③ 기온이 낮아 나무가 자라기 어려우며, 가장 따뜻한 달의 평균 기온이 10℃ 미만이다.
④ 강수량이 적어 식생이 거의 분포하지 않는 기후로 사막 기후와 스텝 기후로 구분한다.

답 1 (가) ㄹ, ㅁ (나) ㄱ, ㄴ, ㄷ, ㅂ 2 ① ㄱ ② ㄴ ③ ㄷ ④ ㄹ

인간 거주에 유리한 기후와 불리한 기후

1 인간 거주에 영향을 주는 요인과 거주 환경의 변화

❶ ______ 환경 요인	기온 · 강수량 등의 기후, 평야 · 하천 등의 지형
인문 환경 요인	산업화, 도시화 등
인간 거주 환경의 변화	과학 기술의 발달로 불리한 자연환경의 극복이 가능, 자원 개발 및 관광 산업의 발달로 거주에 불리한 지역에 인구 증가

2 인간 거주에 유리한 기후

온대 및 냉대 기후 지역	❷ ______ 이 나타나고 기온과 강수 조건이 농업 활동에 유리
열대 계절풍 기후 지역	벼농사에 유리한 자연환경 조건
적도 부근의 ❸ ______ 기후 지역	일 년 내내 봄과 같은 온화한 날씨가 나타남

3 인간 거주에 불리한 기후

❹ ______ 기후 지역	일 년 내내 덥고 습한 날씨로 인간 거주에 불리
건조 기후 지역	강수량이 적어 물이 부족
한대 기후 지역	기온이 낮고 강수량이 적어 인간 거주와 농업 활동에 불리

답 ❶ 자연 ❷ 사계절 ❸ 고산 ❹ 열대

1 〈보기〉의 기후를 인간 거주에 유리한 지역과 불리한 지역으로 구분하시오.

보기
ㄱ. 열대 기후　ㄴ. 건조 기후　ㄷ. 온대 기후　ㄹ. 냉대 기후　ㅁ. 한대 기후

(가) 인간 거주에 유리한 기후 ____________

(나) 인간 거주에 불리한 기후 ____________

2 다음 설명에 해당하는 기후 지역을 쓰시오.

① 일 년 내내 덥고 습한 날씨로 인간 거주에 불리하다.

② 기온이 낮고 강수량이 적어 인간 거주와 농업 활동에 불리하다.

③ 적도 부근의 해발 고도가 높은 지역으로 일 년 내내 봄과 같은 온화한 날씨가 나타난다.

④ 사계절이 나타나고, 기온과 강수 조건이 농업 활동에 유리하다. 농업과 상공업이 발달하여 인구가 밀집되어 있다.

답 1 (가) ㄷ, ㄹ (나) ㄱ, ㄴ, ㅁ 2 ① 열대 기후 지역 ② 한대 기후 지역 ③ 적도 부근 고산 기후 지역 ④ 온대 및 냉대 기후 지역

주제 열대 우림 기후 지역의 특징과 주민 생활

1 열대 우림 기후 지역의 자연환경

기후	일 년 내내 기온이 높고 강수량이 많으며, 열대성 소나기인 ❶ (　　　) 이 거의 매일 발생
식생과 토양	밀림 형성, 토양은 양분이 부족한 편
분포	아프리카의 콩고 분지, 남아메리카의 아마존강 유역, 동남아시아의 보르네오섬과 주변 지역
가치	생태계의 보고, 온실 효과 억제, 식량 자원 및 의약품의 원료 공급지

2 열대 우림 기후 지역의 주민 생활

의식주 생활	• 통풍이 잘되는 얇고 가벼운 옷을 주로 입음 • 음식을 만들 때 기름에 튀기거나 향신료를 많이 사용함 • 개방적인 가옥 구조, ❷ (　　　) 및 수상 가옥 발달
농업 활동	• 동남아시아: 높은 기온과 풍부한 강수량을 바탕으로 벼농사 발달 • 이동식 ❸ (　　　) 농업: 숲을 태워 경작지를 만들고 지력이 약해지면 새로운 곳으로 이동 • ❹ (　　　): 선진국의 자본과 기술+원주민의 노동력 → 천연고무, 카카오, 사탕수수, 바나나 등을 재배
지역의 변화	• 열대림 개발: 열대림 면적 감소, 동식물 서식지 파괴, 환경 파괴 등 • 임업 및 관광 산업 발달, 도시화, 산업화

답 ❶ 스콜 ❷ 고상 가옥 ❸ 화전 ❹ 플랜테이션

1 다음에서 설명하는 것을 〈보기〉에서 골라 기호를 쓰시오.

보기
ㄱ. 밀림　　ㄴ. 향신료　　ㄷ. 나시고렝　　ㄹ. 싱가포르

① 열대 우림 기후 지역에서 음식이 상하는 것을 막기 위해 많이 사용한다.
② 다양한 종류의 나무와 풀들이 빽빽하게 들어선 열대 우림 기후 지역의 숲이다.
③ 열대 우림 기후 지역의 대표적인 도시로 태평양과 인도양이 만나는 해상 교통의 요지이다.
④ 열대 우림 기후 지역인 인도네시아에서는 닭고기, 해물 등을 밥과 함께 볶아 만드는 이 음식을 주로 먹는다.

2 열대 기후 지역의 농업과 설명을 바르게 연결하시오.

(1) 플랜테이션 •　　　• ㉠ 높은 기온과 풍부한 강수량, 1년에 2기작
(2) 이동식 화전 농업 •　　　• ㉡ 선진국의 자본과 원주민의 노동력이 결합
(3) 동남아시아의 벼농사 •　　　• ㉢ 숲을 태워 경작지 만들고 지력이 다하면 이동

답 1 ① ㄴ ② ㄱ ③ ㄹ ④ ㄷ 2 (1) ㉡ (2) ㉢ (3) ㉠

온대 기후 지역의 특징과 주민 생활

1 온대 기후 지역의 특징과 분포

특징	• 계절에 따라 기온과 강수량의 변화가 뚜렷 • 온화한 기후와 풍부한 강수량으로 인구 밀집 • 대륙 동안과 대륙 서안의 기후 차이 발생
서안 해양성 기후	❶ [　　　]과 난류의 영향으로 여름에 서늘하고 겨울에 온난, 계절별 강수량이 고르게 나타남, 비가 자주 내리고 흐린 날이 많아 일조량이 적음
지중해성 기후	• 여름: 아열대 고압대의 영향으로 기온이 높고 강수량이 적음 • 겨울: 온대 해양성 기단의 영향으로 온화하고 강수량이 많음
온대 계절풍 기후	• ❷ [　　　]의 영향으로 여름철에 강수 집중 • 여름에 기온이 높고 비가 많으며, 겨울에 춥고 건조

2 온대 기후 지역의 주민 생활

서안 해양성 기후	❸ [　　　] · 낙농업 · 원예 농업 발달, 흐리고 비 오는 날이 많아 외출 시 우산 준비, 습기 제거 및 온도를 높이기 위해 벽난로 설치, 맑은 날 일광욕 즐기기
지중해성 기후	여름철 ❹ [　　　] · 겨울철 곡물 재배, 올리브와 포도 등을 이용한 음식 문화 발달, 강한 햇빛을 막기 위해 건물의 외벽을 흰색으로 칠함
온대 계절풍 기후	벼농사 발달, 더위와 추위에 대비한 시설(온돌, 대청마루 등), 쌀과 관련된 음식 문화 발달

답 ❶ 편서풍 ❷ 계절풍 ❸ 혼합 농업 ❹ 수목 농업

1 다음에서 설명하는 것을 〈보기〉에서 골라 기호를 쓰시오.

보기
ㄱ. 온돌　　ㄴ. 편서풍　　ㄷ. 가축 사육　　ㄹ. 아열대 고압대

① 온대 계절풍 기후 지역에서 추위에 대비해 만든 시설이다.
② 지중해성 기후 지역은 여름철에 이것의 영향으로 고온 건조하다.
③ 서안 해양성 기후 지역의 혼합 농업은 곡물 재배와 이것이 결합한 농업 방식이다.
④ 북대서양 해류와 이것의 영향으로 서안 해양성 기후 지역은 여름에 서늘하고 겨울에 온난하다.

2 다음 기후 지역과 관련된 생활 모습을 바르게 연결하시오.

(1) 지중해성 기후 지역 •　　　• ㉠ 벼농사, 대청마루
(2) 온대 계절풍 기후 지역 •　　　• ㉡ 벽난로, 내륙 수운
(3) 서안 해양성 기후 지역 •　　　• ㉢ 수목 농업, 흰색 외벽

답 1 ① ㄱ ② ㄹ ③ ㄷ ④ ㄴ 2 (1) ㉢ (2) ㉠ (3) ㉡

건조 기후 지역의 특징과 주민 생활

1 건조 기후의 특징과 분포

특징	연 강수량 500mm 미만, 강수량보다 증발량이 많음, 큰 일교차
구분	연 강수량 ❶ ______ mm 미만의 사막 기후, 연 강수량 250~500mm의 스텝 기후
분포	• 사막 기후: 남 · 북회귀선 부근, 대륙의 내부, 한류가 흐르는 해안 지역 등 • 스텝 기후: 사막을 둘러싼 지역에 주로 분포

2 건조 기후 지역의 주민 생활

사막 기후	• 온몸을 감싸는 헐렁한 옷 • 가옥: 흙집이나 흙벽돌집 발달, 넓고 평평한 지붕, 두꺼운 벽, 건물과 건물 사이의 좁은 공간 • 농업 활동: ❷ ______ 농업 · 관개 농업 발달, 밀 · 대추야자 · 목화 · 보리 등을 재배
❸ ______ 기후	• 가축의 가죽, 털 등으로 만든 옷 • 가축의 고기, 가축의 젖을 가공한 유제품 등을 먹음 • 조립과 분해가 쉬운 이동식 가옥에서 생활 → 몽골의 게르 • 농업 활동: 가축을 데리고 물과 풀을 찾아 이동하는 유목 발달
지역의 변화	대규모 관개 시설 건설로 유목민의 정착 생활 증가, 석유 자원 개발로 산업화와 도시화 진행, 가뭄이나 과도한 농경 · 목축 등으로 ❹ ______ 현상 심화(사헬 지대)

답 ❶ 250 ❷ 오아시스 ❸ 스텝 ❹ 사막화

1 다음에서 설명하는 것을 〈보기〉에서 고르시오.

보기				
ㄱ. 게르	ㄴ. 사막화	ㄷ. 250mm	ㄹ. 오아시스	ㅁ. 스텝 기후

① 가뭄이나 과도한 농경지 개간 등으로 더욱 심화하고 있는 현상이다.
② 연 강수량 250~500mm의 기후로 사막을 둘러싼 주변에 주로 분포한다.
③ 사막 가운데 샘이 솟는 곳으로 이곳 주변에서 밀, 대추야자 등을 재배한다.
④ 스텝 기후 지역의 전통 가옥으로 몽골에서 이동식 가옥을 부르는 이름이다.
⑤ 건조 기후를 사막 기후와 스텝 기후를 구분하는 기준이 되는 연 강수량이다.

2 다음 기후 지역과 관련된 생활 모습을 바르게 연결하시오.

(1) 사막 기후 지역 •   • ㉠ 유목, 게르
(2) 스텝 기후 지역 •   • ㉡ 오아시스, 흙집

답 1 ① ㄴ ② ㅁ ③ ㄹ ④ ㄱ ⑤ ㄷ 2 (1) ㉡ (2) ㉠

툰드라 기후 지역의 주민 생활

1 툰드라 기후 지역의 자연환경

특징	가장 따뜻한 달의 평균 기온이 10℃ 미만, 짧은 여름 동안에만 기온이 ❶ ____ ℃ 이상으로 오름, 강수량이 적지만 증발량도 적어 지표는 습한 편
식생 및 경관	짧은 여름 동안에 풀과 이끼가 자람, 여름철에 백야 현상 · 겨울철에 ❷ ____ 현상, 지표 아래에 영구 동토층 분포
분포	❸ ____ 를 중심으로 한 고위도 지역에 분포

2 툰드라 기후 지역의 주민 생활

의복	동물의 가죽이나 털로 만든 옷
음식	날고기, 날생선을 주로 먹음
가옥	폐쇄적 가옥 구조, 건물 붕괴에 대비한 ❹ ____ 발달
농 · 목업	기온이 낮아 농업 활동 불리, 순록 유목 · 사냥 · 어업 등
지역의 변화	• 백야 현상, 빙하, 오로라 현상 등의 자연 경관을 체험하려는 관광객 증가 • 석유, 천연가스 등의 매장 확인으로 이들 자원 개발이 활발 • 도로, 철도, 파이프라인 등의 건설로 환경 파괴 증가

답 ❶ 0 ❷ 극야 ❸ 북극해 ❹ 고상 가옥

1 **다음에서 설명하는 것을 〈보기〉에서 골라 기호를 쓰시오.**

보기
ㄱ. 백야　ㄴ. 증발량　ㄷ. 오로라　ㄹ. 고상 가옥　ㅁ. 영구 동토층

① 툰드라 기후 지역은 강수량이 적지만 이것도 적어 지표가 습한 편이다.
② 툰드라 기후 지역에 분포하는 토양층으로 여름에도 녹지 않고 얼어 있다.
③ 밤에도 해가 지지 않아 환한 밤이 계속되는 현상으로 여름철 극지방에서 볼 수 있다.
④ 여름에 지면이 녹았을 때 건물이 붕괴되는 것을 막기 위해 만든 툰드라 기후 지역의 전통 가옥 형태이다.
⑤ 태양에서 방출된 전기를 띠고 있는 입자가 공기와 반응하여 빛을 내는 현상으로 이를 체험하려는 관광객들이 늘어나고 있다.

2 **다음은 툰드라 지역 기후의 특징에 대한 설명이다. 빈칸에 들어갈 말을 쓰시오.**

툰드라 기후 지역은 가장 따뜻한 달의 평균 기온이 (①) 미만으로, 짧은 (②) 동안에만 기온이 0℃ 이상으로 오른다. (③)이/가 적지만 증발량도 적어 지표는 습한 편이다.

답 1 ① ㄴ ② ㅁ ③ ㄱ ④ ㄹ ⑤ ㄷ 2 ① 10℃ ② 여름 ③ 강수량

산지 지형으로 떠나는 여행

1 지형의 형성 작용

지구 내부의 힘에 의한 작용	• 지구 내부의 열에너지가 지각에 작용하여 지표의 기복을 만드는 작용 • 조륙 운동(융기, 침강), 조산 운동(습곡, 단층), 화산 활동 등
지구 외부의 힘에 의한 작용	• 지구 외부의 ❶ (　　　) 에 의한 물과 공기의 순환으로 지표가 변형되는 작용 • 침식 · 운반 · 퇴적 작용, 풍화 작용 등

2 세계의 산맥과 산지

고기 습곡 산지	• 오랫동안 침식을 받아 고도가 낮고 완만함 • 대표 산지: 우랄산맥, 그레이트디바이딩산맥, 애팔래치아산맥 등
❷ (　　　)	• 해발 고도가 높고 험준하며, 지진이나 화산 활동 활발 • 대표 산지: 알프스산맥, 히말라야산맥, 로키산맥, 안데스산맥 등
고원	해발 고도가 높지만 기복이 작고 평탄한 지형
화산	지하 또는 해저의 ❸ (　　　) 가 분출하여 형성된 지형

3 산지 지역의 주민 생활

알프스 산지	산악 스포츠 및 관광 산업 발달, 스위스의 소몰이 축제와 치즈 분배 축제
히말라야 산지	관광 산업 발달, 고산 지역에서는 양이나 야크 등을 방목
❹ (　　　) 산지	고산 지역은 일 년 내내 우리나라의 봄처럼 따뜻한 기후, 고대 문명 발달(마추픽추)

답 ❶ 태양 에너지 ❷ 신기 습곡 산지 ❸ 마그마 ❹ 안데스

1 지구 내부의 힘에 의한 지형의 형성 작용을 〈보기〉에서 골라 기호를 쓰시오.

보기

ㄱ. 화산 활동　　ㄴ. 습곡 작용　　ㄷ. 풍화 작용　　ㄹ. 침식 작용

2 다음에서 설명하는 산지를 쓰시오.

① 신기 습곡 산지로 세계에서 가장 높은 산인 에베레스트산이 위치함 (　　　)

② 여름 동안 고산 지역에서 소를 방목하고 치즈를 생산하며 소몰이 축제가 열림 (　　　)

③ 일 년 내내 봄처럼 따뜻한 기후가 나타나며, 고대 문명 유적지인 마추픽추를 볼 수 있음 (　　　)

답 1 ㄱ, ㄴ 2 ① 히말라야 산지 ② 알프스 산지 ③ 안데스 산지

해안 지형으로 떠나는 여행

1 다양한 해안 지형

암석 해안	• 해안 절벽: 파랑의 침식 작용으로 형성된 절벽, 관광지로 주로 이용 • 파식대: 파랑의 침식 작용으로 해안 절벽 전면에 형성된 완경사의 평탄면 • ❶ ______: 파랑의 침식 작용으로 해안 절벽에 형성된 동굴 • 돌기둥, 시 아치: 파랑의 침식 작용으로 형성된 기암괴석
모래 해안	• 사빈: 파도와 연안류가 해안을 따라 모래를 쌓아 형성된 퇴적 지형 • ❷ ______: 사빈의 모래가 바람에 의해 이동되어 퇴적된 모래 언덕 • 석호: 후빙기 해수면 상승으로 해안 저지대가 침수되어 만을 만들고 그 앞에 사주가 발달하여 형성된 호수
❸ ______	조류의 작용으로 미세한 흙이 퇴적되어 형성된 지형

2 세계적으로 유명한 해안 지형

송네 피오르	빙하의 침식으로 생긴 골짜기에 바닷물이 들어오면서 형성된 만
그레이트배리어리프	'❹ ______'라고도 불리는 세계 최대의 산호초 지대
12사도 바위	석회암으로 된 바위 절벽이 파랑의 침식 작용을 받아 해안 절벽과 돌기둥이 형성
코파카바나 해변	길게 뻗은 모래사장(사빈), 세계적인 해안 휴양지

답 ❶ 해식 동굴 ❷ 해안 사구 ❸ 갯벌 ❹ 대보초

1 다음에서 설명하는 것을 〈보기〉에서 골라 기호를 쓰시오.

보기
ㄱ. 석호 ㄴ. 사빈 ㄷ. 갯벌

① 조류의 작용으로 미세한 흙이 퇴적되어 형성된 지형
② 파도와 연안류가 해안을 따라 모래를 쌓아 형성된 퇴적 지형
③ 후빙기 해수면 상승으로 해안 저지대가 침수되어 만을 만들고 그 앞에 사주가 발달하여 형성된 호수

2 그림을 보고 ①~⑤ 에 들어갈 용어를 〈보기〉에서 골라 기호로 쓰시오.

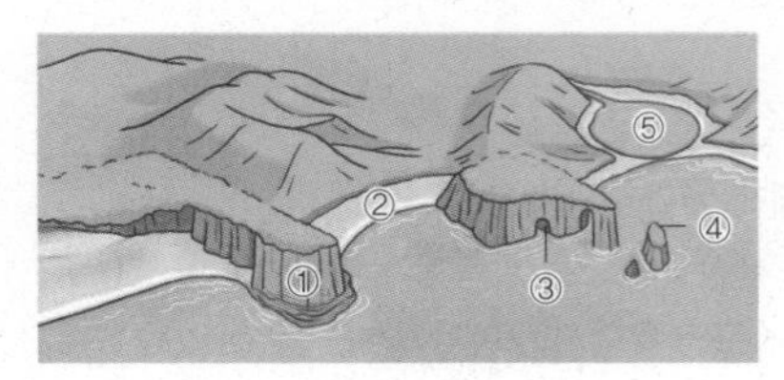

보기
ㄱ. 석호 ㄴ. 사빈
ㄷ. 돌기둥 ㄹ. 해안 절벽
ㅁ. 해식 동굴

답 1 ① ㄷ ② ㄴ ③ ㄱ 2 ① ㄹ ② ㄴ ③ ㅁ ④ ㄷ ⑤ ㄱ

주제 해안 지역의 주민 생활

1 해안 지역의 주민 생활

해안 지역의 이용	• 어업과 양식업에 종사 • 대규모 무역항이나 공업 도시로 성장 • 아름다운 경관을 바탕으로 한 ❶ ______ 산업 발달

2 관광 산업이 미친 영향

긍정적 측면	• 일자리 창출 및 수익 증대 • 주민들의 삶의 질 향상
부정적 측면	• 해수욕장을 따라 방파제나 콘크리트 구조물 조성 • 해안 사구를 훼손하여 도로와 건물 건설 → 해안 생태계 파괴 • 외부 관광객과 지역 주민들 사이에 문화적 갈등 발생
개발과 보존의 균형 추구	• 해안에 대한 시각 변화: 해안 환경을 보전하고 후대에게 물려주고자 노력 • 해안 ❷ ______ 방지를 위한 인공 구조물 설치: 그로인, 모래 포집기 등 • 갯벌 보전을 위한 노력 • 관광 형태의 변화: 해안 생태계를 체험하고 즐기는 ❸ ______ 으로 변모

답 ❶ 관광 ❷ 침식 ❸ 생태 관광

1 해안 지역의 이용 모습을 〈보기〉에서 골라 기호를 쓰시오.

보기
ㄱ. 어업과 양식업에 종사
ㄴ. 소몰이 축제와 치즈 분배 축제
ㄷ. 대규모 무역항이나 공업 도시로 성장
ㄹ. 아름다운 경관을 바탕으로 한 관광 산업 발달

2 〈보기〉를 보고 관광 산업이 해안 지역에 미친 영향을 알맞게 구분하여 기호를 쓰시오.

보기
ㄱ. 일자리 창출
ㄴ. 해안 사구 훼손
ㄷ. 해안 생태계 파괴
ㄹ. 주민들의 삶의 질 향상

(가) 긍정적 영향 ______________ (나) 부정적 영향 ______________

3 빈칸에 들어갈 용어를 쓰시오.

충청남도 보령에서는 매년 (   )을/를 주제로 하는 체험형 축제를 개최하고 있다. 보령 (   ) 축제는 1998년 처음으로 개최된 이래 우리나라를 대표하는 축제로 자리 잡았다.

답 1 ㄱ, ㄷ, ㄹ 2 (가) ㄱ, ㄹ (나) ㄴ, ㄷ 3 머드(진흙)

우리나라의 산지 지형과 해안 지형

1 산지 지형

산지의 특징	• 국토의 약 70%가 산지이지만, 대체로 낮고 완만 • 높은 산지는 대부분 북동부 지역에 분포, ❶ ________ 의 지형
돌산	주로 ❷ ________ 으로 이루어짐 예 금강산, 설악산, 북한산 등
흙산	지층이 오랫동안 풍화와 침식을 받으면서 봉우리가 토양으로 두껍게 덮임 예 지리산, 덕유산 등
하천의 특징	• 동쪽에 높은 산지가 많아 큰 하천은 대부분 동쪽에서 서쪽으로 흐름 • 상류에서는 산지 사이를 흐르면서 깊은 계곡을 만들고, 하류에서는 넓은 평야 위를 흐름

2 해안 지형

서·남 해안	❸ ________ 해안	• 만이 발달하여 해안선의 드나듦이 복잡하고 섬이 많이 분포
	갯벌	• 조차가 커서 썰물 때 바닷물이 빠져나가면서 넓은 갯벌이 드러남 • 염전, 양식장, 관광지로 활용, 간척 사업을 통해 농경지, 공업 단지로 조성
동해안		• 산맥과 해안선이 평행하게 발달하여 해안선이 단조로운 편 • 조차가 작고 ❹ ________ 의 작용이 활발하여 다양한 지형이 발달

답 ❶ 동고서저 ❷ 화강암 ❸ 리아스 ❹ 파랑

1 〈보기〉를 보고 돌산과 흙산으로 구분하여 기호를 쓰시오.

보기
ㄱ. 금강산　ㄴ. 지리산　ㄷ. 설악산　ㄹ. 북한산　ㅁ. 덕유산

(가) 돌산 ____________　(나) 흙산 ____________

2 ㉠~㉢에 들어갈 용어를 쓰시오.

우리나라는 (㉠)에 높은 산지가 많아 큰 하천은 대부분 (㉠)에서 (㉡)(으)로 흐른다. 하천은 산지에서 평야로 흘러가면서 다양한 지형을 만드는데, 이 지형들이 주변의 자연경관과 어우러져 아름다운 풍경을 이룬다. 하천은 산지 사이를 흐르면서 깊은 계곡을 만들고, 경사가 급하게 변하는 곳에서는 웅장한 (㉢)을/를 만들기도 한다.

3 서해안과 관련된 특징을 〈보기〉에서 골라 기호를 쓰시오.

보기
ㄱ. 염전 분포　ㄴ. 조차가 큼　ㄷ. 드넓은 갯벌
ㄹ. 단조로운 해안선　ㅁ. 한려 해상 국립공원

답 1 (가) ㄱ, ㄷ, ㄹ (나) ㄴ, ㅁ 2 ㉠ 동쪽 ㉡ 서쪽 ㉢ 폭포 3 ㄱ, ㄴ, ㄷ

주제 우리나라의 카르스트 지형과 제주도

1 카르스트 지형

형성과 분포	• 형성: ❶ [ ] 의 주성분인 탄산 칼슘이 빗물과 지하수에 의해 녹으면서 형성 • 분포: 강원도 남부와 충청북도 북동부 일대
석회동굴	• 대표적인 카르스트 지형으로 동굴 내부에 종유석, 석순, 석주 등이 발달 • 단양의 고수동굴, 삼척의 환선굴, 울진의 성류굴 등

2 화산섬, 제주도

세계 자연 유산	한라산, 성산 일출봉, 거문오름 용암동굴계
한라산	• 전체적으로 경사가 완만하여 방패 모양을 이루나 정상 부분은 급경사를 이룸 • ❷ [ ]: 화구호
오름	• 한라산의 산록부에 360여 개 분포 • 주화산의 산록의 틈을 따라 용암이나 가스가 분출하여 형성된 소규모 화산
현무암	지표수를 구하기 어려워 벼농사가 어려움 → 밭농사 중심의 토지 이용
❸ [ ]	용암이 식는 과정에서 형성된 다각형 모양의 절리
❹ [ ]	• 용암이 지표면을 덮고 흐를 때 냉각 속도의 차이에 의해 형성된 동굴 • 만장굴, 협재굴, 김녕굴 등

답 ❶ 석회암 ❷ 백록담 ❸ 주상절리 ❹ 용암동굴

1 〈보기〉를 보고 각 지형에 알맞게 구분하여 기호를 쓰시오.

보기
ㄱ. 오름 ㄴ. 석순 ㄷ. 석주 ㄹ. 종유석 ㅁ. 주상절리 ㅂ. 용암동굴

(가) 카르스트 지형 ____________ (나) 제주도의 화산 지형 ____________

2 다음에서 설명하는 화산 지형을 〈보기〉에서 골라 기호를 쓰시오.

보기
ㄱ. 오름 ㄴ. 주상절리 ㄷ. 용암동굴 ㄹ. 성산 일출봉

① 한라산의 사면에서 분출하여 형성된 측화산
② 용암이 흘러내리면서 식는 과정에서 규칙적인 균열이 생겨 형성
③ 용암이 지표면을 덮고 흐를 때 표면이 먼저 굳고 안쪽으로 용암이 흘러내려 형성

답 1 (가) ㄴ, ㄷ, ㄹ (나) ㄱ, ㅁ, ㅂ 2 ① ㄱ ② ㄴ ③ ㄷ

문화 지역의 의미와 구분

1 지역마다 다른 문화

문화	인간이 자연환경을 극복하고 자연과 상호 작용하는 과정에서 만들어 낸 사고방식이나 생활 양식	
문화 지역의 의미	• 같은 문화 요소를 공유하거나 유사한 문화 경관이 나타나는 공간적 범위 → ❶ ______ • 종교, 언어, 민족, 의식주 등 다양한 문화 요소를 기준으로 구분 • 문화 지역은 고정된 것이 아니라 구분 기준에 따라 달라질 수 있음	
문화 지역의 구분	❷ ______와 문화 지역	일반적으로 하나의 민족은 같은 언어를 사용하기 때문에 민족을 구분하는 기준이 되기도 함
	종교와 문화 지역	• ❸ ______ 문화 지역: 높고 뾰족한 십자가를 세운 성당이나 교회 • 불교 문화 지역: 사찰, 불상, 탑 등 • 이슬람교 문화 지역: 둥근 지붕과 뾰족한 탑으로 이루어진 모스크, 돼지고기 금기 등 • 힌두교 문화 지역: 소를 숭배하여 소고기를 먹지 않음

답 ❶ 문화권 ❷ 언어 ❸ 크리스트교

1 다음 종교에 해당하는 것을 〈보기〉에서 골라 기호를 쓰시오.

보기
ㄱ. 성당이나 교회
ㄴ. 사찰과 불상
ㄷ. 모스크와 돼지고기 금기
ㄹ. 소를 숭배하여 소고기를 먹지 않음

① 불교 ______
② 힌두교 ______
③ 이슬람교 ______
④ 크리스트교 ______

2 ㉠~㉢에 들어갈 용어를 쓰시오.

인간이 자연환경을 극복하고 (㉠)와/과 상호 작용하는 과정에서 만들어 낸 사고방식이나 생활 양식을 (㉡)(이)라고 한다. (㉡)은/는 종교 경관, 언어 경관, 건축 경관 등 눈으로 볼 수 있는 형태로 나타나기도 하는데, 이를 (㉢)(이)라고 한다. 이러한 (㉢)을/를 통해 우리는 그 지역의 문화를 이해할 수 있고, 지역 간 문화의 차이도 파악할 수 있다.

답 1 ① ㄴ ② ㄹ ③ ㄷ ④ ㄱ 2 ㉠ 자연 ㉡ 문화 ㉢ 문화 경관

세계의 다양한 문화 지역

1 지역별로 문화 차이가 발생하는 이유

자연환경에 따른 문화의 지역 차	의식주 문화	• 의복: 추운 곳에서는 몸을 감싸는 털옷, 더운 곳에서는 통풍이 잘되는 옷 • 음식: 환경에 따라 구할 수 있는 재료가 달라 조리 방식과 먹는 방법이 다양 • 가옥: 주변에서 쉽게 구할 수 있는 재료를 이용, 기후 환경을 극복하는 형태
	농업 방식	• ❶ ______ 이 풍부한 지역: 주로 벼농사(동남아시아) • 강수량이 부족한 지역: 유목(서남아시아, 극지방)
경제·사회적 환경에 따른 문화의 지역 차	산업 발달, 소득 수준에 따른 차이	• 경제 발전 수준이 높을수록 인공적인 경관, 현대적인 생활 모습 • 인터넷과 교통수단 등이 발달하면서 문화가 서로 교류
	종교, 언어, 관습 등에 따른 차이	• 이슬람교: 돼지고기와 술을 먹지 않고 ❷ ______ 만 먹음, 여성들은 부르카나 히잡 착용 • 힌두교: 소를 신성시하여 소고기를 먹지 않고, 여성들은 사리를 입음

2 세계의 다양한 문화 지역

북극 문화 지역	순록 유목, 추운 기후에 적응한 생활 양식
유럽 문화 지역	❸ ______ 문화 발달, 일찍 산업화
동아시아 문화 지역	유교, 불교, ❹ ______, 젓가락 문화 등의 공통점
건조 문화 지역	주로 유목 생활, 대부분 이슬람교 신봉, 아랍어 사용
인도 문화 지역	불교와 ❺ ______ 의 발상지, 다양한 종교와 언어
아프리카 문화 지역	유럽의 식민 지배, 부족 중심의 생활
❻ ______ 문화 지역	주로 벼농사, 인도와 중국의 영향
오세아니아 문화 지역	유럽인이 개척한 지역, 원주민 문화의 전통
앵글로아메리카 문화 지역	산업 발달, ❼ ______ 구성이 매우 다양
라틴 아메리카 문화 지역	인디오, 백인, 흑인 혼혈족으로 구성, 독특한 문화 형성, 라틴계 백인의 영향

답 ❶ 강수량 ❷ 할랄 식품 ❸ 크리스트교 ❹ 한자 ❺ 힌두교 ❻ 동남아시아 ❼ 인종

1 〈보기〉를 보고 문화 차이가 발생하는 원인을 구분하여 기호를 쓰시오.

보기
ㄱ. 종교, 언어　　ㄴ. 농업 방식　　ㄷ. 의식주 문화　　ㄹ. 산업 발달, 소득 수준

(가) 자연환경에 따른 문화의 지역 차　　(나) 경제·사회적 환경에 따른 문화의 지역 차

답 1 (가) ㄴ, ㄷ (나) ㄱ, ㄹ

세계화와 문화 변용

1 문화 변용

구분		내용
문화 접촉		서로 다른 문화적 배경을 지닌 개인이나 집단이 문화적인 면에서 지속해서 접촉하는 것
문화 ❶ ______		문화 접촉이 반복적으로 이루어지고 시간이 흐르면 한 사회의 문화 요소가 다른 사회로 전해져 정착하게 되는 것
문화 전파에 따른 문화 변용	문화 공존	서로 다른 두 문화가 함께 존재함
	문화 ❷ ______	하나의 문화는 남고, 다른 문화는 사라짐
	문화 융합	두 문화가 만나 새로운 문화가 만들어짐

2 세계화가 문화에 미친 영향

구분	내용
문화의 ❸ ______	교통과 통신의 발달로 지역 간 상호 작용이 활발해짐
문화의 다양화	세계화에 따라 지역 간 문화 교류가 늘어나면서 문화가 다양해짐 → 삶이 더욱 풍요로워짐
문화의 획일화	세계화에 따라 강력한 영향력을 가진 외래문화가 유입되면서 전통문화가 사라짐
문화적 갈등 발생	지역 간 문화적 차이로 갈등이 나타나기도 하며, 청소년 문화의 급격한 서구화로 세대 간 문화 격차가 커지기도 함
서구 문화로의 ❹ ______	지역의 전통문화가 소멸하기도 하고 문화적 다양성이나 정체성이 훼손하기도 함
지역 문화의 창조적 발전	전통문화에 새로운 문화를 더하여 지역 문화를 창조적으로 발전시키기 위한 시도

답 ❶ 전파 ❷ 동화 ❸ 세계화 ❹ 획일화

1 문화 변용의 사례를 아래 〈보기〉에서 골라 기호를 쓰시오.

보기

ㄱ. 우리나라의 온돌이 서양에서 들어온 침대와 결합하여 돌침대가 만들어짐

ㄴ. 과거 우리나라 글의 세로쓰기 방식은 가로쓰기 방식이 들어와 확산하면서 사라짐

ㄷ. 불교, 유교, 크리스트교는 서로 다른 시기에 우리나라로 들어왔지만 모두 우리 문화의 일부를 이룸

(가) 문화 공존 ______ (나) 문화 동화 ______ (다) 문화 융합 ______

2 자료의 설명에 해당하는 용어를 쓰시오.

> 세계화에 따라 강력한 영향력을 가진 외래문화가 유입되면 전통문화가 사라지면서 나타난다.

답 1 (가) ㄷ (나) ㄴ (다) ㄱ 2 문화의 획일화

1 서로 다른 문화의 공존

문화의 공존		오늘날 세계의 각 지역에는 서로 다른 문화를 가진 사람들이 공존하는 곳이 늘고 있음
사례 지역	❶ ( )	독일어, 프랑스어, 이탈리아어, 레토로망스어를 공용어로 사용
	싱가포르, 말레이시아	서로 다른 민족, 언어, 종교가 공존하는 대표적인 국가
	❷ ( )	아메리카 원주민, 유럽계 백인, 아프리카계 흑인이 함께 문화를 가꾸어 온 나라
	남아프리카 공화국	❸ ( )가 집권하면서 인종 차별 철폐를 추진

답 ❶ 스위스 ❷ 브라질 ❸ 넬슨 만델라

1 빈칸에 들어갈 국가를 쓰시오.

> (　　　)은/는 북서부 유럽, 남부 유럽, 동부 유럽에 둘러싸인 나라로, 이질적인 집단으로 구성되어 있다. (　　　)은/는 여러 민족, 언어, 종교가 뒤섞여 종교와 언어 갈등이 존재하였으나, (　　　) 정부가 균형적이고 다양한 언어 정책을 펼치며 서로 다른 문화가 공존할 수 있도록 하였다. 예를 들어 정부의 공식 문서를 4개 언어로 작성하고 있으며, 학교에서는 주로 사용하는 언어 이외에 다른 언어를 하나 이상 의무적으로 배우도록 하고 있다.

2 다음에서 설명하는 것을 〈보기〉에서 골라 기호를 쓰시오.

> 보기
> ㄱ. 삼보　　ㄴ. 물라토　　ㄷ. 베르베르　　ㄹ. 메스티소　　ㅁ. 애버리지니

① 아메리카 원주민과 유럽계 백인 간의 혼혈 인종을 말한다.
② 유럽계 백인과 아프리카계 흑인 간의 혼혈 인종을 말한다.
③ 아메리카 원주민과 아프리카계 흑인 간의 혼혈 인종을 말한다.

3 빈칸에 해당하는 인물을 쓰시오.

> (　　　)은/는 남아프리카 공화국의 흑인 인권 운동가이다. 그는 남아프리카 공화국의 백인 정부에 대항하다가 종신형을 선고받고 27년여 동안을 감옥에서 지냈다. (　　　)은/는 흑인들의 지속적인 저항 운동 덕분에 석방되었으며, 그 이후 대화와 타협을 통해 남아프리카 공화국에 새로운 정권을 만들어 냈다. 그는 대통령이 된 후 자신의 조국을 흑인, 백인, 아시아계 등이 무지개처럼 공존하는 나라로 만들기 위해 최선을 다하였다.

답 1 스위스 2 ① ㄹ ② ㄴ ③ ㄱ 3 넬슨 만델라

문화의 갈등

1 문화적 갈등이 나타나는 지역

언어 갈등	캐나다 퀘벡주	❶ [　　] 를 사용하는 퀘벡주와 캐나다 본토와의 갈등
	벨기에	네덜란드어를 사용하는 지역과 프랑스어를 사용하는 지역 간의 갈등
종교 갈등	팔레스타인-이스라엘 분쟁	이슬람교를 믿는 ❷ [　　] 과 유대교를 믿는 이스라엘 간의 분쟁
	❸ [　　] 분쟁	카슈미르 지역을 두고 인도(힌두교)와 파키스탄(이슬람교) 간의 분쟁
	북아일랜드 분쟁	영국(개신교)과 아일랜드(가톨릭교) 간의 분쟁

2 문화의 공존을 위한 노력

문화의 ❹ [　　] 인정	다양한 삶의 방식을 지닌 개인이나 집단 간의 문화적 차이를 인정
국가적 차원의 노력	다민족 국가에서는 여러 개의 공용어를 지정하거나 종교의 자유를 법으로 보장
개인적 차원의 노력	문화 상대주의와 다문화주의의 태도를 지녀야 함

답 ❶ 프랑스어 ❷ 팔레스타인 ❸ 카슈미르 ❹ 다양성

1 다음에서 설명하는 지역을 〈보기〉에서 골라 기호를 쓰시오.

보기
ㄱ. 벨기에　ㄴ. 북아일랜드　ㄷ. 카슈미르 지역
ㄹ. 캐나다 퀘벡주　ㅁ. 팔레스타인-이스라엘

① 개신교를 믿는 영국인과 가톨릭교를 믿는 아일랜드인 간의 분쟁
② 힌두교를 믿는 인도인과 이슬람교를 믿는 파키스탄인 간의 분쟁
③ 이슬람교를 믿는 지역의 사람들과 유대교를 믿는 지역의 사람들 간의 분쟁
④ 프랑스어를 사용하고 프랑스 문화를 유지하며 살아가는 지역과 본토와의 갈등
⑤ 네덜란드어를 사용하는 북부 지역과 프랑스어를 사용하는 남부 지역 간의 갈등

2 빈칸에 해당하는 용어를 쓰시오.

다양한 민족, 언어, 종교를 지닌 국가는 문화적 차이에 따른 갈등을 해결하기 위해 여러 개의 공용어를 지정하거나, 종교의 자유를 법으로 보장하는 등의 노력을 기울이고 있다. 서로 다른 문화가 공존하기 위해서는 무엇보다 (　　　)의 관점에서 상대방의 문화, 특히 소수의 문화를 존중하는 태도와 자세를 갖는 것이 중요하다.

답 1 ① ㄴ ② ㄷ ③ ㅁ ④ ㄹ ⑤ ㄱ 2 문화 상대주의

화산 활동과 지진이 몰려있는 조산대

1 지형과 관련된 자연재해의 발생 원인: 지각을 구성하는 여러 판들이 부딪히고 밀어내면서 발생하는 에너지

알프스 · ❶ ( ) 조산대	• 유럽 남부 – 이란 – 인도 북부 – 인도네시아를 연결하는 조산대 • 세계의 지붕 '히말라야산맥'이 포함
환태평양 조산대	• 아메리카 서부 – 일본 – 필리핀 – 뉴질랜드를 연결하는 조산대 • 세계 지진과 화산 활동의 대부분이 일어나 '❷ ( )'라 불림

2 조산대에서 주로 발생하는 자연재해

화산 활동	지각의 약한 틈을 따라 ❸ ( )가 지표면 위로 분출하는 현상
지진	지구 내부에서 생긴 에너지가 지표면에 전달되어 땅이 흔들리고 갈라지는 현상
❹ ( )	• 바다 밑에서 발생한 충격(화산 활동, 지진 등)으로 형성된 거대한 파도가 육지로 밀려오는 현상 • 발생 지역: 화산 활동과 지진이 빈번한 태평양과 인도양 일대

답 ❶ 히말라야 ❷ 불의 고리 ❸ 마그마 ❹ 지진 해일

1 ㉠~㉢에 들어갈 용어를 쓰시오.

> 지형과 관련된 자연재해는 주로 판과 판이 충돌하는 (㉠)에서 발생한다. 세계의 조산대는 크게 태평양을 둘러싸는 (㉡)와/과 유럽에서 아시아로 이어지는 (㉢)이/가 있다.

2 설명에 알맞은 자연재해를 쓰시오.

① 지각의 약한 틈을 따라 마그마가 지표면 위로 분출하는 현상 ( )

② 바다 밑에서 발생한 충격으로 형성된 거대한 파도가 육지로 밀려오는 현상 ( )

③ 지구 내부에서 생긴 에너지가 지표면에 전달되어 땅이 흔들리고 갈라지는 현상 ( )

3 지진 해일이 주로 발생하는 바다를 〈보기〉에서 모두 골라 기호를 쓰시오.

> 보기
> ㄱ. 대서양 ㄴ. 태평양 ㄷ. 인도양 ㄹ. 북극해 ㅁ. 남극해

답 1 ㉠ 조산대 ㉡ 환태평양 조산대 ㉢ 알프스 · 히말라야 조산대 2 ① 화산 활동 ② 지진 해일 ③ 지진 3 ㄴ, ㄷ

기후와 관련된 자연재해

1 홍수 vs 가뭄

구분	내용
홍수	• 비가 많이 내려 강, 시내, 호수가 범람하는 현상 • 열대 저기압 또는 계절풍의 영향을 받는 지역, 큰 강의 하류 또는 저지대, 봄철 ❶ [ ] 연안 지역
가뭄	• 오랜 기간 비가 내리지 않아 땅이 메마르고 물이 부족한 현상 • 건조 기후와 그 주변 지역 예 중국 내륙, 인도 서부, 아프리카 ❷ [ ]

2 열대 저기압: 열대 지역의 해상에서 발생하여 중위도 지역에 강한 바람과 많은 비로 영향을 주는 저기압

구분	내용
사이클론	❸ [ ] 일대 예 인도, 방글라데시, 미얀마
허리케인	북아메리카 예 미국, 멕시코, 쿠바
❹ [ ]	• 북태평양 서부 예 우리나라, 중국, 일본, 필리핀 • 여름~초가을에 우리나라에 영향을 줌

답 ❶ 북극해 ❷ 사헬 지대 ❸ 인도양 ❹ 태풍

1 ㉠~㉢에 들어갈 용어를 쓰시오.

> 비가 많이 내려 강, 시내, 호수가 범람하는 현상을 (㉠)(이)라고 한다. 열대 저기압과 (㉡)의 영향을 받는 곳, 큰 강의 하류 또는 저지대에서 주로 발생하는 자연재해이다. 또한 (㉢)철 북극해 지역에서도 발생하는데 이는 겨울에 얼었던 얼음이 (㉢)철에 갑자기 녹아 유량이 많아지기 때문이다.

2 다음 빈칸에 들어갈 용어를 쓰시오.

> 아랍어로 '가장자리'라는 뜻을 지닌 ( )은/는 사하라의 사막 기후와 스텝 기후가 만나는 지역을 일컫는다. ( )은/는 현재 가뭄과 사막화가 뚜렷하게 진행되고 있다.

3 열대 저기압의 명칭과 피해 지역, 피해국을 바르게 연결하시오.

(1) 태풍 •　　• ㉠ 북아메리카 •　　• ⓐ 인도

(2) 허리케인 •　　• ㉡ 인도양 일대 •　　• ⓑ 미국

(3) 사이클론 •　　• ㉢ 북태평양 서부 •　　• ⓒ 쿠바

• ⓓ 일본

• ⓔ 미얀마

• ⓕ 필리핀

답 1 ㉠ 홍수 ㉡ 계절풍 ㉢ 봄 2 사헬 지대 3 (1)-㉢-ⓓ, ⓕ (2)-㉠-ⓑ, ⓒ (3)-㉡-ⓐ, ⓔ

자연재해의 두 얼굴, 그리고 주민들의 모습

1 자연재해로 인한 피해: 자연재해로 인한 피해는 그 국가의 재해 예방 능력에 따라 다르게 나타남

화산 활동	• 용암 · 화산재 분출로 인한 인명, 재산 피해 • ❶ (　　　) 로 인한 기온 하강과 항공기 결항 문제
❷ (　　　)	건물 · 도로 붕괴, 산사태 · 화재 발생, 지진 해일을 유발
홍수	저지대의 농경지 · 가옥 · 도로 침수, 산사태 유발
가뭄	• 각종 용수 부족 문제 발생　• 산불을 유발하고 농작물이 말라죽음
열대 저기압	• 항만, 선박, 양식장에 피해 발생　• 해일, 강풍, 폭우로 인한 인명, 재산 피해

2 자연재해의 이점들: 자연재해의 피해에도 불구하고 많은 사람들이 자연재해 발생 지역에 거주하는 이유

화산 활동	• 농업 발달(비옥한 토양 형성) • 관광업 발달(온천, 특수 지형)	• 광업 발달(구리 · 유황 등 다양한 광물 형성) • ❸ (　　　) 을 이용한 전력 생산
홍수	• 각종 용수를 공급하며 가뭄을 해소	• 토양에 영양분을 공급하여 농업 발달
열대 저기압	• 무더위를 식혀주고 가뭄을 해소	• ❹ (　　　) 을 완화

답 ❶ 화산재 ❷ 지진 ❸ 지열 ❹ 적조 현상

1 자연재해별 피해 모습을 바르게 연결하시오.

(1) 가뭄 •　　　• ㉠ 지진 해일 유발
(2) 지진 •　　　• ㉡ 유해 가스의 발생
(3) 화산 활동 •　　　• ㉢ 항만, 선박, 양식장 피해
(4) 열대 저기압 •　　　• ㉣ 각종 용수 부족 문제 발생

2 다음 사진을 보고 화산 활동이 주민들에게 주는 이점을 쓰시오.

3 ㉠과 ㉡에 들어갈 용어를 쓰시오.

> 우리나라 여름과 초가을에 영향을 주는 태풍은 늘 피해만 주는 것은 아니다. 태풍은 무더위를 식혀 주고 (㉠)을/를 해결해 주기도 한다. 또한 바닷물을 뒤섞어 (㉡)을/를 완화하는 장점도 있다.

답 1 (1) ㉣ (2) ㉠ (3) ㉡ (4) ㉢ 2 ㄱ. 관광업 발달, ㄴ. 광업 발달, ㄷ. 농업 발달, ㄹ. 전기 생산 3 ㉠ 가뭄 ㉡ 적조 현상

인간의 활동으로 심해지는 자연재해

1 도시의 홍수의 원인

❶ ( ) 감소	• 녹지 면적: 비가 내렸을 때 토양으로 일정 양의 물이 통과될 수 있는 면적 • 무분별한 도시 개발 과정에서 녹지 면적은 감소함
포장 면적 증가	• 포장 면적: 아스팔트, 콘크리트 등 토양으로 물이 통과될 수 없는 면적 • 도시화 과정에서 건물, 도로의 건설로 인해 포장 면적은 증가함

2 사막화

정의	사막 주변의 초원 지대가 사막과 같이 변하는 현상
원인	• ❷ ( )로 인한 극심한 가뭄 • 과도한 가축 방목과 농업으로 인한 삼림과 초원의 파괴
발생 지역	아프리카 ❸ ( ), 중국 내륙 지역
피해	식량 부족 문제, 기아 문제

답 ❶ 녹지 면적 ❷ 지구 온난화 ❸ 사헬 지대

1 ㉠~㉢에 들어갈 용어를 쓰시오.

> 도시화가 진행될수록 자연재해 중 (㉠)의 피해가 심해진다. 그 이유는 (㉡) 면적은 줄고, (㉢) 면적은 늘어나면서 빗물이 토양에 흡수되지 못하기 때문이다.

2 다음 중 홍수 피해가 가장 큰 경우와 가장 적은 경우의 기호를 쓰시오.

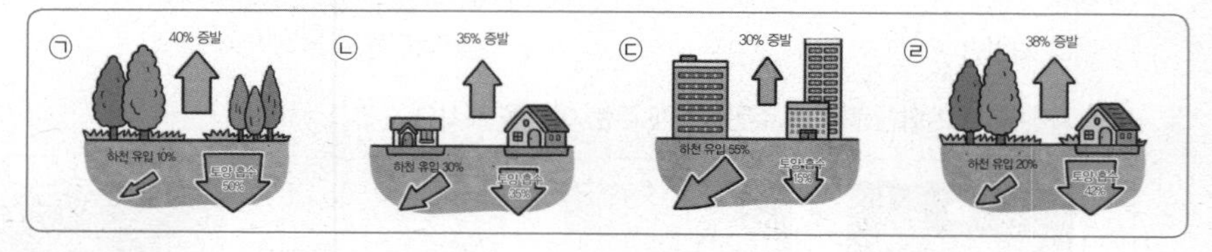

(가) 홍수 피해가 가장 큰 경우 ________ (나) 홍수 피해가 가장 적은 경우 ________

3 사막화의 원인을 〈보기〉에서 모두 골라 기호를 쓰시오.

> **보기**
> ㄱ. 지구 온난화
> ㄴ. 지각판의 활동량 증가
> ㄷ. 과도한 가축 방목과 농업
> ㄹ. 열대 이동성 저기압 발생 빈도 증가

답 1 ㉠ 홍수 ㉡ 녹지 ㉢ 포장 2 (가) ㉢ (나) ㉠ 3 ㄱ, ㄷ

주제 자연재해의 피해를 줄이기 위한 노력

1 지형과 관련된 자연재해의 피해를 줄이기 위한 노력

지진	• 건물을 지을 때 ❶ [ ] 를 의무화 • 평상시 지진 대비 훈련을 실시
지진 해일	지진 해일의 관측과 경보 전파 체계를 구축

2 기후와 관련된 자연재해의 피해를 줄이기 위한 노력

홍수	• 다목적 댐과 제방의 건설 • 홍수에 대비한 가옥 구조(수상 가옥) • ❷ [ ] 조성 → 홍수 조절, 가뭄 완화, 수질 정화, 산사태 예방 • 도시 홍수의 대책 ① 도시 내 빗물 저장 시설 ② 옥상 정원 ③ 물을 투과하는 아스팔트 설치
가뭄	• 지하수 개발 • 해수 담수화 시설 구축 • 빗물 저장 시설 구축

3 사막화로 인한 피해를 줄이기 위한 노력

지역적 측면	• 무분별한 방목 금지 • 녹지 면적 넓히기
국제적 측면	국제적 협약 체결 → ❸ [ ] (UNCCD)

답 ❶ 내진 설계 ❷ 녹색 댐 ❸ 유엔 사막화 방지 협약

1 자연재해별 피해를 줄이는 방법을 바르게 연결하시오.

(1) 지진 •　　　　• ㉠ 다목적 댐과 제방의 건설

(2) 가뭄 •　　　　• ㉡ 관측과 경보 전파 체계의 구축

(3) 홍수 •　　　　• ㉢ 지하수 개발, 빗물 저장 시설 구축

(4) 지진 해일 •　　　　• ㉣ 내진 설계 의무화, 지진 대비 훈련 실시

2 도시 홍수의 피해를 줄이는 방안을 〈보기〉에서 모두 골라 기호를 쓰시오.

보기

ㄱ. 빗물 저장 시설 구축　　ㄴ. 무분별한 방목의 금지

ㄷ. 국제적 협약 체결하기　　ㄹ. 건물 옥상에 정원 가꾸기

ㅁ. 물을 투과하는 아스팔트의 설치　　ㅂ. 아스팔트 · 콘크리트를 이용한 포장 면적 늘리기

3 다음 빈칸에 들어갈 용어를 쓰시오.

(　　　)은/는 사막화를 방지하기 위해 체결한 국제 협약이다. (　　　)은/는 사막화 현상을 겪고 있는 개발 도상국을 재정적, 기술적으로 지원하는 것을 주요 내용으로 한다.

답 1 (1) - ㉣ (2) - ㉢ (3) - ㉠ (4) - ㉡ 2 ㄱ, ㄹ, ㅁ 3 유엔 사막화 방지 협약

자원이 주로 분포하는 지역

1 에너지 자원

석유	• 현재 가장 많이 사용하는 에너지 자원 • ❶ ______ 지역(페르시아만)에 매장량의 절반가량이 집중 → 국제 이동량이 많음
석탄	석유에 비해 지역적으로 고루 분포 → 국제 이동량이 ❷ ______

2 식량 자원

쌀	• 생산: 아시아의 계절풍 기후 예 중국, 인도, 인도네시아 • 생산지에서 주로 소비됨 → 국제 이동량이 적음
밀	• 생산: 서늘하거나 비교적 건조한 지역에서도 생산됨 → 재배 면적이 넓음 • 소비지가 넓음 → 국제 이동량이 ❸ ______
옥수수	• 생산: 아메리카 대륙에서 주로 생산 • 가축의 사료와 바이오 에너지의 원료로 사용

3 물 자원

① 인간 생활에 필수적이나 대체할 수 없는 자원

② ❹ ______ 이 많은 적도 지방은 풍부하나, 강수량이 적은 사막과 그 주변 지역은 물 부족 문제가 발생함

③ 물 부족 문제의 대책: 댐과 저수지 건설, 해수 담수화 시설 구축, 지하수 개발

답 ❶ 서남아시아 ❷ 적음 ❸ 많음 ❹ 강수량

1 다음은 석탄과 석유의 생산국을 나타낸 그래프이다. ㉠ ~ ㉢에 들어갈 용어를 쓰시오.

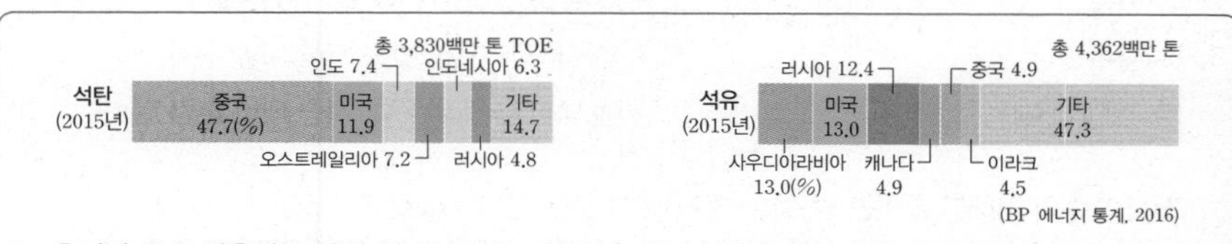

우리가 주로 사용하는 화석 연료의 경우 자원의 (㉠)이/가 뚜렷하다. 석탄의 경우 (㉡)이/가, 석유는 (㉢)와/과 (㉣)이 세계에서 가장 많이 생산한다.

2 식량 자원별 특징과 주요 생산국을 바르게 연결하시오.

(1) 쌀 •	• ㉠ 서늘, 건조한 지역에서도 재배 •	• ⓐ 미국, 브라질, 아르헨티나
(2) 밀 •	• ㉡ 아메리카 대륙에서 주로 재배 •	• ⓑ 중국, 인도, 인도네시아, 방글라데시
(3) 옥수수 •	• ㉢ 계절풍 기후에서 주로 재배 •	• ⓒ 중국, 러시아, 미국, 프랑스

답 1 ㉠ 편재성 ㉡ 중국 ㉢ 사우디아라비아 ㉣ 미국 2 (1)-㉢-ⓑ (2)-㉠-ⓒ (3)-㉡-ⓐ

1 석유 자원을 둘러싼 갈등

원인		• 석유 자원의 유한성, 편재성 • 자원 민족 주의 → 석유 수출국 기구(❶): 석유의 공급량과 가격 조정
분쟁 지역	페르시아만 · 기니만	석유 매장량이 많고 석유 수출의 길목에 위치하여 갈등이 발생
	❷	인근 5개 국가가 좀 더 많은 지역을 확보하기 위해 대립
	❸	지구 온난화로 인해 개발 가능성이 높아지자 인근 국가들이 영유권을 주장

2 물 자원을 둘러싼 갈등

원인	인구 증가와 산업의 발달에 따른 물 소비량 증가	
분쟁 지역	• 물이 부족한 사막과 주변 지역	• 여러 나라를 걸쳐 흐르는 국제 하천
	나일강	상류의 에티오피아와 하류의 수단 · 이집트의 대립
	티그리스 · 유프라테스강	상류의 터키와 하류의 시리아 · 이라크의 대립
	❹	상류의 중국과 하류의 캄보디아 · 베트남의 대립

답 ❶ OPEC ❷ 카스피해 ❸ 북극해 ❹ 메콩강

1 ㉠ ~ ㉤에 들어갈 용어를 쓰시오.

(물과 미래, 2016./한국국방연구원(KIDA), 2016.)

㉠: ( ) 강
㉡: ( ) 만
㉢: ( ) 강
㉣: ( ) 강
㉤: ( ) 해

2 다음 빈칸에 공통으로 들어갈 용어를 쓰시오.

> 세계에서 가장 큰 호수인 ( )은/는 천연가스와 석유가 풍부히 매장된 지역이다. ( )을/를 접하고 있는 러시아, 카자흐스탄, 아제르바이잔, 투르크메니스탄, 이란은 자국에 유리하게 호수를 차지하고자 대립하고 있다.

답 1 ㉠ 티그리스 · 유프라테스 ㉡ 기니 ㉢ 나일 ㉣ 메콩 ㉤ 북극 2 카스피해

자원의 축복을 받은 국가

1 미국 · 캐나다 · 오스트레일리아: 풍부한 자원과 함께 뛰어난 기술력을 바탕으로 세계적인 선진국으로 성장

미국	석유, 철광석, 구리
캐나다	• 우라늄, 철광석 • 최근 석유의 대체품으로 주목받는 ❶ (　　　) 도 풍부함
오스트레일리아	석탄, 철광석, 우라늄, 알루미늄

2 사우디아라비아 · 쿠웨이트 · 아랍 에미리트 등 서남아시아 국가들

① 석유가 풍부하게 매장된 지역 → 석유 수출을 통해 막대한 이익이 발생

② 개발 전: 유목, ❷ (　　　) 농업을 통한 전통 부족 생활

③ 개발 후: 석유 수출을 통해 얻은 수입으로 사회 간접 시설을 확충

3 기타

❸ (　　　)	석유, 천연가스 수출을 통해 복지 정책에 투자
보츠와나	풍부한 ❹ (　　　)와 정치적 안정을 통해 아프리카 내 부국으로 성장

답 ❶ 셰일 오일 ❷ 오아시스 ❸ 노르웨이 ❹ 다이아몬드

1 주요 매장 자원과 매장 국가를 바르게 연결하시오.

(1) 캐나다 • 　　　　　• ㉠ 석유

(2) 보츠와나 • 　　　　　• ㉡ 셰일 오일

(3) 사우디아라비아 • 　　　　　• ㉢ 다이아몬드

2 ㉠ ~ ㉢에 들어갈 용어를 쓰시오.

> 석유가 풍부한 (㉠)아시아는 석유 개발 이후 사회 모습이 크게 변화하였다. 특히 (㉡)와/과 오아시스 농업에 의존하던 과거와 달리 석유 개발 후 사회 간접 자본을 확충였다. 또한 작은 어촌이었던 (㉢)은/는 이를 바탕으로 세계적인 중계무역지로 성장하게 되었다.

3 석유 수출로 인해 막대한 이익을 얻은 국가를 〈보기〉에서 모두 골라 기호를 쓰시오.

보기

ㄱ. 일본	ㄴ. 베트남	ㄷ. 노르웨이
ㄹ. 보츠와나	ㅁ. 아랍 에미리트	ㅂ. 사우디아라비아

답 1 (1) ㉡ (2) ㉢ (3) ㉠ 2 ㉠ 서남 ㉡ 유목 ㉢ 두바이 3 ㄷ, ㅁ, ㅂ

1 자원 개발이 가져오는 부정적 측면

① 무리한 자원 개발에 따른 환경 오염
② 자원을 둘러싼 갈등 · 전쟁
③ 계층 간 ❶ ________ 발생
④ 산업의 불균형 발전
⑤ 자원 고갈 이후 경제 침체

2 자원 개발에 어려움을 겪는 국가들: 자원 개발에 필요한 자본 · 기술 수준이 낮음, 정치 상황이 불안정

나이지리아	• 주요 자원: 석유, 천연가스 • 문제점: 자원 개발에 따른 빈부 격차, 내전 발생, 환경 오염 문제
❷ ________	• 주요 자원: 콜탄, 다이아몬드, 코발트 • 문제점: 내전 발생, 열대 우림 파괴
시에라리온	• 주요 자원: ❸ ________ • 문제점: 다이아몬드 광산 확보를 위한 내전 발생, 아동 노동 착취 문제

답 ❶ 빈부 격차 ❷ 콩고 민주 공화국 ❸ 다이아몬드

1 주요 매장 자원과 매장 국가를 바르게 연결하시오.

(1) 나이지리아 • • ㉠ 콜탄
(2) 시에라리온 • • ㉡ 석유
(3) 콩고 민주 공화국 • • ㉢ 다이아몬드

[2~3] 다음은 각각 2016년과 2017년 특정 자원의 생산량을 나타낸 그래프이다.

(가)

총 1,805 메트릭 t
브라질 6.1(%)
중국 6.1
콩고 민주 공화국 42.1
르완다 24.4
나이지리아 8.5
기타 12.8
(미국내무부-지질조사국, 2017)

(나)

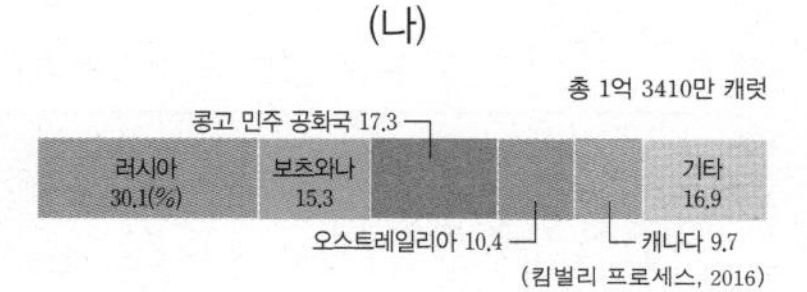

(킴벌리 프로세스, 2016)

2 (가)와 (나)에 들어갈 자원의 명칭을 쓰시오.

(가) ________________ (나) ________________

3 (가), (나) 자원이 주로 활용되는 방법을 〈보기〉에서 골라 기호를 쓰시오.

보기
ㄱ. 전력 생산
ㄴ. 귀금속 · 보석용
ㄷ. 첨단 기기의 핵심 원료
ㄹ. 화석 연료의 대체 에너지 자원

(가) ________________ (나) ________________

답 1 (1) – ㉡ (2) – ㉢ (3) – ㉠ 2 (가) 콜탄 (나) 다이아몬드 3 (가) ㄷ (나) ㄴ

지속 가능한 자원의 종류와 활용

1 지속 가능한 자원의 종류

❶	수소 에너지, 연료 전지, 석탄 액화
재생 에너지	태양광, 태양열, 풍력, 지열, 조력, 수력, 바이오 에너지

2 신·재생 에너지의 입지 조건

수력	유량이 풍부하고 낙차가 큰 지역
풍력	산지와 해안 지역처럼 강한 바람이 지속해서 부는 지역
태양광	사막과 같이 ❷ 이 많은 지역
지열	❸ 이 활발한 지역
조력	조석 간만의 차가 큰 해안 지역

3 신·재생 에너지의 문제점

수력	댐 건설로 인한 수몰 지구 발생, 하천 생태계 파괴
풍력	소음 및 전자파로 인한 피해 발생
태양광	태양 전지판의 강한 열과 빛으로 인한 피해 발생
조력	방조제 부근 해안 생태계 파괴, 높은 발전소 설치 비용
❹	옥수수, 콩 등 곡물 가격 상승, 토양 및 수질 오염

답 ❶ 신에너지 ❷ 일사량 ❸ 화산 활동 ❹ 바이오 에너지

1 신에너지와 재생 에너지에 해당하는 것을 〈보기〉에서 모두 골라 기호를 쓰시오.

보기
ㄱ. 수력 ㄴ. 지열 ㄷ. 조력 ㄹ. 풍력 ㅁ. 태양열 ㅂ. 태양광
ㅅ. 연료 전지 ㅇ. 석탄 액화 ㅈ. 수소 에너지 ㅊ. 바이오 에너지

(가) 신에너지 ________ (나) 재생 에너지 ________

2 다음 입지 조건에 해당하는 에너지 자원을 쓰시오.

① 화산 활동이 활발한 지역
② 유량이 풍부하고 낙차가 큰 지역
③ 조석 간만의 차가 큰 해안 지역
④ 사막과 같이 일사량이 많은 지역
⑤ 강한 바람이 지속해서 부는 지역

답 1 (가) ㅅ, ㅇ, ㅈ (나) ㄱ, ㄴ, ㄷ, ㄹ, ㅁ, ㅂ, ㅊ 2 ① 지열 ② 수력 ③ 조력 ④ 태양광 ⑤ 풍력